朱镕基讲话实录

第 一 卷

人 民 出 版 社

1991 年 2 月 6 日，朱镕基陪同邓小平考察上海大众汽车有限公司。

1998 年 3 月 6 日，九届全国人大一次会议第二次全体会议在北京人民大会堂举行。图为江泽民和朱镕基在主席台上交谈。

（新华社记者王新庆摄）

邓小平和 1992 年 10 月 19 日在中共十四届一中全会上当选为中央政治局常委的江泽民、李鹏、乔石、李瑞环、朱镕基、刘华清、胡锦涛合影。

1994 年 3 月，朱镕基在八届全国人大二次会议小组会上发言。　（新华社记者刘建生摄）

编辑说明

《朱镕基讲话实录》选入的是朱镕基同志担任国务院副总理（1991年4月至1998年3月）、国务院总理（1998年3月至2003年3月）期间的重要讲话、谈话、文章、信件、批语等348篇，照片272幅，批语、书信及题词影印件30件。

《朱镕基讲话实录》分为四卷，其中，前两卷为朱镕基同志担任副总理期间的文稿，后两卷为他担任总理期间的文稿。各卷文稿均按时间顺序编排：第一卷为1991年5月至1994年7月，第二卷为1994年8月至1997年12月，第三卷为1998年3月至2000年6月，第四卷为2000年7月至2003年2月。

编入本书的文稿，均根据音像资料、文字记录稿和手迹编辑而成，绝大部分是第一次公开发表。有些曾经公开发表过的文稿，编入本书时为突出重点或避免重复，作了删节。有些过去曾经公开发表过的书面讲话稿，此次未编入本书，编入的是当时即席讲话的录音整理稿，其内容是对书面讲话稿的重点阐释和补充。编者对正文中涉及的部分人物、事件和专有名词等，作了简要注释。对专有名词在每卷首次出现时作注释，再次出现时只注明首次注释的页码。对担任党和国家领导职务的同志不再注释。本书文稿的多数标题为编者所加。

朱镕基同志逐篇审定了编入本书的全部文稿。

中央领导同志对本书提出了宝贵意见。中央有关部门和有关省、自治区、直辖市负责同志对本书的编辑工作提出了指导意见。中央有关部门，有关省、自治区、直辖市及有关单位提供了部分资料和照片。人民出版社对本书出版给予了大力协助。在此，一并表示谢忱。

参加本书编辑工作的有：李炳军、廉勇、张长义、谢明干、林兆木、鲁静、侯春同志。马东升、李立君同志参与了有关资料的收集整理等工作。

本书编辑组

2011 年 5 月 25 日

目 录

关于质量管理和技术监督工作*

（1991 年 5 月 15 日）

国家技术监督局成立三年来，做了大量的工作，取得了很大的成绩。我在国家经委工作期间，主管过国家标准局、国家计量局、国家经委质量局的工作。这三个单位就是现在国家技术监督局的前身。当时提出三年内要制定 1.2 万项国家标准，现在已制定了近 1.7 万项。当时提出的推广国际标准和国外先进标准的任务，现在也超额完成了。产品质量的认证，生产许可证的发放，计量器具的检定，企业的计量定级、升级等工作，也都取得了很大的成绩。

最近，国务院领导同志重新明确了分工，李鹏同志让我协助分管工交各部，包括国家技术监督局的工作。所谓“协助分管”，就是协助总理工作。所以，我想先对工交各个部门，一个一个地登门拜访，听取意见。昨天下午我到了国家技术监督局，与局党组的同志们进行了交谈，对我有很大的帮助。我希望也得到工交各部的部长和党组同志们的帮助与支持。我离开北京三年了，很多情况已不熟悉，得有一个熟悉的过程，熟悉工作就需要下去调查研究。

关于质量管理和技术监督工作，刚才宋健同志的报告已作了全面阐述。我想再强调几点，概括起来是三句话：

---

* 1991 年 5 月 15 日至 18 日，国家技术监督局在北京召开第二次全国技术监督工作会议。出席会议的有各省、自治区、直辖市技术监督部门负责同志。这是朱镕基同志在会议开幕时的讲话。

第一句话：对当前产品质量的状况不要估计过高。我感到，经过两年的治理整顿，经济形势已经好转。但是，应该看到，目前国民经济还存在着一些不可忽视的问题：第一，生产增长速度较快，但效益在下降，特别是全民所有制企业的效益下降；第二，尽管现在物资库存有减少的趋势，但产品库存还在继续增加；第三，国营企业的亏损面还在扩大。搞活国营大中型企业，特别是提高国营大中型企业的经济效益，是当前一个非常重要的问题。所以，国务院提出今年作为“质量、品种、效益年”，是非常正确的。第一就是质量。目前从总的情况看，不能估计过高，有些企业的问题还相当严重。

我讲讲上海的情况。我在上海，经市委和市政府同意，提出了“质量是上海的生命”这样一个口号。这个口号是在一个大中型企业厂长的会议上提出来的。当时做记录的同志把它改为“质量是产品的生命”，后来又有一些同志把它修改为“质量是企业的生命”。没有一位同志敢把我这句话原封不动地讲出来。他们认为如果“质量是上海的生命”，那么，政治是什么？后来，我多次解释过这个问题。我说，同志们，我现在是讲经济工作，我没有讲政治工作。“政治工作是一切经济工作的生命线”，这句话我时刻记在脑子里，没有忘记；现在我是谈经济。为什么要提“质量是上海的生命”呢？因为质量问题对上海来讲确实已经是一个生死攸关的问题。大家都知道，上海一无能源、二无原材料，没有资源啊！上海所需要的能源、原材料都要从各地长距离运来，上海劳动力的成本也很高，这样生产出来的产品就没有竞争力。如果我们的产品没有高质量，没有好性能和多品种，那么很快就会从国内市场上被挤出去。实际上，现在上海产品在国内市场的占有率正不断下降。同时，出口产品如果质量不高，也进不了国际市场。最近，我访问了西欧六个国家，一是注意他们的住宅建设，另一个是注意他们的市场。他们市场上的商品确实丰富。我们的产品虽然也很丰富，但品种和质量不如他们。在他们的市场上，很难找到中国的产品。意大利生产的产品很多，特别是在消费品方面，丝绸、服装、家具、皮革制品几乎都是意大利制造的，占领了西欧很大一部分市场。家电产品大部分是日本生产的，像德国这样高度工业化的国家，市场上销售的家电、照相机等，也基本上是日本制造的。所以，产品质量不高就进不了国际市场。上海的经济效益、财政收入，多年来处于滑坡的状态，这样搞下去，上海是没有前途的。因此，我才提出上面那个口号，使大家真正有一种危机感。我并不认为这个口号适用于全国各个省区市，你们可以根据自己的实际情况来提出自己的口号。

但是，这个口号从 1988 年提出来，抓了三年，并不理想。我讲两件事：第一件，去年第四季度进行了全国产品质量抽查，上海的产品质量合格率只有 76%，低于全国的平均水平。这个抽查结果，给我敲了警钟。抓了三年的产品质量，喊了三年“质量是上海的生命”，抽查的结果还是低于全国的平均水平。我们决定还是要在报上发表，而且要发表评论。当然，抽查本身就带有一定的偶然性，被抽查的那几个企业生产的也不是上海的拳头产品。抽查结果在报上公布后，震动很大。当时，李先念同志在上海专门找了我，问我上海的产品质量怎么可能低于全国的平均水平呢？是不是公布错了？我老实回答说，没有错，是我们决定在报上登出来，以警醒上海企业的。这说明，质量管理工作和技术监督工作一点儿也不能放松。第二件，就是“桑塔纳”轿车。“桑塔纳”轿车的国产化是我在国家经委的时候开始抓的。当时，姚依林同志、宋平同志让我去抓这件事情，我专门到上海去开了一个会。1987 年，制订了“桑塔纳”轿车国产化的计划，要求狠抓国产化的质量。我一再强调，国产化不能搞“瓜菜代”，质量一定不能低于进口的产品。当时确实也制定了很多措施。但是，近一年来，我不断接到各种反映，说“桑塔纳”轿车的质量下降了，引起我很大的警惕。上海市委、市政府下了决心，抽调几十个研究所、检验站的力量，组织了一支庞大的队伍，对“桑塔纳”轿车的质量进行一次全面检查。同时，把两辆轿车从上海开到厦门，再开回上海，进行破坏性试验。检查的结论是：从总体上讲，“桑塔纳”的质量并没有下降，它至今还是德国大众公司在海外企业所生产的汽车中质量最好的；但是，其中确实有一部分零件的质量不符合标准。“桑塔纳”轿车的国产化还没有全部完成，只达到 60%，另外还有 40%要进口。进口的零部件质量也不都是好的。在不合格的零部件里面，外地生产的不合格率比上海本地生产的高一点。因为那时“桑塔纳”轿车的生产批量太小，外地企业为上海协作生产“桑塔纳”的零部件效益不高，甚至要赔钱，所以积极性不高。此外还有一些客观原因，“桑塔纳”的零部件协作生产点有 160 多个，质量管理就很难保证。上述两个例子说明，质量管理工作是非常艰巨的，就是对名牌产品，现在也不要过于乐观。

第二句话：质量管理和技术监督工作非常重要。当前我们实行的是计划经济和市场调节相结合的、具有中国特色的社会主义经济模式。但是，说实在话，现在的市场还很不发达，很多产品还是卖方市场。当然，目前有一些家电产品形成了一定的买方市场，但是，大量产品还是供不应求，还是“皇帝的女儿不愁嫁”。“萝卜快了不洗泥”，这种毛病一直是存在的。这样，消费者的利益往往不能得到很好的保护，完全靠竞争、靠企业本身的机制来提高产品质量，是不大容易的。在这种情况下，技术监督工作就显得非常重要和十分必要。我记得在 1984 年的时候，经济过热，产品质量大大下降，假冒伪劣商品充斥市场，这种状况一直延续到 1985 年。当时国务院采取了一系列措施，全国人大常委会专门讨论了产品质量的问题。1985 年 7 月，邓小平同志作了一个重要的指示：“工业生产特别是出口产品的生产，

1991年2月6日，朱镕基陪同邓小平考察上海大众汽车有限公司。右一为中办副主任王瑞林，右二为邓小平女儿邓榕。

中心是提高质量，把质量摆到第一位。”〔1〕在当年9月份召开的党的全国代表会议上，他又再次强调了产品质量问题。我记得在那一年的第三季度，国家经委采取了一系列措施来扭转产品质量下降的状况，特别是第一次建立了国家监督抽查产品质量制度，这个制度一直保持下来了，而且发挥了作用。

我记得当时就提出产品质量抽查老是不合格怎么办？后来定了一条，抽查两次不合格的，厂长应该免职。厂长应该管质量啊！也有个

〔1〕见邓小平《抓住时机，推进改革》(《邓小平文选》第三卷，人民出版社1993年版，第132页)。

别厂长说，厂长是主管全面工作的，质量应该由主管生产的副厂长管。我们在上海规定，不重视产品质量的人、不管产品质量的人，不能当厂长。如果产品质量出问题，一定要免厂长的职，这一点在上海大体上还是能被接受的。质量不好，产品卖不出去，还当什么厂长？当时规定，抽查一次不合格，限期整改，停产整顿；第二次再不合格，还是同样的产品、同样的企业，厂长就要免职。当时推行这个制度确实是很难的。同志们也知道，免掉一个厂长不那么容易，我在上海免掉了几个厂长就引起轩然大波，很多人要跟我辩论。辩论以后，大家感到还是免掉好，不从严要求、不执行纪律不行。但是，两次抽查不合格就免掉一个厂长，阻力也相当大。后来就做了一些修改：抽查两次不合格“而又不认真整改者”，应该免职。这么一改，弹性就大了，此后一个厂长也没有免掉。这也不行，于是我们又重新作出规定，取消了那一句带弹性的话，恢复原来的规定，就是抽查两次不合格就免职。如果不从严要求，在目前这个情况下，要想把质量整顿好是很难的。航空航天部曾提出“五个铁”〔1〕，铁了心要把质量搞上去。我当时也提出过，产品质量检查科科长应该“六亲不认”，不然的话，质量是搞不上去的，还是要严。

另外，应该提高企业的质量检验工作与检验员的地位。大家都知道一个叫格里希〔2〕的“洋厂长”，他是一位德国退休专家，武汉柴油机厂聘他当厂长。他跟我讲：你们企业质量检验科里的人都是“老弱病残”。在我们德国的企业里，检验科的人都是非常有能力的人，他们的地位是很高的，是不能由厂长随便免掉职务的。只有这样，他们

---

〔1〕“五个铁”，指以铁的纪律、铁的手段，铁面无私，把住铁的关口，铁了心也要把质量搞上去。

〔2〕格里希，即威尔纳·格里希，联邦德国发动机制造和铁芯技术专家。1984 年至 1986 年，被武汉市政府聘任为武汉柴油机厂厂长。

才能坚持原则，不然企业怎么能提高产品质量？

第三句话：即使是产品质量上了轨道以后，技术监督工作仍然很重要。西方发达国家的产品质量应该说上了轨道了吧，他们有一个市场机制，产品质量上不去，企业就有破产的危险。但是，他们出口到我们这里的产品，照样有不合格的，并且还相当多。因为他们的产品也不是一个个地检验，也是抽查。所以，绝对不能取消技术监督工作，不能轻视技术监督工作，永远要把技术监督工作坚持下去。当然，技术监督工作不是靠国家技术监督局一个部门就能够完成的，比如打击假冒伪劣商品，就还需要有工商局、进出口商品检验局以及其他部门的配合。也只有在计委、经委、财政等综合部门的支持下，技术监督工作才能搞得下去。真正提高产品的质量也不是一个企业能解决的，企业本身如果没有技术进步，没有技术改造，没有必要的生产手段和检测手段，产品质量也提不高。同时，相关企业的配套产品质量不提高，你也生产不出合格产品。不靠全面的质量监督、全面的质量管理，产品质量是搞不好的。所以，技术监督部门应该跟有关的生产部门密切合作。对于如何理顺质量管理机构的问题，我们还可以研究。各个地方有各个地方管质量的方法，各地质量管理机构的设置也不尽相同。希望大家在会上互相交流，共同把质量管理、质量监督工作做好。

搞活国营大中型企业要强调内因为主 *

（1991 年 6 月 2 日、3 日）

一

（1991 年 6 月 2 日）

我从 1951 年到东北工业部工作，对辽宁的工业有 40 年的感情。辽宁工业当前面临着比较大的困难，困难程度也不尽相同。变压器厂、鼓风机厂、机床三厂属于比较好一点的类型，虽然也有困难，但企业的潜力很大。从 50 年代到现在，这几个厂我去过好多次。

企业困难的原因是很复杂的，既有客观原因，又有主观原因；既有外部原因，又有内部原因。不久以前，宋平同志专门就如何搞活国营大中型企业找我谈过一次话，他提出一个观点，就是现在报纸上宣传外因太厉害了。不是说不要讲外因，分析问题本来就有内因和外因，但是外因讲得太多，内因讲得太少，这样不利于国营大中型企业扭转目前的困难局面。当前国内财政赤字这么大、银行透支这么多，已经难以为继，还减什么税？让什么利？已经没有可减可让的了。扩大自主权，权给你，你能搞得好还行，你搞坏了怎么办？我们现在

---

* 1991 年 6 月 2 日至 6 日，朱镕基同志在辽宁省考察工作，先后考察了沈阳、本溪、鞍山、大连等地，并于 6 月 2 日、3 日在沈阳主持召开了搞好国营大中型企业问题座谈会。出席会议的有沈阳部分国营大中型企业的厂长、经理。这是朱镕基同志在两次座谈会上讲话的主要部分。

的经营管理，就管理的组织、管理的手段讲确实有进步，但生产秩序、劳动纪律还不如50年代、60年代。60年代“学大庆”、“学解放军”的时候，强调加强“三基”工作〔1〕，大练基本功，设备都擦得锃亮。现在糟践到什么样子了，混日子的情况占多大比例，大家心中都有数。管理水平在某些方面比过去降低了，松松垮垮。不去加强内部管理，不从严要求，外部条件再好也要垮下去。希望同志们从这个方面去想一想，每个工厂都有很大的潜力。潜力都挖出来也很难，但克服困难的潜力还是能挖得出来的。我后来给宋平同志补充了一点，我说我很赞成这个观点，应该特别强调内因，目前管理实在不像话了。但我觉得搞好管理有一个很重要的方面，就是工厂的领导干部要振奋精神，要抓党风，抓领导班子的作风，要讲廉政，要讲与群众同甘共苦。如果领导班子还是吃吃喝喝，好房子先分给自己，把自己的家属安排到最好的岗位，那么没有一个工人愿意跟你干。因此，抓企业管理要与抓党风、抓廉政建设、抓思想政治工作联系在一起，不然，加强内部管理还是一句空话。面对当前困难，大家很着急，这个心情我是理解的，而且我也很同情，厂长确实难当。我过去虽是搞工业的，但对工厂了解得不深。这三年到上海以后，与厂长们在一起的时间比较多，更了解到厂长的苦衷，但我还是要讲企业的问题是内因为主。企业的外部条件也必须解决，但外部问题比较复杂。这次李鹏总理让我到辽宁来，就是要把辽宁的困难了解得更清楚，就如何解决这些困难的办法，与同志们研究得更清楚，然后回去汇报。

昨天我向李鹏总理汇报了三角债的问题，李鹏总理决定以辽宁为突破口来解决这个问题，这是对辽宁的关怀。三角债问题说到底是基本建设项目欠企业的钱不还。本来规定基建项目地方要拿50%的资

---

〔1〕“三基”工作，指基层建设、基础工作和基本功。

金，技改项目地方要拿70%的资金。但是审批项目时，没钱也说有钱，项目定下来了，摊子铺开了，地方的50%或70%的配套资金又拿不出来，兑现不了，不仅拖延工期，而且出现了相互拖欠，这就是三角债。所以，上项目时要把住两条：一是市场不落实千万别上项目，二是没有钱不要上项目。这不仅指地方，也包括中央。不要以为先把项目搞上去，没钱可以向银行贷。银行的钱也是有限的，发放到一定规模就不能再发了；同时，借了钱也是要还的。资金不足，项目不能完全建成投产，效益出不来，拿什么还钱？借了钱都不还，银行怎么办？三角债的问题归根结底是乱上项目。要解决这个问题非常困难，不是几年能够解决的。基本建设资金不到位，即使对这个问题从现在起就开始解决，新账不再欠了，老账还清也不是一年两年的事。但我们总要努力去解决，要恢复和建立金融秩序、生产秩序。现在就拿辽宁做试点。我们在这里一个星期，就是想与省里各方面的负责同志研究一个原则的办法。北京正在组织一个工作班子，马上就要来辽宁，目的是从这里取得解决三角债问题的经验。不但要清理省内的欠账，而且要清理省外的欠账，为此银行要拿出几十亿元贷款，才能把欠款清掉。前边的清了，马上又会有新的欠账，但问题也会大大缓解。然后再研究怎么从根本上解决问题，要采取好多措施，包括严格金融纪律，使新账不再欠了。如果生产的产品卖不出去，还在继续生产，制造积压产品，对于这样的企业先给“黄牌警告”，下一步让它停产。我们要在全国对几百个企业首先给“黄牌警告”，准备停几百个企业，不然就没有秩序了。当然，凡是有三角债的企业都停了也不行，造成三角债的原因非常复杂。但也确有这样的企业，生产的东西一点用也没有，它还在继续生产，还不如让它停产，给它发救济、给工人发补助，不要再去浪费原材料了。

现在，全国只选辽宁一个省作为解决三角债问题的突破口，这是

1991年6月2日，朱镕基考察沈阳重型机械厂。前排右二为辽宁省省长岳岐峰，左一为沈阳重型机械厂厂长黄松涛。

对辽宁的最大支持。希望同志们在困难的情况下，与全体职工同甘共苦，把企业的内部潜力挖出来，我们的日子就好过了。

二

（1991年6月3日）

今天听到的这几个企业的情况，比昨天听到的几个企业的情况要好一些，除了纺织企业困难些以外，其他企业都还可以。辽宁是中国很重要的工业基地，为国家作出了很重要的贡献，但现在也确实遇到了困难，而且困难还相当大。目前国家也很困难，所以，大家一定要立足于现有的设备、现有的生产能力，挖潜改造，在工艺上下工夫，在管理上下工夫，降低成本，节约原材料。搞比较大的基本建设项目，一定要慎重。要考虑到今后的趋势是原材料价格不断地上涨，产品的价格始终赶不上原材料、能源、运输的涨价幅度，那么企业的利润就会不断地减少，亏损只能更多。如果不是在现有的设备上赶快开发新产品，改进工艺，降低消耗，加强管理，辽宁的问题就解决不了。靠拿钱去扩大基本建设来增加效益，肯定会落空。第一是没有那么多钱，我就是带来20亿元也不能满足大家的要求。你们的口气都不小，都有“大厂”的气派，一讲就是几个亿。国家哪有这么多钱？第二，把钱投进去以后，前3年到5年是花钱的时候，是钱往里投而不出一个钱；后边的7年到10年也是一个钱也赚不了，因为要还本付息，有什么效益？也就是说，把钱投进去后要15年才出效益，说少一点也得10年。大家一定要在现有企业上下工夫，在现有的生产能力上下工夫，靠外延、靠扩大基本建设是“此路不通”。当然，也不是说一点儿建设也不搞，不是这个意思。根据量力而行、量入为出的原则，搞一点基本建设也是必要的，那是补缺口。搞了原材料，后边没有后加工，这就是需要搞的。搞了后加工，前边没有原材料，也要搞吧？这就是要有选择地搞。全部依靠外延扩大再生产来提高效益，那个效益是要落空的，或者说10年到15年是拿不回钱来的。这还是说你们已经看准了的项目，要是没看准的项目，那就更糟糕了。没看准的事情，项目上去以后一投产，市场没有了，产品也没人要了，这种事情还少吗？同志们，我再说一次：国家要帮助大家解决困难，但厂长、企业家们要把眼光放在内因上，要看到主观因素。我觉得刚才宋保纲[1]同志讲得比较好，他们厂有困难，但也有主观原

〔1〕宋保纲，当时任沈阳第二毛纺织厂厂长。

因。他个人承担了责任，承担责任也不是说空话，而是分析了几条自己决策上的失误。这种精神应该提倡。如果把一切困难都推给国家，这种人不够资格当厂长。厂长还是比较清楚自己企业前途的，得有点信心。这个信心就不是一句空话了，能够看到自己的不足，立足于现实，努力去克服困难，就比较扎实。昨天，有的厂长就不那么扎实，他说："你把钱给我，我保证上去。"把几个亿都交给你，我能相信你的保证吗？国家能相信吗？大家都要对国家负责。希望大家能够注意这个问题。要在内因上去做文章。真正的企业家要眼睛向内，苦练内功，加强管理，挖掘潜力，不要老想着国家给拨款。你们将来都要成为真正的企业家。自己加上个"家"字，容易但不值钱，要真正在管理上下工夫。我现在还担任清华大学经济管理学院的院长，昨天那些厂长中有三位是我的学生。要学习一下管理学，这个不是资本主义，而是资本主义的管理方法，我们拿来还是非常有用的。市场，在外国是一门非常重要的学问，不学这个东西会吃很大的亏。

调整企业组织结构*

（1991 年 6 月 18 日）

我们这次到东北三省来，主要是调查研究搞活国营大中型企业的问题。目前，全国的国营大中型企业都遇到了困难，东北三省的国营大中型企业尤其困难。这是由许多深层原因所决定的。就黑龙江省的工作来看，我们感到省委、省政府的工作做得很好。特别是农业基础问题解决得比较好，是全国提供商品粮最多的省份。当然也面临着一些困难，主要是国营大中型企业的困难。困难的原因来自两方面：一方面是宏观的问题，有计划安排的问题，也有很多政策原因造成的问题。比如三角债，不是一个省所能解决的问题，我们一定要帮助企业缓解这些困难，让企业有个较好的环境。另一方面是企业内部管理问题，包括产品结构、产品质量等问题，这方面要下很大工夫来解决。

企业要提高经济效益，主要应从内部下工夫。宣传部门要充分宣传企业挖掘内部潜力的先进典型，如果过多地强调宏观影响，对调动企业的积极性没什么好处。在这方面，因调查时间很短，还提不出更多的好主意，主要想到以下几点：

---

* 1991 年 6 月 9 日至 18 日，朱镕基同志先后在辽宁、吉林、黑龙江省考察工作。这是朱镕基同志在黑龙江省考察期间，与省委、省政府负责同志座谈时讲话的主要部分。

一、要下工夫抓生产、抓质量、抓品种、抓效益

现在全国大约有40%的国营大中型企业亏损，辽宁预算内工业企业的亏损面是60.5%，吉林是48.5%，黑龙江是52%。企业的固定资产净值只剩下一半或一半多一点。有的企业连折旧都不提，还发奖金吃老本，这样的企业很难活下去。现在企业的产品转换能力相当薄弱。国营大中型企业不出效益，地方经济很难发展。乡镇企业发展很快，活跃了农村经济，贡献很大，但它交不了多少税。外资企业"免二减三"〔1〕，也交不了多少税。我们引进技术是让它对国民经济发挥积极作用，如果把国内能生产的产品也引进来，让它挤占国内市场，对我们有什么好处？搞基本建设必须很慎重，短期内难以见到效益。至于看不准的项目，一上马就意味着亏损。

抓生产，现在一个很大问题是货不对路、质量不行、品种单调。百货公司东西很多，但销售量增长不快。光靠上级帮助找新产品不行，还要靠企业自己。企业要真正形成自主经营、自我改造、自我约束、自我发展的机制，真正从市场需求去思考问题，研究开发新产品，想办法出质量、出品种、出花色、出效益。上级部门要想办法减轻企业负担，不要乱摊派、乱涨价，这样做才是明智的。要看到一线企业已经不堪忍受了！要让企业积蓄能力搞技术改造，搞"小改小革"，真正把质量、品种搞上去。以前，国家经委是一年一度召开技改衔接会，让财政部门、银行也参加。项目一旦定下来，资金全部

〔1〕"免二减三"，是一种税收优惠政策，指生产性外商投资企业，经营期限在十年以上的，从获利年度起，第一年、第二年免征所得税，第三年至第五年减半征收所得税；外商投资企业实际经营年限不满十年的，应当补缴已免征、减征的企业所得税。

到位。这种技改衔接会很有必要，可以避免重复建设。而现在不是这样了。

二、要在调整企业组织结构上做文章

黑龙江的工业结构是重工过重、轻工过轻。这个结构怎么改过来？靠基本建设调整结构，时间长、花费大；要通过改革和开放的办法来解决，不能一说调整工业结构，就要建多少工厂，最有效的捷径是在调整企业组织结构上做文章。比如亚麻工业，我赞成在各方利益分配合理、互相信任的基础上组织亚麻集团。这是调整结构很重要的方面。如果你们再去搞自行车、缝纫机，怎么也搞不过人家。亚麻是黑龙江的优势，别人怎么也搞不过你们。亚麻产品在国际市场上很有前途，哈尔滨亚麻厂有2.7万锭，其他地市有9万锭，应当组织起来，

1991年6月5日，朱镕基考察鞍山钢铁集团公司。左二为辽宁省省长岳岐峰。

打入国际市场。一两个行业兴起来，就可以把黑龙江的经济搞活。要搞贸、工、农一体化，可以进一步发展为资产一体化、管理一条龙，哪个省份也竞争不过你们。亚麻可以打开国内、国际两个市场，值得支持。还要搞好企业兼并。根据我在上海的经验，企业兼并是最容易成功的。搞集团都想当总经理，谁也不服谁；企业兼并是穷富互帮，各有所求，双方自愿。吉林化学工业公司把一个军工厂兼并了，很快就转亏为盈。有些企业之所以上不去，是领导班子有问题。领导班子工作漂浮，牢骚满腹，靠它去克服困难是不可能的，这样的领导班子就要调整。

调整企业组织结构，还要逐步解决“全民”怀抱“集体”的问题。日本最近报道中国“东北现象”，说“东北大中型企业已经面临衰退的危机”。我看只要采取措施，不至于那么严重。不过这次到东北三省调查，我倒看到了一个真正的“东北现象”，就是“全民”里有一个“二全民”。所谓“二全民”，就是集体企业由全民企业背着、抱着。这个现象辽宁有，吉林有，黑龙江也有。辽宁最典型的是鞍钢，这个企业的职工“全民”有22.3万人，“集体”有17万人，“集体”吃“全民”很厉害，简直没法办。你们这里厂办社会（办教育、办医院、搞福利），好像比辽宁还厉害。全民企业怀抱集体企业，很不好管理，总得想个办法，通过分流、疏通，让集体企业从全民企业的母体中分离出去。当然，这不是那么容易，但现在就要起步，可以先在少数企业搞试验。这个问题不解决，全民企业的包袱就会越来越重。我在鞍钢讲：再过十年，你这个企业就要达到100万人，岂不是大笑话！

东北地区乡镇企业的基础薄弱，发展乡镇企业也有困难，希望你们搞点调查研究。现在江苏、浙江的乡镇企业，实际上不全是乡镇企业，而是国有小企业采用乡镇企业的机制，结果搞活了，技术水平也很高。东北地区照它们那样搞，技术上不行，可以考虑参照上海的做法。上海的做法就是采用乡镇企业与国营企业联营，搞产业分工、转移的办法。乡镇企业为国营企业生产零部件或协作产品，盲目性小一点，与国营大中型企业的摩擦小一点。要引导乡镇企业与国营企业挂钩，为主体厂配套，可以利用国营企业的边角废料、余渣废水。开始搞时，要有点特殊的优惠政策，让它先拱出地面，以后逐步成长。

三、要继续扩大开放

昨天看了你们的外贸洽谈会，没想到能搞这么大规模，去年成交18亿瑞士法郎。要重视发展同苏联、东欧的贸易，不仅要有西方市场，还要有苏东市场。苏联不可能总是困难，黑龙江与苏联经济结构互补，苏联又处于欧亚大陆桥的中间，发展对苏联、对东欧国家的贸易有得天独厚的条件。你们发展对苏贸易，要发展加工出口，还要发展转口贸易。沈阳的困难比大连大些。大连有转口贸易，有国内、国际两个市场，靠两个市场才能活起来。你们国营大中型企业的技术力量很强，哈尔滨飞机制造公司的办法值得考虑。他们派出24名高级工程师，与国外合资生产汽车，一年赚回1.8亿元。这种把智力当做资本合资经营的做法值得提倡。现在有些产品进口得太多了，国内的生产能力发挥不到一半，这个问题需要研究。当然，我国与美国、西欧贸易都是顺差，不进口他们的一些东西，生意做不下去，但进口额度要适当控制。最好的办法是进口设备时不要全进口，我们制造一部分，他们赚大钱，我们赚小钱，这样就能把黑龙江的机械工业搞活。

最后，还请你们研究一个问题，就是应当加快住房制度改革。住房制度改革后，职工自己出一点，父母给一点，亲友筹一点，住房是买得起的。以为社会主义社会就应当人人住公房，花钱买房就不是社会主义，这个观念应当转变。上海实行住房制度改革时开展了全体市民大讨论，通过讨论转变了观念，住房制度改革进展起来很顺利。因此，住房制度改革要加快一点，要下决心搞。

地方政府是地方煤矿的安全责任者 *

（1991 年 6 月 28 日）

同意家华〔1〕同志批示。

我很赞成简报中提出的：坚持“谁办矿、谁受益、谁负责安全”的原则，明确地方政府就是地方煤矿的安全责任者，特别要明确乡、镇长是安全第一责任者。因此，对三交河煤矿特大事故也应该查处地方政府的责任者。请李沛瑶〔2〕同志阅研。

朱镕基

6.28

---

* 1991 年 4 月 21 日，山西省临汾地区洪洞县三交河煤矿发生特大瓦斯煤尘爆炸事故，死亡 147 人。全国安全生产委员会、能源部、劳动部、全国总工会等单位组成联合检查团，对山西省地方煤矿进行了安全检查。6 月 18 日，能源部安全环保司《煤矿安全简报》第 1 期发表了《山西省地方煤矿安全大检查情况通报》。这是朱镕基同志在该简报上的批语。

〔1〕家华，即邹家华。

〔2〕李沛瑶，当时任劳动部副部长、全国安全生产委员会常务副主任。

振兴阜新首先要振奋精神*

（1991年8月1日）

关于阜新的一些困难，我们早就听说了。国务院对解决辽宁的经济问题，已经有了一系列的方针政策，并且给予了很大的帮助。今天上午，阜新市委、市政府给我们介绍了情况，我们又到矿里、市里看了看。对阜新的问题，我想讲一些个人的意见。

一、振奋精神

有的同志说，你到阜新来讲振奋精神，是不是说阜新人精神不振奋呀？但我还是要讲，阜新的党政干部特别是领导干部要振奋精神、自力更生、艰苦奋斗。为什么要讲振奋精神？这不是某一个人讲的，而是党中央、国务院的号召。我上午在阜新矿务局讲，矿务局要振奋精神，并不是无的放矢。我们一路看到居民住房的困难状况，到海州露天煤矿的居民住宅访问了几家退休工人。人家见到我们，就把我们围起来了。有的工人意见提得很尖锐，也有的工人流眼泪了，说："现在没有人管我们了。"我们看到上班的路都是泥泞的，我也可以想象到下雨的时候是个什么样子。我问了一下老百姓，他们说一下雨是

* 1991年7月28日至8月2日，朱镕基同志在辽宁省考察工作，先后考察了沈阳、阜新、鞍山等地。这是朱镕基同志在阜新考察时讲话的主要部分。

根本进不去呀。同我们一起去的海州露天矿的负责同志不敢出面，群众围住我们的时候，也不敢出来说几句话。我知道也难管，但修一修路不行啊？修一修门窗不行啊？所以，我说还是要提振奋精神、自力更生、艰苦奋斗，这话在阜新市政府的汇报里就有。我认为全篇汇报中这句是最好的，即："阜新面临的问题是相当严重的，要改变这种状态，要靠阜新人民自力更生，艰苦奋斗。"我要给你们再加上一句："尤其要靠领导干部振奋精神。"你们的精神不够振奋，别看已经写在纸上。

振奋精神要注意两个问题：第一，不要把煤炭看成是自己的包袱。阜新这个城市是城以煤兴，没有煤炭就没有阜新。阜新有光荣的传统，为国家作出了重大的贡献。这里是一个新兴的煤炭城市，比如海州露天矿，1953 年才开始投产，是 156 项国家重点建设工程之一，是花了大量投资建设的。到现在已采出了 1.5 亿吨煤，还剩下 5800 万吨。尽管整个阜新矿区可开采量在逐年减少，但还没有失去经济价值。我建议你们以后少说阜新煤炭不行了。你们的用意是好的，资源越来越少了，因此你们要发展其他的产业，这种心情我可以理解。可是你们这样一讲，把自己的队伍吓坏了。我看阜新煤起码还可以采 20 年到 30 年。倒是对煤炭行业的经营管理要很好地研究，包括体制改革、用工制度等。很多煤矿都不像阜新这个样子：包袱背得很重，下井的人越来越少，地面的人越来越多，全养着。应当从这些方面想点办法，提高经济效益。阜新市特别是矿务局要对职工加强思想教育，增强职工信心，树立矿兴我兴、矿衰我衰、爱矿如家的精神。阜新煤矿在历史上作出过重大的贡献，有光荣的历史，今后要继续为阜新振兴、为国家的经济振兴作出贡献。阜新煤炭行业有全民职工 9.2 万人、集体职工 8.8 万人，加上家属 35 万人，占了阜新总人口的一半。这一半人背着沉重的包袱，老说他们不行了，老说他们贡献小，而不是去振奋精神，去自力更生、艰苦奋斗，阜新怎么能搞得好？你不把煤矿的积极性调动起来，你的产业结构怎么转换？转换产业结构不是一件容易的事情，不是一天两天能做到的，你着急也不行啊。

第二，不要对“七五”期间的成绩估计过低。阜新在“七五”期间的成绩不小。从 1985 年到 1990 年，全市粮豆总产增长 1.34 倍，农业搞得很好，而且还有很大潜力。人均五亩地，哪儿有这么优越的条件呀！农业这个基础打好了，什么都可以发展，这个成绩不能否定。乡镇企业总收入增长近两倍，虽然基数小，但速度这么高，这说明大有前途啊！发展乡镇企业要根据现有的基础，不能急于求成，尤其不能采取国营企业的办法办乡镇企业，如果用行政命令下指标发展乡镇企业，一哄而起，将来屁股都擦不完。如果把财政收入往里投，产品却销不出去，那就要背上包袱了。因此要因地制宜，积极地引导，同时用政策来积极鼓励，不能下指标。南方发展乡镇企业已有十多年的基础，是真干出来的。你们要总结经验，研究政策，看怎么样能搞得快一些。总之，要充分肯定“七五”期间的成绩，要看到振兴的前途。

二、转变作风

请大家不要这样理解：一提转变作风，就是作风不好了。我讲的就是要你们转变作风，深入基层，发动群众，组织群众生产自救，这个要求不太高。据我所知，群众对你们分房子的意见还是很大的，对住房的状况是很不满意的。如果我们多到矿工家走一走，访贫问苦，嘘寒问暖，你自己分的房子不要最好的，恐怕情况就大不一样了。职工家的门窗坏了，给点儿材料，帮助修一修，搞点儿水泥，组织大家修修路，让人家下雨天别一脚水一脚泥的，这些事情总还是可以做的吧。我讲转变作风就是这个意思。对亏损的企业，是不是可以组织干部下去帮助分析一下亏损的原因，想点儿办法，减少积压，调整产品结构。如果能这样做工作，就可以逐步克服困难，扭转被动局面。

三、深化改革

我觉得现在要解决阜新的困难，很多方面要从改革上做文章。如果用老办法去转换产业结构，不会有好效果。我的意思是说，搞企业不能按过去那一套办法，一听说上项目，就七大姑八大姨安排一大堆人。阜新光气厂在大连时 300 多人，刚才听说搬到你们这里后现在是 1500 人。你们讲这样可以多安排一些待业的人，我看这不是个办法。你安排那么多待业青年有什么用？会把这个厂子搞垮了。我主张，现在要多搞一些集体企业、乡镇企业，给点优惠政策，让他们自己发展去，这样他们用钱就精打细算了。我想阜新还是有相当的基础，可以把煤矿退休的技术人员组织起来，让他们把待业青年带起来，根据需要发展新的产业。国营企业就不能这样，如果你搞一个大项目，一个厂子才解决几百人的就业，你这里有 16 万人待业，你解决不了哇！

再一个改革，就是住房制度改革。住房制度改革，阜新迫在眉睫。这里有一部分人的住房实在是太困难了，我们今天还没有看到最困难的。阜新要下大决心搞一个大规模的房改计划。你们完全有条件，你们这里什么都有，钢材在东北地区积压，煤炭就近，烧砖制瓦、玻璃厂自己有，搞房屋建设很有条件。建筑行业在美国是国民经济三大支柱之一，将来在中国也是个最大的支柱。阜新有煤、有电，发展建筑行业很有条件。国家、集体、个人三家一起拿钱，住房建设就发展起来了。我在上海搞房改的办法是：第一，所有职工都要交住房公积金，按工资的 5%扣。第二，提高房租。谁住的房子多，房租就要交得多，这是个制约。干部住房多一点，是过去国家政策规定的。你说把过去的政策都取消了，大家平均分配，这个恐怕会天下大乱了。这也得进行说服教育。上海准备了一年，全体市民讨论了两个月，差一点出不了台。在这个问题上，我们进行了大量的说服工作。我在电视上讲了一次话，报上一登，90%的人同意我的讲话，群众的气平下去了。干部要在住房方面起带头作用，不能搞特殊化，不要住得太多了，要关心一下群众。干部为自己的未婚子女准备住房，人家能不有气？作风不转变，房改是搞不成的，老百姓对你没有信心，也不服气。你把道理讲清楚了，工作做细了，群众会通情达理的。总之，搞一个合情合理的房改办法，让人民群众家喻户晓，不用筹很多钱。现在上海一年房改拿九个亿，今年就可以收到六个亿，明年就可以拿到九个亿甚至更多。这个大体上要占资金的三分之一，国家再拿三分之一，企业拿三分之一，这个事情就办起来了。这个事办起来以后，把建筑材料等产业带动起来了，对产业结构调整很有好处。这里有煤，但建筑材料发展不起来，你们烧的砖比外地的还贵，我怎么也不相信。你们有煤炭优势呀，就是没有认真去抓。把技术人员发动起来，把群众组织起来，就可以搞得好。

四、广开生产门路

我不大赞成“产业转换”这个口号。当然，不是让你们改，你们可以照说不误。我个人意见是，这个提法不确切。什么叫“产业转换”？意思就是煤炭产业不行了，要把它换掉。那不行！你把它换掉，换得起吗？你得发展多少产业才能把它换掉？我看还是叫“结构调整”好。新中国刚成立的时候，全国有500多万纺织锭子，上海有250万，占全国的一半；现在全国有4000多万锭子，上海剩下220万了，只占全国的5%，还得再关50万，不关50万就没有原料。但我们也不能把它叫“产业转换”，纺织产业丢掉以后，上海就没法上缴中央的财政收入了。上海的纺织工业在80年代初期一年提供给国家的利税是30亿元，敢把它“换掉”吗？只能说停掉几十万纱锭，那样它的危房也不用再改造了。但现在也不敢马上就关，如果马上就关，新的产业还没有发展起来，工人没地方去。产业转换不是个名词问题，怎么叫都可以，但是要认真研究这个问题，着急不得。不是把煤炭产业换掉，你怎么敢换？国家的经济没有煤炭不得了，而且煤炭产业还有兴旺之时。煤炭积压是暂时的，很快就会紧张的，煤炭价格还是会上去的，国家的价格政策也是逐步提高煤炭价格。当前，价格为什么不

1991年8月1日，朱镕基在辽宁省阜新市考察海州露天煤矿。前排左一为阜新矿务局局长夏福祥，右一为阜新矿务局海州矿党委书记陈泽光。

敢提得太快呢？因为下游产业的消化能力不强。如果煤价、电价涨得太快，好大一批机械企业、轻纺企业就要关门。但从长远讲，煤炭价格要不断提高，煤炭产业还是有前途的。你们说煤炭资源枯竭，现在石油资源枯竭比你们厉害得多呢。大庆油田过去注 1 吨水就可以采 1 吨油，现在注 15 吨到 20 吨水才采 1 吨油，采出来的还大部分是水，得再把油滤出来。这个麻烦得不得了，但还得开采，不开采怎么办？我们现在调整产业结构的步子要加快，但煤炭行业还是主力。今天，我提个建议：阜新的煤矿工人这么多，“打出去”行不行？到辽宁铁法承包一个矿，到陕西神木承包一个矿，基地还放在阜新，这不就可以解决就业问题了吗？上海现在有几十万建筑工人是外地的，包括铁道系统、冶金系统、各个省的建筑队伍，有几十万人在上海干活。这些工人都是很有经验的工人，比重新招工要好得多。刚开始可能有些阻力，不让阜新煤矿工人去，我认为有关部门的领导要出面协调一下。你们也别提过高的条件，只要能养活你们的人就行了。我想，广开门路就是要靠自己从各个方面广开门路，特别是发展集体企业，而不是靠国家给安排几个项目。现在的国营工业企业包括煤炭企业也都应该自己找生路，广开门路，生产自救。

做好棉花的产供销工作*

（1991 年 8 月 18 日）

第一个问题，我想讲一下为什么今年的棉花工作会议要由国务院召开。这是因为棉花的地位在我国仅次于粮食，是第一大经济作物，牵涉到好多个省区市农民的利益。到目前为止，纺织工业还是我国第一大户，是最重要的支柱产业之一，特别是出口创汇贡献大。尽管它上缴的利税逐年下降，但是仍然保持着第一大产业的位置。最近几个月，在棉花的产供销工作中出现了许多尖锐的矛盾，特别是纺织工业实现的利税，丧失了或者说转移了 200 多亿元，对国民经济的正常发展产生了很大影响。因此，经过研究，李鹏总理决定，今年的棉花工作会议由国务院召开。这次会议由国务院召开好处很多，领导重视，大家回去后工作比较好做。明年我们要检查今年在这里讲的东西究竟兑现了没有，哪个省兑现得好，哪个省不执行，该奖励的要奖励，该表扬的要表扬，该批评的要批评。这样，大家就能统一认识，齐心协力，振奋精神，把工作做好。我相信这个工作是能够做好的。

第二个问题，当前或者说最近几年，棉花产供销工作中存在的许

---

* 1991 年 8 月 16 日至 19 日，国务院在北京召开全国棉花工作会议。出席会议的有各省、自治区、直辖市和计划单列市分管负责同志，供销社主任，棉麻公司经理，农业、纺织厅（局）长；新疆生产建设兵团有关负责同志；国务院有关部门负责同志。这是朱镕基同志在听取分组讨论情况汇报后的讲话。

多问题，根本原因是供销矛盾。分析起来有这么几条：第一，对1984年棉花大丰收，估计有些过高了，因而可能放松了对棉花产供销工作的重视，影响了粮棉比价，应该做的工作没有做。第二，由于对棉花形势的估计过分乐观，在宏观上对纺织工业的发展，调控不是那么有效。因此，纺织工业来了一个盲目的重复建设，搞得太多了，一个县搞一个或者搞几个项目。这个后果现在看得很清楚了，全国搞到了4000多万锭子，其实有三分之二就足够了。这就造成我们今天的困难，产销失调了，供销也失调了。第三，这几年也确实出现了一些自然灾害，棉花减产，我们的工作也没有跟上去，因此在棉花的质量上就出现了比较严重的问题。

现在看起来，第一句话可以说，当前棉花工作中存在的许多问题是供销矛盾尖锐化的反映。第二句话应该说，现在解决这些矛盾的时机和条件已经成熟了。一个是矛盾到了非解决不可的时候了，另一个是现在解决的时机也成熟了。为什么这样讲呢？第一，今年棉花南方遭灾，但北方产区还好。特别是新疆，增产的潜力很大。估计今年的棉花产量不会比去年少很多，搞得好也可能多一点。明年的棉花进口准备增加一点，从今年的23万吨增加到30万吨。估计今年的棉花形势还是好的。第二，大家已经看清楚了，再这么盲目发展纺织工业要吃亏，已经感到非压缩纺织工业生产不可了。大家应该得出这个统一的认识，就是要抑制棉花的消费，而不是纺织品的消费。纺织品的消费市场，我们应该开拓，但是棉花的消费要抑制。生产那么多棉纱、棉布干什么？又卖不掉。刚才大家讲三角债，我了解了一下，不是三角债，而是两角债。主要是纺织企业欠供销社棉花款。为什么欠？纺织企业的产品卖不掉，没有钱，向银行贷款也贷不到，所以就只好欠着了。如果纺织品的销路好，早就把钱还给供销社了。纺织品出口是有配额的，多了还是出不去。我说时机比较成熟了，是大家看到纺织品限产势在必行了。今年计划是生产 2300 万件纱，上半年就搞了 1358 万件。7 月份更高了，一个月就超计划生产 26 万多件纱，这么搞下去怎么得了！今年生产 2700 万件纱也打不住，非减下来不行！不是说没有办法控制，有办法。就是从纺织部落实到各省区市，再落实到县，落实到基层，然后银行根据这个减少贷款，不能无限增加流动资金去搞积压产品。对收购棉花坚决不“打白条”，收购资金一定要保证。纺织品不压下来，占压那么多资金，我们就没有办法保证收购。全国纺织企业不是减产，而是限制增产，不要超产。解决两角债的办法就是压缩纺织厂积压的产品，压缩库存，限制超产。之所以说时机成熟，一是今年棉花的生产形势比较好，二是大家对于抑制棉花消费有共识，三是各级领导现在比较重视这个问题了。

第三个问题，讲讲刚才大家提出的一些问题，有些还要和大家讨论。第一，当前各地区农业部门还是要抓棉花后期管理，一定要把棉花拿到手，一定不要放松，力争超过去年的产量、收购量，超得越多越好。这一点应该说还是很有希望的。关于在一些棉花产区粮棉不争地的地方多开发一些棉田，扩种一些棉花，这个问题我建议还需要继续研究，请农业部牵个头。第二，在棉花收购工作中，当前首先要抓质量，务必请同志们不要放松。如果我们今年把质量关把好了，一切就都活了。如果还像去年那样，弄虚作假，砖瓦、石头都掺在棉花里面，就什么都乱套了，一切价格比例都完了。所以，质量问题务必抓紧。主要是领导要负责，各级领导亲自抓质量工作，然后我们加强监督。现在看起来领导不抓是不行的。今年，国家技术监督局要把抓棉花质量作为抓质量工作的重点。一定要执行统一的棉花标准，坚持这个标准，不按照这个标准就要罚，经济的、行政的处分都要。首先要抓住质量问题，然后是价格问题。总

1991 年 7 月 3 日，朱镕基在湖北省考察沙市棉纺织厂。

的来说，现在棉粮比价还是比较合理的。大家也都承认，现在的粮棉比价是能够调动农民积极性的。我到山东、湖北调查，问了农民，他们都说对这个粮棉比价可以接受，他们有种棉花的积极性。当前是要稳定政策，所有的政策都要稳定。包括包干，一定三年，已经是最后一年了，现在要改变这个，是一件很困难的事情，要再稳定一年，以后再研究。总之，棉花价格要稳定，不能够再大起大落了。但是，现在确实存在一个问题，就是地方定了一些优惠措施，说是体现在生产过程中，实际上还是加重了纺织企业的负担。我认为再不要变了，再不要加了，再不要在边界地区提高价格，把人家的棉花买来再调出，千万别干这个事情了。至于为了鼓励调出棉花，给调出省以利益补贴，我看给产区一点儿奖励，是一个办法，可以促进调拨计划的完成。但是一定要有前提：一是你的质量一定要符合合同要求。如果发生争议，由国家技术监督局来仲裁。这个奖励就要包括处罚条款，你质量不合格还要奖励，那就不行。二是计划要基本完成。如果要求全部完成计划，像山东就觉得有困难，我们又不能改变包干基数，所以，是不是定一个合情合理的数字，比方说，计划能够完成 80%，就可以给奖励了。

第四个问题，调整纺织工业和压缩库存。一个叫压库存，不能再增加库存了；另一个叫调整产品结构，进行技术改造。要狠抓这两个问题。如果今年压 46 亿元库存，可以同时编一个明年 46 亿元的技术改造计划。不改造，就开拓不了新市场；销路打不开，就没有效益。技术改造要注意三个问题：第一，这次搞纺织工业的技术改造，一定要在充分研究国内外市场需要的基础上，弄清究竟搞什么，千万不要盲目搞重复建设。第二，搞技术改造一定要发挥各地的技术优势。我们往往是公布一个产业政策，说要发展什么，各地就都发展什么，这样的产业政策等于零，在新的水平上又重复。第三，这次技术改造，一定要使技术上一个等级。如果这个技术在国内已经有了，我劝你趁早不要搞。要集中力量突破一些新的领域，把钱花在这上面，着眼于未来。因此，我赞成引进先进技术和设备，要到国外去寻求新的技术、新的设备，使纺织工业上一个台阶。我们现在有一定数量的外汇储备，对几个发达国家的贸易顺差又很大，不进口一点技术、设备，进出口贸易也进行不下去。所以，现在也是进行技术改造的一个极好时机。

第五个问题，纺织品出口还是要提高附加值。现在纺织品出口是有配额的，出口只能那么多，而“三资”企业就占了不少配额。还是要尽量想办法，提高纺织品的附加值，同样的出口数量，就能更多地创汇。这方面希望外贸部门和工业部门，推广上海工商结合、开拓国内市场的经验，否则工商矛盾很难解决。同时，这也提出了另一个问题，即工贸结合，开拓国际市场。讲了多少年，没有实现，也到了非解决不可的时候了。完全靠国内市场不行，还是要扩大出口市场。

第六个问题，就是所有这些问题的解决，都需要地方党委和政府加强领导，严格执行国务院的决定。只要领导亲自负责，党委和政府把这项工作当做重要任务来抓，这些问题都是可以协调解决的。只要国务院规定了，一定要严肃执行。我还有第二句话，有法必依，有法就要依。为了使国务院的决定能够兑现，今年我们要抓几个典型予以通报、处分。

清理三角债要抓住固定资产投资拖欠这个源头*

（1991年9月3日）

这次会议有几个特点：一是领导重视，国务院对清理三角债工作很支持，下了很大决心，拿出350亿元贷款来支持清欠工作。二是会议没有把清欠单纯当做财务结算或金融问题来对待，而是对三角债问题进行综合治理，不仅清理固定资产投资拖欠，而且也对产成品积压采用“压贷挂钩”[1]的办法进行控制，明年还要增加技改投入，包括争取每年拿出15亿美元国家结存外汇引进先进技术和逐步减免企

---

* 1991年8月31日至9月3日，国务院在北京召开全国清理三角债工作会议。出席会议的有各省、自治区、直辖市和计划单列市主管清欠工作的副省长（副主席、副市长），清欠办公室主任，主管基本建设工作的计划委员会副主任，主管技术改造工作的经济委员会副主任，人民银行、工商银行、建设银行分行主管清欠工作的副行长，国务院有关部门负责同志等。这是朱镕基同志在会上的讲话。当时企业间互相拖欠货款的情况十分严重。此前国务院有关部门所进行的清欠工作主要是清理流动资金，收效不大，甚至出现前清后欠、边清边欠、越欠越多的情况。朱镕基同志在调查研究基础上指出，三角债的主要源头是部门、地方和企业为追求产值和速度而盲目上建设项目，因而固定资产投资缺口严重，造成对生产企业设备、材料货款和施工企业工程款的大量拖欠。因此，他提出从固定资产投资拖欠这个源头入手清理三角债、顺次解开债务链的新思路。实践证明，抓住这个源头，投入1元清理了4元拖欠，收到了很好效果。

〔1〕“压贷挂钩”，是压缩产成品资金及发出商品、应收销货款资金占用，与增加技术改造包括技术开发贷款挂钩的简称。

业“两金”[1]，来增强企业还贷能力和技术改造的能力。三是虚实结合，既学习了国务院一系列政策文件，也制定了操作性很强的办法，并交流了东北地区清欠的实际经验。四是会议强调了清欠和防欠结合，防止新的拖欠。代表们感到很有收获，增强了清欠的信心。

下面，我针对大家反映的问题讲几点意见。

一、紧紧抓住固定资产投资拖欠这个源头，力争取得清欠工作的好成绩

对清理三角债问题，有很多同志还是想看看再说，并不是充满信心。我认为，不下决心，这件事解决不了。去年清理三角债工作取得了经验和成绩，但由于多年积累的深层次矛盾不是短时间可以解决的，所以出现了前清后欠、边清边欠、越欠越多的情况。从今年上半年的几个指标看，生产速度相当高，今年 1 月到 7 月份，全国预算内国营工业企业总产值比去年同期增长 10.4%，销售收入增长 15.6%，而实现利润却下降 13.1%；企业亏损面达到 36.7%，比去年同期增加 2.7 个百分点，亏损额达到 177.8 亿元，比去年同期增加 18.6%；产成品占用资金达 1332.5 亿元，库存超过正常水平 700 亿元。生产速度上升与经济效益下降的矛盾还没有解决。今年上半年，全国新开工 5 万元以上基建项目个数和总投资分别比去年同期增长近 100%和 80%，全民所有制投资规模增长 18%。生产发展速度和固定资产投资规模，很大一部分是靠拖欠生产企业来支撑的。国家、地方和企业都感到压力很大，难以承受，各地区、各部门和企业要求清理三角债的呼声十分强烈；一些全国人大代表和全国政协委员分别就清理三角

---

〔1〕“两金”，指能源、交通重点建设基金和预算调节基金。

1991年6月，朱镕基在辽宁省沈阳市主持召开清理三角债问题座谈会。

债问题提出了几十份提案、议案；很多老同志也很关心这项工作，提出许多宝贵的建议。特别是很多基层的同志纷纷来信提出建议，他们的热情使人感动。我认为，解决这个问题的时机成熟了。

国务院对解决三角债问题十分重视。5月下旬，李鹏总理把这个任务交给我。6月1日，他主持召开国务院总理办公会议，进行专题研究，提出以清理三角债作为搞活国营大中型企业、提高经济效益的突破口，要求我们在半年内有所突破。国务院清理三角债领导小组根据对去年清欠情况的分析，认为三角债前清后欠的原因主要有三个：一是固定资产投资缺口严重，造成对生产企业设备、材料货款和施工企业工程款的大量拖欠。建设工程竣工了，钱还未付，使生产企业背债，为建设单位代付利息。仅去年一年就拖欠500亿元，生产企业和施工企业一年为此付利息50亿元。二是企业亏损。企业亏损本来是应该关门的，但由于各种原因做不到，而且还要生产，贷不到款只好拖欠。去年预算内国营工业企业至少有500亿元明亏，这还不算潜亏，即虚盈实亏，造成拖欠其他单位的流动资金。三是积压产品超储700亿元，占用了流动资金，企业为了维持生产，只有拖欠。这三个源头造成的三角债合计近2000亿元。此外，商品交易秩序混乱、结算纪律松弛、信用观念淡薄，也是加剧三角债的重要原因。这三个源头和一个原因，造成了严重的三角债。

对三角债严重性的估计应该是“两点论”：一方面，这是多年来积累的深层次矛盾的体现，深层次矛盾不是短时间所能解决的，我们计划在三年内解决；但另一方面也要看到，只要措施得当，还是可以解决的。今年要清理1000亿元，这个目标是可以达到的。三个源头一起抓，风险较大。去年清欠投了500亿元，其中100多亿元用于清理基本建设项目的拖欠，有效果。从固定资产投资项目拖欠入手进行清理，清一块就少一块，不会增加新欠；而从流动资金入手进行清理，可能会造成新的积压。国务院同意从源头入手进行清理，认为清理流动资金拖欠要慎重，并决定在东北地区开展清理三角债的试点工作，作为全国清欠的第一阶段。在东北地区试点中，我们提出了“压贷挂钩”办法，以解决产品积压问题。

7、8两个月，国务院派出清欠工作组分赴东北地区和其他地区，配合试点工作的进行。根据东北地区典型调查，固定资产投资拖欠在拖欠总额中只占15%到20%，很多同志对从固定资产投资拖欠入手进行清理没有信心，认为解决不了问题。在这次会议上也有类似的反映。我们反复讲这个道理，看起来固定资产投资拖欠占拖欠总额的比例很低，但那只计算了一次债务，没有把连环清欠的叠加效果计算进去。对投资拖欠的电厂投入资金，电厂把钱还给设备制造厂，设备制造厂还给钢厂，钢厂再还给煤矿、铁路，这样叠加起来，效果就大了，投入1元可以清理3元到5元拖欠。东北地区试点还未结束，目前就已达到投入1元清理3元，即1∶3的比例。如果搞得好，看来能达到1∶4或1∶5的效果。东北地区试点证明，从固定资产投资拖欠入手进行清理，不是背新的包袱，不是扩大基本建设规模，而是清还旧债，既可行，又有效，没有风险。

这次会议上对清理流动资金拖欠的呼声很高，实际上是对从固定资产投资拖欠这个源头入手进行清理的效果还有疑虑。还有的同志提出，固定资产投资拖欠，大部分是效益不好、资金没有来源的项目，注入资金就背上了包袱。我们说，清理固定资产投资缺口造成的拖欠要分三年完成，现在要先清效益好的项目拖欠，先清大中型项目。我主张按这个次序进行清理，这在实施方案中有具体要求。对效益不好的项目，欠债也不是不还了，这类项目不在少数，如果都不还钱，生产企业就活不下去了。投资规模已经完成，建设单位不付原材料生产企业的钱、施工企业的工程款，生产企业、施工单位只好从银行贷款维持生产，等于替建设单位付利息。这是把建设资金缺口的负担转嫁给生产企业和施工企业了。这是造成大中型骨干企业困难的主要原因之一。所以，不管项目效益是好是坏，都要还钱。建设单位还不起，银行贷款给建设单位，由建设单位来付利息，不能让生产企业背，只有这样才能把金融秩序整顿过来。

注入资金清理固定资产项目拖欠，是不是扩大了信贷规模，有没有风险？我说，没有，至少从理论上讲没有扩大信贷规模。建设单位欠生产企业的钱，生产企业从银行贷款来维持生产。现在，银行把固定资产投资贷款借给建设单位，建设单位把钱还给生产企业，生产企业就可以把钱还给银行。总的看，固定资产投资贷款增加了，流动资金贷款减少了，而贷款总量并没有增加，只是信贷结构调整了。当然，这只是从理论上讲，在实际操作中必然有些滞留和流失，投入要大于收回。为了解决三角债问题，增加一些贷款也是有必要的，没有大的风险。而且在资金运转时，我们还要排一个次序，尽量不使资金流到产品积压的企业。最难办的是，借钱给一些企业，让它还债，它不借，宁可欠债不付利息。这不行！要有行政干预，就得要它借。为什么当初批项目、上项目、搞建设的劲头那么大，根本不考虑还钱呢？欠债就要还钱。

还有的省反映，由于受灾，企业效益差，地方财政减收，自筹资金困难，注入资金由政府担保，政府领导心中也没有底。我们说，要担保是因为这部分资金本来应该由地方政府、企业自筹，而你一下子又自筹不出来，只好由银行借给你，但是政府必须担保还款。搞项目时你拍胸脯，说有钱，当时可能是有一部分钱，但用了几次。搞第一个项目时说，我那里有 1 亿元；搞第二个项目时又说，我那里有 1 亿元；搞第三个项目时还说，我那里有 1 亿元。“一个女儿嫁了几次”，所以开工后就没有钱了。因此，为了恢复正常经济秩序，把旧欠还清，地方自筹确有困难的，银行贷给你，但要由地方财政担保，在下个财政年度还给银行。如果地方财政不担保、不还钱，可能明年还要大搞建设，那就真把建设规模越搞越大了。担保就是防止产生新的拖欠的措施。因为投资中自筹比例达 30%到 50%，数量相当大，如果银行不投入一部分资金，企业自筹拿不出钱，清欠就收不到预期的效果。为了支持国家重点基础工业和基础设施的建设及重点技术改造，国务院已经决定，今年由建设银行和工商银行共同发行国家投资债券 100 亿元，其中，80 亿元用于基建，20 亿元用于技改，额度已经下达到各省区市了。在债券没有发出去之前，先请银行把钱借给地方，由地方政府担保；债券一发出去，地方就把钱归还给银行。这就算自筹，这就需要担保。总之，今年还不了明年还，明年还不了后年还，不能把债烂掉了。

一些省区市表示自筹有困难，我们也体谅，所以对困难大的省区市把自筹比例适当降低，多给些银行贷款。但是，我还是希望与会同志回去后向省委、省政府汇报，把明年要搞的项目压一压，少搞点，特别是压楼堂馆所项目，把为那些项目准备的钱挪一些过来，把欠人家的钱还掉。这样，大家就都搞活了。

我们希望，经过大家的努力，今年可以清掉1000亿元，大体相当于现有三角债的三分之一，也可能还要多一些。10月份要把清理效果统计出来，以坚定大家的信心。

二、坚决而稳妥地压缩产成品库存，搞好“压贷挂钩”和流动资金清欠

大多数省区市提出，流动资金拖欠严重，要求清理流动资金拖欠的呼声很高。我要强调，对清理流动资金拖欠要十分慎重，不能采用“水多加面，面多加水”的办法，只能采取釜底抽薪的办法，把庞大的库存压下来，把库存减少的钱用于技术改造和技术开发，才会收到预期效果。因为流动资金拖欠，库存积压是重要根源。就是说，相当一部分产品不适销对路，卖不出去，企业还要维持生产，要发奖金，这样必然造成库存大量增加，占用银行贷款，贷不到款就拖欠别人。紧俏商品是没有拖欠的，如“桑塔纳”轿车就没有拖欠，“奥迪”轿车交钱还买不到。有拖欠的主要是积压滞销的商品，你借给生产企业钱还旧账，它还会再积压、欠新账。因此，对产品积压滞销的企业，要进行产品结构的调整，不能再借它流动资金生产积压产品。

进行结构调整，有一部分企业要停产搞技术改造。把积压产品占

用的资金变成技改资金投进去，把死钱变成活钱，使技术水平上一个新台阶。技改资金的投入，一部分变成设备，一部分变成工资，这两部分又会拉动消费需求，推动社会生产。现在实行“压贷挂钩”的办法，也有利于信贷结构的调整，并不扩大信贷规模，只是把流动资金贷款变成固定资产贷款，没有风险。现在，有些产品积压几年也卖不出去，最后要报销大量损耗。大家要卧薪尝胆搞结构调整，两三年后工业生产就会出现新面貌。

有人提出，“压贷挂钩”是一个好政策，但搞不好会造成新的投资膨胀。我们说，不是一点风险都没有，但我最担心的问题不是这个，而是库存压不下去，已经分到各省区市的压库指标最后不能落实。对仓库里的东西加强推销是对的，但降价推销的后果也很严重，今年推销掉了，明年的市场就受影响。事实证明，降价推销不是治本的办法。压库还是要压产、减产、停产。不这样，库存就压不下来。但压产关系到关停并转，关系到社会稳定。对这个问题就看有没有决心，如果下定决心，加上扎扎实实的思想政治工作和比较完善的配套措施，就可以既维护社会稳定，又把积压滞销产品的生产压下来，腾出流动资金搞技术改造和技术开发。这是我们面临的艰巨任务，一定要搞好。12 月份将召开全国企业技术进步工作会议，还要讨论这个问题。技术改造项目不是能随便上的，要加强宏观控制，要认真选择，尤其是大的项目、新的项目，要经过论证，避免出现盲目上马、重复建设。要通过改造，使企业的技术水平上一个新台阶。

会议上，很多同志交流了看法，认为关停并转并不可怕。现在与 1962 年的情况完全不同了，现在不是商品匮乏，而是东西太多了，要赶快掉头，停产搞技术改造和技术开发，停产搞新产品，使企业和产品都上一个新台阶。

产品积压有一个过程，我们要作历史分析。1988 年我当上海市市长，那年基建开始压缩。真正的压缩是在 1988 年下半年到 1989 年上半年，银根抽得很紧。当时，地方的同志都反映银根抽得太紧，生产搞不下去了。现在看来紧是对的，乡镇企业的重复生产压下来了，重复建设紧掉了，楼堂馆所砍掉了，治理整顿确实取得了很大成绩。但治理整顿是一个痛苦的过程，压缩基建，抽紧银根，必然导致生产一度下降。现在回过头来看，当时确实应该忍受这个过程，进行关停并转，进行结构调整，完成这个调整的任务。但是，这个过程因 1989 年春夏之交的政治风波而受到了干扰，在那种特定的情况下，如不能保证工厂稳定生产，就不能保证社会稳定，因此就松动了信贷。要看到那时松动信贷是有其历史原因的。尽管当时是在结构未调整好、市场未启动的情况下，靠银行贷款支持生产，增加了库存积压，但是，这对于促进生产迅速回升、稳定人心、稳定社会，是功不可没的。而现在我们不能再靠无限制地从银行借钱来维持生产，靠多发奖金来维持稳定。要向职工群众讲清这个道理，企业亏损还照发奖金、增加工资，继续吃“大锅饭”，是不允许的。

还有人说，对关系国计民生的生产资料，如煤炭的压产要慎重，压产容易，恢复生产难。实际上，我们并没有压煤炭。我在“质量、品种、效益年”活动第二次全国电话会议上讲了，我们尽可能不压生产资料生产，不放空其生产能力，能出口就多出口一些，能收购就多收购一些。对统配煤矿的流动资金困难，我们尽力帮助解决。对日用小商品，我们也没压。我们点名压产的都是资金占用多的产品，如纺织品、卷烟。这次烟草公司动作很快，卷烟产量要压 150 万箱，产值 30 亿元。原来预计这样做会影响财政收入 17 亿元，经过调整产品结构，影响没有那么大。国家计委也很快调整了分省计划，各地区要严格执行。要重申 1983 年国务院有关通知中的规定，对不执行国家计划盲目超产和违反物价政策降价竞销的企业，要实行经济制裁。凡是超计划生产的卷烟利税全部上缴中央财政。要动真格的，不然计划就没有严肃性。

有人说，压减积压产品200亿元，影响财政收入怎么得了！我看一点儿也不要怕，影响的是虚收。如果对积压产品生产不采取釜底抽薪的办法，积压也不减产，亏损也不关停，老投钱进去维持生产，长此下去，要么是财政补贴，要么是银行垫支，都是坐吃山空。这些企业上缴的财政收入，是用银行的钱交税，从银行口袋里转到财政口袋里，这种减收没有什么可怕的！

在今年8月28日的国务院总理办公会议上，李鹏总理指出，限制积压产品生产，已经吹风三个月了，但真正做的很少。如再不下这个决心，三角债、产品积压问题都解决不了。地方不但要支持限制积压产品生产，而且要转变观念，自觉去做。对这个问题的处理稍有不慎就会引起社会不稳定，因此既要积极坚决，又要考虑承受能力，十分慎重，但这件事情非下决心不可。如果不慎重，就会闹事。如果不去做有力的思想政治工作，不把道理跟工人群众讲清楚，特别是领导干部不跟群众同甘共苦，那是不行的。解决关停并转问题，要注意研究各项配套措施，希望各省区市的同志回去后创造一些经验。我们要看到，在以江泽民同志为核心的党中央正确领导下，现在政治稳定、社会稳定、市场繁荣。有这样的条件，只要组织落实，领导重视，思想政治工作坚强，完成这个任务是不会影响稳定的。如果什么事情都不敢做，困难只会越来越大。要下决心，广开门路，如实行厂内待业、轮流上岗、轮流放假、待业保险，发展第三产业等等。总之一句话，不能再制造积压产品了。国务院生产办生产调度局和企业局也要下去与各省区市总结这方面的经验，做到既要实现压产目标，又要保证社会稳定。现在搞关停并转，跟过去的情况不一样。现在经济实力加强了，工人奖金没少发，搞一点关停并转并不是那么可怕。经过两三年努力，企业可以翻身，只要有了盼头，人心就不会散。

再回到主题，就是要同心协力把清理三角债工作做好。这个工作，不是银行一家能做好的，但也不能把银行作用估计低了。在这次会议上，这么短的时间内，不可能搞得很清楚，即使有不该注入资金的，我们也只好承认下来。给每个省区市一个总数，请你们站在国家立场上去把好关。我曾经三次到辽宁省，对他们讲，这些项目基本上都是你们拍胸脯答应下来的，项目上去后，就没钱了，现在要中央的贷款清欠。中央可以贷一部分，但是，地方总得千方百计把自筹资金补上。现在，缺口就是地方自筹的那一部分。各地不要把钱都用在明年大搞基本建设上。今年已经搞成的基本建设的资金缺口，地方不给钱，就缺乏全局观念了，应该把这个钱先还了，既解决了本省企业的困难，也缓解了其他省份企业的困难。这件事情，拜托大家了。我们只确定注入每个省区市的资金总数，将来哪个项目注入多少，还得由你们“几堂会审”确定。大家回去要做工作，一定要实现这个目标。

有的部门提出，压缩流动资金搞技改，希望技改指标的调剂由部门掌握。昨天，我向李鹏总理汇报这个问题时，他的意见还是由地方掌握、调剂。因为库存能否压下来，主要由地方做工作；压下来的资金怎么用，要以地方为主，允许在行业和企业之间进行调剂。但要吸取过去宏观失控的教训，地方要充分尊重行业主管部门的意见，充分了解国内外市场信息。现在不少项目开始时规模搞得很小，企业为了达到规模效益，再扩大规模，造成宏观失控。我主张省区市间联合起来集资搞一些大项目，无非是投资、产品、产值、利税、劳动力等进行合理分配的问题。请国家计委、国务院生产办研究一个办法，把产值、利税分别计在有关省区市，大家都得利益。要让每一个省区市都能发挥自己的优势，都有自己的拳头项目。

有的人提出，“压贷挂钩”只与产成品资金挂钩是“鞭打快牛”。

华东等地的产成品库存低，压不下来多少，影响到挂钩的技改规模。我们研究，可以不单与产成品挂钩，也与发出商品挂钩，这样有利于调动库存少的省区市的积极性。我们主要是压产成品资金，但是不能因为压减产成品，生产企业就把积压产品转到发出商品中去，搞库存搬家，因此，发出商品占用资金不能再增加了。如果发出商品减少了，也可以搞一部分挂钩。现在工商银行与各省区市协商，初步落实压缩产成品资金 194 亿元，实行“压贷挂钩”办法。请人民银行与其他银行，如农业银行、中国银行、交通银行等，也参照工商银行的办法，商定并提出具体办法。

还有人说，国家为拖欠项目注入大量资金进行清理，但不追究形成拖欠的原因和责任，对今后防欠极为不利。我认为，不是不追究。注入资金，各级政府就要追究责任，部门也要追究责任。这次清欠，资金要注入，责任要追究，教训要吸取。这种清欠方法就是追究责任。让欠账的单位不还钱，才是真正的不追究责任。

还有人说，不能把清欠的作用提得太高，似乎拖欠问题解决了，深层次问题就解决了。我看清理三角债已经触及深层次矛盾的各个方面，因此不能把清理三角债工作的意义估计得太低。企业没有搞活，没有约束机制，上项目没有控制，大家吃“大锅饭”，项目搞坏了没有人负责，亏损了也没有责任，这都触及了深层次问题。深层次问题一点儿都不解决，三角债问题就解决不好。能解决一部分三角债，说明深层次问题已经开始受到触动了。三角债问题解决好了，对解决深层次问题是一个很大的推动。

机电部的同志说，库存中有四分之一是虚账，损耗要冲销，因此不能简单地实行“压贷挂钩”办法，否则会出问题。我说，对此不要有顾虑。清产核资、清仓查库是下一步应做的工作，我现在讲的压库主要是压产。就算库存中有一部分报废了，现在的库存大得很，也够用，实行“压贷挂钩”办法没有什么大的风险。

三、会后的几项任务

在这次会议上，各地区提出有拖欠的项目1万项，其中基建5700项、技改4300项，拖欠380亿元。我们准备注入230亿元贷款，要求自筹110亿元。这230亿元包括各环节要留点钱交产品税，已按省区市分了指标，有的还不满意。不满意不要紧，只要你的项目搞清楚了，还可以再商量。“压贷挂钩”的目标原定200亿元，现已认定194亿元，其中今年使用21亿元，其余结转到明年使用。

这次会议已经明确了任务，请同志们回去后做好以下几项工作：

（一）各地区、各部门要高度重视这一工作。政府要重视，省长、自治区主席、直辖市市长要亲自抓。首先要从组织上加强，要从计委、经委、财政、银行等部门抽调得力干部，充实清欠办公室的力量，清欠队伍要保持稳定。

（二）搞好清欠培训工作。对有关清欠人员要先进行培训，要一直培训到基层的经办行、分理处和企业，要抓紧用半个月时间进行培训。这个工作搞好了，跟上了，清欠工作就会少走弯路。9月20日，全国开始注入资金，统一行动。

（三）要紧紧抓住固定资产投资项目拖欠这个源头进行清理，毫不动摇。要按照规定的时间和这次会议的要求，认真依次进行连环清理。我们坚持哪个省区市先搞清楚就先给哪个省区市注入银行清欠贷款，搞不清楚的就暂不注入。

（四）在清欠工作中，各地区和各部门都要树立全国一盘棋的思想，识大体，顾大局，要坚决反对和克服本位主义、地方保护主义思想，克服和纠正“拖欠有理”、“拖欠有利”、“拖欠出效益”的错误思想。

清欠资金不能只进不出，一旦发现违纪现象，要给予有关的银行行长处分。要真正建立起正常的金融秩序，一定要严格扣缴滞纳金。国务院已经发了通知，人民银行已经制定了办法，自9月1日起执行，过一段时间要组织检查。该扣不扣的，是银行的责任，处分行长；是企业的责任，处分厂长、经理；是政府官员干预的，也要给予处分。不这样做，就整顿不好商品交易秩序。

我再讲一下流动资金清欠问题。今年注入的350亿元清欠资金，除注入固定资产投资项目外，还有60多亿元，原想对重点行业的流动资金进行清理，由于会上意见不一致，会后再进一步研究。但我要讲清楚，将来还不了钱，滞纳金仍然要交。对扣缴滞纳金问题，任何一家都不能逃过。如果有一家逃过，结算纪律就无法执行。一个国家，金融没有纪律，结算没有秩序，还能搞经济、搞生产吗？“杀人偿命，欠债还钱”，哪有不还钱的道理！当然，造成这种现象有历史客观原因。问题已经明确了，企业有困难，国家、地方一起帮助解决，资金要到位，解决亏损、积压问题也有办法了。现在是要整顿秩序，你把滞纳金交给人家，其他单位欠你的滞纳金也给你，由于是连环拖欠，你也吃不了什么亏。这些规定，不执行不行。不执行的，被检查出来要通报批评。由于形成拖欠的原因复杂，因此都要顾全大局，对重点企业不能因为不付货款就不发货、不给车皮，那样就“天下大乱”了。

希望大家回去以后要抓紧向省区市政府主要领导同志汇报，迅速行动。要做好思想政治工作、组织落实工作、业务培训工作，坚定信心，振奋精神，齐心协力，打好清理三角债的决定性一仗。

对西部地区经济发展的意见*

（1991 年 10 月 1 日）

吕东同志并报薄老：

如何加快西部经济的发展，确实是个“大问题”，这也是邓小平同志提出过的“共同富裕”的问题。《采访录》提出了一些好意见，值得进一步思考和研究。总的感到：第一，西部地区必须发挥自己的资源优势和科技优势，发展能源、原材料工业和知识密集产业，扬长避短，事半功倍。第二，西部地区的“结构转换”一定要考虑全国的产业结构调整。要慎重对待“发展加工增值，延伸产业链条，沟通上下游工业的循环”的问题，这条路子势必导致与沿海地区已经重复建设的加工工业趋同化，而又缺乏质量、品种的竞争力，结果是事倍功半，事与愿违。第三，重要的是加快价格改革，理顺上下游产品的比价，扭转资源产品利润率低的状况。第四，采取配套政策(产值计算、税收、利润、产品分配)，鼓励沿海加工工业与内地实行联营。方式可以多样化（西部供原料，东部搞加工；西部粗加工，东部深加工；东部深加工向西部转移)，关键是利益分配要向西部倾斜。归根结底

---

* 1991 年 8 月 24 日，新华社《国内动态清样》第 2105、2106 期发表了两篇《西部省区采访录》，反映西部地区一些干部对西部地区发展的看法和建议。薄一波同志认为“这是个大问题”，建议中国工业经济协会会长、原国家经济委员会主任吕东组织研究。吕东将薄一波的意见和该材料送朱镕基同志。这是朱镕基同志在该材料上的批语。

要有一个长短结合的规划，但规划只能定方向，辅以鼓励政策和宏观调控手段，实施还要建立在省际自愿联合的基础上。赞成薄老批示，先请工经协会组织一些专家进行研究，理出一些思路、措施，提请国务院有关决策部门采择。请酌。

朱镕基

10.1

9/10

宝东同志并报薄老：如何加快西部经济的发展，确实是个"大问题"，这也是小平同志提出过的"共同富裕"的问题。《采访录》提出了一些好意见，值得进一步思考和研究。我的感觉：第一，西部地区必须发挥自己的资源优势和科技优势，发展能源、原材料工业和知识密集型，扬长避短，事半功倍。第二，西部地区的"结构转换"一定要考虑全国的产业结构调整。要慎重对待"发展加工增值，延伸产业链条，沟通上下游工业的循环"的问题，这条路子势必导致与沿海地区已经重复建设的加工工业趋同化，而又缺乏质量、品种的竞争力，结果是事倍功半，事与愿违。第三，重要的是加快价格改革，理顺上下游产品的比价，扭转资源产品利润率低的状况。第四，采取配套政策（主要是价格、税收、利润、产品分配），鼓励沿海加工工业与内地实行联营，方式可以多样化（西部供原料，东部精加工；西部粗加工，东部深加工；东部深加工向西部转移），关键是利益分配要向西部倾斜。归根结底要有一个长短结合的规划，但规划只能定方向，辅以鼓励政策和宏观调控手段，实施还要建立在省际自愿联合的基础上。先送薄老批示，是否请经协会组织一些专家进行研究，理出一些思路、措施，提请国务院有关职能部门采择。请酌。

朱镕基
10.1.

送上薄老在《动态清样》2105期上的批示复

10/10 印件，我们正在商议如何进行研究，望请您给以批示。

吕东
一九九一年十月十日

1991年3月4日，朱镕基在上海举行的第一届中国华东进出口商品交易会上与吕东合影。

大力发展船舶工业 *

（1991 年 10 月 5 日）

听了大家的介绍，感到船舶工业近十年有了很大的发展，而且已经成为面向国际市场的产业。船舶工业这十年的发展，实际上是改革开放的产物，也是改革开放取得成功的一个显著标志。船舶出口在过去是想都不敢想的事情，现在真正出口比较好的还是船舶工业。这主要是把握了世界产业调整方向，摸准了国际船舶市场行情，并且采用国际标准，从一开始就注意引进国外主机、船板等，这条道路是正确的。现在要考虑如何来提高国产化能力。从船舶工业这十年的发展，能够总结出很多经验。

目前，我们正处于产业结构大调整的前夜。产业结构调整主要是两方面的内容：一是能源、交通和部分原材料依然是落后的，电力工业最近几年搞上去了，但是煤炭、石油还非常落后；交通有很大的发展，但是依然落后于国民经济的发展。能源、交通、原材料工业特别是矿山，需要有一个大的调整。对这个结构问题近几年注意到了，但远远没有完成调整的任务。二是加工工业的重复建设，又给我们造成了新的困难。当然，这是多年积累的问题。加工工业特别是轻纺工业和一般的机械工业，生产能力富余三分之一到二分之一。要是不调整的话，谁都活不下去，搞活国营大中型企业只能是一句空话。没有市

* 这是朱镕基同志在中国船舶工业总公司听取工作汇报后的讲话。

场，怎么搞活？产能这么大，2000万台彩电，1500万台电冰箱、洗衣机，卖给谁？这些加工工业如果不调整，不转换产业结构，效益就始终没法提高，相当大一部分企业就生存不下去。造船工业是应该更快、更大规模发展的一个产业，因为一个产业能不能发展，关键是看有没有市场，造船工业就是有市场。一是国内20年以上船龄的船舶都要更新，这个市场是很大的。二是国际市场也有一个周期，90年代应该是这个周期中比较兴旺的时期。从世界产业结构发展的方向来看，船舶工业是劳动密集、资金密集、技术密集型产业，辛苦得不得了，像钢板除锈就是非常辛苦的，西方发达国家没人干了。因此我

1989年9月21日，朱镕基在江南造船厂听取工作汇报。右二为上海市人大常委会副主任兼财经委主任陈沂，右三为中国船舶工业总公司副总经理王荣生。

们这个发展中国家造船，至少可以兴旺20年，也许就像日本那样，可以长期兴旺下去，因为我们人多。我们要估计到这个形势，认识到发展船舶工业是我们产业结构调整的一个方向。要向船舶战线的职工讲清楚产业结构调整的重要性，振奋精神，鼓舞士气，把船舶工业搞上去。我觉得，船舶工业发展要立足国内、面向世界，要打入国际市场。我们的船舶工业能够发展得这么快，就是靠引进技术、搞出口。

加快船舶工业发展，现在要狠抓三项工作：

第一，狠抓缩短造船周期。造船首先是抓船台，船台是造船的咽喉。缩短周期光喊空话不行，要一个船台一个船台地抓。只要你们认真抓，制造船台的周期缩短一半是可以办到的。缩短船台制造周期一半，你们的造船能力就提高一倍。现在不是没有市场，而是你们的效率没有发挥出来。要特别注意提高工时利用率，这要有目标，要有一套定额管理方法。

第二，狠抓提高国产化比例。抓国产化，首先是要有一定的批量，生产能力要上升到100万吨以上，要搞100万吨甚至200万吨以上的，人家才有兴趣。只有国产化搞起来，船舶工业才算壮大起来，才能够通过关停并转把更多的厂子转到你们这边来。这样，就带动了全国的产业转换，同时也大大地降低了成本。因此，要想尽一切办法，提高质量，提高国产化比例。

第三，狠抓科学技术进步。要抓好科研院所同企业的结合，要落实“科技是第一生产力”。你们培养了一支能够面向世界的科技人员队伍，这是一支了不起的队伍，是最宝贵的财富。现在要充分发挥这个队伍的作用，在这个方面要舍得花钱。要研究中国港口、航道的特点，研究中国运输的规律，以适合中国的情况，以这个取胜，在这方面外国船是做不到的。怎样充分发挥科研技术人员的积极性？这个问题很重要。现在独立的科研院所很多，但是科研与生产总结合不好，你们要想办法改革一下。是否还是搞企业集团才行？船舶总公司说是一个集团，实际上是一个部。要真正跟企业结合得很紧密，还是要探索用什么样的形式。要组织企业集团，把研究所放到企业集团里，使科研成果能够马上用于企业的生产。有了经济效益，企业才会有兴趣。希望你们探索一下这个问题，总之，要把这批技术人员培养到国际水平。

为了实现到本世纪末翻两番的目标，上面是三条主要的措施。要实现这三条，很重要的是要深化企业改革，改革企业机制。第一点，企业内部的改革首先是分配制度的改革。吃“大锅饭”是搞不下去的。缩短造船周期也好，提高国产化比例也好，都要跟分配挂起钩来。光喊口号不行，必须从企业的管理制度、从内部分配制度来改革才行。要建立责任制，工期两天缩短一天，工人就拿两天的工资，或者拿一天半的工资，这样才有人肯干。第二点，船舶总公司是不是也向所属企业放一点权？不要过分集中，该集中的集中，能够不集中的最好不要集中，管那么多事情干什么？管得了吗？我总觉得船舶总公司还是要发挥行业管理的作用，如果完全当一个经济实体，太大了。就是作为经济实体的话，也要发挥下属企业的积极性，少来一点行政干预。当前反映最大的就是搞企业升级啊、质量金牌啊、评比啊、检查啊，企业对这些最头疼。这次暂停这些活动以后，企业没有不叫好的。

除了深化改革和挖掘潜力以外，建设方面还是要下点工夫。当前一定要把大连的 20 万吨级船坞抓上去，这是一个关键。现在要赶快把它搞成，要搞就快搞。这件事还是该你们总公司来抓，我们帮你们共同抓。另外一个是浦东的船坞一定要上，因为我看准了船舶工业要发展，这犯不了什么错误，没有很大的风险，我看要下决心搞，这对浦东发展也有益。浦东开发是我们在 90 年代的开发重点，但如果没有项目进去，这岂不成了一句空话？中国造船业的中心一个是大连，一个是上海。上海港是全国最大的港口，在这里搞个大的造船厂有很多优势，又可以推动浦东开发。这个项目一定要上，不上这个项目是没有眼光的。

“正点”是民航服务质量的中心*

（1991 年 10 月 7 日）

党的十一届三中全会以来，民航的工作很有成绩，发展很快，不论客运、货运，还是运输总量，1990 年比 1985 年基本上翻了一番。但从现状看，民航的发展还落后于社会需求，今后会有一个很大的发展。可以说，这几年民航的大发展是改革开放的产物。同时，民航的发展也是我们改革开放的一个条件，没有民航的先行，改革开放很难扩大下去。所以，大家一定要看到民航进一步发展的远景。民航是改革开放的一个窗口，外国人到中国来，首先看机场怎样，各方面设施水平如何，服务水平如何。我们民航的同志，既要看到过去取得的成绩，又要看到责任的重大和发展的远大前景，更加努力地工作。那么，民航发展在哪些方面还不能适应国民经济发展和改革开放事业的需要呢？应当解决两个方面的问题：一方面是基础设施、运输力量不能适应需要；另一方面是内部经营管理水平和服务水平不高，这是主要矛盾。关于第一方面，我们要根据国家财力、物力尽量解决。我现在到处宣传要更加重视发展民航，主张增加投资，主张航空设施要达到国际水平。国家要采取一些办法来加强民航设施建设。关于第二方

* 1991 年 10 月 7 日至 8 日，全国民航服务工作会议在北京召开。出席会议的有民航各管理局、航空公司、省（区、市）局、航空分公司、机场、飞机维修工程公司、地方航空公司及民航局机关部门负责同志。这是朱镕基同志在会上讲话的主要部分。

面，即提高民航的服务质量，我认为要解决三个认识问题：

第一个认识，要有紧迫感。现在我最害怕的是你们自我感觉十分良好，这样就不可能进步。我听说，你们和铁路比，认为自己比铁路好，正点率很高。我不知道你们是怎么统计出来的，是否准确。我看不要沾沾自喜，要跟国际水平比。我们搞改革开放，民航没有达到国际水平怎么行？你们要采用国际标准。外国有些优秀企业的标准，还高于国际标准。你们的服务质量确实有改善，有些航线确实不错，但是国内外旅客的投诉还是不少。所以，你们要高标准、严要求，要有紧迫感。

第二个认识，要有责任感。应该认识到，民航的一切作为，代表着国家的形象、民族的精神。你们是一个先驱、先行、先锋，外国人首先是从我们的民航、民航人员看这个国家的素质和精神状态的。你们是中华人民共和国的代表。要用这种感情来改善你们的服务态度。一个国家的民航服务水平很低，飞机老不正点，如果连这个都抓不上去，这个国家是没有前途的。在这个问题上，我们比德国人、日本人的严格要求差得远。我们应该有民族的自尊心，中华民族是一个伟大的民族，这一点应该从民航的工作人员中体现出来，应该从民航的身上体现出社会主义制度的优越性。我们应该提到这个高度来检查我们的工作，改进我们的工作。

第三个认识，要搞内因论。从主观上找原因，不要从客观方面去原谅自己。内因是根据，外因是条件，外因要通过内因才能起作用。特别是我们的领导干部，要以具体事例分析问题存在的原因。我认为客观原因是有的，不承认这一点不是马克思主义者，但是内因呢？如果很好地从主观方面去努力，这些问题不是不能克服，不是不能改进的。我今年 4 月份访问西欧，早晨到机场后才知道飞机不能起飞。原因是飞机的油管坏了，要换，要开票、办手续，因此要晚点到下午两点半起飞，但到两点半也没准点起飞。这又为什么呢？机长跟我讲，原因是装行李的临时工不懂配载业务，把行李摆得不平衡，他带头上机才把行李摆好。我说你身先士卒，很感谢你。摆行李，是否有制度？是否应该有个人去监督？怎么能让临时工随便放？有了制度如果没有严格执行，就要从内部找原因。所以请大家研究一下，怎么改进，怎么振奋精神。思想政治工作非常重要。特别是有些乘务员觉得自己了不起，认为乘客都是拿公家的钱坐飞机的，我让你们坐飞机就不错了，还要让我微笑服务，没门儿！这几年，“人人为我，我为人人”提得太少。在上海，我一直讲这句话。我为人家服务，人家也在为我服务。你不尊重人家，难免别人不尊重你。我们是一个大家庭，要互相服务。老是摆客观原因，不讲内因论，是无法提高服务质量的。

当然，我们要想尽一切办法来改善民航的外部条件，但我认为你们主要的条件比别的部门好，你们主要的问题是改善内部经营管理和提高服务质量。外因要通过内因起作用，否则，即使把你们的基本设施搞得再好，如果你们的服务态度还是一团糟，也发挥不了作用。我非常赞成民航局领导同志提出来的奋斗目标，要把民航的服务水平提高到高于全国的平均水平。我觉得这个目标比较恰当，但这只是第一步。明年，我要提出你们应成为全国的标兵，这不是不可能。

抓正点，你们叫“正常率”，我用通俗的话讲是“正点”。正点是民航提高服务水平的中心环节。如果服务不好，乘客还可以忍受，在飞机上不过就是一两个小时。如果航班正点了，到机场后就等半个小时，加起来也就两三个小时。但如果不正点，在机场耗一天，饭也吃不上，乘客还能受得了吗？首先要把正点搞好，不正点就打乱了正常秩序，对社会效益造成的损失不知有多大，对国家名誉造成的损失不知有多大，对旅客心理造成的损失也不知有多大。不正点，其实也是没有安全感，这不是指飞机掉下来，而是不知几点飞。现在的社会是信息社会，节奏都很快，人家不能老跟你泡着。大家普遍认为飞机应当是最正点、最容易正点的，但是现在大家都说最保险的还是坐火车。所以，民航首先要抓正点。提高服务水平，特别是抓正点，是你们贯彻“质量、品种、效益年”活动的一个中心环节。我在这里讲服务质量，你们可能提出，那安全呢？安全第一嘛，人命关天嘛。但是，服务质量不好，安全根本无法保证。当前民航的主要矛盾是服务质量太差。服务质量是民航的生命。我不是乱提口号，我只是讲一个观点，这个观点究竟是否成立，大家可以商量。不从这个方面努力下工夫，民航是很难发展下去的，或者说很难适应改革开放的需要。

要解决服务质量问题，首先必须做到三点：

第一，严字当头，从严要求。江泽民同志强调，要从严治厂、从严治企业。我在上海工作时，一直讲从严。现在我们的“关系学”太多了，大家都不愿批评了，讲情面、讲关系，怕穿“小鞋”。这样下去，我们党和国家的事业是要被断送的，必须开展批评与自我批评。

上次我听民航局领导汇报工作时，毫不客气地批评了他们一通。我不是否定他们的成绩。民航局的领导干部，不管是过去的，还是现在的，这些同志素质好、党性强、很精干，文化程度也比较高，很有经验，但最大的缺点、弱点就是管理不严。当“老好人”不行，一定要严格要求。我知道，做这件事很不容易。我的脾气不好，有时在情况不明的时候批评人，得罪了一些人，我要改掉随便批评人的毛病。但如果怕得罪人，党和国家的工作就搞不好。我宁肯不当这个官，看到问题，我一定要指出来。心软的官是带不出好兵的。

第二，齐心协力抓好服务质量。特别是抓正点，正点是综合指标的体现。没有整体上综合管理水平的提高，飞机就正不了点。抓正点服务，不是搞一个专门小组就能解决问题的，只有党政一二把手直接抓，才能见成效。这个“牛鼻子”，是中心环节，抓住正点死死不放，出了问题严格处理，想办法改进。属于内部管理的问题，你们自己解决；属于外部的原因，我和民航局有关同志帮你们解决。这样，整个管理水平就上去了。希望你们领导班子一二把手集中力量来抓这件事，集中力量打歼灭战，在年底前抓出成效，使民航工作转入良性循环的轨道。

第三，转变作风。江泽民同志讲，转变领导的作风要深入基层，关心群众疾苦。没有这一点，前面讲的从严要求、齐心协力都是一句空话。自己高高在上，不关心群众疾苦，不下去听取群众意见，也不下去检查，那什么事情也办不成。我们要办实事，有什么问题解决什么问题，解决不了的把道理讲清楚。领导同志不深入基层，不跟群众同甘共苦，不全心全意为人民服务，一切全是空话。

加快技术进步，搞好国营大中型企业*

（1991年10月10日）

今天请大家来开会，主要是研究如何贯彻最近召开的中央工作会议精神，落实搞好国营大中型企业，特别是搞好企业技术进步工作。下面我讲两点意见。

第一，要加强宏观控制。

（一）停止重复建设，停止再批长线建设项目，制止资金不落实、留缺口的现象。最近，江泽民同志在中央工作会议上的讲话中强调，要把扩大再生产的重点放在技术改造上，而不能主要靠铺新摊子。当然，技术改造也有重复建设的问题。今年纺织部召开厅局长会议时，我提出，一个纺纱锭子也不能再增加了。现在至少已有4000多万锭子，可是还在批准新项目，扩大生产能力。没有棉花，又没有市场，建起来干什么？不管什么理由，谁也不能再建了。前几天，我在中国汽车工业总公司讲，要停止一切汽车项目的审批，现在摊子已经大得不得了。要明令公布，谁再批汽车项目，包括零部件，要追究责任。每家都想自成体系，自己搞一套，将来都是给自己找麻烦。空调热已经不得了，现在还在引进。国家计委及时起草了一个文件，我非常赞成，又加了两条：停止审批一切空调机项目；为了有效控制，请人民银行会签，凡是再搞空调项目的，任何银行不许贷款。我希望国家计

* 这是朱镕基同志在国务院有关部门负责同志会议上讲话的主要部分。

委、国务院生产办会同各个部门研究一下，把长线产品列出目录，明令各地区一律不准再搞。这不是与地方作对，而是帮助他们，为他们着想。批不批就看两条：一看是否赚钱，效益好不好。有些项目大家都看着好，你搞了一个，我也要搞一个，结果是一哄而上，生产多了销不掉，最后的结果是大家都没有效益。二看是否符合国家产业政策。但是，我认为光有产业政策还不够，如果没有国家统一规划，照样会重复建设。我请国家计委、国务院生产办和行业主管部门考虑："长线一个不批，短线只批一个。"短线、缺门的，只批一个项目，批量生产，实现规模效益，好消化吸收，也好实行技贸结合。如果说搞两个项目可以有竞争，也要看准了，确有市场，分期再搞，先搞一个。搞建设不能一哄而上，否则大家的日子都不好过。

（二）减少滞销产品生产，压缩长线产品库存。现在，无论如何要解决几百亿元的库存积压问题，把这些资金盘活，把死钱变成活钱。库存怎么处理？降价处理不可行。当然，季节性降价，残次产品按质降价，是可以的。在正常情况下，降价处理只能是把消费提前，冲击市场，使销售更困难。怎么办？就是减产、压产，除此以外，没有别的好办法。这次压产后，要清仓查库，弄清楚库存多少、损耗多少、内盗多少，恐怕会发现很多问题。在清理三角债过程中，我们提出了"压贷挂钩"[1]的政策，目前要先减产。根据各部门的意见，决定今年下半年减少库存200亿元，实际上是要压产200亿元。今年压200亿元，明年压200亿元，后年再压200亿元，合计600亿元压下来，库存就正常了，企业的利息负担也就减轻了，还可以增加技改资金。

〔1〕见本卷第34页注〔1〕。

第二，要增加投入，加速企业技术改造，推进产业结构调整。

光压缩生产不够，还是要上等级。要开拓新领域、新产品、新市场，技术进步非常重要。李鹏同志在中央工作会议上的讲话中指出："加快技术进步，是增强企业活力的重要手段和物质技术基础。凡是前几年技术改造抓得比较紧的，企业活力就强；没有搞技术改造，或者技术改造搞得少的，处境就比较艰难。"〔1〕这段话讲得非常正确。我回忆过去，如果不是认真地抓了技术改造，困难比现在要严重得多。技术改造在1979年到1982年那个时期叫"挖、革、改"〔2〕。当时没有多少钱，财政部每年只能拿出22亿元，又集中企业折旧的30%，进行重点安排。特别是银行搞了一个轻纺贷款，一年20亿元。一些大城市，就是靠轻纺贷款把轻纺工业搞上去的，增加了好多品种，开拓了市场。从1982年到1987年，是技术改造的一个重要时期。当时国家经委和工交各部与国家计委、财政部、人民银行、工商银行、中国银行，还有经贸部，配合得非常好，搞了一个引进技术3000项，搞了一个"三为主"项目1200项，就是以沿海项目、轻纺项目、出口项目为主，这些都起了很好的作用。还有机械工业的改造，第一批550项，第二批565项；军转民项目第一批126项，第二批170项；机械工业出口基地400项。到1986年后，我们强调对技术引进的消化、吸收，国家抓了引进技术消化吸收"十二条龙"。各省区市、各部门搞了"三百条龙"。这几千个项目中大概有10%是效益不好或失败的，另外90%都是好的。现在真正能够开拓市场、能够出口、效益比较好的，就是靠搞了这些项目的企业。如果那个时期

---

〔1〕见李鹏《关于当前经济形势和进一步搞活国营大中型企业的问题》（《十三大以来重要文献选编》下册，人民出版社1993年版，第1696—1697页）。

〔2〕"挖、革、改"，指对老企业进行挖潜，对旧工艺进行革新，对老设备进行改造。

不搞，就没有今天这个局面。这些项目都是经过当时各个行业主管部门和国家经委、国家计委、人民银行、财政部一起审查的。刚才讲的那几千项，基本上没有什么重复。现在的112条彩电生产线，与刚才讲的项目挂不上钩。112条彩电生产线当中，经过国家计委、国家经委审批的只有7条，其他都是各个省区市自己用银行贷款上的。所以，现在真正能够有效控制的宏观手段就在银行，银行用贷款来控制，不然我们说半天都是空话。调整产业结构就是要靠技术进步。搞技术改造也跟基本建设一样，如果搞重复建设，不是又在制造新的困难吗？解决重复建设问题，光靠国家产业政策还不够，要把国家产业政策具体化，根据产业政策制定统一规划。我们已经制定了一个“八五”规划，包括基本建设和技术改造。这个规划还有两个问题需要仔细研究：第一个问题，在规划中对于企业产品的更新换代、长线产业的调整转换、新兴产业的开拓发展，还没有能够具体化。也就是说，不让它生产彩电、电冰箱，那让它生产什么东西呢？这么大的富余加工能力让它怎么转换？这个问题要很好考虑。第二个问题，重点建设项目的资金不落实，资金分散，国家能够掌握的钱不多，安排不下来。因此，为了贯彻中央工作会议的精神，为了对当前的工交企业进行技术改造和结构调整，必须抓紧落实“八五”规划的重点技术改造项目，特别是前三年的技术改造项目。后两年还看不太准，先把前三年的落实。今天就是动员各个工交部门，大家团结起来，齐心协力，抓紧两个月的时间，把“八五”规划特别是前三年的规划和重点技术改造项目落实好，以达到产品更新换代、调整产业结构、开拓新兴产业、开辟新的技术领域的目的。用两个月时间搞好这个规划，要明确对各个行业支持什么、限制什么，加强宏观控制。今年12月份开会部署，全国统一行动。当然，这个规划今后还要进一步完善，但是，这第一步跨出去非常重要。为了制定或者落实这样一个规划，我

1991 年 7 月 6 日，朱镕基在湖北省襄樊市考察第二汽车制造厂。左一为湖北省省长郭树言，前排右二为第二汽车制造厂厂长陈清泰，右三为国务院生产办副主任赵维臣。

想，要处理好以下四个关系：

一是集中与分散的关系。

江泽民同志在中央工作会议上的讲话中对搞好国营大中型企业的问题讲了七条，其中第五条讲了发挥中央与地方两个积极性，实际上就是处理集中与分散的关系。我们现在要落实“八五”规划前三年的技术改造项目，也碰到一个处理集中与分散的关系问题。地方有地方的想法，他们想搞那些项目，有些是政府的想法，有些是企业的想法，两者并不是完全一致的。我们从全国的宏观角度考虑，又有另外一种想法。碰到想法不一致怎么办？不外乎有两种做法：一是国家不做统一规划、统筹安排，让地方各搞各的。这样，虽然项目都上了马，但资金有缺口，谁都不能及时地把它们建成投产，发挥效益。二是充分发挥社会主义制度的优越性，在目前摊子铺得这么大、这么散的情况下，在照顾到发挥地方的积极性和不影响企业自主权的情况下，稍稍集中一点，逐步把产业结构调整过来。我想，目前我们还是应该采取第二种做法。是不是可以这样办？就是跟过去相比，我们稍稍地把银行贷款这一部分的安排适当集中。企业技术改造资金的很大一个来源，是企业自己的折旧、自有资金和留利。这一部分不要平调，平调了效果很不好。现在折旧率很低，留利很少，只有20%到30%的企业有点留利，如果再平调出去搞全行业的发展，只会削弱企业维持自己简单再生产的能力。不要平调这部分，还是让企业去维持简单再生产，或者适当扩大一点再生产。

我们能够适当集中的就是银行贷款。今年全国技术改造总规模950亿元，预计完成时可能会超过这个数，明年计划是1100亿元。今年950亿元的技术改造总规模里面，大部分是企业自己的钱，属于银行贷款的是280亿元，其中包括新增贷款100亿元、银行收回再贷180亿元。我的意见是把收回再贷中由地方银行安排的这一部分的比例减小。比如180亿元中，只留60亿元给地方银行安排，另外120亿元与100亿元新增贷款合在一起220亿元，作为重点来安排。这样，项目就集中了。我觉得这样做既不影响地方的积极性，也不是收回银行的自主权或者影响银行的自主权，而是更好地进行宏观调控。因为这些重点项目，现在要经过“三堂会审”，不但有地方、企业、行业主管部门、咨询公司参加，还有掌握宏观调控的国家计委、国务院生产办、经贸部、财政部、人民银行、工商银行参加，对宏观形势就看得比较清楚，这些项目搞出来就会有效益，不会重复。把主要的资金集中搞这些项目，留给地方自己安排的余地比较小，盲目上马、重复建设的机会就会少一些。我看一定要实现这一条。今年即将召开全国企业技术进步工作会议，大家带回去的是经过认可的项目，80%或者 90%以上的资金都给安排好了。银行贷款都落实了，你只要有 10%左右的自筹资金就行了，你搞的项目就可以保证很快建成，发挥效益。请国务院生产办与人民银行、工商银行共同研究提出具体办法，大家来落实。这是一个大的变革，有些道理和利害关系要讲清楚，免得将来各地哇哇叫“过分集中了”。

现在有些现象奇怪得很，都说没有钱，但是提出那么多项目，上得那么猛，不知哪儿来那么多钱，还不都是银行的钱！刚才有的同志讲，债券也是个问题，债券同样是银行的贷款，发行要严格控制。名为企业发债券、企业承担风险，实际上风险在银行，最后风险还是在国家。债券原来由银行发，年利息 8.64%。现在由企业来发债券，但是要通过银行来发行，又加上一个百分之二点几的手续费，一下子变成 11.16%，不是更加重了企业的负担吗？所以，发行企业债券也要控制。现在地方有些同志不了解这个情况，以为这就是给他们增加资金了，把债券当做无偿拨款来使用。其实，将来还起债来可厉害哩。所以，这一次我们投入贷款 350 亿元清欠，一部分就是为了解决债券不落实的问题，因为只有效益相当好的企业才愿意承发债券，多数企业对每年 11.16%的利息承受不起，结果只好拿银行贷款来垫付，借新债还老债。有不少行业的同志跟我讲：“我们的资金不够，国家计委和国务院生产办分给我们的资金太少了。”我说，现在不是资金少的问题，而是怕你用不掉。我可以断定你用不掉，因为你的好多项目经不起推敲，问几个问题，你那个项目就站不住脚、上不去了。现在不是资金不够，资金没有问题，而是要认真地研究每个行业究竟应该搞什么。千万不要搞重复建设。

二是沿海与内地的关系。

现在这个矛盾很尖锐，内地、沿海地区都要上新项目，都要搞深加工，这个问题怎么办？西部地区究竟怎么发展？很值得研究。我主张：第一，还是要从深化改革和完善政策上来解决这个问题。在全国现有加工能力过剩的情况下，西部地区或内地不要走重复建设的道路，重点放在搞深加工，延伸产业链，这么搞法效益不一定好。从全局考虑，不能这样搞。随着我们经济情况逐步地好转，国营大中型企业逐步增加盈利，要不失时机地提高能源、原材料的价格，使西部各个省区觉得发展资源产业对他们有利，而不是非得搞深加工产业才能有效益。现在大家都搞加工工业，恐怕有一部分加工工业的产品要降价。第二，要鼓励沿海地区的深加工企业与内地搞联营。这种联营可以考虑内地搞粗加工，沿海地区搞深加工，得到的利润协商分配；或者是沿海地区的深加工工业向内地转移，搞联营，搞企业集团。这就要在产品和利润的合理分配、产值的分别计算、税利的上缴等方面，让内地和沿海地区都有好处，用不着再去搞重复建设了。在内地建很多加工工业，暂时没有很大好处，因为质量、品种和深加工的优势在沿海城市。还是要发挥地区优势，扬长避短，促进横向协作、联营来完成这个历史发展的过程。我们鼓励联营，并要想办法促成这种联营，搞企业集团。当然，深加工工业不能完全集中在沿海地区，每个省区市都要有达到规模经济的拳头产品。

三是科研与生产的关系。

搞技术改造不能单纯地搞一点设备更新，更不能完全依靠进口设备，必须在我们自己的技术开发、技术攻关、科研成果转化的基础上搞技术改造。

过去国家经委召开技术进步工作会议，意思就是不单纯讲技术改造，还包括技术开发和技术引进。一方面依靠自己技术的发展、开发、转移、转让；另一方面依靠对国外技术的引进、消化、吸收，在这个基础上进行企业的技术改造。但现在有个很大的问题，就是科研和生产怎么结合？科学技术是第一生产力，但如果科技与生产结合得不好，生产力就形不成。不解决两者结合的问题，科学技术就不能成为生产力。我们现在的科研体制来源于苏联模式，应用技术的科研力量都独立于企业，或者说大部分独立于企业。而在发达国家不是这个体制，他们最强的开发力量、科研力量是在企业里，在企业的研究所或者技术研究中心。他们的一个技术研究中心，有时一年的经常费用就是几亿美元甚至几十亿美元。我们企业的科研力量非常薄弱，整个科研力量大概有五分之三都分布在独立于企业之外的科研院所、大学。所以，我们的企业老是搞几十年一贯制的产品，技术老是更新不了，技术进步的步子很慢，要引进一点真正比较先进的技术很不容易。不解决这些问题，企业很难摆脱困境。

我设想，可以有几种形式来解决科研与生产相结合的问题。第一种形式是，由各个科研院所把他们的技术成果转让到企业去。但这里存在很多问题：首先，知识产权的问题没有很好地解决，转让技术不值钱。另外，科研院所的科研成果是实验室成果，最多是中间试验成果，还没有解决批量生产的工艺、设备问题，企业还不能直接应用。结果自己搞了很多所办工厂、校办工厂，虽然可以免税，得益多一些，但也是重复建设，工艺还是搞不好，工艺的优势不在这些科研机构里面。所以，还是要承认知识产权，大家合作开发、攻关，甲出技术，乙出设备，共同来解决工艺问题。国务院生产办和国家科委要制定一些政策措施，共同把这个问题解决好。第二种形式是，由重点企业提出课题，确定要解决什么技术问题、开发什么新的产品，国家给企业贷款或者拨款，由企业进行招标，各个科研院所都可以投标，再由企业择优选择科研院所进行合作，联合开发。上海这样搞了三年，很起作用，解决了很多技术难题，一些大学和科研院所也都得到了好处，在经费上得到了支持。这种方式值得提倡。第三种形式是，由企业集团建立自己的科研中心或者技术研究中心。最近，顾秀莲[1]同志跟我讲，我国农药、化学药品的配方落后于国际水平，我们必须有自己的研究中心。她要我给几亿元资金，搞一个技术研究中心。我说，你这个技术研究中心搞在什么地方？如果放在化工部，那个成果是没法应用的，也许写几篇论文就算了。再说，即使我有几亿元给你建了技术研究中心，你也养不起。这个技术研究中心要建，也只能建在企业集团。把几个农药厂组织起来成立企业集团，然后共同建立一个技术研究中心，那个时候国家可以给几亿元贷款。谁来还贷呢？化工部无法还贷，但企业集团有能力还。这样，研究的成果就可以为企业所掌握，转化为生产力，将来可以发挥更大的效果。所以要逐步把科研院所融入到企业里面去，将来企业集团组成了，厂所结合的问题也解决了。在近两个月里，希望国家科委、中国科学院、国家教委把所属的科研技术力量都动员起来，与各行业主管部门共同研究在每个行业里面开拓什么新的技术领域，科研单位有什么新的成果可以转化为生产力，共同搞一点新的项目，把企业从当前的困境中解脱出来。

四是技术引进与技术开发的关系。

这一次我们搞技术进步、技术改造的规划，一定要促进技术水平上一个新的台阶。我们过去那一轮的技术引进，确实把国际上一些一般实用技术引进得差不多了。今后要上一个新的台阶，在技术开发的基础上还要引进技术。今年 4 月份，我访问欧洲，看了飞利浦公司。他们现在搞了一种磁带，是立体声录音带，在普通的录音机上放，音色、音质跟激光唱盘的一样。对这种技术包括日本都在攻关，并且都已掌握了，就看谁先推出这个东西。他们还在搞幕后的谈判，打算几

---

〔1〕顾秀莲，当时任化学工业部部长。

家采用同一种制式，共同推出去占领市场。如果掌握了这个技术，确实可以开拓一个新的市场。总而言之，对这些耐用消费品，各个国家都在那里研究，都有新招儿。现在就是怎么能把这些技术开发出来或者引进来，这是我们的一个课题。我们的行业主管部门、企业与科研单位要联合开发或者联合引进，这样才不至于买一些重复的或者落后的技术。最近，国务院决定，今后三年每年拿出30亿美元现汇支持技术引进，其中15亿美元搞重大基建项目，15亿美元搞重点技术改造。我们希望主要是买软件，当然也可以带进来一些关键设备、仪器仪表。国家过去在这方面有一套行之有效的办法，还要继续执行。各地区、各部门要千方百计地组织用好。准备采用什么办法，还要同银行商量。初步的意见是：由银行按美元现汇汇率配给买汇贷款，最后还人民币就行了。但这个配套买汇的人民币贷款用什么利息来还，还要进一步研究。按过去“拨改贷”〔1〕的利息行不行？“拨改贷”的年利率是3.6%，再加一个手续费1.8%，总共是5.4%。希望大家提出项目，项目提出来了再来平衡。贷款不“切块”了，也不要说冶金部门分多少、化工部门分多少，谁提出的项目能提到点子上，就给谁外汇。我相信，这样用汇对于改善我们同发达国家的贸易进出口状况大有好处，对于扩大改革开放政策在国际上的影响也大有好处。在这方面，国务院机电设备进口审查办公室也要积极配合，该卡的要卡，该支持的还要支持。这样才能引进一些先进的技术，把企业的技术改造搞好。

我讲了这四个关系，总的意见就是希望在这一次比较大的结构调整工作中，能够充分运用宏观调控手段，把项目搞得适当集中一点，效果更好一点，把技术进步工作做得更好。宏观调控的手段主要是三

〔1〕“拨改贷”，是国家预算内基本建设投资由财政拨款改为银行贷款的简称。

条：第一条，政策鼓励。制定一些鼓励政策，使企业自觉地服从宏观调控。第二条，资金支持。集中一些贷款，统筹安排，项目资金不留缺口。第三条，政府协调。各综合部门、主管部门要发挥政府管理经济的作用，帮助企业推进技术改造和技术进步。我相信，大家会自觉地服从这个宏观调控。

下面，我讲一讲有什么鼓励政策，使大家自觉地服从这个宏观调控，把项目纳入整个结构调整的规划。大体上有这么几条：

第一条，提高折旧率。我们希望列入重点技术改造项目规划的企业，明年再提高一点折旧率，以增加企业的自有资金。

第二条，减免企业从折旧基金中上缴的“两金”〔1〕，增加企业的技术改造能力。现在每年从折旧基金中提取的“两金”，据财政部估计是73.4亿元，实际上并没有收到那么多，大概有60多亿元。其中，有20多亿元是从能源、交通部门收来的。李鹏同志在最近中央工作会议上的讲话中明确地讲了，这部分资金是应该还给企业的，因为这是企业用来维持简单再生产的，把它收走了，等于让企业吃老本。但是考虑到财政的承受能力，国家准备用三年返还，就是每年返回20多亿元。还有就是降低企业所得税税率，财政部准备把国营大中型企业的所得税税率由现在的55%减少到33%，这样，国家每年要减少100亿元的所得税收入。这也是分三年实现，每年30多亿元。通过这两项，每年返回给企业50多亿元。退还“两金”能使所有的企业都受益，所以这50多亿元中，还是要将减免“两金”的比重加大一点。可否考虑，从明年开始，对能源、交通部门，包括邮电、民航，还有原材料工业的矿山，这是几个薄弱的环节，一年内就把“两金”统统退回去，不要分三年了，支持他们一下。其他免“两金”的，就是列

〔1〕 见本卷第35页注〔1〕。

入重点技术改造项目规划的企业，也是一年就把“两金”都退回去。这样，就给这些需要重点支持的企业增加一点自有资金。但这个办法还需要和有关部门进一步协商，并报经国务院批准。

第三条，发放贴息贷款。过去一年有 5.19 亿元作为贴息，因为银行的贷款利息比较高，企业还本付息比较困难，所以由财政部给予贴息。当年的结余，可以结转到下年使用。这样，列入重点技术改造规划项目的贷款利息，就可以从年利率 8.64%降到 6%左右。可以根据项目和企业具体情况，给予有差别的贴息率。这对于企业的技术改造是个很大的支持。

第四条，增加新产品开发的基金。从销售收入中增提的这部分可以减免“两金”，特别是对列入重点技术改造规划的项目，给予优先减免。

第五条，恢复引进技术的外汇渠道。中国银行的外汇贷款还要继续提供。我刚才讲的 15 亿美元不是一般的外汇贷款，而是人民币配套的贷款，只要偿还配套人民币的本息就行，不用还外汇了。此外，还可以向中国银行贷款，借外汇还外汇，或者还人民币，但都需要银行给配套人民币贷款。过去是中国银行贷 1 美元配 1 元人民币，这些办法要恢复。国务院生产办要与人民银行进一步研究，把外汇的渠道搞活，增加技术引进投入。

第六条，实行“压贷挂钩”的办法，增加技术改造资金。连续三年，每年压减库存 200 亿元，可以增加 600 亿元的技术改造贷款，但任务很艰巨。

对江西发展的几点意见 *

（1991 年 10 月 16 日—22 日）

一、要继续加快农业结构的调整，促进工业发展

江西省委、省政府坚持贯彻中央以农业为基础的方针，农业结构的调整取得了很大进展，不但粮食生产上去了，棉花、油脂、水果等的生产也上去了，现在又发展蚕桑，荒山绿化进展也比较快。进一步调整农业结构，这是正确的，对促进工业发展大有好处。只要把农业这个基础抓住了，工业就一定能发展起来。如果不优先发展农业，就工业抓工业，工业一无原料，二无市场，又缺技术，容易背上包袱。九江的棉花平均亩产 130 多斤，产量比较高。多种棉花，不仅能促进江西纺织工业发展，还可以与上海搞联营。江西这么大，要靠山吃山，靠水吃水，多种点棉花、水果等经济作物。要充分利用自己的资源优势，大力发展乡镇企业，搞好农副产品的深度加工和增值，把产品推向国内外市场，提高综合经济效益，增加县乡财政收入，扭转部分县市长期吃财政补贴的状况。

---

* 1991 年 10 月 16 日至 22 日，朱镕基同志在江西省考察工作，先后考察了南昌、九江、吉安等地，分别听取了江西省委、省政府及有关地市的工作汇报。这是朱镕基同志在听取汇报后讲话的要点。

二、集中财力，加快交通运输等基础设施建设

江西经济要想发展得更快一些，就要把更多的注意力放在加快能源和交通等基础设施建设上。江西山区很多，如果不大力发展交通运输，商品经济是搞不活、发展不起来的，省里要拿出更多的资金进行这方面的建设。京九线[1]是关键，公路、水运也很重要。只有使农村、山区四通八达，经济才能搞活。我到山东去考察，发现他们的公路建设得很好，干工作也是扎扎实实的。他们有句话："要致富，先修路。"农民对这句话理解得很深，修路的征地费很便宜。公路运输、水路运输，包括民航都要上去。交通不便，即使想开放也开放不了，江西目前这种交通状况很难吸引外资。江西要大力发展小水电，发动农民自办，搞点贷款。当然，搞能源、交通建设需要集中一些资金，是不是可以在不收紧政策、不增加企业负担的情况下，通过企业加强内部管理、挖潜改造，为能源、交通建设提供更多的资金。需要建设的项目很多，必须量力而行，集中力量打歼灭战，不要把战线拉得太长、摊子铺得太大，要制定一个比较详细的发展规划。搞基础设施建设，如果财政困难，可以引进点外资。江西井冈山、庐山等旅游资源很丰富，要发挥自己的优势，大力发展旅游业和其他第三产业，这也是筹措资金的重要途径。

---

〔1〕京九线，北起北京西客站，南至广东深圳，连接香港九龙，跨越京、津、冀、鲁、豫、皖、鄂、赣、粤九省市，包括同期建成的两条联络线在内，全长2553公里，于1996年9月通车。

1991 年 10 月 18 日，朱镕基在江西省考察九江外贸码头。前排右一为江西省省长吴官正。

（新华社记者王绍业摄）

三、采取休养生息政策，增强企业发展后劲

江西的工业基础不是很强，但是你们采取了一些搞活企业的政策，对企业发展起了很大作用。我们听到的、看到的企业，活力都比较大。政府给了一些宽松政策，藏富于企业，有利于企业休养生息、自我改造、自我发展，这个政策是正确的。不要只顾一时之利，收得很紧，把企业挖得很苦、挤得很干。有的地方挖企业的钱盖楼堂馆所，看起来城市建设漂亮了一点，但这样搞，企业是没有后劲的。一个地区的工业有没有前途，关键是看有没有后劲。你们在这方面是做得比较好的。你们历届政府换届时没有留下大的包袱，这是好事。如果上一个项目，花了好几个亿，又没有什么效益，还要进行改造，损失就大了。我看搞项目不要着急，还是看准了一个搞一个，按这个办法搞下去，是会有前途的。

四、加强宏观调控力度，走企业联合发展之路，避免重复建设

发展汽车要走联合发展的道路，不能各自为政。现在全国各省区市，除西藏外都在搞汽车，但都形成不了批量。从长远讲，中国要有个大的轻型汽车生产厂，或一个轻型车系列生产厂。现在看起来，“五十铃”汽车是柴油车，油耗比较低，比较适合我国农村情况，有发展前途，但现在没有形成批量。我认为，中国轻型车、柴油车要搞联合发展。目前大家都上，这种搞法不行，一定要走联合发展的道路，组建企业集团。实践证明，不是不能联合，只要把利益关系协调好了就可以联合。无非是产值计算在哪个地方，利益如何分配，税

收上缴给谁，劳动力如何安排，把这些协调好就行。总起来说，联合起来发挥的效益比不联合要大得多，利多弊少。所以我认为，“江铃”与“庆铃”要联合，组建成一个轻型汽车集团。当前最关键的问题在发动机生产，“江铃”和“庆铃”两家可以联合起来建发动机厂，规模在本世纪末达到20万台，与日本五十铃公司去谈技贸结合，买它的生产许可证和一些关键设备，特别是铸造设备，其他配套设备在国内生产。在你们这里搞这么一个大企业，对带动江西的一些工业发展是有好处的。究竟在哪里建，这就要比条件，如果发动机厂建在你们这里，也不能让重庆吃亏，那就按照各方投资来分配产值、分配税收、分配利润。这个问题如果不及早协调，变成既成事实后就很难办了。总之，不定在一个地方装配，“江铃”与“庆铃”都分一点，利益均沾。“江铃”、“庆铃”各装配10万台，铸件按照分工规划，统一供应。请中国汽车工业总公司和国务院生产办派人来调查研究这个问题。现在全国加工工业占整个工业的70%，加工能力超过市场需要的一倍。国营企业现在这么困难，是盲目、重复建设引起的，大家都不能满负荷生产。汽车在我国是个特殊产品，但盲目发展，将来后果也是很可怕的。当前无论如何要把汽车生产控制住，不要盲目生产。

五、千方百计吸引人才，加快企业技术进步

吸引人才很重要，江西终究还是比较偏僻一点，如果没有一点优惠政策，人才是引不进来的。对科技人员不重视，经济就无法振兴。现在国家的情况与十年前不一样了。那个时候实行产品包销，现在市场竞争激烈，如果不发挥知识分子作用，科技不与生产结合，搞不出几个拳头产品，工厂根本活不下去。现在不是靠拼体力，要靠科学技术这个第一生产力。企业要注意把资源、市场、技术和管理有机地

结合起来；要加强外引内联，走出去、请进来，学习先进的技术和管理；要密切与科研部门的联系，不断开发新产品。企业扭亏主要是两个办法：一是职工分配与企业盈亏挂钩，亏损企业不发奖金，工资总额不能增加，让企业自主经营、自负盈亏；二是抓好技术改造，亏损企业不要一条道走下去，亏了多少年还这样干。这在国外不可想象，谁给你补亏？九江柴油机厂转产开发新产品，效益就出来了，产品也不积压了。现在的问题不是资金不足，明年资金会有很大的增加，但要适当集中。所谓“集中”就是大家在一起“三堂会审”，统筹安排，避免重复建设。项目一定下来，资金就予以保证。我估计这个资金你们用不完，但上什么项目一定要好好研究，提出一批效益好的项目。

六、抓好企业领导班子建设，深化企业改革

企业实行厂长负责制，任免干部就是由厂长提名，经过党政领导班子集体讨论后由厂长任命。厂长要尊重党委的政治核心作用，在任命干部时充分考虑党委的意见。企业的厂长、书记要协调配合，发挥整体优势，要“两心变一心”。要注意发挥职代会的作用。职代会对中层干部进行民主评议，对干得不好的干部一定要适当调整，取信于民。

七、加强廉政建设，转变干部作风

江西的干部素质比较好，作风比较朴实，工作比较扎实。最近，你们抓清理三角债，抓压缩库存，抓扭亏增盈工作，雷厉风行，抓得比较实，效果比较显著。这种作风应该保持，对促进经济发展是有好处的。我知道江西的一些企业经济效益比较好，揩企业油水的人也比较多，对这个问题一定要严肃处理。干部作风直接影响党和政府与人

民群众的关系，干部作风不正，就破坏了党的向心力与凝聚力，这是绝对不能允许的。机构设置要求企业与上面对口，会把企业搞乱，必须精兵简政。一个工厂如果三个人能把它管好，就让三个人去管，为什么非要设那么多机构？有人管这项工作就行了。对企业的评比检查要尽量减少，国务院除了搞一个财务、税收、物价大检查外，其他都不搞，希望你们也不要搞。企业评比先进、产品评优，其中不少是形式主义，还有很多不正之风。产品质量好不好、销不销得出去，要到市场上见高低，让用户去评议。不要开鉴定会，产品鉴定、技术鉴定由检测部门负责。停止企业评比检查，企业普遍欢迎。现在中间环节增加企业负担的弊端实在太多了，像煤矿亏损严重，而煤价并不低，钱都在中间环节流失了。必须进一步整顿好经济秩序，切实加强作风建设。

控制重复建设的关键在银行*

（1991年10月29日）

现在大家都在研究如何把经济工作真正转到调整结构、提高效益的轨道上来。要想做到真正转轨，不是那么容易。当前经济形势是好的，但存在的问题也是令人忧虑的。企业的负担很沉重，超正常库存七八百亿元，一年付给银行七八十亿元的利息，再加上三角债两三千亿元，也是要付利息的。企业负担沉重，亏损面这么大，这个问题不解决，就转不到提高效益的轨道上来。现在看起来，这里面一个很重要的原因，是多年积累的重复建设、重复生产问题一直没有解决。这不只是十年积累而是几十年积累的问题，是宏观调控方面的问题。现在结构调整虽有成绩，但效果不是很显著。基础设施还很落后，电力建设搞上来了，而石油、煤炭还差得远，越来越落后了；铁道、公路这些交通基础设施虽有很大的发展，但还不适应经济的发展，如果把交通建设搞得更快一点，经济会发展得更好。就是说，现在一方面是钱还不够，但另一方面又把大量的钱用在重复建设上，主要是加工工业摊子铺得太大。我最近去了十几个省，看到的还是在大搞加工工业，而且方兴未艾，其原因就是加工工业赚钱。如果价格不调整，汽车、摩托车不降价，利润这么高，沿海城市搞，内地也要搞，怎么也控制不了。如果再不控制重复建设，盲目发展加工工业，还是一个省

* 这是朱镕基同志在中国工商银行总行听取工作汇报后的讲话。

搞一个，这样搞下去，宏观经济管不住，微观经济无论如何搞不好、搞不活，效益没办法提高，欠银行的钱也永远还不清。所以，解决这个问题要从两方面着手：一方面，加强宏观调控，改善企业外部经营环境；另一方面，加强企业内部管理。

国务院生产办准备在12月份召开全国企业技术进步工作会议。这次会议非常重要，是转折时期的一次重要会议，要在总结过去企业技术进步工作经验的基础上，克服过去的弊端，发扬过去搞技术改造统一规划的优点，还要有所创新，以便在三年或稍多一点时间里，真正把目前加工工业过大的摊子调整过来。当然，这件事情不是光靠技术改造能够解决的。现在那些重复建设形成的加工工业生产能力，一些主要产品都是富余三分之一至二分之一，不把一些企业关停并转掉，光靠技术改造也是不行的。现在实行关停并转，无非就是两个问题：一是过去的债务怎么办？二是人员怎么办？要想一点政策鼓励关停并转。最近，一些老同志也讲“不死掉一块，活不了一批”，意思就是要实行关停并转。

技术改造非常重要，现在确实要支持一些技术先进的、有发展前途的、产品有销路的企业搞技术改造，使它们的产品形成大批量，这样一来，其他的小厂就不会再上了。我举一个明显的例子：以前载重汽车生产厂家不知有多少家，但“一汽”、“二汽”形成批量生产以后，成本降下来，载重量为4吨、5吨的汽车就没有人搞了。搞小批量生产无论如何是无利可图的，竞争不过大厂，再搞地方保护主义也不行。现在很多省又都在搞载重量为0.5吨至2吨的轻型车，这样搞不得了，将来这个摊子没法收拾。目前全国光搞“五十铃”柴油轻型车的厂家就有九个，都搞整车组装，这样搞下去，投资不知要浪费多少，到最后大家都活不下去。

怎么加强统一规划？我觉得最重要的宏观调控手段就在银行，别的办法说一千道一万，效果都不是那么大。当然，也不是说光靠银行一家。比如财政贴息，支持一些该支持的企业；实行一点差别利率，

1991 年 10 月 29 日，朱镕基考察中国工商银行总行。左一为中国工商银行行长张肖。

这也是一个重要的调控手段。还有一些别的宏观调控手段，但最重要的宏观调控手段还在银行。所以，这次开全国企业技术进步工作会议，一方面很注意跟各个行业管理部门商量，把行业规划做好，但是行业规划能不能实施，关键是在银行；另一方面，我们非常重视国务院生产办与银行特别是工商银行的合作，因为技术改造的贷款主要来自工商银行。今天我来也就是为这个目的。要想一个办法，制止目前这种盲目的、重复的加工工业建设，有些产品就是要开名单，停止审批。另外，要拿出一些重点项目来，用三年或者更多一点时间，集中

力量，支持它们形成批量生产。在几个重点行业、重点项目、重点技术领域，集中给予支持。一定要在一年到三年以内把那些该支持的、成批量的大项目都保住，把那些盲目生产的项目压住。整个技改工作都要根据这么个精神去搞，真正形成技术先进、大批量、成本很低、效益很好的项目，全国几个重点行业都分别搞一两个项目就够了，要形成规模经济，分布到各个省份都有它的拳头产品，改变都搞“小而全”、“大而全”，搞盲目建设、重复建设的局面。

重大技术装备国产化最重要的是质量*

（1991年10月30日）

对重大技术装备工作，我是很重视的。听了你们的汇报，总的看，国务院重大办的工作是很有成绩的，大家做了很多工作，重大技术装备国产化有了一套办法，工作进展是正常的。下一步是研究如何改进、提高和发展。今天，我主要想谈几点希望，也就是要强调几点：

一、重大技术装备国产化最重要的是质量

重大技术装备国产化工作，最重要的是质量。什么是质量？产品要达到国际标准，最好是达到国际先进标准，达不到这一点就没有前途。质量问题相当复杂，涉及的环节很多，不允许凑合，不能有半点含糊，主要领导同志非下决心不可。对质量问题，不仅要下决心抓，还要下本钱，要常抓不懈。

现在国际市场的竞争非常激烈，要求我们一定要把质量搞上去。首先，我国是对外开放的国家，不能自我封闭。我们要参与国际竞争，各单位、各地区对进口设备，不能简单地用行政办法去卡。主要

* 1991年10月30日，朱镕基同志主持召开会议，听取国务院重大技术装备领导小组办公室工作汇报。这是朱镕基同志在听取汇报后讲话的主要部分。

是要按经济规律办事。你的设备质量不行，怎么能压用户去买你的呢？设备质量上不去，就很难推广应用。其次，为加速我国社会主义经济建设，我们需要大量利用国外贷款，外国政府贷款的主要条件就是卖设备，各种金融组织贷款的目的之一也是出口设备。最后，还有个国际贸易逆差问题，西方国家对我国的贸易逆差较大，我们不进口他们的东西是不行的。我国的外汇储备到今年年底可达 210 亿美元，越来越多，不进口人家的东西，对外生意就做不成。消费品可以不进口，设备总是要进口的，因此国产设备将遇到强大的竞争，尤其是重大技术装备。同志们一定要看到这个竞争的形势，在抓国产化时要把质量搞好。

对于质量问题，我们一定要立足于高标准、严要求。要做一种设备，不做则已，一做就要做好。我们搞重大技术装备的国产化，都是瞄准国际先进的关键产品，要十分重视引进技术；要组织国内的技术力量，消化、吸收引进的技术，引进不了的要抓紧组织技术攻关。问题是现在时间紧迫，需要抢时间，从技术开发到形成成果，然后组织批量生产，有一个相当长的过程。我们要非常重视把技术引进、技术开发和技术改造很好地结合起来，以加速重大技术装备研制企业的技术进步。

我很欣赏“三全”的提法：全权、全套、全过程。抓重大技术装备的国产化，就需要进行全套、全过程管理。不仅要抓质量，还要抓交货期和配套。设备交货拖期，是非常令人头痛的，会影响整个工程建设工期。如果不能按时交货，用户就没有办法采用你的设备。国内设备配套差，配套设备的质量和交货期一样影响工程建设。昨天《解放日报》报道，据上海煤气厂设备质量调查统计，只有 30%合格，40%修整后能凑合用，30%根本不能用。这真是气死人！我在上海抓了几项工程，有相当一批配套设备的质量不好，特别是风机、泵、阀门，有的根本没有做好，有的叶片都装反了。机电产品的质量怎么会搞到这种程度！配套问题不解决，就很难发挥成套设备的作用，单是主体设备是推广应用不了的。因此，抓重大技术装备国产化，一定要高标准、严要求，要抓质量，包括交货期和配套，要全权、全套、全过程一起抓。

二、重大技术装备国产化要有依托工程

重大技术装备研制工作，一定要瞄准国民经济建设中大量需要的设备进行国产化，必须有一个依托工程；否则，研制和技术引进工作无法进行，也搞得慢，搞出来又没有人使用。设备制造厂和设备研制工作最好是一开始就参与工程建设，设备研制工作围绕工程建设进行，研制与工程相结合的原则一定要坚持。泛泛地进行设备研制是不行的。

12 项重大技术装备项目中，目前要集中力量抓乙烯、化肥设备国产化。现在是乙烯热，各地都要上乙烯工程，已经批了 16 套小乙烯，如果都搞上去是不得了的。16 套小乙烯工程的投资大得不得了，至少要 960 亿元。对这种年产 11.5 万吨的小乙烯我很担心，一是投资大、成本高、能耗大，将来要背沉重的包袱。二是市场有没有这么大？三是资源也是个问题。有的项目，气源就不够嘛！国内恰恰是乙烯的后加工设备不能国产化，16 套乙烯设备全进口不得了，如何成套地自己生产乙烯设备是个问题。国务院重大办要赶快抓乙烯设备的国产化，不然堵不住大量进口。请你们考虑把北京燕山石化、上海金山石化的两套改造工程项目作为依托工程，组织实现设备国产化。对已批准可行性报告的乙烯项目进行一次调查，掌握对外已签约的情况，组织搞合作制造、合作生产。

关于 30 万吨合成氨、52 万吨尿素的大化肥工程，几年前就讲 16

1994 年 10 月 28 日，朱镕基考察燕山石化公司化工一厂，祝贺 30 万吨乙烯装置改扩建成 45 万吨获得成功。前排右三为中国石化总公司总经理盛华仁。

套是最后一批成套进口，现在看来“最后一套”没个完，不能这样。要搞出一个国产化样板，达到国际标准，就不再全套进口了。大化肥必须安排一个国产化依托工程，这次要下决心把它搞上去。洞庭、龙庆两个项目可以这样考虑，你们打个报告给国家计委，把设备费用与一部分外汇从基本建设投资中预拨出来，给制造部门预先安排设备制造。进口必要的原材料和部分国内目前制造不了的设备零部件，需要引进技术及制造厂的相应改造包括添置加工设备所需的外汇，由国务院生产办解决相应的外汇额度，关键是投资预拨要尽快组织落实。国务院重大办要重点抓好乙烯、化肥装备国产化，这是重中之重，依托工程要抓紧从各方面去落实。

此外，沙漠石油和海上石油设备的问题很大。沙漠石油开发的风险很大，海上石油开发还是有希望的，它们对石油设备的要求都很高，需要当做重点来抓。

三、统筹安排制造与使用部门共同攻关，发挥各自的优势

机电制造系统在制造方面是肯定有优势的；而使用部门熟悉工艺，在工艺方面有优势。搞重大技术装备国产化，就是要发挥制造和使用部门两个方面的积极性，协调好两方面的矛盾，把两个制造体系统一组织起来，发挥各自的优势。从一开始就要统筹安排，两边兼顾，都要承担一定的任务，这有利于推动重大技术装备国产化工作。

四、充分利用好国家拨款这一手段

重大技术装备国产化要全权、全套、全过程地进行管理，就要有手段，要充分利用好国家拨款这一手段。你们每年有 6000 万元的国家拨款，这是个很硬的手段。看来，管理方式需要改变一下，拨款往往花钱很多、效益较差。把拨款改成贴息贷款的方式，6000 万元可以办 6 亿元的事。这样，可以办的事就多得多了。研制项目都有依托工程，应该都能偿还贷款，真正偿还不了的研制项目是极少数的。拨款改为贴息，6 亿元贷款，一年贴息大数约 6000 万元。我想不是一下子就改过来，是不是先改一部分。可以与国务院生产办商量，用两个亿的专项贷款，由国务院重大办安排设备研制项目并负责贴息。此事要与国家计委和财政部商量一下。所安排的设备研制以及技术引进项目要与技术改造结合起来，国务院重大办统一组织实施。你们先与各方面协商，目的是要把这批经费用好，提高工作效率。希望这些想法明年就开始实施，争取在今年 12 月份召开的全国企业技术进步工作会议上进行安排。

机关要为基层办实事 *

（1991 年 11 月 13 日）

何光远〔1〕同志：

是否可以改进一下审批工作方法，对外只有一个窗口，限定审批时间，例如十天。对内由这个窗口单位负责联系、协商、决策，不要让下面来的同志从这个处跑到那个处。总之，机关要为基层同志办实事，急企业之所急。

此件复印送生产办、审查办〔2〕负责同志阅研并举一反三。

朱镕基
11.13

---

* 1991 年 11 月 8 日，中共中央办公厅、国务院办公厅信访局《来信摘要》反映，全国人大代表、河北省黄骅市大麻电路板厂厂长温永和，沧州地区经济委员会干部高金楼联名致信朱镕基同志，反映机械电子工业部机关办事难。该厂在 1987 年经国家批准引进一条电路板生产线，当时只引进了 2 台数控钻床，现急需再引进 4 台，从 1991 年 8 月 8 日开始，先后到机电部多个部门办理审批手续，耗时 20 多天尚未最后落实。为此，他们提出三条建议，希望机电部机关改进机关作风和提高工作效率。这是朱镕基同志在《来信摘要》上的批语。

〔1〕何光远，当时任机械电子工业部部长。

〔2〕生产办、审查办，分别指国务院生产办公室、国务院机电设备进口审查办公室。

关于搞好国营大中型企业的几个问题*

（1991年12月20日）

今年9月份召开的中央工作会议着重讨论了搞好国营大中型企业的问题。江泽民同志在会上指出："进一步搞好国营大中型企业，不仅是经济问题，而且是政治问题。""今后我们要集中力量切实搞好国营大中型企业，使其更好地发挥在国民经济中的主导作用。""要把经济工作真正转移到调整结构和提高效益的轨道上来，体现速度和效益的统一。"〔1〕李鹏同志指出："增强国营大中型企业活力，除改善外部条件外，从企业来说，更重要的是通过进一步深化改革，转换经营机制，加强政治思想工作，加强企业管理，促进技术进步。"〔2〕当前的工业交通工作，要认真贯彻落实中央工作会议和党的十三届八中全会的精神，大力调整结构，推进技术进步，转换经营机制，加强企业管

---

* 1991年12月20日至22日，国务院生产办公室会同国家计划委员会、财政部、中国人民银行和中国工商银行在北京召开全国企业技术进步工作会议。出席会议的有各省、自治区、直辖市和计划单列市人民政府有关负责同志，经济委员会（计划经济委员会、生产委员会）、财政厅、人民银行分行、工商银行分行负责同志；国务院有关部门负责同志。这是朱镕基同志在会上讲话的一部分，曾发表于《十三大以来重要文献选编》下册。编入本书时，对个别文字作了订正。

〔1〕见江泽民《在中央工作会议上的讲话》（《十三大以来重要文献选编》下册，人民出版社1993年版，第1700、1701页）。

〔2〕见李鹏《关于当前经济形势和进一步搞活国营大中型企业的问题》（《十三大以来重要文献选编》下册，人民出版社1993年版，第1693页）。

理，达到提高经济效益的目的。这不仅是明年，也是整个“八五”时期工业交通工作的指导思想。

一、大力调整结构

经过十多年的改革开放和近三年的治理整顿，我国的国民经济有了较大的发展。农业和工业之间、农轻重之间的比例有了相当的改善，但是经济工作中有一些深层次问题还没有解决。经济结构不合理是其中的主要问题之一。就工业内部结构来说，问题主要表现在以下几个方面：

——产业结构“有长有短”。从总体上说，一般加工工业长，基础工业短，加工工业的生产能力超过了能源、原材料和交通运输等基础产业的承受能力，大多数也超过了市场的需求。

——产品结构“又多又少”。原来产品结构单一的状况有所改善，但是，一般性的轻纺、家电、耐用消费品多，严重积压；而投资类产品中的“五高二低”（高技术含量、高市场容量、高附加值、高创汇、高效益，低能耗、低物耗）产品十分短缺，挡不住大量进口。

——企业组织结构“一散二肿”。“大而全”、“小而全”的状况没有大的改变，专业化、社会化程度低，不能形成规模效益；机构臃肿，人浮于事，劳动生产率低，管理水平落后。

——地区产业结构“走势趋同”。由于价格体系没有理顺，宏观调控不力，大多数地区发展基础产业的积极性不高，而加工工业进一步膨胀，在同一技术水平上重复建设、重复引进，导致投资效益差、产品积压、企业亏损。

形成工业内部结构不合理的原因是多方面的。主要是长期遗留下来的问题，像技术落后、价格扭曲等；有的是改革开放以来出现的新问题。三年治理整顿取得很大的成绩，主要目标基本实现，但多年积累下来的深层次问题还没有得到根本解决。急于求成导致宏观失控、结构失衡的历史教训尚未引起足够重视。争投资、上热点项目的势头还在兴起。旧账未清，新债又起，我们面临新一轮重复建设的危险。必须下定决心，采取有力措施，坚决刹住这一势头。

企业是国民经济的细胞，是各种结构的载体。国营大中型企业又是企业中负担最重的部分，成为矛盾的焦点。宏观管不好，微观活不了，再不抓紧结构调整，国营大中型企业很难克服面临的困难，发挥它在国民经济中的主导作用。

目前总供给与总需求基本平衡，正是调整结构的好时机。机不可失，不能再徘徊不前、等待观望了。

结构怎么调整？总的来讲，大的产业结构的调整要靠基本建设投资的倾斜。但是，几十年的经验告诉我们，单靠基建投资倾斜是不够的，必须深化改革，扩大开放，实行三个结合。

一是实行计划经济和市场调节相结合。要把这两方面的优点很好地结合起来，既要加强宏观调控，又要充分发挥市场调节的作用。

现在，我国的经济运行机制已经由单一的计划经济转向计划经济和市场调节相结合。地方财政包干，分灶吃饭，使地方政府的权限扩大，中央政府的调控能力减弱，利益目标多元化，贷款资金渠道很多，资金分散，项目分散。在这种情况下，管理经济的办法必须适应客观形势的变化而有所改进。指令性计划、项目审批制度等各种行政手段还是要用的，但是其作用和效果越来越有限，用得不好，常常发生负效应。在新的形势下，国务院各部门更主要的是要学习运用各种经济杠杆等，实行行业管理和宏观调控。

国家计委、国务院生产办和工交各部门要密切掌握并及时发布主要工业产品的国内外市场信息、生产现状、发展动态，使各部门、各地区的负责同志和企业领导能及时了解经济全局和市场变化，减少盲目性。

有关部门要认真研究制定具体的产业政策，包括技术政策和技术装备政策，指导企业的技术发展方向。

行业管理部门要把产业政策落实到项目规划，要发挥地区优势，防止地区产业结构趋同化。

部门规划只能是指导性的，因此，必须通过政策倾斜，包括财政政策、税收政策、金融政策、价格政策、外贸政策等，来影响地区、企业的投资方向，保证国家重点支持项目的建成。国家对应该支持的

1991 年 7 月 9 日，朱镕基在山东省考察青岛电冰箱总厂。前排左一为青岛市市长俞正声。
（新华社记者刘海民摄）

行业只要认真支持，真正搞好一两个技术先进、批量大、成本低、效益高的项目，就会有利于避免重复建设。“一汽”、“二汽”的载重汽车搞起来以后，原来抢着上的中型载重汽车工厂基本上都关门了。现在的汽车热，是轻型汽车热、微型汽车热。如果一开始就下决心及时建成一个年产20万辆的轻型汽车厂，汽车热就不会像现在这么厉害了。

要加强经济立法，运用法律手段进行调控。目前重复建设的主要原因，是没有建立一个合理的、能对投资行为负责的投资机制。今后要抓紧从法制上建立起投资责任制，改变投资行为与责任脱节、政府为企业的投资行为承担责任、银行为企业承担投资风险、国家为银行承担经济后果的状况。这种状况不改变，计划经济与市场调节相结合的机制就无法完善。

二是实行中央和地方两级调控相结合。搞好结构调整，一定要发挥社会主义制度的优越性，发扬大力协同、合作办事的好传统。国务院有关部门要按照有计划、按比例的经济规律，运用综合平衡的办法，充分发挥市场调节的作用，在深化改革的基础上，切实加强国民经济的宏观调控。各级地方政府要在全国一盘棋的前提下，既要发挥积极性，也要加强本地区的宏观调控。要认真研究自己的地区优势，制定经济战略、发展方针、主攻重点，做到心中有数。要有一批项目储备，不断进行科学论证和可行性研究，随时准备修正和补充。否则，盲目地看行情、赶浪头，根本无法进行宏观调控，只会永远被动。各地对自己的财政、信贷、外汇、物资、重要的原材料、运输能力等要综合平衡，不能不管平衡一味地争项目，把缺口和风险留给中央。

今后国家安排的项目，主要放在技术难度高，大家都想搞，而分散搞又不能形成规模效益的大项目上。地方能办到的、近期效益好的项目，尽可能发挥地方的积极性，根据各自的特点去安排，只要项目是建立在充分研究预测国内外市场的基础上，不是一哄而上的，国家就不要去过多地干预。有些品种多、花色新、适合较小规模生产的产品，由小企业生产，紧密结合市场需要，效果可能更好。

要发挥中央和地方两个积极性，通过两级调控，既符合地区特点和资源优势，又符合宏观合理的生产力优化布局，力求使每个省区市都有一些可以引以自豪的、具有地方特色和一定经济规模的重点项目和拳头产品。

三是实行存量调整和增量调整相结合。调整结构工作的难度很大，尤其是存量调整，难度更大，但不调不行。对存量调整和增量调整要用不同的方法，并把二者有机地结合起来。

存量的调整，主要是对那些生产能力过剩、产成品严重积压、长期亏损的企业，实行关停并转。由经营管理好、有发展前途的企业兼并产品积压、长期亏损的企业，是各地行之有效的办法。这里，一要解决债务政策，二要解决人员安置政策，解决得好就能大大推进企业兼并或联合。

实行关停并转，调整工业内部结构，要和产业结构的调整结合起来。现在加工工业过度膨胀，冗员过多，包袱太重；另一方面，第三产业很不发达。如果能把一部分加工工业人员有组织地转向第三产业，不但有利于工业轻装上阵，流通领域获得新鲜血液，也有利于工商企业改善经营状况，提高职工收入。为此，有关部门要研究对转业人员实行适当的政策优惠，主要是转业期间税收和劳动政策的优惠。

实行关停并转，要尽可能少关停，多并转。但是对少数长期经营性亏损、扭亏无望的企业，不关停也是不行的。今年国务院发布了一个文件，要求各省区市选十个左右企业进行关停试点，许多省市都进行了这项工作，效果不错。

多数企业调整结构工作的重点，主要是全心全意依靠工人阶级，开展群众性的合理化建议活动，从小改小革入手，推广新技术，革新工艺，更新设备，转产新产品，这是调整存量的又快又省的办法。

增量的调整，一定要实行项目投资和银行贷款两个集中，防止重复建设、重复引进。投资要划分为续建项目和新开项目两部分。对于续建项目，在资金安排上要作具体分析。第一，对于那些符合产业政策、技术先进、产品销路好、效益显著的，资金一定要打足，不要留缺口。要促其尽快建成投产，及早发挥效益。第二，对于那些市场销路看不准、效益不显著的项目，资金安排比例要低一些。第三，对于那些不符合产业政策、产品又无销路的项目，要坚决停止安排贷款。对于新开项目，一定要坚持择优定点，提倡实行招标，鼓励和组织跨地区、跨部门的联合投资。只要把产值、产品、利润、税收、劳动就业等都按投资比例进行分配，把各方面的关系协调好，并在法律上给予保障，各地区、各部门就会赞成联合起来进行投资，组织跨地区、跨部门的企业集团，发挥集团优势，实现规模效益。

二、推进技术进步

江泽民同志指出："当前和今后一个时期，我们必须下工夫调整结构和提高效益，把扩大再生产的重点放在技术改造上，而不能主要靠铺新摊子。"〔1〕这是历史经验的总结。为了调整结构，在加强宏观调控的工作中，特别要注意调整基本建设与技术改造之间的比例。要紧紧围绕企业的技术进步，增加企业的技术投入和产品的技术含量，

〔1〕见江泽民《在中央工作会议上的讲话》(《十三大以来重要文献选编》下册，人民出版社 1993 年版，第 1701 页)。

在技术改造和技术开发上做文章。根据多年的经验，要搞好企业技术进步，必须处理好三个方面的关系。

（一）内涵与外延的关系。

在扩大再生产的问题上，党的十一届三中全会以来，中央反复强调以内涵为主的方针，这是符合马克思主义观点的。但是一些地方和部门仍然热衷于建新企业，铺新摊子，忽视老企业的改造，结果摊子越铺越大，而效益却越来越低。这次中央工作会议重申这个历史经验是非常重要的。

对于基础产业、基础设施来说，扩大能力，实现产业结构调整，主要应该依靠基本建设。但是对于绝大多数工业部门来说，对老企业进行技术改造，可以收到投资省、见效快、效益高的效果。老企业搞改造，不但许多“硬件”如厂房、设备和辅助设施可以利用，还有许多“软件”可以发挥更大的作用，如企业管理经验、工程技术人员和职工的素质、现有的销售渠道和售后服务体系等，这是老企业的优势所在。即使在老厂建新车间，安装新设备，也比铺新摊子要快、要好、要省。燕山石化公司在现有 30 万吨乙烯的基础上进行技术改造，可以增加 15 万吨生产能力，比新建项目投资节省 30%左右，时间缩短一半，效益提高一倍以上，能耗降低三分之一。明年要把燕山石化的改造作为一个重大项目来支持，两年半改造完。这对其他 4 个 30 万吨乙烯工厂的改造是有指导意义的。

热点项目一定不能到处布点，一哄而上，争原材料，争市场，搞得大家都不死不活，效益很低，到头来还得调整，造成极大的浪费。现在热点很多，比如录像机，是一个新的热点。目前已有 11 个装配厂，不能再上了。如果由国家和有关省市集资，搞一个录像机零部件系列的集团公司，包下全国的录像机零部件生产，形成规模经济，就可以大幅度降低零部件价格。这样做，对国家、对有关省市、对企业、对用户都有利，还能以价格优势进入国际市场。联合起来发挥的效益比不联合要大得多。这样不但少铺了新摊子，而且收拢了旧摊子，对加工工业的调整、改造是十分重要的。当然，我们更加反对以技术改造为名，实际上去搞新的基建项目。这会损害现有企业的后劲，是得不偿失的。

（二）企业技术进步中各项工作的关系。

企业技术进步工作包括很多方面，主要是技术开发、技术引进、技术改造和群众性的技术革新等。要把技术开发和技术引进紧密结合起来，在开发的基础上引进，在引进的基础上创新，用新技术改造传统产业。绝不能复制“古董”，在低水平上重复。

改革开放以来，根据邓小平同志关于利用外资、引进技术，改造现有企业要成千上万项地搞起来的指示，通过各种渠道和方式，积极引进和吸收国外比较成熟的先进技术成果，大幅度地提高了许多企业和行业的技术水平。这是我国企业技术进步工作的一个主要特点。目前，随着国际形势的风云变幻，引进国外先进技术的难度增加了。国务院提出，明年要进一步扩大对外开放，我们要继续做好引进技术、加强老企业技术改造这项重要工作。

科技研究与开发工作，世界上许多国家都把它放到重要地位。对它投入的多少，决定国家的科技水平，影响国家的综合国力。为了促进企业与院、所结合，加强技术开发，我们支持化工部进行在企业集团中建立技术研究中心的试点。有条件的企业集团经过主管部门批准，可以进行试点。各部门、地区、企业也要采取措施，鼓励多种形式的厂所结合、厂校结合，并且尽可能地挤出一些钱来，加强研究开发工作。

加快国内的科研成果转化为生产力，在目前显得更加重要、更加紧迫。解决这个问题要“两头热”。首先企业要热，要高度重视技术进步，要看到这是企业生存和发展的关键。产品和技术不更新，企业哪来效益？现在有些同志只看到鼻子下面的一点点东西，急功近利，缺乏开拓进取精神，不在技术进步上下工夫，一“等”二“靠”，躺在国家身上，企业怎么能搞好呢？我们的企业家要有远大的眼光，主动去和科研院所、高等院校的专家、教授交知心朋友，加强合作与交流，加强科研与生产的结合。同时，科研单位、大专院校也要热，要动员更多的科技工作者，主动投身到国营大中型企业这个科研工作的主战场上来。

动员广大职工，发扬主人翁精神，广泛开展群众性的技术革新活动，这是我们的优良传统。在目前许多产品陈旧、滞销的情况下，更要特别强调眼睛向内，挖掘潜力，适应市场，进行小改小革，加强产品设计，多搞“点子产品”，扩大产品销路。一些身价平平、结构也不复杂的日用品，如果设计稍加改进，赋予它新的功能，可能开拓一个新的市场。有个企业在薄薄的名片盒上，加了一个圆钮，用时只需轻轻向上一推，一张名片就从盒子的一端冒出来，比打开盒子一张张地去捻方便多了。其实，里边只加了一个弹簧片。这种“点子产品”并非高难技术产品，无须花费巨额投资，效益还来得快。这也是一个企业素质和机制的问题，是企业是否认真依靠市场、面向消费者的问题。

总之，要推进企业技术进步，需要处理好各方面的关系。我们曾总结出一套经验，特别强调了要处理好技术引进与自主开发的关系，引进、开发与技术改造的关系，引进与消化吸收、国产化的关系，科研与生产的关系，重点技术改造与群众性技术革新活动的关系，以及一条龙的工作方法等等。这些经验，对今后继续处理好企业技术进步中各项工作的关系，把企业技术进步推向一个新台阶，仍然具有指导意义。

（三）集中与分散的关系。

现在有些部门在项目安排上还是包揽过多，对一些不该支持的项目也支持、许愿，甚至搞人情项目，必然导致重复建设，火上浇油，遍地开花，后果堪忧。要加强宏观调控，做到两个集中：第一，提高国家集中安排的专项贷款的比重，减少一般贷款的比重；第二，行业主管部门要集中力量保重点，不要撒胡椒面。实行两个集中的目的，就是希望能有一批企业形成与国外同行业相接近的经济规模，在国内市场上有很强的竞争力，在国际市场上站稳脚跟，成为有世界水平的企业或企业集团，为国家作出更大贡献。

处理好集中与分散的关系，需要对项目审批作一点改革。技改项目的审批，仍按国务院规定的审批权限进行，限额以上技改项目在行业主管部门审查的基础上，由国务院生产办审批，国家计委会签；限额以下技改项目按企业隶属关系由部门和地方自行审批。对于长线产品和热点产品项目如何控制，国家计委和国务院生产办将另行制定新的办法。在新办法颁发前，停止一切长线产品和热点项目的审批，银行不予贷款。

明年的技术改造专项贷款，各部门已按计划做了安排。专项贷款总额度达不到今年计划水平的省区市，我们将给以补足，项目由省区市补充安排。但是，第一不能搞热点项目，第二要报各行业主管部门备案，补充项目由国务院生产办征求各部门意见后会同银行统一下达。

这样安排以后，剩下的技改专项贷款指标，会后我们要请各行业主管部门牵头，会同有关综合部门、各省区市、中国国际工程咨询公司一起，认真深入地研究安排一些新的国家重点项目，进行增量调整。要用这笔钱干几件大事，要上一些真正对调整结构有决定意义的项目。

三、转换经营机制

去年第四季度以来，随着工业生产的回升，经济效益下降趋势逐步减缓，但经济效益不高的局面没有明显改观。今年11月底，全国预算内国营工业企业产成品资金占用比上年同期增长2.4%；1月至11月实现利润比上年同期下降6.1%；企业亏损面由1990年年底的31%，扩大到1991年11月底的34.8%；1月至11月亏损额比1990年同期增长10.8%。企业经济效益不高，严重制约着国民经济的发展，增加了财政的困难。扭转这种状况，已经刻不容缓。

怎样才能提高企业经济效益？一方面要努力改善企业的外部经营环境。党中央、国务院已经制定了十二条政策措施〔1〕，在财政比较困难的情况下，迈出了比较大的步子，很不容易了，各地正在贯彻落实。另一方面，现在需要企业作出更大的努力，迅速转换企业经营机制，这是搞好国营大中型企业的根本。

这些年来，各地在企业改革方面做了大量工作，比较普遍地实行了承包经营责任制，同时进行了许多有益的探索，企业的活力开始有所增强。但是同改革的目标相比，就是说，要在发展社会主义有计划的商品经济中，使企业成为自主经营、自负盈亏的社会主义商品生产者和经营者，具有自我发展和自我约束的能力，还有很大的距离。

搞好企业，关键在企业自身。内部机制不转换，企业躺在国家身上，职工躺在企业身上，捧“铁饭碗”，吃“大锅饭”，外部环境再好也没有用。干部、职工的积极性调动不起来，企业缺乏追求技术进步、追求经济效益的内在动力和压力，潜力挖不出来，企业的效益怎么能提高呢！现在，相当大比例的国营企业亏损或者是濒于亏损。更为严重的是，有许多企业，问题不只是亏损，而是坐吃山空。不少企业该提的折旧费和新产品开发基金没有按国家规定提足用好，实际上

〔1〕十二条政策措施，指1991年9月召开的中央工作会议，为搞好国营大中型企业创造良好外部条件，决定采取的十二条措施。

是吃了老本。亏损了，职工奖金照发；企业办糟了，厂长易地做官；产品积压，工厂照样生产；任务不足，一个人也不精减；企业内部奖罚不明，干多干少、干好干坏一个样。这些都是属于机制方面的问题。这些问题不解决，企业效益不可能提高，有些企业死水一潭的局面也不可能改观。本来嘛，企业经营不善，亏损了，就不能发奖金；继续亏损，还要降低干部、职工的工资；资不抵债，企业就得关门。不建立这样的机制，你着急，他不着急，企业怎么能搞得好！不久前我到徐州考察，很受启发。徐州市在贯彻搞好国营大中型企业的二十条政策措施〔1〕时，突出抓了企业内部分配、人事、劳动制度的改革。如规定经营性亏损企业的主要负责人在本企业扭亏为盈前，不得易地按原职级安排工作；对长期扭亏不力的厂长就地免职或降级使用，目前已有32名正副厂长被免职、降职；对21名连续亏损三个月的企业领导干部下浮一级工资；对23个连续亏损六个月的企业，全体干部、职工下浮一级工资；对20多户产品积压、管理混乱的企业实行停产整顿；对两户资不抵债的企业实施破产；一些企业还实行了领导干部聘任制，工人上岗经过考核，拉开了分配档次。采取这些措施以后，亏损企业干部、职工的精神面貌发生了很大变化，吃“大锅饭”的观念有所转变，企业的生产经营状况开始好转。

现在有些地方什么都不敢动，关停并转不敢动，不称职的企业领导班子不敢动，工人奖金不敢动。企业亏损了，奖金照发，没有钱发奖金从银行借贷也要发。我们要巩固当前政治、社会稳定的好形势，但是，对于稳定也要有辩证的理解、积极的态度。徐州市的经验说明，加大改革力度，转换经营机制，加强内部管理，从严治厂，是人

〔1〕二十条政策措施，指李鹏同志在1991年9月召开的中央工作会议上的讲话中提出的，为增强国营大中型企业活力、提高国营大中型企业效益而采取的二十条措施。

心所向。这个问题关系到工人阶级的切身利益，只要领导干部以身作则，和职工同甘共苦，全心全意依靠工人阶级，切实做好思想政治工作，完善配套政策，健全社会保障体系，做好待业培训，妥善安排职工生活和转业工作，这样即使关停并转，也不会影响稳定，还会促进企业经营机制的转变，提高经济效益，真正地稳定社会，巩固社会主义制度。

现在各地都有一批经营机制转换比较成功、生产经营比较好的企业。例如，上海第二纺织机械厂有个好的领导班子，拥有比较充分的经营自主权。在职工收入分配上实行“企业自主、国家征税”的办法，工资、奖金、补贴等全部纳入工资总额，计入成本。在劳动制度上实行全员合同制，全厂 4800 名职工绝大部分和工厂签了劳动合同，三年内辞退了 166 名职工，免了两个副厂长的职。为搞技术改造，提高了固定资产折旧率和新产品开发基金提取率。他们深化改革，从严治厂，科技兴厂，效果显著。1988 年到 1990 年，上缴税金年平均递增 20%以上；1991 年出口创汇可达 2000 万美元；1990 年人均收入 4026 元，实际工资总额年均增长 4.49%，大大低于年均全员劳动生产率增长 9.25%的幅度。

上海第二纺织机械厂的经验告诉我们，建设有中国特色的、充满生机与活力的社会主义企业，第一靠深化改革，转换企业经营机制，调动广大职工的社会主义积极性，激发工人阶级的主人翁首创精神；第二靠转换机制基础上的科学管理，从严治厂，正确规范社会主义企业中的人与物、人与人之间的关系；第三，归根到底还得靠技术进步，只有技术进步，才能大大提高经济效益，发挥出社会主义制度的优越性。

总之，要通过调整结构，推动技术进步，转换经营机制，加强企业管理，使国营大中型企业充满活力，提高经济效益，真正发挥国营大中型企业在国民经济中的主导作用。

关于组织“中国质量万里行”活动的批语*

（1991年12月21日）

维臣〔1〕、育理〔2〕并艾丰〔3〕同志：

原则同意组织此项活动。建议：

一、发挥新闻监督、群众监督的作用，政府部门不参加组织委员会，可请艾丰同志担任主任，请质量管理协会、中国消费者协会并国家技术监督局一位副局长担任副主任即可（群众组织负责人可保留）。

二、不要组织声势浩大的集中采访活动，以分散私访，事先不做准备为好，这样才能发现问题。

三、目前质量问题很不令人满意。正面报道真正好的典型是必要的，但更多的要揭露问题，否则脱离群众。

四、谢绝地方一切招待吃请，严格防止给企业摊派活动经费，认真注意不增加企业负担，真正贯彻中央关于搞好大中型企业的精神。

---

* 这是朱镕基同志在国务院生产办公室草拟的《关于组织“中国质量万里行”系列新闻宣传活动的实施方案》上的批语。

〔1〕 维臣，即赵维臣，当时任国务院生产办公室副主任。

〔2〕 育理，即朱育理，当时任国务院生产办公室副主任兼国家技术监督局局长。

〔3〕 艾丰，当时任人民日报社经济部主任。

五、经商财政部同意，补助活动经费30万元，从增加国家质量监督抽查经费中拨给。

妥否，请酌。

朱镕基
12.21

关于组织“中国质量万里行”系列新闻宣传活动的实施方案

为了更好地总结与宣传全国开展“质量、品种、效益年”活动的情况，报道先进典型，传播新鲜经验，同时揭露质量差的典型，狠抓质量意识的培养，造成一种重视质量的舆论声势，人民日报经济部与中国新闻文化促进会倡议组织“中国质量万里行”系列新闻宣传活动，为中央和国务院总结“质量、品种、效益年”的活动和召开全国质量工作会议，做好宣传工作。

一、主办单位

“中国质量万里行”系列新闻宣传活动的主办单位共11家：国务院生产办公室、国务院“质量、品种、效益年”活动领导小组办公室、国家技术监督局、中国工业经济协会、中国质量管理协会、人民日报、新华社、经济日报、中央电视台、中央人民广播电台、中国新闻文化促进会。

二、组织领导

成立“中国质量万里行”活动组织委员会

名誉主任

薄一波　　中共中央顾问委员会副主任

总顾问

吕　东　　中顾委委员、中国工业经济协会会长

宋季文　　中国质量管理协会理事长

徐志坚　　国务院副秘书长

主　任

赵维臣　　国务院生产办副主任

副主任

维臣、育理并艾丰同志：

原则同意组织此活动。建议：

一、发挥新闻宣传、群众监督的作用，政府部门不参加组织委员会，可请艾丰同志担任主任，请质量管理协会、中国质量管理协会和国家技术监督局各一位领导担任副主任即可（群众组织主办人可保留）。

二、不要组织声势浩大的集中采访活动，以分散私访、事先不作通知为好，这样才能发现问题。

三、目前质量问题很不令人满意，正面报导典型的需要是必要的，但更多的要揭露问题，否则是无法解决的。

四、谢绝地方一切招待吃请，严格限止经费开支，活动经费不增加企业负担，要认真贯彻中央关于搞好廉政建设的精神。

五、经商财政部同意，补助活动经费30万元，从增加的国家质量监督抽查经费中拨给。

妥否，请酌。

朱镕基 12.21

大力调整工业内部结构*

（1991 年 12 月 25 日）

根据中央工作会议精神，搞好国营大中型企业的关键是抓好调整结构。结构再不调整，企业是搞不活的。我不是谈整个国民经济结构问题，应该说，我们的改革、整顿取得了很大成绩，特别是农业和工业、农轻重之间大的方面的比例关系有了很大改善。我这里讲的是工业内部结构。对这个内部结构，大家都很清楚，基础设施很薄弱，铁路、交通、原材料、能源、矿山都满足不了需要。加工工业的绝大多数产品供大于求，可以开个很长的单子，看了以后非常惊人。重复建设、重复引进方兴未艾，这个问题一直没有解决，可怕就可怕在这个地方，这个历史教训一定要认真吸取。还有一个问题是急于求成，急于求成的结果是宏观失控，宏观失控导致结构失衡，结构失衡导致供需失调，供需失调最后就导致国营大中型企业亏损，形成一个恶性循环。这个问题也要引起高度重视，抓紧进行解决。

现在，又出现了一些热点，如乙烯、聚酯、涤纶、录像机、空调机，热得不得了。中国有 2600 多个汽车厂，其中装配整车的 550 多个，生产零部件的 2000 多个。这样下去行吗？现在一辆“奥迪”汽车卖 27 万元，还要交现钱，相当于 5 万美元，这种车在国际市场上

---

* 1991 年 12 月 25 日至 29 日，中国石油化工总公司在北京召开第九次经理（厂长）会议。这是朱镕基同志在会议开幕时讲话的主要部分。

1991 年 12 月 25 日，朱镕基在中国石化总公司第九次经理（厂长）会议上讲话。右为国家体改委主任陈锦华。

大概只卖 1 万多美元。国内市场这种价格能维持长久吗？现在为什么那么多走私车进来？因为走私车便宜。将来我国恢复了在关贸总协定中的缔约国地位，这种扭曲的价格都要降下来，不能根据这种错误的价格信息搞热点项目。为什么大家热衷于搞乙烯、搞聚酯呢？也是因为能赚钱！现在国内的石油价格低，1 吨平价油是 204 元、高价油是 500 多元，国际价格每吨折合人民币 800 多元，还得拿外汇去买。我国的价格改革一定要进行，一定向国际市场靠拢。我们一参加关贸总协定，外国价格便宜的产品就会进来，不让它进来是不行的。将来的关税顶不住，审批也顶不住，什么都顶不住，就得靠我们自己产品的竞争能力，才能顶住。现在这样搞下去，有什么竞争力呢？搞个年产 11.5 万吨的乙烯，将来有什么竞争能力呢？所以我跟一些同志商量，根据中央工作会议的精神，要把这个热点抑制下去。怎么抑制呢？提倡联合投资，同时运用宏观调控手段，严格禁止热点项目上马。恐怕其他手段不太多了，审批没多少用处，你不批，他也照样干。建设乙烯本应先经过国务院机电设备进口审查办公室，要审查之后才能签合同，但实际上没有哪个项目是等批了才签合同的。我不是说这套办法要取消，这套办法还得用，行政审批还得要；但目前更重要的是控制银行贷款，就剩下银行贷款这个宏观调控手段比较灵了。因此，银行要配合好，不然也是控制不住的。

另外一个很重要的手段是组织联合投资。我问了很多省的意见，他们口头上还是赞成的。我对他们说，你们要搞这个项目、那个项目，无非就是要产值、要利润、要税收、要产品。要你们那个地区发展得快，你们搞联合投资、按股份分配不行吗？产品可以分，税可以分，利可以分，产值也可以算一份在你那个省，这样搞不也就表现了你们的政绩吗？只有劳动力不好分，但我看，劳动力也可以设法协调一下，比如招工就可以协调嘛。江泽民同志在中央工作会议上讲了，要尽量在技术改造上做文章，不要再铺新摊子。现在全国有 5 套年产 30 万吨的乙烯装置，即燕山、大庆、齐鲁、扬子、金山，都有条件在年产 30 万吨的基础上经过技术改造达到年产 45 万吨，投资需要 20 多个亿；而建一个年产 11.5 万吨的乙烯装置就要 40 多亿元。比较下来，技术改造要比新建节省投资 30%到 40%，能耗可以降低三分之一左右。所以，要把这 5 套乙烯装置在短时间内搞上去，要搞联合投资，大家要有这个思想准备。

石化总公司也和地方合资搞扩建，是要把一部分利税分出去的，这跟你们总公司的利益有矛盾。但是如果你们不让利，就没有人愿意跟你们联合。搞联合投资不容易，但我们要下决心搞，希望同志们共同努力。现在，首先把燕山的年产 30 万吨乙烯改造为 45 万吨，投资 20 多亿元，做个样板。燕山搞成了，大庆、齐鲁、扬子、金山要跟着上，资金保证，确保改造一个成功一个。同时，在这个过程里，大力组织联合，小的项目少搞或不搞。还有聚酯项目，石化总公司搞3个大的，即辽阳、天津、洛阳，每个年产20万吨，共60万吨，现在全国已经有120万吨的生产能力。纺织部报了13个年产6万吨的聚酯项目，国家计委已批了3个，还有3个正在会签。6万吨小聚酯是不行的。社会化大生产，专业分工是进步的。马克思讲过，这是一个民族成熟的标志。年产6万吨聚酯有什么竞争力？这一点我已同国家计委的同志取得共识，今后不再批了。但阻力不小，不少省长还在找我批。

我们还是要坚定不移地搞规模效益，年产20万吨聚酯一定要搞，年产6万吨的不要搞了。不花很大力气去做调整结构的工作，搞活大中型企业就是一句空话。我多次讲，现在我国的价格信息，有些是十分不准确的。根据这些信息计算出来的效益，到投产时往往变了样，弄不好还要背个包袱。现在要顶住一个项目很不容易，有些地方的领导同志不大清楚国家的全局，也不大了解国内外市场，都存在一种侥幸心理，反正风险都是国家的。

我在全国企业技术进步工作会议上讲了三个结合：一是把计划经济与市场调节两方面的优点结合起来。现在我们往往没有结合好，定项目时没有考虑市场。二是把存量调整和增量调整结合起来。现在看起来，存量调整比较困难，增量调整无论如何要抓住。明年增加的技改投入，全部掌握在国家手中，不能再撒胡椒面了。要组织联合投资，这一点要取得各省区市的理解。三是把中央和地方两级调控结合起来。光靠中央，把风险交给国家，地方一点不考虑，有赤字也要上项目，那怎么行？

思路不知对不对，请同志们研究一下。如果成立的话，就要统一认识，在今后三年到五年内，集中力量按这个思路抓下去，我想大中型企业是可以搞好的。

加强有色金属矿山的行业管理*

（1991 年 12 月 27 日）

有色金属工业是基础工业，是带有战略意义的重要原材料工业，影响着一个国家的国防实力。党中央和国务院对有色金属工业的发展非常重视，采取了很多政策措施。目前有色金属工业的发展，已经从长期以来的卖方市场转入了买方市场，这就带来了一些新问题。同时，在改革开放的情况下，面临着国际市场上的竞争，特别是将来我国恢复在关贸总协定的缔约国地位后，会带来一些新的挑战，如保护知识产权、消除关税壁垒等问题，而我们处理这些问题的经验还不足。当前全国经济形势以及有色金属工业的形势都是好的，而且还在向好的方向发展。我相信，这些在前进中出现的困难和问题是可以解决的。

发展有色金属、黑色金属、化学工业、建材工业，一定要重视矿山这个基础。前些年普遍不注意加强矿山工作，这个教训我们在过去就已经总结过了。党中央、国务院曾多次强调要搞好矿山工作，但在实际工作中往往被忽视。这里有个价格体制问题，即矿产品价格低，搞矿山总是赔钱，而加工环节的利润却很高，这是不重视发展矿山、

---

* 1991 年 12 月 27 日至 30 日，全国有色金属工业工作会议在北京召开。出席会议的有中国有色金属工业总公司有关单位负责同志，有关省、自治区、直辖市和计划单列市冶金厅（局、公司）、有色金属公司负责同志。这是朱镕基同志在与部分代表座谈时讲话的主要部分。

不肯在这方面下工夫的主要原因。矿山条件很艰苦，你们应常去矿山，深入基层调查研究。对矿山工作不重视，将来是要吃大亏的。

加强矿山工作，首先，要加快推进价格体制的改革，提高矿产品价格，煤炭、有色金属、黑色金属、石油等非提价不行。这些工业品价格和国际市场价格差那么远，价格严重背离价值，给出的是错误的价格信号。为什么各地拼命地搞乙烯、聚酯这些东西？主要原因是国内石油价格太便宜了。由于错误的价格信息，这样的项目马上变成热点，各地一哄而上。因此，价格体制一定要改革。

其次，我们主观上也要重视矿山工作，从政策上支持矿山建设。现在有色金属矿山的问题比黑色金属的还严重，乱采滥挖问题始终没有解决，破坏性的开采非刹住不可。刚才有的同志讲，钨、锡、钼曾有过光荣的历史，但现在为了出口，拼命地乱采滥挖，把资源破坏了，外国人还抗议我们搞倾销。赚了多少钱呢？今年有色金属全行业创汇 10 亿美元，其中中国有色金属工业总公司创汇 5 亿美元，为了这么点外汇，把我们的有色金属矿山搞成现在这个样子，何苦来哉！鞍钢也是这个状况，“七五”期间的技术改造工作是很有成绩的，但是忽视矿山建设，把希望寄托在进口矿石上。现在全国进口澳大利亚、巴西、印度的铁矿石成了风，而不去抓国内矿山的建设，这是不行的。所以，我要求鞍钢在“八五”期间的技术改造中，要把钱主要用于搞矿山建设，后加工先不要搞。我再一次请有色金属工业总公司要加强矿山工作，有色金属矿山是国家交给有色金属工业总公司管理的，不要认为矿山是牵涉地方的问题，责任都在地方。

有色金属工业总公司是代表国家实行行业管理的单位，乱采滥挖的人在地方，但责任在有色金属工业总公司，你们要把这个责任担起来。否则，谁来保护有色金属矿产资源？现在我们实行行业管理的体制还不大顺，有几种情况。石化、船舶、石油、海洋石油总公司比较好一些，为什么呢？因为中国石化总公司成立时，企业收得全，没有其他部门插手，所以比较好管。中国船舶工业总公司当时也比较好办，大的造船厂包括修船厂也都收上来了；重复建设的情况比较少，但也不是没有。你们有色金属工业总公司的体制就有点困难了，成立经济实体时收了一部分企业，地方还留了一部分，而你们又受国务院委托行使行业管理的职能。行业管理要公正，你手里有直属企业，人家就怀疑你的公正性，容易发生利益冲突。因此，就出现了你们管理的140多个矿山中，40多个矿山有乱采滥挖的现象。

所以，我希望有色金属工业总公司把工作重点和主要精力放在行业管理上，特别是放在保护矿山上。对直属企业，主要还是扩大它们的自主权，同时加强宏观的调控。宏观调控很重要的一点，是加强对直属企业领导班子的考核、培养、帮助、整顿、建设，这些工作不能放松。要在加强宏观调控的基础上，扩大企业的经营自主权，督促它们转换机制、自主经营、自负盈亏，考核它们的成绩。不要什么事都去帮它们干，什么事都去干预，花很大的精力还不一定搞得好。

现在国际、国内两个市场融通了，竞争很激烈，要顶住进口，关键是要提高自己产品的竞争力，这是一项有战略意义的工作。提高有色金属产品的竞争力，主要靠企业内部挖潜，处理好以下几个问题：第一，不能挤电价、挤别人。各人有各人的难处，挤别人不是办法。有人提出当前有色金属工业最大的问题是电价问题，我不同意这个提法。对一个厂来说可能是这样，一降低电价，就马上变亏为盈；但对国家来讲，最大的问题不是电价问题；即使电价降了，厂子虽然变亏为盈了，但好多深层次的问题并没有解决。那样的“盈”也只能是暂时的。而且很难说什么电价是合理的，一个国家，一个时期有一个时期的政策、有一个时期的电价。现在为什么电发展得这么快？有一条原因就是靠集资、靠贷款，包括从国外贷款、进口设备。搞得很快，但上去以后负债很重，不提高电价怎么还债？要不然就缺电。一些国家生产铝，都是在一些有铝矿资源的地方建水电站，国家给一些支持，电费就便宜，那是为了促进铝业发展。现在我们整个水电的比重很小，电力发展资金不足，电价要大幅度降低是很困难的，所以压电价不是一个根本的办法。第二，不能挤矿山，不要把矿产品的价格压低，拿国家的资源做补偿，这也不是个办法。总的讲，还是要提高矿产品的价格，这样才能保护国家的资源。资源税是矿山应该交的。矿产品要反映它实际的价值，应该包括资源税，但要考虑矿山目前的状况，考虑它的承受能力，制定合理的税率，否则不是使之发展，而是使之后退。要使矿山的勘探资金越来越多，而不是因此减少，不然的话，有色金属工业就无法发展。在这个前提下，要转换企业经营机制，加强企业管理，挖掘内部潜力，降低成本，提高与国外产品竞争的能力。

抓紧制定《全民所有制工业企业转换经营机制条例》*

（1992 年 1 月 10 日）

我昨天上午到会上来，邀请了十个省市的同志，座谈转换企业经营机制问题，也看了会议简报。同志们都要求把转换企业经营机制作为今年改革的重点，并且要求《全民所有制工业企业转换经营机制条例》（以下简称《条例》）尽快出台。李鹏同志已多次讲过，今年改革的重点是企业改革，特别是企业经营机制的转换，我完全赞成。下面，我谈三点意见。

第一点，对这个问题的认识。李鹏同志在去年 12 月 23 日的国务院全体会议上讲话时指出，在当前经济形势比较好的情况下，也要看到一些深层次的问题，这些问题严重地影响了国民经济向良性循环的方向发展。我的体会是，对目前一些深层次的问题，作为高级干部应当有正确的认识，要有紧迫感。目前有三分之一的企业亏损，还有三分之一的企业潜亏，这个问题如果拖得太久，是会坐吃山空的。所以在去年全国企业技术进步工作会议上，我提出工交战线不能再等五年了，近三年就要扭转过来，要扭亏为盈。今年就应该刹住企业效益滑坡的势头，明年就要好转，后年就应该转入基本

---

* 1992 年 1 月 6 日至 10 日，全国经济体制改革工作会议在北京召开。出席会议的有各省、自治区、直辖市和计划单列市主管经济体制改革工作的负责同志，以及经济体制改革部门负责同志、国务院有关部门负责同志。这是朱镕基同志在会上讲话的主要部分。

正常的发展，否则财政会越来越困难。对这个问题应该有紧迫感。那么，怎样扭亏为盈？怎样解决国营大中型企业的问题？在中央工作会议上，李鹏同志提出二十条措施，总的精神是转到调整结构、提高效益的轨道上来。其中十二条是解决企业外部经营条件的，只能逐步落实。我算了一下，财政今年大体上让利 80 亿元。现在企业一年亏损几百亿元，这 80 个亿解决不了多少问题。要再增加，财政、银行都承受不了。因此，说来说去还是要靠内因、靠自己。所以又提出了八条，要求抓企业内部管理，转换经营机制。光上面着急，下面不着急是不行的。只有把改革的重点放到转换企业经营机制上，这二十条才能全面落实。

第二点，为了促进企业经营机制的转变，国务院决定要制定一个《全民所有制工业企业法》的实施条例。怎么制定？李鹏总理在国家体改委的请示报告上有明确批示，也讲过多次。我归纳为三条，可以说是我们制定这个《条例》的指导思想。第一条，不能搞得太烦琐，包罗万象，否则这个《条例》出不了台。只能把重点放在转换企业经营机制上，就一些主要问题作出明确的规定，其他细节有待于以后补充。今年要集中精力搞好《条例》，作为贯彻《全民所有制工业企业法》的实施细则。第二条，这个《条例》很重要的一点，是要用法律的语言来界定所有权和经营权。这里要特别强调，一个厂长受国家委托来管理和经营国家财产，对国家负什么责任？不能把国家财产吃掉，要保值增值。现在我们有的同志对放权让利讲得多了，当然这也是应该的，但是对一个企业、一个厂长应对国家承担什么责任讲得太少了。如果把国家财产吃空了，也没人过问，企业亏损，厂长照当，这样不行。第三条，这个《条例》一定要解决人事、劳动特别是内部分配问题。要建立投资和分配两个约束机制，说到底，就是要解决包盈不包亏的问题。企业、厂长拿到很多条件，盈利了，得到许多好处；亏损了，没有任何责任，这不行。

第三点，怎样制定这个《条例》。我和陈锦华〔1〕同志召开了一个会议，与有关部门一起商量了工作进度。我们的心情和大家是一样的，这个《条例》应该尽快出台。不出台，企业亏损的局面就难以扭转。但是也考虑到难度很大，最后下了决心，准备用三个月搞出初稿，然后再用三个月时间协调国务院各部门的意见。很多地方的同志顾虑这个《条例》发下去有没有用，其实关键是我们政府各部门的意见要一致，这是很难的。大家说时间太长，我看三个月时间恐怕也协调不下来。各部门有各自的困难，意见不大容易统一。最乐观的估计是上半年协调完，7 月 1 日颁布实施，这是最理想的情况了。为了搞好这项工作，我昨天上午对十个省市的同志提出要求，请他们把国家体改委现在拿出来的《条例》草案带回去。大家认为这个草案虽然还不成熟，但比没有好得多，给予了相当高的评价。我限定他们在 1 月 23 日国务院生产办召开的主管企业工作的各地经委副主任会议上，把修改好的本子带回来，或者是“另起炉灶”，自己另搞一个也可以。请这十个省市的同志回去向省（市）委、省（市）政府主要负责同志汇报，一定要按期交卷，要动员体改委、经委、计委及企业界的同志共同来修改。今天我也向其他省区市提出这个要求，请回去修改好后在下次开会时带来。这对那十个省市来说是硬任务，其他省区市的任务相对“软”一点，但也要修改，要主动去做这件事情。有的同志说，要求太快了。同志们，你们不是说着急吗？我们很着急，你们也要着急啊！而且要反映意见，这个时候最起作用，否则《条例》出台后就加不进去了。其实，对现在企业存在的问题大家都清清楚楚，关键是要拿出解决办法来。同时，我对有关部门特别是劳动

〔1〕陈锦华，当时任国家经济体制改革委员会主任。

部、人事部、财政部以及银行等也提出了要求，请他们回去后向主要领导同志汇报，党组要讨论，把《条例》修改出来。修改时不能删掉内容，也不能回避矛盾，只能提出你们的意见，觉得哪里不行就提出修改意见，大家一起来探索改革的路子。

下面，我就怎样具体修改这个《条例》谈几点意见：

一、先立后破，分期达标

这个《条例》不是只管一两年，而是准备长期起作用的，要先把规章立起来。分期达标，就是说，达到目标要有个过程，逐步才能达到。先立后破，是要求先有规范，有配套措施，否则就实现不了。企业没有辞退职工的自主权，就不能自主经营、自负盈亏；而企业要能够辞退职工，就必须完善法规，措施配起套来。比如，要健全待业保险等社会保障制度，搞好转业培训，建立职业介绍所等等。《条例》如果不包括这些内容，就没有办法执行。很多省市的负责同志告诉我，现在许多企业没有人事权，职工、干部都由上面安排。《条例》既要能保证企业的用人权，加强劳动纪律，又要能保证社会安定，这不是那么容易解决的问题。

二、划分责权，转变职能

现在，部门很多，每个部门的权力都很大，管得过宽。有的部门说，这个《条例》没有什么用。李鹏同志刚才讲得很好，政府不精简机构、转变职能，企业就无法实行这个《条例》。因此，制定《条例》要把重点放在划分责权方面。国家把管理权委托给企业了，企业应该承担什么责任？向国家承担什么任务？《条例》都要有明确规定。完不成任务，厂长就应该下台，不能容忍企业连续亏损三年。亏损第一年要“黄牌警告”，第二年要以观后效，如果第三年还不行，那就对不起，再好的厂长也要请他“另谋高就”了。这就是责。既然给了他这个责，就要给予他相应的权力；中央各部门的责任就是监督他不能把所有权给吃掉了，不能把国家财产吃光了，他承担的任务要完成。至于怎么完成任务，那就是他要在国家法律法规、政策以及国家计划指导下来完成，不能接受各部门甚至个人的命令。如果企业的发展规划、经营决策，谁都去干预，那不行。现行的许多制度，包括审批制度，都要逐步进行改革。不仅企业要建立自我约束的投资机制，银行也要建立这样一个约束机制，就是说，银行也有个责任问题，不能把风险交给国家。企业和银行都有了约束机制，审批就没有必要了。现在你审批，企业也不照你批的做，甚至你不批，企业也照样上它的项目。所以说，只有划分责权，主管部门转变职能，企业才能达到自主经营、自负盈亏的目的。怎么监督，也不必写得那么细。当然也可以考虑一些组织形式，比如说像德国企业那样设监事会。我想，我们的国营大中型企业是不是也应该有这么一个监督机制？监事会可以包括所有权代表、职工代表、企业界的代表、银行界的代表以及管理学家的代表。由监事会来负责监督审计。但实际上真正的财务账目，是委托会计师事务所来审计的。据我了解，国外的会计公司是很厉害的，比财政部的专管员要厉害得多，它是按法律办事，不是按个人意志办事的。会计公司如果营私舞弊，要受到严厉的惩罚。最近，美国有一个大会计公司，因为一桩舞弊案子，宣布破产了。破产采取“扫地出门”的办法，会计公司所有合伙人的财产全部被没收，只留给他们一部小汽车。公司的财务只要会计公司一签字，哪些能打入成本、哪些不能打入成本，就定了。财政部就根据这个来判定，没漏税则已，如有漏税，就得

1991 年 10 月 16 日，朱镕基考察江西汽车制造厂。右四为江西汽车制造厂党委书记蒋林生，右五为江西省委书记毛致用，右七为江西省省长吴官正。

坐牢。如果公司舞弊，比如说向会计公司行贿，它的负责人是要坐牢的，会计公司也要破产。我们是不是也可以采取这样的形式，在厂长任期内进行审计。如果等任期结束以后，厂子都搞垮了，几千万元、上亿元资金都黄掉了，再去审计，再撤厂长的职，还有什么用？我看，每年所有权的代表都应该对每一个企业进行审计，检查它的资产负债表。

三、依法治厂，定出规范

《条例》中所有条款都应该使用法律语言，要讲得很明确，要把实质性的矛盾提出来，敢于去碰硬，提出解决的办法。如果笼统地写，那就是说根本不准备实行，因为把矛盾都回避了。可以说，《条例》中提出的很多问题都是针对各部门现行规定来的，那就是要对现行的规定进行改革。不改革，这个《条例》是解决不了问题的。如果把这个《条例》制定出来了，并成为一个全国的规范，我看企业就好管了，依法治厂，就可以从严了。违反了《条例》规定，就“六亲不认”，该处分就处分，该撤职就撤职。另外，关于分配问题，在《条例》里一定要把效益工资写清楚。我的主张是：根据国民经济的发展和效益的情况，规定一个全国总的工资增长幅度。各部门据此规定本行业的工资增长幅度，行业要规定工资增长平均数和最高限，最高限可根据本行业先进企业情况来定。在这个基础上，企业根据自己的效益计算工资增长。效益要包括全面的指标，不能只是一个指标，特别不能只是产值指标。企业的工资增长只能低于、不能高于行业的工资增长最高限。以前搞的收入不封顶，那不得了，会形成收入差别的悬殊。就是资本主义国家也要实行收入平均化，每年工会也要同雇主谈判，定出平均工资水平、每年工资增加多少。工资水平高一点的企业可以建立工资风险基金，今年盈余，明年亏了，可以用盈利来弥补亏损。现在我们还没有这种储备，今年盈利多，就全部分光了；明年亏了，也不认账，这不行。

总之，制定《条例》要抓住几个重点，重点一定要十分明确，要有可操作性。没有可操作性，那就不要搞《条例》了，因为我们已经有《全民所有制工业企业法》了。

充分认识发展信息产业的重要性*

（1992 年 1 月 11 日）

我要着重说的一个问题是，必须充分认识发展信息产业的重要性。

现在是信息时代，连美国人都把信息产业的发展作为他们的国策，你看美国的总统咨文、委员会报告等等，有关信息产业的内容都是他们最重视的东西。在信息时代，发展信息产业的社会效益是不可估量的。特别是我们进行改革开放，没有信息产业的大发展，国民经济是不能够很好地发展的。现在美国已经实现家庭微机国际联网，这说明它的信息非常灵通，适应市场竞争的能力非常强，科技交流的效率非常高。虽然说当前美国的经济不景气，但它的实力还是很强的，关键在于科技。现在还没有哪一个国家能同它比，就是日本也还是赶不上。所以，对信息产业的发展应该有足够的认识。对这个问题，我的观点非常明确：只要是邮电部、电子工业部要钱，我从来不卡。当然，给了钱不能浪费，要用在急需的地方。

最近，我连续听了电子工业方面的几次汇报。要发展信息产业，电子工业一定要搞上去，邮电事业一定要搞上去。你们两家要配合好、衔接好，不要搞重复建设。对有些部门我是卡的，如对加工工业就要控制它们的总规模，把这方面的钱给卡下来。绝对不要搞重复建

---

* 这是朱镕基同志在听取邮电部工作汇报后讲话的一部分。

设。我们过去吃亏就在这个地方，搞了很多重复建设、无效劳动，不知道浪费了多少钱，而真正该发展的没有发展。这次折旧免交“两金”[1]，返回的40亿元中，基础设施包括能源、交通、通信等就占了30亿元，就是要首先把基础设施搞上去。这一点，在指导思想上一定要非常明确，观念一定要转变过来。邮电事业没有重复建设问题，而且邮电发展了，信息产业发展了，能带动整个社会的科技水平、经营管理水平的提高，带动对外开放的发展。今天我说这些，就是希望大家都来重视发展信息产业。

对通信产业的发展，大家不要认为它现在的发展就够了，我觉得还很不够。刚才你们汇报中讲“八五”期间将增加程控交换机1000万门，我看还应再快一些，应搞到1500万门。这当然是我估计可以有这么一个速度，因为大家都已经认识到通信产业的重要性，各地都会把钱花在通信产业上。而且，通信产业自己的积累能力也在逐步增强。只有这么一个比较快的发展速度，才能真正把我们国家的科技这个第一生产力搞上去。讲“科技是第一生产力”，要首先从信息产业开始，信息产业发展了，可以带动整个科技事业的发展。

〔1〕见本卷第35页注〔1〕。

领导干部要廉洁奉公*

（1992年1月11日）

我想再强调一下加强精神文明建设问题。要把精神文明建设搞好，要把各项事业搞好，领导班子建设是最重要的。要真正把中央的一系列政策贯彻落实到基层，没有各级领导班子以身作则、为人表率、清正廉洁，就什么事也搞不成。各级领导干部要深入群众，多做调查研究；领导干部要廉洁奉公，作出好样子，不要请客送礼、大吃大喝。这些方面国务院都是有规定的。首先是我们这些人要以身作则。最近，我去了十几个省，要求第一条，不要迎送。迎送干什么呢？地方上的同志一定不要来迎送，这要省掉多少事嘛。总理、副总理、部长加起来有多少个，都迎送不得了，大家不堪负担啊！第二条，不陪餐。一起吃饭就是请客，自己吃饭也要严格要求，四菜一汤。大家都这么做，好风气就出来了。如果省委书记、省长来吃饭，规格能低吗？如果光是省委书记、省长那倒好办，但他们一来就不是几个人，马上就是多少桌，部长下去可能至少三桌吧。有人说，我们在一起吃饭，一边说说话不是节省时间吗？我说节省不了时间，只有一张嘴巴，不是吃饭，就是讲话，能节省什么时间呢？第三条，绝对不收礼。一条烟、一瓶酒也绝对不收。第四条，不在宾馆里听汇报。

---

* 1992年1月11日至14日，全国交通工作会议在北京召开。出席会议的有各省、自治区、直辖市交通厅（局）主要负责同志。这是朱镕基同志在会上讲话的一部分。

1992 年 1 月 11 日，朱镕基在全国交通工作会议上讲话。右为交通部部长黄镇东。
（新华社记者张燕辉摄）

我去了十几个省，都是到省政府去听汇报。这倒有个好处，每个省政府机关什么样子都知道了，哪个艰苦朴素、哪个豪华，我都清楚了。另外，一些生活小节也要注意。李鹏同志就批示过，下去不要跳舞。你去跳舞了，大家都来跳，跳舞成风不得了啊。不搞这些增加别人负担的事情。我相信只要我们负责同志、各级领导班子，大家都严格要求自己，讲党性，作风就带出来了。我们往往讲社会风气不好，社会风气怎么会不好呢？同志们，首先是我们干部风气不好嘛。江泽民同志在上海一再讲"上梁不正下梁歪，中梁不正倒下来"。只要我们从部长到厅局长大家都严格要求，整个社会风气就好了。我们政府机关廉洁，也就敢于去治那些作风不好的人。希望你们把这个问题提到巩固我们的社会主义制度，防止"和平演变"的高度来认识，切实加强精神文明建设。

国务院生产办要服务好、态度好、廉政好*

（1992年2月2日）

国务院生产办成立半年多来，取得了很大的成绩。大家抓工作，确实抓住、抓准了国民经济当前迫切需要解决的问题。同志们对这些问题认真地抓，加班加点地干，没有人说苦说累，抓出了显著的成绩。一是清理掉1360亿元三角债，是总额的40%了，大大地缓解了企业的困难。二是限产压库，这项工作难度很大。但是，到去年年底实打实地压掉了229亿元，这就大大地减轻了企业的负担，使亏损面下降了7个百分点。三是预算内国营工业企业1991年下半年实现利润上升2.8%。不要小看这2.8%，它标志着我们的工业企业已经从效益滑坡转为上升。我们一定要看到这个成绩的取得是很不容易的，同志们应该为自己的工作取得的成绩感到自豪，同时，应该鼓舞自己的信心。事实证明，只要认真抓，就可以抓出成效。另外，我还要指出，完成这些工作，同志们是在很困难的条件下进行的。我们的办公地点分散，人数很不够，一个人要当几个人用。昨天，我们开生产办党组的民主生活会，邀请了中组部、中纪委和中央国家机关工委的同志参加。党组成员都做了自我批评，没有人吹嘘成绩，但是，对同志们工作的艰苦我也说了两句。有关部门的同志听了非常感动，会后对我们说：你们这种精神真可贵，在很艰苦的条件下，大家的干劲还这

* 这是朱镕基同志在国务院生产办公室1992年春节团拜大会上讲话的一部分。

么足，效率这么高，没有人叫苦，令人钦佩。我想，我们也应该充分地肯定自己的成绩。

这里，我想向大家提几点希望。

第一点，我们虽然取得这么大的成绩，但是不能骄傲，我们应该谦虚。这一点，不是对同志们提出的要求，主要是对我自己提出的要求。昨天在生产办党组民主生活会上，我也做了自我批评。我还是有一些毛病，有时一讲成绩就讲得过分，讲别人的缺点讲得太多，对同志们要求过高、过急，特别是对别的单位批评得太多，这是我的毛病。请同志们注意，我们的工作只是国务院工作的一部分，离开了兄弟部门的支持，我们的工作是做不好的。在内部也一样，生产办的技术改造局、科技局负责下达计划，我要求在今年 1 月底以前，项目一定要统统出门，要是没有秘书局和其他各个兄弟司局的支持，包括印刷厂，也是干不成的。每一件工作都是依靠大家共同努力干成的。因此，我们应该互相谦让。对于这一点，不但我要注意，希望同志们也要注意，特别要搞好同兄弟部门的协作关系。

第二点，一定要认真加强政治学习。江泽民同志在去年 7 月 1 日的讲话和在中央工作会议上的讲话，都强调要从政治上看问题。我们一定要从政治上来提高自己，加强政治理论学习，特别是学习毛泽东思想、邓小平同志的著作。加强机关思想政治工作的目的，就是要保证我们始终认真地坚持党的基本路线。大家都看到党的“一个中心、两个基本点”的基本路线，确实使我们改革开放十多年来取得了翻天覆地的变化。实践证明这条基本路线是完全正确的，可以管一百年。我们一定要把这条基本路线坚持下去。

第三点，要解放思想，把改革开放工作搞得更好，胆子更大一点，步子更大一点，速度搞得更快一些。中央一再地强调，要加快改革的步伐，加大改革的分量。我们一定要朝着这个方向去努力。我们还要随着改革的深入，注意转变机关的工作方法和职能。同志们，我提醒大家，我们的许多工作，绝对不能完全按过去国家经委那一套工作方法来做。时代已经不同了，改革已经前进了。如果我们什么事情都守着过去那一套办法来干，就不能适应这个要求，不能发挥中央和地方两个积极性。要转变职能。如果我们生产办不转变职能，而去要求各个行业管理部门转变职能，那是不可能的。希望同志们一定要始终把解放思想、深化改革、扩大开放变成具体行动。

第四点，要继续加强党的建设、干部队伍的建设，加强思想政治工作。生产办的人太少了，要注意选拔干部，把一些年轻的同志调进来，充实队伍。我们整个机关干部的年龄都偏高，当然高有高的好处，经历多，经验丰富，工作抓起来比较顺手，但是总得有人接班啊！总要调进来一些新生的力量，不然我们这个事业就不能推向前进。

去年，我提出三条要求，希望我们这个机关能够服务好、态度好、廉政好。我讲服务好，是根据邓小平同志的一句名言："领导就是服务。"〔1〕我们就是要全心全意地为人民服务，为基层服务，为各部门服务，为各地方服务。对于这一点，我们一定要牢记在心，什么事情都要设身处地替大家想一想，要服务好。我讲态度好，首先就是指对工作认真负责，有高度的历史使命感、责任感、紧迫感。对工作一丝不苟、认真负责、任劳任怨，这是个根本的立场和观点问题。其次是指我们对平级和对下级的态度都要好。同兄弟部门商量工作时要嗓门小一点，态度谦虚一点，考虑人家的困难多一点。团结协作好，也包括在态度好这一条里面。对下面的同志不能盛气凌人，不能

〔1〕见邓小平《把教育工作认真抓起来》(《邓小平文选》第三卷，人民出版社1993年版，第121页)。

以领导机关自居，要认真地听取人家的意见。特别是人家对北京各个部门不大熟悉，我们要设身处地帮助他们想一想，不要让他们到处去跑，在我们这里尽量就把工作协调好了，那人家会从内心感激的。第三条，廉政好。同志们都要记住这一条，即使一条烟、一瓶酒也不能接受。遇到这类事，你们要多做说服工作，说生产办有严格的规定，不许收礼、吃请。表示友情，可以有多种方法，为什么非要送东西？非要吃请？希望同志们在廉政方面继续加强，严格要求自己，在新的一年里把我们生产办机关的建设搞得更好。祝愿大家在服务好、态度好、廉政好这条道路上继续前进，取得更大的成绩。

全面正确地理解邓小平同志南方谈话精神*

（1992年3月25日）

今天，我是作为上海代表团的一名代表来参加会议的。我在上海当了三年多的市长，参加了五次全国人大会议，每年和大家见面，不敢说在座的诸位我都认识，90%我还是认得出的。今天看到大家，特别是一些老同志，身体很健康，心里非常高兴。公琦〔1〕同志昨天要我来发言，他要我多讲讲，但是今天没有多少时间了，讲一点什么呢？

大家都知道，这次大会之前，邓小平同志发表了很重要的谈话。正如中央通知讲的，这次重要谈话不仅对当前的改革和建设，对开好

---

* 这是朱镕基同志在七届全国人大五次会议上海市代表团讨论会上的发言。1992年春节前后，邓小平同志先后在武昌、深圳、珠海和上海等地就坚定不移地贯彻执行党的“一个中心、两个基本点”的基本路线，坚持走中国特色的社会主义道路，特别是抓住时机，加快改革开放的步伐，集中精力把经济建设搞上去等一系列重大问题，发表了重要谈话。各地认真学习贯彻邓小平同志重要谈话，加快了经济建设步伐，但是一些地方也出现了片面强调发展是硬道理的问题。朱镕基同志针对当时对邓小平同志南方谈话精神理解的片面性，强调对邓小平同志南方重要谈话要全面正确地理解，要深刻领会其精神实质，不要片面强调发展是硬道理。当时有人认为这是同邓小平同志南方谈话唱反调。朱镕基同志也感到有很大压力。不久，邓小平同志看到了这篇发言的整理稿，予以充分肯定。中共中央决定将这篇发言以《中办通报》印发各地区、各部门，并刊载江泽民同志在发言上的批示：**“朱镕基同志在人代会上海代表团会议上的发言，有内容、有重点、有分析、有办法，抓住了小平同志最近重要讲话的精神实质，使人很开脑筋，值得一读。”**

〔1〕公琦，即叶公琦，当时任上海市人大常委会主任。

党的十四大，具有十分重要的指导作用，而且对整个社会主义现代化建设事业，具有重大而深远的意义。邓小平同志发表重要谈话以后，全国人民都欢欣鼓舞，这也反映在我们这次大会上；同时，也得到海内外各界人士的拥护和赞成。我想，一个讲话能够产生这么广泛、深远的影响，确实是很少见的。在这次大会上，我们大家要在邓小平同志重要谈话的精神指引下学习、讨论、贯彻，把工作做好。我今天想谈一点学习邓小平同志的重要谈话、学习江泽民同志在政治局全体会议上的讲话、学习李鹏同志的《政府工作报告》的个人体会，我谈的可能不对，请批评。

邓小平同志重要谈话总的精神就是要抓住当前的有利时机，不要丧失这个时机，思想更解放一点，胆子更大一点，步伐更快一点，把经济建设搞上去。我最近访问了澳大利亚、新西兰，感到现在的国际形势是有利于我们的。现在，很多国家都不景气，我在新西兰和澳大利亚都看到这种迹象，失业率很高，市面萧条，到处出卖大楼。现在，发达国家包括日本和德国，日子都不是那么好过；亚洲“四小龙”也都遇到了新的困难，国际竞争越来越激烈，他们那个地方的工资越来越高，劳动力越来越缺乏，所以他们也在进行经济结构的调整。如果不调整结构，不向高新产业发展，他们也要活不下去了。回过头来看我们自己的情况，我国经济确实是向好的方向发展，深层次的矛盾正在逐步得到解决。去年遭受那么大的水灾，造成200多亿元的损失，也可能还大一点，因为各级财政、人民群众自己承担了相当大部分的损失，没有对国民经济产生什么大的影响，农业还是照样的大丰收。现在发愁的是棉花调不出去，糖积压得厉害，而且出现了“卖粮难”，粮食储备已是空前的多，市场的商品非常丰富。所以说，一方面，我们自己如不调整产业结构就不能前进；另一方面，我们人民的基本需求得到满足了，形势确实非常好。这是一个有利时机，如果我们不抓住这个时机赶快上一个台阶，那就丧失时机了。但是，我们的思想怎么解放？胆子怎么个大法？加快什么东西？怎么才能把经济搞上去？我也在学习过程中间，谈几点体会。

一、首先要加快改革和开放的速度

这是邓小平同志重要谈话的精髓所在。过去十多年的改革开放确实取得了很大的成就，无论是国内还是国外，没有人能否定这个历史事实。现在看，如果我们的思想再解放一点，恐怕我们的成绩就有可能更大一点了。别的不好说，上海的情况我还是知道的。上海的思想是不是可以再解放一点？我在上海的时候一再讲，上海人太“精明”了。现在我还是这句话，太“精明”了，到头来就不高明了。什么事情都怕吃亏，怎么能够把它搞上去呢？斤斤计较，时机一丧失，就搞不上去了。国际经济正处在大调整的时期，我们不抓住怎么行呢？最近国务院发布了开发海南洋浦的消息，有人说洋浦的地卖得太便宜了。那是一块撂荒地嘛，你不用低价出租，就没有竞争力，外商就不来，那个地方也就开发不了，建设搞不上去，人民群众的生活水平也提高不了。何况在建设过程中，你还可以得到社会效益，建设队伍是你的，国内采购设备也是你的，还可以吸纳好多工人就业，他们的生活水平也提高了。为什么不算这个账呢？现在国际竞争这么激烈，你没有优惠条件，怎么吸引人家来投资呢？反过头来讲，上海浦东的地也别那么贵了。吸引外资，加快速度，过去我们还担心这个东西是姓“资”还是姓“社”，邓小平同志把我们这个思想问题解决了。你引进外资、引进技术、引进先进的管理，都在你的社会主义土壤上面开花结果，它就姓“社”了，不姓“资”了。这个问题解决了，不怕扣这个大帽子了，是不是？我们就可以把这方面的工作搞得更快一点。

最近谈到浦东开发，李鹏同志讲，浦东要是没有几个大项目，它就没有吸引力、没有号召力。所以，一定要搞几个大项目，大家要舍得花一点本钱。我们跟李嘉诚[1]先生合营搞集装箱码头，这是我在上海工作的时候就谈的事情。前些日子，我见到李嘉诚先生时跟他说，你要到上海去啊。他说去是一定去，但具体条件还没有谈妥啊。我一再鼓励他应该对上海有信心，还是要去。现在究竟卡在什么问题上呢？据说是股份占多少，他要求占 50%，我们要求他占 49%，就差那么

1992 年 3 月 25 日，朱镕基在七届全国人大五次会议上海市代表团讨论会上发言。右一为中共中央政治局常委、中央纪委书记乔石，右二为上海市委书记吴邦国。

（新华社记者李生南摄）

〔1〕 李嘉诚，当时任香港长江实业（集团）有限公司董事局主席。

1%，但也许这是关键的1%。我刚才跟黄镇东〔1〕同志商量了，这有什么关系呢？要互相信任嘛！不是谁多占了个1%，谁就把谁甩啦，谁就不照顾谁的利益啦，这不是一个主要问题。总之，要坚定投资者来投资的信心，什么事情都要抓紧办，错过这个时间就不行了。还有，我们跟法国埃尔夫石油公司合营的炼油厂，这也是一个10多亿美元的大项目，关系到上海的第二个出海口金山港，是个很重要的项目。这个项目搞成了，对上海浦东开发有很重要的意义。我是讲，这些大项目必须抓得紧紧的，赶快把它们搞成。上海现在有个出海口的问题，不解决这个问题，浦东的开发是很难的。昨天，汪道涵〔2〕同志介绍一个日本代表团来见我，就是为了建造浦东的国际机场，即上海的第二机场。他们提出一个很好的见解，说这个上海的国际机场，建成规模不一定要世界第一，也应是亚洲第一。我想这个意见有一定道理。我倒不是说一定要争什么第一，不必追求这个虚名，而是要搞得比较好，符合实际需要。因为上海要成为国际金融和经济中心，没有一个好的基础设施，出海口本身又存在一些客观的不利条件，如果空中交通再不方便的话，要想成为这样一个中心是非常难的。所以，基础设施应该花一点本钱来搞。他们的这个意见可以考虑，日本人如果有兴趣，可以一起来建这个机场。中国内地找不到一个像新加坡那样的机场，香港也没有啊。我看了新加坡机场，确实是非常羡慕，我们也应该有这样管理先进的机场。

引进管理也是非常重要的，从上海来讲，我觉得这个思想还可以再解放一点。最近，我研究了一下股份制，找了深圳和上海两家证券交易所的理事长和总经理来座谈。我本来认为上海的证券交易所建在

〔1〕黄镇东，当时任交通部部长。

〔2〕汪道涵，曾任中共上海市委书记、上海市市长，当时任海峡两岸关系协会会长。

深圳之前，可能要比深圳的更好，结果得出相反的结论，还是深圳的走在前面。这里面是不是反映出一个问题？就是上海自己的思想还不够解放。我总结了上海与深圳股票市场的差距：

第一，深圳发行股票是33亿股，现在总市值是100亿元。上海只发行了3.49亿股，与深圳相差近10倍。

第二，上海上市的公司没有几家是有名的企业，还是1986年搞的那几个公司。第二批上来的有几个像样的了，如上海第二纺织机械厂、嘉丰棉纺厂、凤凰自行车厂等，但经验还没创造出来。

1990年12月19日，朱镕基出席上海证券交易所开业仪式。前排左一为上海市委原书记汪道涵，左二为香港贸发局主席邓莲茹，左四为上海市副市长黄菊，左五为国家体改委副主任刘鸿儒，左六为上海市政府外事顾问李储文；第二排左二为中国人民建设银行行长周道炯。

第三，上海的股票价格只有两家公司放开，深圳的股票价格是全放开的。放开就有风险，我们还没有经历过这个风险。

第四，深圳的股票经过大起大落，人民群众的风险意识和金融意识得到了锻炼。上海现在还一个劲儿往上升，还没有真正下来过呢，谁知道下来是什么结果啊！听说最近股价稍微下来一点点，马上就有几十个人到市政府上访。这些人还不知道什么叫股票，认为社会主义的股票是只准升，不准降的，风险都在国家，那怎么得了！

此外，上海在电脑管理方面、在发行股票的方法上面，也不如深圳。

从沪深两个试点的经验看来，这条路子是可以走得通的，就是说社会主义的股票市场是可以建立起来的，不是姓“资”的，而是姓“社”的。但是，现在还不敢说试点已经成功了，为什么呢？还会有很大的风险。就是因为我们自己还不习惯这个东西，人们认为股价只能上去，不能下来。深圳股价去年最高的时候超过发行价的 120 倍，发行的 1 元钱股票，后来卖到 120 多元，现在已经下来了。不仅下来了，而且还稳住了，这说明它经过了一次考验，将来还会有多次的考验。上海是一次考验还没有经过，你们会有睡不着觉的时候。但是路子是可以走得通的，初步经验已经积累了，当然推广还早，这个东西还要很好地试验。我听到一个数字，全国已经有 380 个企业发行股票，那怎么得了啊！将来名声搞坏了，再也恢复不起来了。在上海、深圳试点开设证券交易所是党的十三届七中全会讨论过、作过决定的，是列入了“十年规划”和“八五”计划的，所以我个人意见，要让他们大胆地试、大胆地闯，不要限制过多。我不是说你们不要按上级的规定做，我的意见是上级应该让试点的单位大胆地去做，大胆地去闯。束缚过多，就始终建立不起风险意识和市场来。还是要放手一点，让他们去闯。可是，推广还没到时候，等这两个地方弄出一套经验再说。

其他地方可以首先搞企业内部的股份制，增加企业的凝聚力，同时改革自己的会计制度。

这讲的是对外开放。邓小平同志的谈话一下子使我们的思想豁然开朗，这些东西要大胆地试、大胆地闯，把资本主义国家的好的东西移植到我们社会主义制度下面来。

关于改革，我们的框框确实还比较多，当前最大的一个问题是企业经营机制的转换，这项改革如果不向前跨一步的话，很多深层次的矛盾就不好解决。现在，我们已经搞出一个《全民所有制工业企业转换经营机制条例》（以下简称《条例》）初稿。不久前，我请各部门负责同志开会，发现有些主管部门不大同意这个《条例》，你不赞成这一条，他不赞成那一条。说来说去，是不肯放权。为什么权不肯放呢？他们也有苦衷啊！你国务院赋予我这个权力，现在国务院机构没有精简，职能也没有修改，你叫我放权，到时候出了毛病谁负责啊？难点就在这里。他有他的职责，原来都有红头文件规定让他管，他不管怎么行！就是说部门管得还比较多，这样企业就不能自主经营，也不能自负盈亏。最近，我跟陈锦华[1]同志商量，我就采取这么个办法，一章一章来，《条例》共有七章，讨论每一章时都把主管部门请来，如讨论劳动用工制度就请劳动部、人事部、公安部、民政部、国家教委来。首先要“自我革命”，要突破，不突破现有规定，制定这个《条例》干什么呢？你总得自己说出来哪一条可以突破。我们要认真学习邓小平同志的重要谈话，要解放思想。有人说，是不是等改组了行政机构、国务院转变了职能再来搞这个《条例》呢？这是相辅相成的啊！你现在不开始转变职能，行政机构就没办法改革。大家的思想还是过去的思想，你怎么改？所以现在就应有所突破，政府少管一点，让企

---

〔1〕陈锦华，当时任国家经济体制改革委员会主任。

业自主经营。江泽民同志讲了这么一句话：思想要解放，政企要分开，职能要转变，宏观要管住，微观要放开。我是非常拥护的。这句话的意思就是，政府就是政府，不能代替企业作经营管理决策。政府的职能非转变不行，政府部门只管宏观。我们有些部门，对宏观不感兴趣，专管微观。管微观，权大得很，把企业管得死死的。对宏观该怎么管呢？要用政策、法令来管，不能靠人治。要依靠政策、法令，依靠经济杠杆、各种经济手段去管，不是靠政府下命令。这样企业才能自主经营，政府再要求它自负盈亏，那才有可能做到。我现在正在做这方面的工作，但是难度大得很，我准备下个礼拜至少开五次会议，要找有关部长来商量，不然的话就没办法弄，他们不自我革命就突破不了。

另一方面，对企业要有要求，要真正做到自负盈亏。所以，我们一定要实行《企业破产法（试行）》，一定要有投资风险机制。现在银行没有风险机制，为什么呢？银行是按照各级计委（计经委）的项目计划发放贷款，如果项目建成后没有效益，还不了款，账黄掉以后，银行没有责任，你没法怪它啊，项目不是银行定的。以后不能这样，要给银行投资决策的自主权，再黄了账，银行要负责，不能把风险归于国家。所以，这要经过改革包括价格改革才能做到。现在我们非常担心，省里面叫我们批项目，我说批可以批，问题是将来搞坏了谁负责啊？现在大家都希望上项目，“大干快上”又来了，大家的劲头大得很。问题是能搞的项目，大家都上，搞上去了以后，产品的品种、规格，大家都是一个样，那你的产品卖给谁呢？搞到最后项目一点儿效益也没有，省长、市长找不到了，也许是调任了。银行也没有责任。真正高、精、尖的项目又搞不出来，这一点我们很清楚。现在我们不少轻工、家电产品搞得太多了，生产能力闲置，就是这个问题嘛！投资一定要有风险机制，银行要有风险机制，企业也要有风险机制。如果这个企业资不抵债要垮台，那么这个企业就得关停并转；银行要讨债，债务还不清就清盘；清盘偿付不了，银行有责任，要用准备金来抵付。地方也要承担责任。下岗的工人怎么办？地方要出来负责，必须建立社会劳动保障体系，搞职业培训、职业介绍所，做安置劳动力的工作，保证社会的稳定。我觉得这正是企业经营机制转换中一个深层次的矛盾，是要解决的一个首要问题，希望今年在这个方面有所突破。这个问题突破了，可以说就找到了社会主义计划经济和市场调节相结合的运作模式。其他各项改革还有很多，总之，思想都要解放一点。

我还要讲一下上海的住房制度改革。尽管上海的房改方案还不完备，但是已经在市区 800 万人中实行了，农村郊区 500 万人也在搞。现在有些地方，方案讲得很好，但是还没有实行，或者只是试点。上海是实行了，而且取得了效果，住房建设已进入了良性循环。所以不能光说，而是要赶快做。

二、要加快经济结构调整的速度

经济结构不调整，我们是不能前进的，这是去年中央工作会议提出的一个任务。去年国内生产总值的增长速度是 7%。工业增长 14.2%，高得不得了啦。第三产业的增长速度是多少呢？是 5.2%，太低了。这个结构不调整怎么办呢？第三产业不发展，人民群众的生活很不方便，社会效益、总体效益提不高啊！ 14.2%的工业增长速度现在证明是高了，为什么说高了？去年上半年工业增长速度就很高，但是生产的东西不少都进了仓库，形成库存积压，银行仍给企业贷款。到下半年，我们限产压库，把上半年增产的东西压掉一部分，把仓库里积压的东西卖掉了，结果企业效益大大地提高，亏损面降低了 7 个百分点，国营企业的亏损面从 36.7%降到 29.7%。这就证明，卖不掉的东西，生产得越多，就越没有效益。限产压库促销，效益就出来了，企业就活了。相反，第三产业要快搞啊，据说上海的商业网点在新中国成立以后还不如以前多，现在赶快把它搞上去。发展第三产业投入少，产出多，就业人数多，为什么不朝这地方使劲儿？香港的第三产业更赚钱了，它搞的是高级的第三产业。即使是发展低级的第三产业，包括到街上去卖油条，都比吃国家的补贴要光荣。去年的工业企业亏损补贴有 300 多亿元，要扭转过来。北京最近有一件事情，东安集团公司兼并了北京手表二厂，我看后非常赞赏。我说这是方向性的突破。首先他们“自由恋爱”，不敢向上报，为什么呢？因为阻力重重。他们自己先谈好了再报，北京市召开了一个市政府扩大会议最后拍板了。我说这个事情做得非常好。现在手表生产的多得不得了，北京这个手表厂是很落后的，生产的还是低级机械表，根本没有竞争能力，长期吃补贴。东安集团看中了它的厂房，位置在双榆树，那里正好缺一个商场。商场一开，肯定赚大钱，人民群众知道了肯定非常高兴，居民区有个大商场啦。结果花了多少代价呢？第一，设备占了 600 万元，东安集团说你愿意拿走就拿走，我只要你的厂房。第二，东安集团接下了手表厂 100 万美元的债务和全体工人，然后再支付 1200 万元，买下了这个厂。这个条件太优惠了，装修商场还要花 2000 万元。当时东安集团的总经理给我讲，东安集团稳赚钱，是有把握的。所以，我认为这样调整结构、关停并转，才能为工业发展开辟广阔的前景。现在工业部门人浮于事，如果把现在工业战线上的人减少一半，我看效率会有很大提高，而且效益也会更好。如果完全在工业企业内部调整，我们哪儿有那么多资金啊！现在也想不出那么多门路可搞，“高、精、尖”一下子又搞不出来，有的搞起来也是重复建设，所以，发展第三产业是个最好的办法。上海作为全国的经济中心，商业要是不发达那怎么得了啊！调整结构可以大搞第三产业，也可以减轻关停并转的压力。但是部分工人会有思想问题，说我们都是搞工业的，现在去搞商业了。我说这有什么不好？比你吃国家补贴要好，你为国家作了贡献，自己也得到好处，我想这个思想工作是做得通的。对发展第三产业，观念也应该改变，这并不是低人一等。上海的女大学生很多去报考航空小姐，考上了认为很光荣，看来，这个观念是可以转变的。

另外，基础设施建设必须加强，这个结构非调整不可。不搞基础设施建设，就没办法开发，外国人也不会来。但是，我们许多同志把注意力都集中在搞工业项目上，以为这些项目的效益好。说实话，有些项目效益好是由于错误的价格信息，因为我们的价格改革还没到那个程度。如汽车，全国有 2600 多个汽车厂，全世界第一，不是汽车产量第一，而是制造厂数目第一。汽车行业是高度技术密集型和资金密集型的大工业，没有规模经济就没有竞争力。你说这样遍地开花地搞，能够建成现代化的汽车工业吗？为什么这样搞？因为大家都认为搞汽车工业可以赚钱。之所以赚钱，因为汽车是控制进口，国内市场垄断。像“桑塔纳”轿车在国外卖 1 万美元，我们定价是 17 万元人民币，实际上卖到二十几万元，相当于 4 万到 5 万美元；“奥迪”轿车更不得了啦，现在卖到 30 万元，在国外也不过万把美元。显得效益高得不得了，实际上是假的。将来中国恢复在关贸总协定的缔约国地位后，这就很危险，根本不能够与国外竞争。这样搞工业是不行的，重复建设没有效益。还是要搞基础设施建设，否则光搞工业，效益也上不去，搞不出好东西。所以，我对上海大规模建设道路、桥梁、机场，是非常赞成的。只要这个格局形成以后，财源就能滚滚而来。

三、要加快提高企业经济效益的速度

现在效益不是太好，我是讲国营企业。我们要很好地学习邓小平同志重要谈话蕴涵的马克思主义辩证法。他每讲一个问题，就对我们提出了新的任务、新的要求，而在它的后面，也跟随着几个约束条件，我想大家在学习中都会体会到这一点。譬如他在前面讲："能发展就不要阻挡，有条件的地方要尽可能搞快点"，紧接着讲："只要是讲效益，讲质量，搞外向型经济，就没有什么可以担心的"。你如果忽视后面讲的三个约束条件，就达不到前面提出的要求。又如他前面讲："我国的经济发展，总要力争隔几年上一个台阶"，向我们提出了新任务；下面马上一个约束条件："当然，不是鼓励不切实际的高速度，还是要扎扎实实，讲求效益，稳步协调地发展"〔1〕。现在我在国务院是分管生产的，比你们的信息多一点，所以就有点担心了。我跟你们讲几个数字，今年1、2月份基本建设的速度上来了，投资增长了33%，技术改造的投资也增长了50%，都上来了。上来好啊，有钱搞就好啊！但是如果没有钱，搞起来就形成新的三角债，将来还得我来清啊！据我所知，大多数省区市没有钱，是"赤字财政"，缺口都到银行挂账。光粮食亏损欠补，去年在银行挂账近300亿元，今年第一季度又增加挂账30多亿元。因此，"大干快上"无非是靠扩大银行信贷，靠多发票子。另外，上这么多项目，将来是重复建设怎么办呢？搞基础设施建设我非常赞成，当然也要看能力，但它没有产品积压的危险。搞工业项目，危险就相当大。今年1、2月份企业产成品库存增加了100多亿元，去年辛辛苦苦压掉了库存229亿元，现在一下子就上去了100多亿元。当然，这里有特殊情况，刚才说的糖和棉花都积压得一塌糊涂，那是没办法的，不能把糖扔掉，把棉花扔掉，只好储备起来；另外还有季节性的问题，2月春节前后客运比较多，把货运挤了，所以积压多了一点。但是库存积压还是多了，还是存在

〔1〕见邓小平《在武昌、深圳、珠海、上海等地的谈话要点》(《邓小平文选》第三卷，人民出版社1993年版，第375页)。

着问题，只追求高速度把东西往仓库里塞，这个不行。另外一个问题是，亏损又上升了6.8个百分点，刚压下来又上去了。为什么呢？还不是不讲效益，单纯去追求速度！这些问题不是主流，但要引起我们注意。所以，我今年强调三角债要继续清，限产压库促销要继续搞。今年的流动资金一定要再减少100亿元，不能占用更多的流动资金。如果把这几个关口都把住的话，就不会出什么大的问题。我的意思是说，你胆子大、步子快，还是要用在改革开放上，用在调整结构上，用在提高效益上，千万不要往仓库里使劲。

另外，银行贷款也要控制。现在有12个省区市要求多存多贷，说银行存款上去了，应扩大贷款规模。后来人民银行查了一下，12个省区市就是去年存款多了一点，但从多年累计来看都是贷大于存啊。这12个省区市中是不是包括上海，我不大清楚，我也没有查，大体上都是沿海地区。也就是说，过去是内地支援了你们，把资金都贷到你们那儿去了；现在你们刚刚发展了一下，去年存款多了一点儿，但总的并没有多，你们马上就要都贷掉，那国家怎么办？好多地方都占用了资金，去年增加了100亿美元的外汇储备，放出基础货币600亿元人民币。去年多收了这么多棉花、这么多粮食、这么多糖料，把资金都压进去了，这钱从哪儿来？都要求多存多贷，实际上你没有多存，最后还不是要国家再多发票子，不是又增加了通货膨胀的潜在危险吗？所以，这些方面还是值得注意的，当然现在还不是一个很大的问题。只要我们全面、深入地学习领会邓小平同志重要谈话的精神实质，实事求是，真抓实干，工作热情，头脑冷静，就不会发生什么大问题。

四、要加快科技进步的速度

邓小平同志多次强调“科技是第一生产力”。科技不搞上去，搞那么多工业项目没有效益，经济怎么能搞上去？一定要提倡讲科学、靠科学，这才有希望。农药、医药我们过去可以仿制，现在不行了，从明年1月1日开始，要保护知识产权，我们就不能仿造人家的，得自己开发。开发一个新产品不容易啊！要从几万个里面筛选一个，不知要花多少亿美元，难度很大。但如果我们不把科学技术搞上去，不形成自己的开发能力，每年就要多进口农药、医药。现在每年要花十几亿美元，再过10年每年要花30亿美元，那我们辛辛苦苦赚的美元，都买农药了。不买农药怎么办？农业是基础啊！所以，就要加快开发。保护知识产权对我们的一个好处，就是可以刺激我们把科技搞上去。所以，我同化工部商量成立农药集团，就是把长江三角洲的农药企业组成一个集团，里面设置一个研究开发中心，把钱贷给它。还是像上海那个搞法，组织中国科学院系统的科研机构、国家教委系统的科研机构，几路大军联合起来搞开发，要给予他们优惠条件。我在前天向他们建议，现在上海的大楼盖了那么多，你们的农药研究开发中心赶快去买几幢楼，给科技人员包括海外愿意回来的一人分一套房。但是，这些科技人员要有真才实学，真能够搞科研，再加上给他们优惠条件，这样才能真正把上海建成一个科技中心啊！当然，也不是一个农药研究开发中心就能解决问题。医药集团也准备在河北石家庄搞一个研究开发中心，设在华北医药集团里面。先搞这两个中心，搞好了再在全国推广。

我虽然离开了上海，但我每天看《解放日报》、《文汇报》，总是挂念着在座诸位和上海1300万人民。希望我们大家在以江泽民同志为核心的党中央领导下，把上海的工作做好，为振兴上海、振兴中国而奋斗！

为学与为人*

（1992 年 4 月 1 日）

四十多年前，母校电机系主任章名涛教授在一次会上对我们讲过这样一段话：

“你们来到清华，既要学会怎样为学，更要学会怎样为人。青年人首先要学为人，然后才是学为学。为人不好，为学再好，也可能成为害群之马。学为人，首先是当一个有骨气的中国人。”

哲人已逝，言犹在耳。清华就是教我们为学，又教我们为人的地方。它以严谨的学风和革命的传统，培育了一代又一代献身革命和建设祖国的“有骨气的中国人”。饮水思源，终生难忘。

为学在严，严格认真，严谨求实，严师可出高徒。

为人要正，正大光明，正直清廉，正己然后正人。

清华电机系行年六十，弟子六千，为人为学，人才辈出。值此建系六十周年大庆，敬录章师名言，愿与同学共勉。

---

* 这是朱镕基同志为清华大学电机系建系 60 周年撰写的贺文。

海南要保护好旅游资源 *

（1992 年 4 月 18 日）

1987 年我来过三亚，这几年三亚城市面貌变化很大，基础设施建设进展很快，房子盖了不少。三亚的城市总体规划搞出来了，要把规划实施好。三亚是中国最南端的滨海旅游城市，是中国最好的旅游地之一，有着丰富的旅游资源。要很好地保护这些资源，要有一个发展旅游业的战略方针。

除了旅游资源，海洋资源也可以充分利用。搞什么工业都要问一下，是否污染环境？千万不要污染这个环境，千万不要以为搞工业最赚钱，其实搞第三产业最赚钱。围绕服务类的东西可以多搞一点。如果只管搞工业，不问是否污染环境，是不能当三亚市长的。环境保护的标准一定要高，一点都不能放松。工业也要搞，但要搞没污染的工业，如高科技、电子、食品、轻纺工业等，为旅游业服务。

亚龙湾的环境与五年前相比，是更坏而不是更好了。五年前我就讲过要保护这里的环境资源，这样漂亮的沙滩没有几个国家有，不能随便乱丢东西，现在沙子也变黑了。在凤凰机场对面的山顶上盖了点火台，我管它叫烽火台，没什么用，而且对准跑道，妨碍了机场，把点火台盖在“天涯海角”不是挺好吗？脑袋发热就乱盖，要吃大亏的。

---

* 1992 年 4 月 15 日至 22 日，朱镕基同志在海南省考察工作，先后考察了海口、三亚等地。这是朱镕基同志在三亚考察时讲话的主要部分。

1992 年 4 月 16 日，朱镕基在海南省儋县考察华南热带作物学院、华南热带科学研究院植物园。前排左一为国务院生产办副主任王忠禹。（新华社记者肖辉家摄）

市主要领导要出去走一走，看一看。我去过法国海滨，那里很漂亮，大道两边种的是棕榈树，一走进去就是一派热带风光，绿树旁边都是大饭店。亚龙湾要很好地规划，要按照国际标准来搞。当市委书记、市长的，要在规划和发展战略上下工夫。

农村要致富，要搞好配套建设，当领导的应该把农民致富的问题解决好。这次我从海南岛西线过来，看到农村基本上还是自然经济，商品经济不发达，猪、牛、羊不圈起来，到处跑，汽车得给牛、羊让路，到处都是猪粪、牛粪，把海南的形象破坏了。海南岛的滨海公路应该是非常漂亮的。要到岛外请一些能工巧匠来帮助发展旅游业，发展经济。要引进人才，特别是科技人才、管理人才。当然，本地人才也要用。目前整个海南的管理水平与内地比，起码要落后十年。管理的关键问题是人的素质，所以，要大胆引进科学家、管理人才、技术人员。人才不一定到外国引进，你们的市长不就是从内地引进来的吗？引进就有“杂交优势”。

要利用这里的自然优势，搞好旅游服务设施建设。要多搞一些旅游景点，让人家来后留得住，来过还想来，不要让人家来一次就不想来了。凤凰机场很快就投入使用了，高速公路也很快就会搞好了，所以，要把景点搞起来，有阳光、沙滩、海水，又有吃的、有住的、有玩的、有买的，这样才能把人家吸引过来。你们要到外国看一看，如威尼斯、夏威夷、澳大利亚的“黄金海岸”，了解一下什么叫国际水平。不搞成国际水平就没有人来。要认真学习人家的规划。

质量是企业的生命*

（1992年4月28日）

我就加强质量工作讲十点意见。

第一，召开这次会议是贯彻邓小平同志重要谈话精神的实际行动。

这次全国质量工作会议，是我们抓经济工作的一个很重要的环节。去年一开始是清理三角债，不解决这个问题，很多企业难以正常运转。要清理三角债，必须抓限产压库促销，否则，企业的包袱很重，效益很低，无力偿债。在抓这些工作以后，大家都感到目前不抓质量不行了。正好在这个时候，邓小平同志发表了南方谈话。这个谈话在国内外引起了广泛而热烈的反响。我们这次会议就是要在邓小平同志重要谈话精神的指引下，把抓好质量作为贯彻邓小平同志重要谈话精神的一个实际行动。

这次会议，我们请了各省区市经委一位主管质量工作的副主任，以及一位技术监督局局长来出席。但是有的地方经委副主任请不来，只来了一个副处长。如果主管质量工作的经委副主任都不来，全国质量工作会议的精神怎样贯彻呢？我觉得不少同志对质量工作兴趣不

---

* 1992年4月27日至30日，国务院生产办公室和国家技术监督局在北京召开全国质量工作会议。出席会议的有各省、自治区、直辖市经济委员会主管质量工作的副主任、技术监督局局长及国务院有关部门负责同志。这是朱镕基同志在会上讲话的主要部分。

大。如果说今天开这个会是分钱、分项目，不要请就来了。为了一个项目，可以跑北京几十次；抓抓质量工作，都没有时间了。我们大家都可以反躬自省，包括我自己，我们是不是都那么重视质量？抓质量，不像抓速度、抓项目那样热火朝天。所以，我必须强调一下，我们这次会议就是贯彻邓小平同志重要谈话精神的一个实际行动。邓小平同志很重视质量工作，关于提高质量问题，他讲过多次，大家都应该好好学习。不讲质量，国民经济是搞不上去的。

第二，召开这次全国质量工作会议是为了唤起全民的质量意识，真正认识到“质量是企业的生命”。

我过去讲过，厂长不重视质量不能当厂长，市长不重视质量不能当市长，经委主任不重视质量根本不能当经委主任。质量工作应摆在经济工作的首要地位，“质量第一”嘛！我在上海当市长时提了一个口号：“质量是上海的生命”，是考虑到上海的特殊情况。从全国来说，提出“质量是企业的生命”，总还是可以吧。今天我讲把质量工作摆在经济工作的首要地位，恐怕也会有些争议，那就说摆在重要地位总是可以的吧。我确实感到，现在在许多方面还没有把质量问题摆在重要地位。

我们实行对外开放政策，产品不仅面向国内市场，还要进入国际市场。现在国外产品已大量进入了，因为我们的工业企业太缺乏竞争力了。如果我们再不把自己的产品质量搞上去，企业低负荷生产、亏损严重的状况会愈演愈烈。我们的对外贸易，已经不像改革开放初期只占世界总贸易额的1%到2%，现在已占到5%了。我国几百亿美元的商品出口了，如果质量不行的话，国家的形象就给破坏了。从这个意义上讲，质量问题不仅具有经济意义，甚至具有政治意义，质量本身代表一个国家的形象、一个民族的精神。总之，我们必须树立全民的质量意识，大家都要认识到“质量是企业的生命”，并且真抓实干，这样我们才有可能把质量工作做好。

第三，既要充分肯定质量工作的成绩，又要看到当前质量问题的严重性。

谁都不能否认，改革开放以来的质量管理工作取得了很大成绩，不管是什么产品，尤其是市场上的商品，大大地丰富了，质量也大大地提高了。这个成绩要肯定，不然，我们没有信心。但确实也要看到，现在质量问题还是相当严重。一方面，是来自群众的反映。当前，老百姓最关心什么事情呢？回答出乎我的意料，是“中国质量万里行”！可见，群众对质量问题何等关心。产品质量问题与群众的切身利益息息相关。现在的产品质量很不稳定，很多东西的质量都比过去下降了。价格涨了，质量却降低了，谁能不关心这个问题！所以说“中国质量万里行”搞得好，为老百姓说了话，撑了腰，敢于把问题暴露出来。老百姓讲，“中国质量万里行”应该是“中国质量天天行”。另外，用户方面反映：“中国质量万里行”对一些消费品曝了光，但对大东西还没有曝光。这次会议提出要抓大型装备的质量。如果抓不上去，我们永远不能独立自主。发电设备花了很多钱引进技术，可我国三大动力设备制造基地〔1〕目前质量问题还是很多。大化肥设备已经进口21套了，现在还要进口。各地都发展乙烯，但是乙烯的所有装置都得进口。另外，基础件、元器件，如液压件、密封件等的质量，多少年过不了关，这也是影响大型装备质量上不去的重要因素。这些东西质量不好，原因有技术问题，有设备加工精度达不到的问题，重要的还是质量意识和管理水平的问题。像水暖器材、建筑五金的质量也搞不好，这总不是技术问题吧，是不重视质量造成的。大家

〔1〕我国三大动力设备制造基地，分别指上海市的上海电机厂、上海汽轮机厂、上海锅炉厂，黑龙江省哈尔滨市的哈尔滨电机厂、哈尔滨汽轮机厂、哈尔滨锅炉厂，四川省的东方电机厂、东方汽轮机厂、东方锅炉厂。

都有这个体验，家里不是水龙头漏水，就是抽水马桶漏水，或者电源插头、插座不通电等等。元器件的质量不好，材质也不行，造成用户和群众多少损失、多少烦恼啊！

产品质量问题，实际上存在着“信誉危机”，大家对质量不相信了，没有信任感。产品质量的好坏，不完全取决于一个企业、一个行业。一个零件、一种材料质量不好，可以影响一大片。如果大家都放松质量，后果不堪设想。

第四，解决质量问题的方法是，要把利用市场机制和加强政府监督结合起来。

在目前的条件下，市场机制和行政措施都不能偏废。当然，考验质量首先靠市场的竞争，企业生产要以市场为导向，根据市场需要来生产，靠市场竞争压力逼迫企业改善它的产品质量。过去质量为什么搞不好呢？是因为“皇帝的女儿不愁嫁”、“萝卜快了不洗泥”，多少年都是卖方市场，东西少，市场需求大，生产什么东西都有人要，所以质量上不去。改革开放以来，产品越来越丰富，大多数产品的市场都变成了买方市场。但是，买方市场并没有解决质量问题。我想，这是因为我们还没有一个真正完善的市场，企业的经营机制还没有真正转变。在资本主义国家里，市场非常起作用，哪个产品质量不好就销不掉，那个企业就有可能破产。在我们这里，市场固然有竞争，这比过去好多了，但是产品质量不好，销不掉，还是照样生产，东西可以放到仓库里去。这是因为企业经营机制、银行风险机制还没有转变。所以，在这种情况下完全相信市场的作用，以为可以放松领导，取消行政干预和政府监督，是要吃大亏的。利用市场就要赶快促进企业转换经营机制，这是一个很大的题目。即使是有了市场机制，有了企业经营机制的转换，如果我们不抓企业的质量管理，产品的质量还是会搞不好的。我认为，在当前情况下，政府的行政干预、舆论的监督还是十分必要和有效的，绝不能放松。

我还要特别讲一下舆论监督。过去，舆论监督对提高产品质量也作出了贡献。但是，最近的“中国质量万里行”活动，确实在比较集中地、有意识地为质量工作造舆论，让大家提高一点质量意识。我想，“中国质量万里行”不但深受群众的欢迎，而且确实也成为政府各个部门和各企业的“万里行”，对它们帮助很大，引起了很大的震动，促使人们更加重视质量。这个活动的发展方向总的看是健康的，起了很好的作用，党中央、国务院的领导同志对此都是肯定的。所以，舆论监督要继续搞。

政府的监督，最主要的是要继续把国家质量监督抽查这个制度真正完善并坚持下去。有些同志担心，现在强调企业的自主权，很多企业都把质量管理机构、质量检验机构取消了。同志们，这是不行的！企业有自主经营的权利，但还必须有国家的宏观管理，不是说企业可以随便把质量管理机构、质量检验机构取消的。国家还有法令，明文规定企业必须有这方面的机构。有些同志有一种误解，说日本的“全面质量管理”有那么一句话，叫做“产品质量不是检查出来的，是体现在每一个生产过程中间”。因此，他们就说，那就可以不要最后的质量检查，在产品的生产过程中就把质量问题解决了。这种理解是不对的。其实在日本，照样有最后的质量检查，而且是非常严格的。在目前情况下提倡“自主检查”，是不合时宜的，不符合当前企业的状况，那样做会乱套的。根据目前企业的劳动纪律状况，提倡“自主检查、自主装配”，产品不经质量检查就出厂，根本不行。所以，质检机构不能削弱，更不能撤销。各道工序的质量检查要加强，最后的成品质量检查也不能够取消。国家规定的质量监督抽查制度，需要进一步完善。当前，最重要的是要对质量监督抽查的结果做认真处理。如果光检查不严肃处理，检查多少次也是没有什么用处的。我们要适当地扩大抽查面，但也不能扩大得太多，因为经费没有那么多。如果要扩大到向企业收费，就会增加企业的负担，不允许那么做。所以，国家的质量监督抽查制度，只能作为一种威慑力量，要求企业提高质量。我在这里重申：第一次质量监督抽查不合格，亮“黄牌”，限期整顿；整顿期满后进行第二次抽查，如果再不合格，厂长免职，这里指的是免正厂长的职。厂长不管质量，管什么？一定要严肃这项制度。关于这项制度，过去已经作过规定，国务院批准了这个规定，国家经委原来已经实行过，免掉了几个厂长。现在要继续严格地执行这个规定。不然的话，光靠市场，光靠机制，质量是抓不上去的。当然，我希望质量监督抽查不要重复进行，国家技术监督局已经搞了产品抽查，各地就不要再搞了。一个厂，不要今天国家去查，明天省里去查，后天县里又去查。抽查就是一种威慑力量嘛，要搞突然袭击，使企业感觉到每天都有被抽查的可能。这样，企业才能天天注意质量。质量监督抽查除了要求企业提供检查的样品外，不允许向企业收费。抽查费用从哪里来？希望财政部门给予支持，增加一些质量监督抽查经费。

第五，各地区、各有关部门要对质量工作作出具体部署。

一是根据国务院领导同志的指示和这次会议的文件，各地要制定一个质量工作规划。根据这个规划，对今年怎么抓好质量工作起步，作出具体部署。然后，请各省区市政府集中研究一次，把质量工作抓上去。

二是号召各企业开展质量大检查，普遍都要查。但是，我强调企业自查，不是要各级机关组织很多检查组下去查。要号召企业对自己的产品质量进行大检查，自己看看有什么问题，提出解决质量问题的措施。由企业结合转换经营机制自己搞，拟定一些具体的措施来攻关，把质量工作抓起来。同志们，质量问题主要是管理问题，需要企

1991 年 7 月 13 日，朱镕基在山东省潍坊第二印染厂查看新产品。

（新华社记者刘海民摄）

业发动全体职工自我解剖、自我革命。

三是加强质量的监督抽查，要搞“突然袭击”式的质量监督抽查。各地区经委和技术监督局的同志，都要去了解一下哪个工厂搞得好、哪个工厂没有动。对那些不动的企业，搞一次质量监督抽查。一次不合格，“黄牌警告”，限期整顿；整顿期满，再搞一次突然袭击的抽查，仍不合格的，把厂长免职。

四是抓好重点行业、重点产品的质量工作。这次会议提出了抓四类产品，这不仅是国家进行质量监督抽查和整改的一个重点，也是各地的重点。第一类，主要是原材料。钢材的质量不高，是做不出合格产品的。现在钢材的产量上得很猛啊！我希望重点要放在质量、品种上面。第二类，是大型装备，特别是发电设备与基础件、元器件。这些东西都是至关重要的，应该也是监督抽查和整改的重点。第三类，是耐用消费品。老百姓买这类产品不容易，质量不好太坑人，要把这些产品的质量抓好。第四类，是影响人身安全、健康的产品。质量问题一经发生，要从严处理。夏天马上就要来了，不少饮料历次抽查的结果都是只有三分之一左右合格，三分之二都不合格，里面大肠杆菌超标，那怎么行呢？这不但坑人，而且是害人嘛！像这类产品，要作为重点进行抽查并整改。对产品质量差、危害人民生命健康的，甚至于掺假害人致死的人，一定要追究刑事责任，依法从严处理。

五是实行“质量否决权”和质量与分配挂钩。结合经营机制的转换，在企业里只要实行这两条，质量一定能搞得上去。就是要动真格的。要实行“质量否决权”，不能说只要把工业发展速度搞上去了，把产量搞上去了，就“一俊遮百丑”，这个不行！质量跟分配挂钩，每一个生产环节，每一件半成品、零部件，谁生产的产品质量不好，只要检查出来，就应减发谁的奖金和工资。一定要严格执行这两个办法。这方面我们应该多写一些文章，做一些调查，对那些典型事例严肃处理。

根据民航抓正点的经验，我认为质量是可以抓上去的。他们首先严格规定正点统计方法，出了事故认真处理，一丝一毫都不放过。东方航空公司对晚点事故的处理，是很不容易的。过去对机长那是碰不得的，骄娇二气厉害得不得了。这次由于不正点，让一个机长停飞一年、降一级工资，一下子就把整个公司都震动了。今年第一季度民航的正点率从过去的70%提高到86%。许多外国人跟我说，这件事情提高了我们的国际威望。我希望各地区、各部门都认真抓一抓质量工作，把劲头使在这个方面，争取今年见效。

第六，打击制造和销售假冒伪劣产品的违法活动。

这项工作也要动真格的，特别是舆论界，希望能够对这个问题很好地配合宣传。这次会议后，大家都回去好好地研究一下，如何认真地打击制造和销售假冒伪劣产品的违法活动。因为假冒伪劣产品所造成的危害，比质量问题造成的危害要大得多。严格地讲，假冒伪劣产品不能算是个质量问题，它本来就是想骗人。如果不采取严厉的措施来打击，跟质量工作混在一起，“信誉危机”就更严重了。在这个问题上，大家反映有很多困难：一是执法部门打击不力；二是回扣盛行；三是地方保护主义，有些地方，明明知道有人是在制造和销售假冒伪劣产品，却认为这是致富的一种方法，睁一只眼、闭一只眼；四是法制不健全，对如何打击制造和销售假冒伪劣产品的违法活动，还没有明确的规定；五是有关部门协同配合不力。在这次会上，要讨论这些问题。会后，国务院要颁布一项关于打击制造和销售假冒伪劣产品违法活动的法规，做到有法可依。对拿回扣问题，大家倾向的意见是，现在完全禁绝有一定的困难，但要重申回扣绝不能落入个人腰包。如果是经销假冒伪劣产品拿回扣，就要以贪污、受贿论处。对此，国务院将作出一个决定。我希望商业部门要抓一抓这件事情，百货公司应该把假冒伪劣产品赶出去。有些商品进来时，明明知道它们是假冒伪劣产品嘛，但是你收受了人家的回扣，就让进来了。对于这种现象要严肃处理一批，才能把这股风刹住。至于地方保护主义，大家首先要提高认识，这么保护怎么得了呢？全国没有统一的市场，市场机制怎么能形成呢？至于有关部门配合不力问题，要大家共同努力来解决。有些同志埋怨，很多案件送给法院了，法院受理的只有10%。我想，这个事情也不能完全责怪法院。我认为很多事情可以采用行政法规来处理，可以罚款嘛，罚得他倾家荡产，不一定都要通过法院。有的人还可以撤职嘛，谁收受回扣、推销假冒伪劣产品，就把谁的经理、厂长职务撤了。对于危害了人民群众生命健康的，或者造成了很大损害的，把这些人送到法院里去，就要他坐牢，或者是枪毙。凡是查出来是假冒伪劣产品的，一律把它们销毁，就像“扫黄”一样，拿拖拉机把录像带都碾掉，然后一把火烧掉，不要再去折价处理，否则会害死人的。只有这样，采取坚决的措施，才能够制止假冒伪劣产品的泛滥。

第七，管理体制问题。

有些同志提出，各地在质量工作的管理体制上还没有理顺，对开展工作有影响。在去年召开的全国企业技术进步工作会议上，我讲过这个问题。当时我说，我到国务院生产办以后，为了加强质量管理工作，采取了两个措施：一是由国务院生产办副主任兼任国家技术监督局局长，分管质量工作；二是在现有行政隶属关系不变的情况下，国家技术监督局质量管理司再挂一块“国务院生产办质量管理局”的牌子，由国务院生产办和国家技术监督局双重领导。实践证明，这样做对加强质量管理工作是有利的。所以，我现在仍然认为，这样一种体制是好的。我那次讲话以后，武汉市这样做了，上海市技术监督局的质量管理处也同时挂上了“上海市经委质量管理处”的牌子。当然，国务院有规定，机构设置不强调一定要上下对口，但这种体制可供各地参考。另外，如果部门之间在工作中存在矛盾和问题，要提倡这些部门的主要领导同志直接交换意见，例如国家技术监督局局长和国家商检局局长每月碰头一次。经验证明，只要从工作出发，部门领导出面主动协调配合，问题就可以得到解决。

第八，关于技术改造资金和管理经费问题。

质量的进步，归根到底还是要依靠企业的技术进步。没有技术开发、技术引进、技术改造资金投入，质量也很难上新台阶。有些同志反映，搞质量管理工作没有钱，缺乏“硬”手段，希望能划出一笔资金由管质量的部门掌握，用来支持一些急需解决的质量问题。我认为，现在国务院生产办和各地经委在技术改造、技术引进和科研方面所立的项目，其目的都是直接或间接为了提高质量、发展品种。我在这里强调一下，各地经委、计经委、生产委要认真考虑质量管理部门提出的意见和项目，优先安排为提高产品质量所提出的技术改造、技术攻关项目，并摆在投资重点的第一位。

第九，关于激励机制问题。

有的同志提出，应该制定一些鼓励政策，激励企业提高产品质量。我认为，最主要的是激励机制，要把质量同企业内部的利益分配挂起钩来，充分发挥市场的导向作用。产品质量上去了，打出了名牌，建立了信誉，企业的效益就好了，这是最好的激励。各地要在自己的实践中使之具体化。如果把激励机制理解为要恢复评优、升级活动，那么我在这里郑重宣布：评优、升级活动再也不要搞了，把“评优”转向“治劣”嘛！

第十，把质量抓上去，要依靠各部门、各地区、各条战线齐心协力，共同配合。

我讲的各部门、各地区、各条战线，包括工业企业、非工业部门的企业、乡镇企业、“三资”企业，都要把产品质量抓上去。行业管理部门不仅要管国营企业的产品质量，也应该管集体企业、乡镇企业和“三资”企业的产品质量。对于这一点，农业部乡镇企业局的同志也同意。大家共同来管嘛，共同把质量工作搞好。如何管？一是要通过政府监督、媒体曝光和行政干预等手段，二是要依靠市场。生产部门与流通部门，特别是商业部门和经贸部门，要搞好协作。产品不但包括国内的产品，也包括出口的产品，大家共同管好。流通部门不管、不把关，工业企业的产品质量也很难提高。另外，就是产业部门要同技术监督、工商行政管理、商检、公安、司法、监察、审计、法院等各方面齐心协力，相互配合，共同把产品质量抓上去。

煤炭行业扭亏增效的关键是提高劳动生产率*

（1992年5月20日—29日）

国民经济要上一个台阶，山西煤炭工业的发展举足轻重。通过这次调查，我深刻感到山西的煤炭在全国国民经济发展中占有十分重要的地位。山西年产2.9亿吨煤，其中1.79亿吨通过铁路运出去，2700万吨通过公路运出去，这2亿吨煤相当于全国调出的商品煤的80%，在全国举足轻重。现在是大家贯彻邓小平同志重要谈话精神、刚开始准备上新台阶的时候，已经感到了各方面的紧张。首先是运输的紧张，但很快也要表现为煤炭的紧张，对这一点千万不要忽视。过去的困难时期我们都经历过，当年在北京京西宾馆开计划会议，实际就是“倒煤”的会议。煤炭决定一切，决定工业发展速度和国民经济发展速度。如果我们不注意煤炭这个问题，就会回到过去那种情况，整个国民经济就上不去。现在，全国工业亏损大户第一是煤炭，第二是石油，全国的亏损补贴的一半就被这两家占了。石油行业虽然亏损，可补贴后它的日子还好过；煤炭行业也有亏损补贴，但日子很不好过，问题比较大。所以说，要扭亏，经济要上一个新台阶，不把煤炭、石油行业搞好是不行的。

现在铁路极不适应形势的发展。全国一天计划要求装19万车煤

---

* 1992年5月20日至29日，朱镕基同志在山西省考察工作，先后考察了大同、太原、阳泉等地的统配煤矿。这是朱镕基同志在考察期间关于发展煤炭工业问题讲话的要点。

炭，我们的铁路只能装7.5万车，这样国民经济怎么能上台阶？根本上不去呀！所以，我回去后就会要求铁道部研究这个问题，赶快采取紧急措施，想一切办法提高运力。特别是在山西，山西是中国最重要的煤炭工业基地，山西的铁路运输是战略性的动脉，动脉不畅通，对国民经济的影响极大。其他省区市调进的煤，100吨中就有80吨是从山西来的。不重视山西的铁路运输，就是不懂得中国的经济。经济上台阶要卡就卡在这个地方，现在已经卡在这个地方了。所以说，山西的煤炭如何运出去，如何打通铁路这一战略性的动脉，这是国民经济发展中战略性的问题，要很好地研究这个问题，重视这个问题。

在这里，我也要向山西省提出一个希望。山西是中国最重要的煤炭资源和煤炭工业基地，过去已经作出了很大的贡献，今后还是要继续重视煤炭工业的发展。这几年，山西煤炭产量上去主要是靠地方煤矿。1978年，山西煤炭产量不到1亿吨，现在增长到2.9亿吨；在增加的2亿吨中，统配矿只增加了5000多万吨。所以，山西还是要大力发展地方煤炭工业，这不是一个赔钱的行业，随着煤炭价格的理顺，成为一个赚钱的行业指日可待。我非常赞成山西省委、省政府关于改造和发展山西地方煤炭工业的思路，应该认真地对待这个问题。要把地方的煤炭工业变成现代化的、有规模效益的。不能够拼资源、拼设备、拼人命。山西的煤炭资源是非常宝贵的，像大同出产的那种煤，不能够乱挖滥采，把它搞掉了，太可惜了，将来有一天我们会后悔的。也不能拼设备，光靠维简费〔1〕维持不了简单再生产。更不能拼人命，地方矿特别是乡镇煤矿的人员死亡率太高，不重视安全的问题相当严重。一定要把地方矿改造成为现代化的矿井。不然的话，煤炭价格一放开，地方矿就会没有竞争能力了，就糟糕了。现在煤炭还

〔1〕维简费，指维持简单再生产的费用。

1992 年 5 月 21 日，朱镕基在山西省大同市考察云冈煤矿。

有个差价，到那个时候地方矿就真困难了。煤炭的价格是一定要放开的，不是三年，就是五年，搞得快也就三年。价格一放开，那就是要靠竞争了。所以，必须抓紧在三年时间内，把地方煤矿改造成为现代化的、具有规模效益的矿井。而且今后开矿，不能够乱挖滥采，一定要有个正规化的程序。应当看到，山西的希望还是在煤炭，煤炭搞好了、搞活了，山西的其他建设就可以上去了。

煤炭工业现在处于全行业亏损，去年国家补助了 57 亿元。今年 1 月到 4 月又增亏，预计亏损 100 亿元。这种状况，是难以为继的，这样搞下去是不行的，国家受不了。当前，煤炭工业要狠抓扭亏增盈，要减轻国家对亏损补贴的负担。现在煤价是低，至少比国际市场价低，但低到什么程度值得考虑。不能用政策性亏损来掩盖经营性亏损，要研究和分析成本上升得是否合理，研究挖潜的可能性。煤炭企业摆脱困境就是要贯彻邓小平同志的指示，其中最重要的就是深化改革、扩大开放。煤炭企业的出路要从三个方面考虑：一是调整煤价，进行价格改革；二是挖掘内部潜力，改革企业内部经营机制；三是改革流通体制。三个方面不能只强调调整价格这一个方面。煤炭一旦普遍涨价，全国马上就会有三分之一的企业由潜亏变成明亏，这里不亏，那里就亏一大片，整个工业企业的效益就不高。所以，仅依靠煤炭涨价这一个方面，是不行的。

但是，我不是说煤炭价格就不改革了，是要改革的。应该承认煤炭的价格没有理顺，它的价格低于它的价值，价格构成还不合理，这是我们进行价格改革的一个方向。实际上，每年都采取措施提高煤炭价格。现在，国家物价局有一个方案，就是把目前的指令价、指导价、定向价三种计划价格合并成一个价格，改革后煤矿所得到的好处比现在稍多一点。国家物价局测算的吨煤价格是 90 元，这样全国的煤炭行业就不亏了。当然，这 90 元是从全国平均来看的，不是煤矿出厂价。另外还有市场价格，这两种价格并轨还需要几年时间。这样不仅把指令价、指导价、定向价三种计划价格合并了，而且它跟市场价格的差距缩小了，中间倒煤的人就会减少，有一定好处。然后，在这两种价格的基础上，经过几年再完全走向市场定价。要一下子跳到市场价，那也是行不通的，全国很多行业都要亏损，社会就会不稳定。这几年对煤炭价格每吨一年提高 5 块钱或几块钱不是个办法，提来提去，煤矿没得到多少好处，说是搞了煤炭发展建设，事实上不见得，还是要通过价格改革让企业得到实惠。

另一方面，也不要对提高煤炭价格抱过高期望，因为价格是由供需关系决定的，现在就是把煤炭价格放开了，价格也不一定卖得上去，煤矿也不一定能得到实惠。在我的印象中，大同的煤是实行指令性计划的，到了上海也得每吨 120 元，而市场价大概是 150 元到 160 元。所以，拿 1991 年跟 1984 年作对比，用户真正在用煤上花的钱，远远超过煤矿成本的增长。只不过煤矿没有完全拿到涨价后的利润，因为中间环节加价相当大。所以，怎样减少中间环节，把中间环节的钱用于发展煤矿，而不是拿去盖大楼或给各个企业发奖金，这要靠价格改革来解决。但是，如果把宝都押在价格上，靠提价来救煤炭行业，用户也承受不了。因此，不从降低煤炭工业的成本着手，不从减少中间环节的利润流失着手，只是单纯考虑提高价格，那我们的下游工业、用煤单位就会受不了。我说来说去没别的意思，就是说还要把根本的着眼点放在加强企业管理、降低自己的成本方面。

煤炭工业要减轻国家对亏损补贴的负担，扭亏增盈，怎么办呢？这一路上，我一直在考虑这个问题。通过调查，从最基本的成本分析入手，可以发现目前煤炭工业的主要问题所在。现在，全国的工业成本里 80%是原材料，10%是工资，10%是折旧和管理费用，大概是这么一个构成。这个构成当然是变化的，也就是说，工资占的比重越来越小，原材料的比重越来越小。在西方发达国家，原材料的比重大概在 60%以下，我们却占到了 80%。从折旧和管理费的比重看，随着现代化、机械化程度的提高，折旧的费用要上升，有机构成要提高。这是全部工业成本的状况。那么煤炭工业的成本呢？它有它的特殊性，根据大同、西山、阳泉矿务局的情况来看，工资占了 30%，材料、配件占了 30%，折旧加管理费用占了 40%。这就是说，煤矿的折旧和管理费用占了很大的比重，原材料的比重并不太高，但是工资的比重并没有减少，相反还增加得特别大。根据阳泉矿务局汇报的成本上涨状况来看，从 1984 年到 1991 年，吨煤成本从 18.61 元上升到 50.71 元，增加了 172%。但是，其中材料的费用从每吨 5.54 元增加到 14 元，没有超过 172%的幅度；折旧加上管理费也没有超过总成本增加的幅度；唯独工资成本从每吨5.16元上升到每吨15元还多，差不多增加了两倍，相当于1984年的三倍。工资为什么增加得快？我不是说大家的工资、奖金发得多了。煤矿工人很辛苦，而且有生命危险，工资应该高一点。我是说人太多了，你们搞了综合采煤，降低了事故发生率，设备费用大大增加了，可是人员没减下来。机械化的优越性体现在什么地方？人还是那么多，这样搞机械化就没有意思了！现在看来，把成本一项一项地分析，都有潜力可挖，但是其中最大的潜力就是减人。组织减下来的人去搞多种经营、综合利用，发展第三产业。他们又可以创造价值，不吃煤炭“大锅饭”，成本就降下来了，煤矿的实力就增强了，财源就活了。

所以，我想来想去，要扭亏增盈，应该把我们的主要精力放在提高劳动生产率上，减少人员，发展第三产业。这是扭亏增盈的根本途径，也是由我们煤炭工业的特点所决定的。这个观点我从大同讲到太原，又讲到阳泉。

怎样减人？有两个途径：一个途径是，现在煤矿井上的和井下的人员还是多，要用提高机械化的程度来提高工作效率，同时提高井上服务人员的效率，把一部分人减下来。井下不要那么多人，办公室更不要坐那么多人。第二个途径就是发展多种经营，搞第三产业。要争取把人逐步地、有计划地、很快地转到第三产业，转到多种经营，转到资源的综合利用上，包括搞深加工。阳泉矿务局搞的那个喷粉煤深加工就挣钱很多，吨煤50块钱的成本，卖到150元，这100元是纯利润了。另外，煤矿用的好多零配件，自己就可以做，这些钱就不会被别人赚了，而是自己赚了，这方面潜力很大。这样搞，我相信能把企业搞活，用自己的力量扭亏增盈。当然，搞活企业需要一些外部条件，一个是价格，另一个是运输。但是，你们一定要眼睛向内，立足于挖潜，内因为主，这样才可以解决问题。我们调查了大同的云冈矿，最突出的是多种经营搞得好。云冈矿现在约有 1 万人，去年生产 419 万吨煤，3000 人在井下，3000 人在井上为井下服务，还有 3000 人在搞多种经营。它的奋斗目标是，在几年内井上加井下采煤的共 3000 人就够了，再转化 3000 人去搞多种经营。那就是说，三分之二的人搞多种经营，三分之一的人采煤。我看这个比例非常恰当，也就是说，现在在岗的人多了三分之二。究竟几年能完成转化，具体情况不一样，但这总是本世纪的一个奋斗目标。现在全国的统配煤矿，一共有 360 多万人。就是说，120 万人就够了，有 240 万人要拉出去搞多种经营、综合利用，发展第三产业，那煤炭工业就繁荣了，就根本不存在亏损问题了。这是有条件可以实现的。

煤矿减人，搞第三产业，首先得转变观念，落实措施。我在云冈矿区访问了一户矿工家庭，女主人 37 岁，没工作待在家里。我说你可以搞点第三产业。她说不行啊，工人阶级怎么能摆小摊、做生意？很丢脸的。我说卖油条也比吃国家补贴好嘛，为人民服务，为什么不能搞？大家不要认为自己是搞煤的，不能搞多种经营。搞煤的人太多了，都吃“大锅饭”怎么得了！越吃越穷呀！今年一定要抓这件事，措施要落实。扭亏增盈要动真格的，要采取压任务的办法。不压怎么办呢？如果敞开亏下去，去年亏 57 亿元，今年亏 100 多亿元，那怎么行呢！大家得想办法呀！不是我在这里胡压、乱压，云冈矿就是采取这个办法，叫做“断奶绝粮，逼上梁山”。他们成立了劳动服务公司，一直发展到内蒙古、北京去啦，开办地毯厂，“打出去”承包经营，把零配件留给自己生产，举办各种行业。现在已经有三分之一的人完全“断奶”，就是工资、奖金都是劳动服务公司负责，不吃矿上的“大锅饭”。有这个现成的典型在这里，证明这是可以做到的。现在有些地方不是一学习邓小平同志的重要谈话，就层层分配高速度的指标吗？省里提出增长 16%，地市一级要增长 20%，再往下一级要增长22%，这怎么得了！那可不行！但是扭亏增盈还是要动真格的，还真得压一压指标。压指标要经过分析，不要简单化，不是说一压，就什么问题都解决了。但总还得有点儿行政措施，有点儿压力，领导干部、工人群众才能调动积极性。

其次，要有政策扶持发展多种经营、第三产业，包括资源的综合利用。国务院已经起草了一个关于发展多种经营的规定，对工业富余人员发展第三产业给予减免税收的优惠。需要有这个政策，如果没有这个政策，只是压任务，第三产业是发展不起来的。在政策措施上，还包括国家在贷款上的支持，专门给煤矿一个发展第三产业的专项贷款，不给点儿钱，第三产业也搞不成。

再次，需要有一个机制。请中煤总公司研究一个激励企业发展第三产业的机制，使企业有积极性去发展第三产业，不是被迫地，而是自愿地去发展。如果没有这个机制，企业没有积极性，就变成形式主义了。开个会推广，讲得都挺好，但是回去以后，还是吃他的“大锅饭”。凡是那些多种经营、第三产业搞得好的煤矿，要给他们奖励，工资、奖金可以多发，可以多盖些宿舍，由此增加的收入给他们留一块，不要什么钱都到上边报账，没有钱就去要。

总之，只要我们的工作做得好，随着价格的改革、多种经营的发展、体制的理顺，煤炭工业三年实现扭亏增盈是可能的。只要大家朝这个方向努力，包括铁路运输、港口运输上去了，煤炭工业的效益就可以发挥出来了。为实现煤炭工业三年扭亏增盈，希望大家共同努力。

希望大寨发展得更好 *

（1992 年 5 月 28 日）

这次到山西，在大同、太原、阳泉进行煤矿调查，阳泉离大寨很近，所以有机会到大寨来访问。虽然看的时间很短，但是给我的印象很深。大寨的农田建设确实了不起。我想，这样一种自力更生、艰苦奋斗、治山改土、发展生产的精神，任何时候都应当学习，大寨应当保持和发扬这种精神。如果全省的农田都能像大寨这样改造的话，山西的粮食产量还可以在现在的基础上提高一倍，我认为是有这种可能性的。加强农业的基础建设，农业还可以取得更大的发展。我们应当看到，中国经济的发展、农业生产能力的提高和农民生活水平的提高，确实是在邓小平同志提出了改革开放以后，在农村实行家庭联产承包责任制，改革了生产关系，解放了生产力，这样才有了如今农村发展的巨大成就。在这些成就里面，农民是受益最多的，这个我们随处都可以看到。改革开放这十多年来取得的巨大成就里面，农村的变化最大，农民的生活水平提高最多。所以，农村的发展，还是要继续坚持和完善家庭联产承包责任制，发展农村集体经济，完善农村社会化服务体系，这样农业才能更快、更好地上一个台阶。总之，大寨这种自力更生、艰苦奋斗的精神确实是应该发扬的。大寨也应该在新的形势之下，特别是在邓小平同志发

---

* 这是朱镕基同志在山西省昔阳县大寨村考察时的讲话。

表了重要谈话以后，更好地贯彻邓小平同志的指示精神，发展得更好。在这里，我提三点希望：

第一，解放思想，改革开放。大寨精神要发扬，但大寨过去那种做法也有不少“左”的东西。所以，在新的形势下，要解放思想，坚持党的基本路线，搞改革开放。农村的发展要搞商品生产，这要靠本事，要了解省内外的市场行情，了解搞什么赚钱、搞什么东西是发挥大寨的优势，这样才能发展起来，才能发家致富，才能有所进步。

第二，统筹安排，量力而行。郭凤莲〔1〕同志去上海、浙江、江苏等地看了一遍，但不要看花了眼，那些地方跟你这个地方的条件不一样，那些地方的很多做法对你这个地方也不一定合适。各个地方有各自的实际情况，都要根据当地的具体条件、具体情况，从实际出发来发展自己，这一点要注意。比如你们大寨，530多口人，劳动力才270多个，土地700多亩，就这点儿家底，你能办的事也就这么多。如果搞得太多了，没有重点，可能一件也办不成。安排时要考虑这个问题，到底你有多少人力，有多大财力、物力，特别是农民的素质，因为办好多事是需要技术的，好多技术不是一天两天就可以掌握的。所以，你们不要全面铺开去搞项目，先搞一两个就行了，要有个次序。我觉得，你们首先要把农业搞好。大寨就是靠战天斗地、治山改土起家的，不能把过去艰苦创业的精神丢掉，要认真把农田基本建设搞好，这是你们吃饭的家底，是本钱啊！在搞好农田基本建设的基础上，一定要搞好多种经营。但是搞多种经营也得看条件，你们有没有那么多水呀？能搞什么、不能搞什么，要好好研究。要依靠老农民，依靠知识分子。

第三，自力更生，眼睛向内。典型从来就不是别人树起来的，而

〔1〕郭凤莲，当时任中共山西省昔阳县委常委、大寨村党支部书记。

是干出来的，是奋斗起来的。外界的扶持只能创造一定的条件。你们要靠自己的积累来发展，也就是以内因为主，靠你们自己干。但是，县里、地区、省里包括我们要给予你们帮助，这是没有问题的。现在外国人还经常来你们这里参观，这也是生财之道。不但是有经济意义的生财之道，而且也有政治意义，要让他们来看看我们中华民族的精神，看看大寨人是怎么干出来的。所以，发展一点旅游业是可以考虑的。你们的路不好，要修一修，还要种树。山头绿化了，路修得很好，梯田也修得很好，外国人一看风景很美，这样旅游业就可以发展起来了。发展旅游，可能比你们办几个工厂还赚钱，这就是商品意识。

总之，今天来大寨，我们学习了很多东西，同时也提出点希望。我们既然来了，说明没有忘记大寨。

1992 年 5 月 28 日，朱镕基在山西省昔阳县大寨村考察。前排左一为山西省省长王森浩，左二为大寨村党支部书记、全国劳动模范郭凤莲。

关于放开和调整煤价的批语*

（1992年5月31日）

罗植龄[1]同志：

在山西和王兴家[2]同志商量拟定：一、放开市场煤最高限价，二、放开新投产井基建煤价格，三、将指令性、指导性、定向煤三种价格合为一种价，在此基础上按原定加价十元，七月一日出台。请即研定，速报国务院批准实行。

至于高扬文同志提出放开徐州、枣庄矿价格，请你们提出意见。

此件印请王忠禹[3]、叶青[4]、胡富国[5]同志阅示，并印请赵志浩[6]、陈焕友[7]同志审阅批示。

朱镕基

5.31

---

* 1992年5月13日，原煤炭工业部部长高扬文写了一份调查报告《反映统配煤矿两大问题》，分析了统配煤矿亏损和不合理摊派等问题，提出了放开煤价等建议。这是朱镕基同志在该报告上的批语。

〔1〕罗植龄，当时任国家物价局局长。

〔2〕王兴家，当时任国家物价局副局长。

〔3〕王忠禹，当时任国务院经济贸易办公室副主任。

〔4〕叶青，当时任国家计划委员会副主任。

〔5〕胡富国，当时任能源部副部长兼中国统配煤矿总公司总经理。

〔6〕赵志浩，当时任山东省省长。

〔7〕陈焕友，当时任江苏省省长。

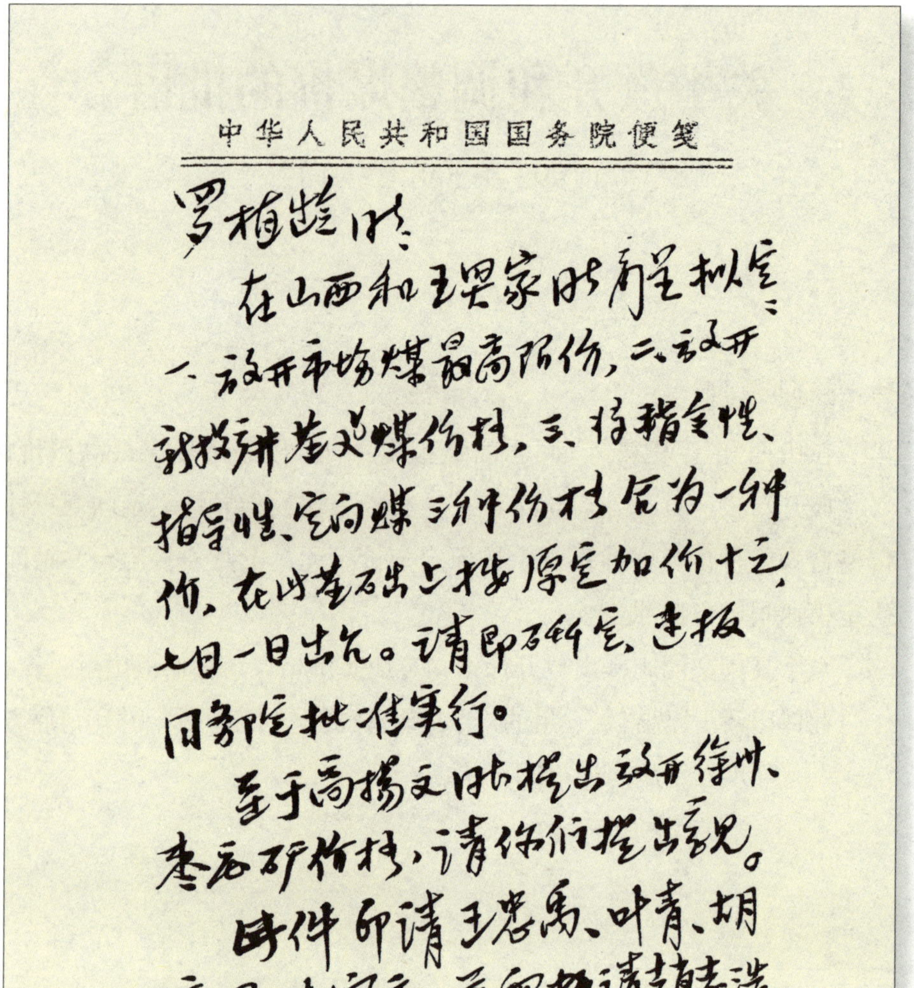
中华人民共和国国务院便笺

罗植蛙同志：

在山西和王昊家同志商量拟定：一、放开市场煤最高限价，二、放开新投产矿井基建煤价格，三、将指令性、指导性、定向煤三种价格合为一种价，在此基础上按原定加价十元，七月一日出台。请即研究，速报国务院批准实行。

至于高扬文同志提出放开徐州、枣庄矿价格，请你们提出意见。

此件印请王忠禹、叶青、胡富国同志阅示，并印送请赵志浩、陈焕友同志审阅批示。

朱镕基

5.31.

关于首钢改革发展的意见*

（1992 年 6 月 4 日）

我们今天到首都钢铁公司来，是为了贯彻落实邓小平同志视察首钢时的重要讲话精神。大家知道，今年年初邓小平同志视察南方时发表了重要谈话，全国人民都在进一步解放思想，落实措施，力争国民经济尽快上一个新台阶。在这个时候，首钢的同志在总结已经取得的显著成就和成功经验的基础上，又提出了进一步深化改革、扩大开放、加快发展的设想。你们学习邓小平同志的重要谈话，跟得很快，做得很好，群众发动得很广泛、很深入，这一点是值得我们学习的。在这个时候，邓小平同志到首钢视察，肯定了首钢的经验，同时原则同意你们进一步改革开放和发展的设想，这是一件大事，党中央和国务院都非常重视。前天，江泽民同志找我谈了话，表示了对首钢的关心，要我向你们传达。昨天下午，李鹏同志主持国务院会议，对首钢提出的设想和落实邓小平同志的指示，商定了一些原则意见，当然只是原则，很多问题还有待于有关部门具体研

---

* 1992 年 5 月 22 日，邓小平同志到首都钢铁公司视察，肯定了首钢的经验，支持首钢进一步深化改革、扩大开放、加快发展的设想；并说朱镕基懂经济，你们可以去找他。为落实中共中央、国务院对贯彻邓小平同志在首钢指示的部署，朱镕基同志率国家经济体制改革委员会、国家计划委员会、国务院经济贸易办公室、财政部、冶金工业部、对外经济贸易部、中国人民银行以及北京市的有关负责同志到首钢调查研究。这是朱镕基同志在首钢调研时讲话的主要部分。

究落实。我们今天到首钢来，主要是进一步了解和研究首钢改革开放与发展等方面的情况：第一，根据邓小平同志的指示，研究如何推广首钢的经验；第二，研究首钢如何进一步改革扩权试点。下面，我就上述问题谈一些想法。

一、关于如何总结和推广首钢经验问题

我以前也来过首钢几次。这一次再来，给我留下了很深刻的印象。首先，看到工厂的面貌已经改变了。这里不仅是一个工厂，也是

1992 年 6 月 4 日，朱镕基到首都钢铁公司调查研究。前排右一为国家体改委主任陈锦华，右三为国家计委副主任姚振炎。

个公园，完全没有过去那种破破烂烂的景象了。更重要的是人的精神面貌改变了。我跟首钢的同志们接触，感觉到他们确实是精神饱满、生气勃勃，有一种勇于开拓和进取的精神。现在全国有三分之一的企业明亏，三分之一的企业潜亏，国营大中型企业改善经营管理的任务艰巨得很。有的企业精神面貌好一点，有的企业就不是那么振奋，怨天尤人的比较多。那为什么首钢与这些企业不一样呢？我想，答案就是企业能够自己做主，职工能够自己当家。这也是我学习邓小平同志重要指示的一个体会。我想，要推广首钢经验，首先要推广这一条，这是第一条经验。

国务院贯彻邓小平同志的指示，最重要的一条，就是深化企业改革，加快转换企业的经营机制。中央4号文件〔1〕已把它列为第一条。转换企业的经营机制不只是转换企业内部的机制，最重要的是政府机关的职能要相应转变。如果我们的政府机关还是那么死死地把企业管住，不管宏观，而是管微观，什么事情都要干预，企业的生产经营管理自己不能做主，职工也就不能当家，企业的效益一定搞不上去。所以，我们把制定《全民所有制工业企业转换经营机制条例》，作为贯彻实施《全民所有制工业企业法》的一个补充，就是要创造条件，使企业能够自主经营、自负盈亏、自我约束、自我发展，不能再由政府各个部门用行政干预来代替企业作生产经营决策。我觉得这一条是非常重要的，抓住这一条，就找到了目前国营大中型企业搞不活的根本原因。首钢的经验证明，这样做是成功的。首钢成功的经验，给我们一个启示：只要让企业特别是国营大中型企业自主经营，让它有一个自负盈亏的机制，有一个风险机制，不是企业花国家的钱，而是企业

---

〔1〕 中央4号文件，指1992年5月22日《中共中央关于加快改革，扩大开放，力争经济更好更快地上一个新台阶的意见》。

花自己的钱，这样一个钱就可以顶两个钱用；如果把企业的钱都收上来再分给它，两个钱也顶不了一个钱用。我在上海工作时就有这个体会。上海原来公共厕所很紧张，各区县不修厕所，说修厕所没钱，因为预算里没这个钱。实行区县包干以后，厕所让各区县自己建，现在上海的厕所漂亮得很。如果你给企业批钱搞项目，人家就跟你诉苦，要的钱很多。你批 100 万元，实际上让它自己干的话，50 万元就够了，你何必管呢？把钱收上来再往下分，分得也不合理，让企业干这个事又不让人家当家做主，它就敞开口花你的钱。刚才，你们介绍了很多情况，首钢自己当家做主的办法多得很，钱也省得很。你给企业钱，就得干预它；它报个计划，还要联合审批，没一年时间文件批不下去；审批以后，政府对项目还得干预，不能搞这个，只能搞那个，“打酱油的钱不能买醋”，七拖八拖黄花菜都凉了，还搞什么？这是一条很重要的教训。

第二条经验，加强企业内部经营管理，从严治厂。我在上海工作时就提倡从严治厂。企业如果没有纪律，没有一个规范要求，随随便便，自由操作，后果不堪设想。我看，首钢能够办得这么井井有条，管理严格，产品质量好，是与整个企业科学的经营管理分不开的。首钢内部有一系列健全的制度，包括劳动分配制度。现在企业真正能够把分配拉开差距的不太多，拉开差距不是那么容易，这里有很多内部矛盾呀！我在上海了解闵行区那几个重型机械厂、发电设备厂，他们一到年底都互相打听，你们厂发多少奖金，他们厂发多少奖金，人家发得多，你少发了就不行，工人就不答应啊。不但工厂间的奖金水平要平均，工厂内部的奖金更要平均，不平均就要得罪人，谁敢？企业建立健全一系列的内部经营管理制度，就要从严要求，就要不怕得罪人，这是一个非常重要的，也是一个很大的课题、难题。

第三条经验，首钢发展多种经营，扩大经营的领域，越搞越活。这也是一条很好的经验。首钢有 20 多万人，这里有历史遗留的原因。但是，如何在本来不需要这么多人，而又有这么多人的情况下，能够取得效益呢？这就得开展多种经营。生产设备越来越自动化，如果不给下岗的人找出路的话，企业的效益没法提高；都放到社会上去，就会影响社会稳定。我认为，首钢在多种经营方面搞得比较好，不但发展了第三产业，而且搞了比较高级的第三产业或者是其他行业。刚才我们看到首钢不但能生产钢铁，还能够制造生产设备，而且是高科技的设备，可以打到国外去。这个前途是非常远大的，所以我们非常支持把首钢办成一个跨国经营的公司，“打出去”，不但出口商品，而且能够出口技术。中央 4 号文件强调深化改革，扩大开放，力争经济更好更快地上一个新台阶。学习中央 4 号文件，大家要注意其中有一句话，就是“要把那些有条件的企业集团办成跨国公司”。同志们，这句话就是为首钢这类企业写的，就是希望首钢能办成这样一个跨国公司，不但可以搞钢，也可以搞其他产品。当然，也不是说所有的都能搞，总是有相对优势的嘛，发展第三产业更没有问题了。这是对全国有普遍意义的。

二、关于首钢进一步改革扩权试点问题

首钢送给李鹏同志一个报告，根据昨天李鹏同志主持的国务院会议精神，对这个报告原则上我们都是支持的。但是，具体的实施方案要与各个有关部门进一步商讨。比如有些问题从首钢提出来是合理的，从发展生产、提高经济效益来讲，也是合理的。但是从宏观方面来看，还需要有一定的程序，要互相商量，从而能够找到一个最佳的选择。比如讲扩大投资立项权，首钢要求有多少自有资金和自筹资金

就有多大的投资立项权，这些资金由首钢自行支配。我认为这个要求是合理的。在《全民所有制工业企业转换经营机制条例》里面就有这一条，只要是企业用自有资金搞建设，不要审批。但是，当需要国家拨款或者是贷款的时候，就需要综合平衡了，国家也有个重点呀，银行也有个风险评估呀，这就要有审批手续。企业用自有资金搞建设不需要审批，但是还有个相关条件问题，因为企业不是光有钱就行了。刚才讲了没有煤不行，有了煤，铁路部门运输跟不上也不行啊！所以，这个问题还得进一步商量。如果这些相关条件已全部具备，不需要国家再投资建设，那当然也不要审批了。如果在现有条件以外，还需要国家各部门或者其他省区市提供相关的外部条件，如煤、电、气、水，那就得商量了。商量就得有个程序，但是我们一定要简化这个程序。

再比如说扩大对外经贸权，原则上我们也是支持的。刚才我讲过，中央 4 号文件没写上首钢，但有的规定就是针对首钢的。我参与起草了这个文件，就是希望把有条件的企业集团办成跨国公司。但是，有关部门也有一点意见。比如，李岚清〔1〕同志昨天说，首钢国际经济技术合作公司和国际贸易公司，合并成一个公司、分两个事业部行不行啊？这便于集中领导，便于统一政策，不一定办两个公司。办两个公司虽然都是首钢的，但也容易打架呀。外经、外贸分不开啊。我看这也是一种建设性的意见，可以考虑。自行出口，没问题呀，欢迎首钢扩大出口，进出口权可以给。但另外一个方面，还有一个规定，有个一、二、三类商品出口管理问题。经贸部也在研究进一步改革外贸体制问题，也在解放思想，那些一类、二类商品少列一点，放开得多一点嘛。现在已经研究出了一些措施，尽量

〔1〕李岚清，当时任对外经济贸易部部长。

缩小国家控制的产品范围，尽量地放宽企业出口经营权限。根据这个总的原则，然后具体到首钢的这两个国际公司应该怎么办，都可以商量。首钢自行审批驻外人员，原则上应该这样，不然怎么搞跨国公司呢？但是，现在首钢这个要求跟现行规定差距较大。差距大总是可以商量一下嘛，原则上应该这样做，否则的话搞不了这个跨国公司。比如说，我们出口的设备坏了需要修理，电报来了，那里已经停产了，请赶快派人去修。这边呢？还在办签证、办护照，两三个月过去了，人家公司停产两三个月受得了吗？应该做到那边电报来了，这边人马上就去。但如何具体落实，我们来协调一下。比如说，将要求企业自行审批本企业三年到五年期内多次往返的出国人员，改为一年批一次可不可以呀？每年办一次手续，我看这个应该能办到，也可以办到。做生意嘛，需要多次出国，一年办一次手续，以后不要再去办签证，也不要办审批了。但有一些国家，要求中国人不能去得太多，有这种限制，所以还要由综合机关审批一下。还有外汇使用方面的自主权问题，需要跟国家外汇管理局商量一下。金融问题涉及首钢成立财务公司究竟有多大的权力，因为金融是一个统一的系统，究竟首钢财务公司可以有多大的权力，也要商量一下。周正庆〔1〕同志和陈锦华〔2〕同志都讲了，可以参照中信公司〔3〕财务公司的办法来研究。国际上大的企业集团，它的财务公司是怎样一种设置？怎么一个章程？按照国际惯例办事嘛！我们要把首钢办成一个跨国公司，就要按国际惯例办事，组织财务公司也要按国际惯例办。一是参照国内已经实行的中信公司的做法，二是按照国际惯例来研究成立这个首钢财务公司。

〔1〕周正庆，当时任中国人民银行副行长。

〔2〕陈锦华，当时任国家经济体制改革委员会主任。

〔3〕中信公司，指中国国际信托投资公司。

我今天讲的意见，除了我已经指明是江泽民同志、李鹏同志讲的以外，其他全是我个人的意见，如有错误，希望同志们批评指正，反正这个问题还在商讨之中嘛。今天就成立一个小组吧，有关部门的同志和今天来的同志参加，由陈锦华同志牵头，要形成一个文件，报国务院批准。这个文件要能解决问题，现在光有原则性的东西还不好办。落实邓小平同志的指示要快一点，请在一个星期内形成文件初稿，报国务院批准。我讲的这个文件主要包括首钢改革开放和发展等方面的内容，原则上都有了意见，下一步就是商量具体办法了。各个部门的同志要和首钢接上头，确定联系人，各个部门的同志不要等，要主动找首钢的同志研究落实。

缓解铁路运输紧张状况 *

（1992 年 7 月 16 日）

全国经济上新台阶，铁路怎么办？我希望通过这次会议，大家都来讨论一下这个问题。铁路运输不适应国民经济发展的状况不是一朝一夕形成的。加强基础设施建设，加强能源、交通和基础工业，应该说我们党和国家一直非常重视，但这个问题始终没有解决得很好。最近几年，电力搞得比较快，有一系列的优惠政策，尽管现在还不能适应国民经济发展的需要，部分地区还是缺电，但总的来讲，在基础设施方面，电是解决得最好的。发电装机容量达到一年增加 1000 万千瓦，这个建设速度相当了不起。煤矿现在看来还是一个大问题，不要看煤炭暂时有点积压，一年增加 1000 万千瓦的发电装机容量，意味着一年必须增加 3000 万吨煤，但我们并没有相应地建设煤矿，煤炭生产能力的接续还是个问题。我现在很担心，到明年煤炭供应肯定要紧张。统配煤只有 5 亿吨，其他都是地方煤矿，主要是小煤矿，不少是乱挖乱采，拼资源、拼设备、拼人力。最近，我到山西和河北秦皇岛，希望晋煤外运能多拉一点。经过协调，今年能够多拉 1000 万吨晋煤出来，并不挤别的物资。但秦皇岛港方面说，无论如何达不到日接 3000 车。我们给它解决了一些问题，现在每天接卸 3100 多车。按

---

* 1992 年 7 月 14 日至 18 日，铁道部在北京召开全国铁路领导干部会议。出席会议的有全国铁路系统各单位的负责同志。这是朱镕基同志在会上讲话的主要部分。

这个速度，今年多拉1000万吨煤出来应该没有问题。现在的问题是南方各港口不愿多接煤。我告诉有关省市，要煤不是上馆子吃面条，随要随到。你现在不存煤，明年你的经济发展速度上去了，再要煤，运都运不出来，你找我就晚了。石油也越来越紧张，搞不好我国可能成为石油净进口国。东部地区的石油产量要稳住相当困难，西部地区的油怎么运出来？所有的基础设施中，港口落后，海运也落后，船使用多年，该更新的没有更新。比较起来，还是铁路最落后。虽然我们很重视，但这么多年没有很好地解决基础设施，特别是铁路建设落后于国民经济发展的问题。这个问题之所以长期没有解决，有更深层次的经营机制和管理体制问题，领导也承担了责任，这一点要把它讲清楚。但是，我们怎么办？现在全国经济要上一个新台阶，要赶快把铁路运输搞上去。铁路运输搞上去了，全国的经济就好上台阶了；铁路运输搞不上去，上台阶就受影响，责任是非常重大的。现在铁路运输到处都紧，目前要满足国民经济发展的需求是不可能的事情。今年铁路货运量计划完成15.2亿吨，比去年增长4%，而现在国民经济增长的速度在10%以上，工业生产增长速度超过18%，这个4%怎么能解决问题？煤炭运输，今年上半年只比去年同期增长1.9%，其中统配煤运输还减少了，怎么能满足需求呢？今后三年，预计你们的货运量平均增长速度是2.8%，而工业生产发展速度是百分之十几、百分之二十。所以得出一个结论：即使我们采取种种措施，铁路运输的紧张状况在今后几年不是缓和，而是会更加紧张；铁路负荷不是减轻，而是会加重。在这种形势下，我们没有紧迫感、没有危机感不行。什么叫危机感呢？大家都在贯彻邓小平同志的重要谈话精神，大干快上，结果却都被铁路运输给卡住了，你们这个压力是不好受的。有危机感，就要有责任感。铁路运输现在影响到国民经济的发展，我把这个问题喊得早一点，也可能会解决得好一点。因此，我希望铁路战线的全体同志都能增强这种紧迫感、危机感、责任感。

全国经济要上新台阶，铁路怎么办？一个是近期的措施，另一个是远期的措施，我结合下去调查的体会说一说。从近期来讲，要采取以下措施：

第一，转换企业的经营机制。光你们着急不行，全体铁路职工都要着急，一直到分局长、工班长、小组长，全体职工大家一起着急才行。我一直讲，铁路职工是一支半军事化的队伍，指到哪里打到哪里，队伍的素质是好的。但是，我们这种集中的管理方式在经营管理上也有落后的一面，吃“大锅饭”比较严重。我们一方面要保持优点，加强职工队伍的组织纪律性和思想政治工作，从严要求；另一方面，在经营管理上要进行改革，要放一点权。你们一个企业有几万人，甚至几十万人，要让他们自主经营、自负盈亏，要给他们包干。如果什么钱都到上面来领，那是无底洞。国务院最近已经通过了《全民所有制工业企业转换经营机制条例》（以下简称《条例》），很快就要公开发表了。这个《条例》在很多方面有突破，能制定这样的条例是很不容易的。它增加了企业的自主权，也增加了企业本身的责任，使企业能够自主经营、自负盈亏，推动它进入市场，使它有自我积累、自我改造的能力；同时，又具有自我约束的机制。在投资风险、个人收入分配等方面，有一种约束的机制。在这些方面，我认为《条例》有所突破。我希望你们对《条例》认真地进行宣传、贯彻。只要认真贯彻《条例》，就一定会见到成效，一定能够把企业、基层的积极性调动起来，解决当前铁路方面存在的问题。

第二，加紧进行技术改造。技术改造先搞“短、平、快”措施，能马上见效。根据铁路运输需要，扩建车站、延长股道等等都是“短、平、快”，把设施配套起来，运力就能增加。最快的措施是增加机车车辆，我和国家计委商量，今年增加 4 亿元的购车费。我们商量，如果铁路资金还不够，就要多少给多少，把铁路所有的车辆厂开动起来。如果车辆厂生产的机车还不够，可以进口。你要钱给钱，要外汇给外汇，只要你实际需要。不把钱用在关键的地方，国民经济能搞上去吗？现在就是铁路卡经济的脖子，不把钱用在铁道上，用到哪里去？还能去搞加工工业吗？目前，加工工业上得很猛，将来是要吃亏的。铁路多修一条，绝对吃不了亏，即使超前也吃不了亏，基础设施建设本来就应该超前的，多花点钱是应该的。把铁路搞上去需要花钱，国家会支持的。总之，技术改造见效快，要抓紧搞。

第三，通过合理的劳动组织，提高劳动效率。要把大家动员起来，把人的积极性充分发挥出来。现在，铁路的维修、施工都要"点"，一要就要很长时间，有的甚至几个小时列车不能通过，影响运输。能不能减少些要"点"的次数，缩短些要"点"的时间，上班就拼命干，减少对运输的干扰和影响？我想，在这方面铁路部门还有很大的潜力。

第四，需要科学的调度管理。调度要长短结合、远近结合，这里面很有学问。我在山西考察时就讲，希望铁路多拉煤，但是绝对不允许以"黑"压"白"，运煤炭挤别的。我一再强调，多拉煤把别的挤掉了不算本事，这不行。我在河南召开大型企业厂长座谈会时，洛阳轴承厂的厂长在会上说：我一个月要 41 个车皮，只给 34 个，差 7 个。我们的轴承都是出口的，人家每个月都等着我的货。由于车皮不足，不能按时交货，把美国市场丢掉了。一车煤炭是几千元，一车轴承价值是 150 万元，差距很大，运哪个合算？这个例子使我又体会到，不能用煤炭压其他物资。当然，煤炭的社会效益很大，也不能只看它本身的价值。所以，要合理调度，要了解用户的情况。这方面要由各地的经委来帮助决定轻重缓急，发挥国民经济的最佳效益，把不利影响减到最小程度。铁路运输满足不了需要，就只能挑能够发挥最好效益的来满足。这不是简单地通过今天发几车煤、明天发几车轴承就能解决问题的，需要很好地研究和分析，更讲究经济效益和社会效益。

从长远来讲怎么办？铁道部的“八五”计划是按“3、5、6”来安排的，就是修建复线3600公里、电气化铁路5600公里、新线6100公里。按这个安排，“八五”时期前两年因资金不足，没有达到五年的平均建设速度，后三年要补上来，这是最低纲领，必须完成。我提个希望，“八五”计划争取提前一年完成，行不行？有没有这种可能性？所有的项目都提前一年完成，请大家讨论。我想，如果不提前一年，恐怕今后的日子比较难过，“九五”期间的日子更难过。所以，还是要想办法力争提前，提前一年不行，提前半年也好，每个项目都要加快各个环节的工作。我认为京九线〔1〕是当前矛盾的焦点，应该集中力量打歼灭战，采取分段投资包干的办法。当地的省委书记、省长要共同努力，力争京九线提前一年半全线通车。只要全体动员起来，搞这么一条南北大通道，不是不能提前通车的。提前一年半不行，提前一年也是好的，“时间就是金钱”嘛。要注意的是工作不能议而不决，现在好多事情往往是在那里扯皮。芜湖长江大桥就为公路桥是否与铁路桥修在一起扯皮，扯了那么久啦。铁道部的意见，公路桥、铁路桥一起修，投资省；交通部说，为了便于维修，铁路桥、公路桥要单独修。安徽省赞同铁道部的意见。我说，这个事情实在没有必要扯皮，就得要决断。我别的经验没有，修桥我有经验。我在上海遇到的问题是，有人说黄浦江不能修大桥，要修隧道。南浦大桥是江泽民同志决定修的，杨浦大桥我们决定还是要修。南浦大桥建成后，成为上海一大景观。修杨浦大桥时，有人提出多种多样的造型方

〔1〕见本卷第76页注〔1〕。

案。我们决定按南浦大桥翻版，采取同样的设计，使用同一个施工队伍的原班人马，流水作业，建设速度大大加快，明年下半年就可以通车了。现在，上海体会到这个决策是正确的。如果当时“百花齐放”，总在讨论修这种桥还是那种桥，那到现在根本没有南浦、杨浦两座桥。就是说，该定的事得赶快定。我赞成京九线搞个领导小组，要有决断能力，能够把沿线各个省市协调起来，采取断然的手段，集中力量打歼灭战，在京九线创造一个铁路修建的高速度。然后，其他各条铁路线都提前半年到一年完工，我看是可能的。

同志们，在近期，我们的铁路运输不能满足国民经济发展的需要，这是肯定的，十年以内也满足不了需要。但是，要尽最大的努力。只要你们千方百计尽了努力，工作有一个大的改善，我想全国人民会谅解你们、支持你们的。我今天在这里表个态：为了提高运输能力，不管是近期的还是远期的，不管是技术改造还是基本建设，不管是劳动组织还是加强管理，你们碰到任何困难以及不能解决的问题，都可以找主管部门解决。该找国家计委的找国家计委，该找国务院经贸办的找国务院经贸办，该找劳动部的找劳动部；他们不能解决的问题，你们来找我；我解决不了，可以找总理。总之，我愿意尽我微薄的力量，和同志们共同把铁路运输和铁路建设搞上去。关于建设资金问题，昨天，我和叶青[1]同志也商量了，可以想各种办法：第一，从政策上讲，对于铁路建设资金不足部分，由国务院考虑提高铁路运价或提高建设基金水平，积极地推进价格改革；第二，因为国家的拨款有限，铁路部门可以多用一点贷款，扩大一点贷款使用的范围，和建设基金、拨款结合起来使用；第三，调动地方的积极性，鼓励地方修建铁路，并实行“新路新价”。“新路新价”这条原则，国务院已经定

〔1〕叶青，当时任国家计划委员会副主任。

了。京九线是新线，当然可以实行新价。但是，怎么实行？你们要研究具体办法，要有可操作性，要有利于运输、有利于建设。

听说明年铁路运营要亏损，李鹏同志非常关心，让我跟李森茂[1]同志讲，可不能让建设资金被工资等人头费吃掉了。我想，这个问题是不是找一找出路，发展多种经营。因为有各种涨价的因素，提高了运输成本，铁路确有发生亏损的危险。但是，我考察煤矿得出一个体会，现在普遍人浮于事，三个人的饭五个人吃的状况哪个行业都有。铁路系统是个半军事化的组织，我看也存在人浮于事的问题。你们可以把一部分人拉出来搞多种经营，增加财源。我希望铁道部门狠抓一下这件事情，每个铁路局、铁路分局都要有一名负责同志来抓多种经营，结合企业转换经营机制，把多余的人拉出来搞多种经营、资源综合利用，特别是发展第三产业。我在煤矿考察时反复强调发展多种经营，不要盲目发展加工工业，那是重复建设，将来肯定是站不住脚的。最好的办法是发展第三产业，搞商业，搞服务业，这些东西是不怕多的。拉出来搞多种经营的职工待遇不变、身份不变，还是全民职工。我想，对这项工作，铁道部要抓一抓。你们一共有 342 万人，才十几万人搞多种经营，这个事业发展潜力很大。我相信，铁路部门在这方面会开辟一条途径。但是，有一条要切记，搞第三产业，不能以车谋私、以票谋私，不能经营车皮、车票。铁道部党组制定的严禁以车、以票谋私的决定是正确的，要坚决执行。如果利用行业的有利条件，去倒卖车皮、车票，就会损坏铁路的声誉，就会败坏党风、路风，甚至毁掉我们的一批干部。对这个问题，各级领导干部务必引起高度重视。

最后，我还要强调一下铁路运输安全问题。安全问题是伴随着运

〔1〕李森茂，当时任铁道部部长。

输而产生的，任何时候都不能放松。特别是在运输紧张时，更要强调安全。这几年，铁路部门在运输安全方面做了不少工作，见到了成效。但是，这项工作稍有松懈，就会出问题。一出事故，就可能造成车毁人亡，这方面的教训是深刻的。因此，必须坚持“安全第一，预防为主”的方针，始终如一地把运输安全工作抓紧抓好。要加强管理，改善设施，确保国家和人民生命、财产的安全，确保铁路运输的畅通。

棉花购销体制要改革 *

(1992 年 8 月 8 日)

一、对当前棉花形势的估计

从 1988 年以来，棉花供不应求，质量下降，发生了很多问题。去年，国务院决定召开全国棉花工作会议，产供销一条龙来抓。会后，各级党委、政府抓生产和购销，抓质量整顿。国务院派巡视组、联络员、检查组督促工作。今年的形势有了很大转变，棉花由供不应求转为供过于求，国家也增加了储备。由于市场容量有限，纺织工业技术改造跟不上形势变化和市场要求，纺织品库存增大，棉纱产量减少，对棉花的需求增幅减缓。另外，由于化纤比重增加等因素，使得棉花显得多了一些。这是好形势。这种好形势，历史上不常有。上半年纺织工业利税比去年同期下降 22.4%，其中利润下降 62.8%。第二季度有所好转，但也不是根本性好转。纺织工业的根本出路是技术改造，要上品种、上质量，在国内开拓更大的市场，稳住和扩大国际市场。农业是国民经济的基础，轻纺产品直接关系到人民的生活。这两

---

* 1992 年 8 月 5 日至 8 日，国务院在北京召开全国棉花工作会议。出席会议的有各省、自治区、直辖市和计划单列市有关负责同志，计划委员会（计划经济委员会）主任，经济委员会主任，供销社主任及棉麻公司经理，农业厅厅长，纺织厅厅长；新疆生产建设兵团有关负责同志；国务院有关部门负责同志。这是朱镕基同志在会上讲话的主要部分。

方面的东西多了是好事，物价稳定，国家就稳定，社会就安定，这是改革开放的成绩。但是，太多了也不行，如果积压太多，经济效益就下降，国家负担不起。

现在国家储备棉花 2000 万担，还不算多，可以再增加一些储备。明年的棉花需要量大概是 9000 万担。如果纺织工业技术改造加快，也许棉花需要量会增加。要珍惜这个好形势，不要看成是个包袱，而不去做好棉花工作，造成棉花生产的大起大落。农业部认为，对今年的棉花生产不可估计过高。棉花播种面积增加了 200 万亩，但北方不少地区干旱严重，死苗、绝收面积相当大。最近，棉铃虫对棉花生长也有影响。农业部预计，1992 年的棉花产量接近或相当于去年水平，预计收购量是 1.06 亿担，去年是 1.05 亿担。所以不能太乐观，还是要千方百计把棉花生产管理好，把棉花收上来。要保护农民的生产积极性。

二、棉花流通体制问题

这是会议讨论最多、最热烈的问题。大家的一致意见是，棉花的统购统销体制一定要改革。改革方向很明确，最终要放开，即价格放开、经营放开，建立社会主义棉花市场。大家也都同意对现行棉花流通体制进行改革，但认为一定要有计划地逐步进行，不能在很短的时间内全面放开。首先要考虑农村的稳定、农业的稳定，这对整个国民经济是至关重要的，政策只能是逐渐地变化。

今年怎么办？按 1992 年度预计收购棉花 1.06 亿担算账，经过反复研究确定，定购 9000 万担，完全按照既定的政策收购。考虑到中央财政状况，今年国家只能增加棉花储备 1000 万担。这就是说，1 亿担稳住了。从国家宏观考虑，如果现在不搞一点市场调节，完全统购统销，不给农民一点市场信息，他们就不会去调整农产品结构，明年的棉花种植面积很可能会再扩大，棉花产量还要大量增加。到那个时候，各方面都会非常困难，棉农的利益也保护不了。我们反复研究，也非常尊重棉花产区同志的意见，政策确实需要稳定，搞市场调节要慎重，不能大幅度影响棉农的利益。但不给农民一点信息，不搞一点市场调节，也不好。两个方面都要考虑：一方面，对现行棉花流通体制总的是要进行改革，非改不可；另一方面，政策要相对稳定，政策的调整要有利于农村的稳定，不能出现棉贱伤农的情况。因此，1992 年度的棉花购销体制还是要做一点改革，前进一步，要搞一点棉花市场。如果一步不走，到 1993 年度再改，很可能落空，困难会越来越大，改革还会推迟到 1994 年。我们的意见，由各产棉省区根据自己的承受能力分散决策。其范围最多无非是 1600 万担棉花进入批发市场，但必须是一个有宏观调控的棉花市场，不是完全根据市场需求来定价，因为需要量就是 9000 万担。如果自由定价，棉花价格就会下降得很厉害，要制定保护价。国家首先通过 1000 万担中央储备去调控市场，市场价格下降时，就用保护价去收购棉花，把市场价格稳定下来。一旦由中央储备的 1000 万担指标收购完了，再把 600 万担的地方储备作为调控手段收购，就能始终把棉花收购价格稳定在保护价上。如果大家认为把 1600 万担都拿去搞市场调节的影响太大，那就搞 600 万担。1000 万担还是按现行政策统一收购，收购之后，再让 600 万担进入市场，由地方去制定保护价。有宏观调控的棉花市场，保护价格的“度”可以由地方掌握。如果地方觉得照顾稳定多一点，慎重一点，就把保护价格水平定高一点；如果根据地方的情况觉得应给农民一个比较强的信号，那就把保护价格水平定低一点。保护价完全可以由各省区分散决策。总之，要有点差别，给农民一个信息，棉花种得过多，价格就卖不上去。希望主要产棉省区开一个市场调节的小口子，进行一点试验。但是，各省区都搞看来有困难，希望山东、河南先行一步。其他地方的棉花市场很小，影响和作用也小。山东是产棉大省，也是主要调出省，影响到很多销区，将来势必要开放棉花市场。河南有郑州粮食批发市场，积累了经验，虽然现在成交量不太大，但这套操作规范、电子系统、经纪人、报价系统已建立起来了，再增加棉花一个品种也很方便。对其他省区，我们不做硬性要求。总而言之，决策权下放，由各省区自己决定，根据具体情况，搞得更好一点，不强求统一。

至于 1993 年度的棉花购销体制改革，我们请国家体改委提了一个意见，提出了几种思路，无非是一个走得快一点，一个走得慢一点。第一个思路，走得快一点，叫做“全面推进，一次放开”。今年的棉花集中收购任务基本完成以后，主要产棉省区立即着手建立棉花市场体系，经过八九个月的准备，从 1993 年度新棉上市起，全面放开棉花市场，包括价格和经营渠道。其实就是放开价格，放开经营，放开市场，国家不再给直接的补贴，只是在必要时，通过棉花批发市场以最低保护价收购储备棉的方式，实施对棉农利益的保护。这个改革思路的步子比较大，好处在于避免价格“双轨制”造成的弊病，但是风险比较大，需要一定的条件。第二个思路，慎重一点，叫做“分散决策，逐步推进”。对总的体制面上不做大的改革，而是通过试点，一个地方一个地方地搞。可以考虑取消棉花调拨的指令性计划，纺织企业和棉花经营企业以市场会员的身份在市场上签订供需合同，或通过其他方式稳定供需关系，协商定价，实行保证金制度；同时也要调控市场，保护棉农的利益。销区直接到产区农村去挑棉花，恐怕不是个办法，还是要在批发市场上交易。1993 年度搞一两个，1994 年度再搞一两个，我们估计搞三年，到 1995 年，棉花流通体制的改革就基本上完成了。这就是“分散决策，逐步推

1991 年 11 月 18 日，朱镕基在江苏省无锡市考察国棉二厂。左三为江苏省省长陈焕友。

进”。会后请国家体改委再找一些同志座谈，搞一个框架性的意见，然后发给大家。各省区自己也要提出个基本思路，准备哪一年进行试点、根据试点内容可以做到哪几点，然后报到国务院，争取在今年 9 月份作出决策。

三、供需挂钩问题

很多同志提出意见，现在企业转换经营机制，企业自己有采购权，应该由它自己去采购棉花，怎么还搞产销区省市间的挂钩呢？他们认为这不符合改革的方向。说老实话，这是有一点行政干预。因为现在棉花是供过于求，纺织企业非常困难，棉农的利益又要保护。现在不搞以省市为基础的挂钩，棉花就调不出来，棉花供销之间就会发生很大混乱。所以，实行供需挂钩，是为了保护产区的利益，同时也要求销区的政府作一点贡献。如果政府不去督促企业把棉花调出来，棉花就调不出来了，现在许多棉花送货上门都送不出去，因此，1992年度要搞一年供需挂钩。1993年度怎么搞，要看棉花购销体制改革后的情况再定。

四、收购资金问题

会议讨论最多的是棉花购销体制问题。究竟强调稳定多一点好，还是强调改革多一点好，大家讨论得比较多。实际上，我认为问题最大的是收购资金。同志们千万不要轻视这个问题，因为1991年度的收购资金就没有完全解决。纺织厂欠了供销社80多亿元，把资金都占用了，今年需要的收购资金，目前看来至少还有一半没有落实。这个问题要是不解决，收购仍然“打白条”，影响到农村稳定，恐怕问题就更大了。我希望中央和地方，上上下下都要重视这个问题，要首先保证农产品收购资金，不能挪用去干别的，把钱都占用了，结果没钱去收购，农村就不稳定，这苦头我们是吃过的。最大的宏观调控就是要保证农业的稳定。

中国人民银行、中国农业银行要高度重视收购资金问题，要尽快拿出一些具体办法和解决措施。地方政府、银行、供销社要积极想办法，挖掘资金潜力，多方筹措。地方企业欠的款，地方政府要帮助解决。现在供销社占压了很多资金，有工业欠款，有储备棉，还有超正常库存。这些占压的资金，比如纺织厂欠的80多亿元，农业银行不要罚息，也不加息。总之要千方百计，大家来想办法，把资金搞活，保证收购工作更好地进行。国务院经贸办、人民银行、商业部，各方面都要密切注视这个问题，及时向国务院反映，及时解决资金在收购、调拨中的一些问题，不要影响棉花收购工作。

五、地方优惠措施问题

地方优惠措施是不是保留，由各省区政府来决定。国务院发过几次文件，去年的全国棉花工作会议上也明确过，就是一切优惠措施都要体现在生产过程中，不能体现在价格上，也就是不同意价外加价。价格很高不是也卖不出去吗？原则上，原来进入收购和供应价格的地方优惠措施，应当停止实行，有什么困难，再具体解决。

六、棉花进出口问题

这次会上，大家的意见比较一致了。经贸部赞成给各省区市棉花进出口权，中国纺织品进出口总公司的棉花进出口公司是中央的，要与各省区市的棉花进出口公司脱钩。批准各省区市棉花经营单位有棉花进出口经营权，可以进口，也可以出口，自负盈亏，国家没有补贴。当然，国家要实行宏观管理，价格要协调，不要搞低价倾销，如果你一个价，我一个价，谁也卖不出去了。还是由经贸部来管，经贸部考虑要成立行业协会来协调定价。我们希望采取措施多出口一点，希望产区省千方百计，哪怕给一点补贴，也要争取把棉花多出口一点。因此，我们赞成而且主张把这个权力下放。

最后一个问题，就是为了保证今年棉花收购工作的顺利进行，要保证棉花的收购质量。去年采取的有效措施，如国务院派出巡视组、在各纤维检验局设联络员，在一些省际边界地区起了很好的作用。去年的棉花质量比前几年有很大提高，今年要继续进行这些工作。据纺织部反映，还是有个别地区的棉花等级不到位；另外，亏重比较普遍。请同志们今年要加以注意，不要放松，不要认为现在棉花供大于求，就可以不重视这个问题了。特别是在开一点小口子、搞一点棉花市场的问题上，如衔接得不好，很可能定购计划内的棉花质量又不能保证了。当然总的趋势，我们还是要防止压级压价，由于棉花多，供销社在收购棉花时，对压级压价的问题要特别注意。因为无论我们考虑得怎么周到，怎么稳定政策，怎么保护农民利益，实际上农民利益是下降的。一定要考虑到这个因素。如果再压级压价，农民受很大的损失，就会影响整个农村的稳定，希望能够加以注意。

对民航发展的想法*

（1992年8月10日）

我在8月1日从南京回来，8月3日中央政治局常委开会，主要议题讨论完后，江泽民同志让我讲了南京空难〔1〕的情况，我也汇报了民航任务与能力不相适应的问题，常委们对此都很关心。今天请你们来，是想讲讲我的想法。

我思考了很久，民航非从根本上解决问题不可。现在的状况是任务和能力远远不能适应。改革开放以来，各项事业发展很快，民航跟不上，卡住“脖子”，进不来、出不去，国内抱怨、国外评论很多。虽然民航作了很大的努力，但民航的现状与国家改革开放、国民经济发展的差距太大。这不是谁的责任的问题，而是经济发展长期结构失调的客观反映。当前由于任务的压力，民航的发展速度很快，人员素质、机场设施都跟不上，非出事不可。今后可能还要出事，我很担心。

我分管民航一年多，随着逐步了解和加深认识，感到问题很大。我指出这一点，并不是批评民航，而是强调民航是个薄弱环节，呼吁各方面去支持它、加强它。

---

* 这是朱镕基同志与中国民用航空局主要负责同志谈话的主要部分。

〔1〕1992年7月31日，中国通用航空公司由南京飞往厦门的GP7552次航班B2755号雅克42型飞机，在南京机场起飞时冲出跑道，撞向机场的防护堤，起火爆炸，机身断裂成三截。机上126名乘客和机组人员中，死亡107人。

怎么办？无非是从主观和客观两方面去找原因，认真研究，加以解决。客观方面包括飞机购置、机场设施建设、机务维修以及解决空中走廊等问题。国家要下大的决心增加投入，一个一个地解决。请你们的计划部门全面研究一下，今后三年、十年要解决些什么问题。另一方面是主观原因：第一是加强干部队伍的建设，提高人员的素质；第二是管理从严，要严格要求；第三是改革现行管理体制。

提高职工队伍的素质，必须加强培训。听说中国民航飞行学院每年培训出来的飞行人员不到200人，要求还不是太高。地方要成立航空公司，不够条件的不能同意。民航局要从国家的角度进行管理。为适应民航发展的需要，我想民航飞行学院要达到每年招400人的水平。当然，对民航飞行学院要给钱，要加强领导班子。师资很重要，要再进些人。要增加对飞行训练设备的投入，如要搞飞行模拟机等。我到新西兰访问，人家国家虽小，但飞行训练设备很先进，飞行模拟机可以模拟在东京等许多世界级大城市的机场降落。我见到了在那里培训的中国国际航空公司的飞行员。“软件”跟不上是个大问题，但“硬件”可以先上嘛。

如果自己培养飞行员短期内不能满足需要，可以送飞行员到国外去培训，你们的思想要解放一些。我在这里帮你们定两条原则：一是宁可多花点钱，也要培养高级的飞行员；二是不要怕他们跑，毕竟跑的是少数。当然，我们要挑选优秀的人员派出国，尽可能做好工作，争取不跑或跑得少一点。

另外，要提高飞行人员的工资。为什么？因为他们从事的工作有个风险问题，工资应该高。我在1984年曾乘美国联合航空公司的航班，坐在我旁边的就是这个航班一个飞行员的夫人。她告诉我，她丈夫每年工资是十几万美元。我问为什么工资这么高？她说她整天提心吊胆，工资高，风险也大。这件事应该通过贯彻落实《全民所有制工业企业转换经营机制条例》（以下简称《条例》）来实现，企业有权决定工资分配的形式，拉开工资的档次。《条例》规定工资总额和经济效益的增长挂钩。例如去年工资总额是1000万元，今年实现利税增长10%，工资总额可以是1100万元。发多少？怎么发？国家不管，劳动部门也不要管，你们自己有权决定。工资高，待遇好，就应该严格要求。地区差别问题由民航局来协调，差别还是可能有的。如何巩固、加强和发展空勤人员的队伍，要从各方面考虑：一是加强培训力度，扩大培训范围；二是送到国外去培训；三是提高飞行人员的工资，调动积极性，稳定队伍。

要加强机务建设，现在我们的机务距离国际先进水平差得太远了。北京飞机维修工程有限公司是你们民航目前最强的机务部门，但它的问题也非常多，其他机务部门就更差了。要采取根本性的措施。据我所知，北京飞机维修工程有限公司的费用这么高，如果不是你们进行行政干预，其他航空公司的飞机宁肯送到国外去修，也不会送到它那里去修。我听到的反映是，北京飞机维修工程有限公司的维修质量不太好。包括万里委员长上次访问日本和我这次去南京处理空难事故乘坐的飞机，都是不完全适航的。

上周，我会见了德国经济合作部前国务秘书冷格尔，这个人是我的好朋友。北京飞机维修工程有限公司的胡佩[1]也跟着来了，他提了三个问题：一是投资问题，二是中方合作者无能，三是出国培训的审批问题。我告诉他，这些问题是可以解决的。同时，我也坦率地对他说，用户对你们的意见也很大，要改进工作。胡佩也认账。我熟悉德国人是通过上海大众汽车公司。他们谈判非常认真，寸土必争、寸权不让，但他们信守合同。我们应该要求他们严格按照合同办事，不

---

〔1〕 胡佩，即威尔内·胡佩，当时任北京飞机维修工程有限公司总经理。

能在他们面前显得软弱无能，要把合同规定的权利拿到手。当然，现在的合同不完备，也就不好说了，要研究调整。

北京飞机维修工程有限公司的领导班子一定要加强，引进一些人才行不行？机务的重要性不得了。要派既讲原则、又有管理能力的企业家去。现在已把“心脏部门”交给人家了，只好吸取教训。总之，怎么加强机务的建设，要认真研究，提出措施。

赶快提高我们的管理水平，首先就是要从严。有一次，我在上海机场迎接一位外国总统，客梯车出了问题，总统下不来飞机。要是我管，就得把那个负责的干部撤了。不然没有纪律，什么都无所谓，不知还要出什么事！这次南京空难，就是由于飞行员不按规程办事，断送了自己和100多人的生命。民航的管理太松了，太不严格，真令人胆寒。如果我们再不严格要求，再不认真处理，对这些人和事的宽容，就是对人民的犯罪。希望我们都要有点“豁出去”的精神，不要怕得罪人，不要考虑个人得失。

通过这次事故，要把坏事变成好事。民航局全局上下要真正吸取教训，严格按操作规程办事，增强全局工作人员的自觉性、责任感。你们要强硬一些，一定要严格要求，违反规章造成严重后果的，不管是谁都要从严处理。

还有，要改革管理体制。改革开放，要大胆地改。我们没有能力飞的国内航线，让外国人飞，放他们进来嘛。昨天，丁关根同志转来一个文件，反映的是新加坡提出新加坡航空公司要飞贵州没有得到许可。为了改革开放，自己飞不了的航线，可以先让别人飞，以后我们有能力时再对等。对于这个问题，上下都要通。看来，你们局领导是认真贯彻的，但下边可能还不太通。

对地方航空公司的发展要热情支持，要一视同仁。他们的条件不够，要帮助他们创造；他们的飞行员不行，要帮助他们培养。同时，对他们也要严格要求，不合格的不签字，不能讲情面。另外，关于机场管理一定要权力下放，组织机场管理委员会，先从上海开始，一个一个地搞，搞出一个模式，政企分开，平等竞争。人事总是要有人管的，你们鞭长莫及，就交给地方党委，让他们去管理、去负责。他们花钱建设机场，但管理权一点不给人家，也实在说不过去。从上海开始下放权力，这也是江泽民同志的意见；李鹏同志也明确说了，同意下放权力。因为上海的力量比较强、比较集中，相信上海可以管好。如果在上海下放权力成功了，除了北京，其他地区都可以下放。只下放中小机场，推广的意义不大。机场一下放，对所有的航空公司就会一视同仁。民航局政企分开，也能做到公正。

办公司、建机场，允许外国人投资、参股建设，但这也不能一哄而起，而且管理权要掌握在我们手里。外国人投资、参股机场建设，他们要的是经营免税商店和安排地勤人员就业的权利，这样他们才能赚钱，收回他们的投资。这对我们的机场管理并无大碍，好处是可以利用外资加快机场建设。

在部分省市股票市场试点工作座谈会上的讲话 *

（1992 年 8 月 13 日）

邓小平同志视察南方发表重要谈话以后，全国改革开放事业出现了蓬勃发展的势头。邓小平同志指出：“证券、股市，这些东西究竟好不好，有没有危险，是不是资本主义独有的东西，社会主义能不能用？允许看，但要坚决地试。”〔1〕邓小平同志这个讲话解决了证券、股市姓“资”姓“社”的问题，消除了人们思想中的疑虑，我们可以大胆地进行探索和试验了。

股份制和股票市场在世界上已有几百年的历史，最初是为了扩大经济规模和分散投资风险而发展起来的。它对于经济的发展发挥了一定的积极作用。第一，为经济发展筹集低成本的资金，降低投资风险，加速经济增长；第二，通过投资者的监督和市场的压力，促使企业改善经营管理；第三，有利于按照市场的需要，优化资源配置，调整产业结构。

但是，股份制和股票市场的积极作用，只有在一定的条件下才能得到发挥。从市场发展的一般规律看，资本市场总是在商品市场（包

---

* 1992 年 8 月 12 日至 13 日，国务院在北京召开部分省市股票市场试点工作座谈会。出席会议的有部分省、直辖市和国务院有关部门负责同志。这是朱镕基同志在会上讲话的主要部分。

〔1〕见邓小平《在武昌、深圳、珠海、上海等地的谈话要点》(《邓小平文选》第三卷，人民出版社 1993 年版，第 373 页)。

括消费品市场和投资品市场）发展到一定程度后才有可能建立和发育。现在，我国商品市场还不健全，还有相当一部分商品的价格受到控制而扭曲，企业的盈利在很大程度上受到国家政策的影响。在这种企业经营的外部环境很不确定的情况下，不能指望股份制和股票市场能很快地发展。股份制有利于实现政企分开，但是另一方面，股份制本身并不一定就能解决经营者的自我约束机制问题。要解决这一问题，必须借助于市场竞争和经理人才竞争机制的形式，以及各种法律法规和各种中介机构的建立和健全。当然，这都不是一朝一夕可以做到的。经济体制改革是一个庞大复杂的系统工程，任何单项改革都不能孤军深入，股份制这种在商品经济发展到比较高级的阶段才产生和发展起来的企业组织形式，也不能脱离其他方面改革的进程而先期获得成功。

股票市场既有其积极的一面，还有消极的一面。如果脱离法律化、规范化的轨道，也会出现过度投机，损害公众利益，造成货币幻觉，形成泡沫经济，引起经济波动，诱发社会问题。

这次深圳发行股票认购证中发生的问题〔1〕，香港报纸把它归纳成为一句话，究其原因，就是不成熟的市场经济所造成的。这种看法不能不引起我们的注意。

对证券、股市的试验，邓小平同志是十分慎重的，他指出："看对了，搞一两年对了，放开；错了，纠正，关了就是了。关，也可以快关，也可以慢关，也可以留一点尾巴。怕什么，坚持这种态度就

〔1〕1992 年 8 月 7 日，中国人民银行深圳经济特区分行等单位发布 1992 年新股认购抽签表发售公告宣布，在 8 月 9 日发售新股认购抽签表 500 万张，每张身份证可以买 1 张抽签表，每人一次最多买 10 张表；然后将在适当的时候，一次性抽出 50 万张有效抽签表，中签率为 10%。结果引来全国各地近百万人涌入深圳，彻夜排队抢购，造成轰动一时的"深圳股票认购证风波"。

不要紧，就不会犯大错误。”[1]我们要全面理解邓小平同志的重要指示。只要我们实事求是，坚决按邓小平同志的指示办，积极地创造条件，配套地进行改革，就可以使股份制和股票市场试点健康、稳妥地发展。

今年以来，股份制的试点和股票发行交易工作都有了很大的发展。党中央、国务院对这项改革十分关心，江泽民同志、李鹏同志多次主持讨论，并且经常给以明确、具体的指示。国务院、各有关部门和各地政府也做了大量的工作，从总体上看，取得了一定的成绩。但是也要看到，股票市场的来势很猛，在一些地区出现了不同程度的问题。主要表现在以下几个方面：

第一，有关立法和专管机构还不健全，而一些地方违反国务院有关规定，不顾条件是否具备，擅自批准公开发行股票、开办交易所，造成一定程度的混乱。国务院已通报批评了一些省市擅自发行股票、债券的行为。据我所知，还有一些省市实际上也已经发行了股票，我们还没有来得及查明。

第二，群众缺乏必要的金融风险意识，对股票存在种种模糊的认识，以为买股票就能发大财，盲目入市，使我国股票市盈率远远高于世界各国的平均水平。市盈率就是股票每股的价格除以每股收益。一般是十倍左右，在香港最多也就是几十倍。我们现在已经达到几百倍，有的甚至达到一千倍。这显然是不正常的。如果这种股票热任其升温，势必导致股市崩盘，引起震动。

第三，非法投机者也趁热蜂拥而起，甚至同我们干部中一些意志薄弱者勾结起来，搞人情股、关系股。一些机构，包括某些金融机

---

〔1〕见邓小平《在武昌、深圳、珠海、上海等地的谈话要点》（《邓小平文选》第三卷，人民出版社 1993 年版，第 373 页）。

构，很多公司也违反规定趁机入市，甚至与不法分子联手作弊，操纵市场。这种丑恶现象不仅引起群众不满，在国外也造成不良影响。外国报纸说，中国民间游资充斥。为什么群众手里有这么多钱？同志们，不是群众手里有这么多钱，其实都是公家的钱，是银行的钱，或者企业、公司拿银行的钱去炒股。今年上半年，全国信贷规模超过计划一倍，其中不少流入了股市。

第四，一些证券中介机构素质不高。一些地方的会计师事务所和资产评估机构，不具备基本的业务素质，不但审查不严，甚至作伪证。我们的政府如果放过这种恶劣行为，不能保护公众利益，就是失职、渎职。

第五，没有掌握股票发行市场的一般规律，借鉴国外的成熟经验也不够。我觉得要按国际惯例试一试：一是不限量供应认购证；二是只收工本费；三是核对身份证，一人买一份。我看这个办法不会引起那么大的混乱。香港的办法，是在领申请表的同时，把钱一起交上，中了签的，把股票给你，没中签的，把钱退给你。这种办法有的同志说会造成大量的资金流入深圳，但这是短期的，抽签完了，资金还会汇回去。自己的办法不行，就不要轻易否定国际通行的办法。总之，在没有经过实践证明可行的办法以前，不能轻率地公开发行股票。再出事，国内外影响都不好。

第六，不少地方和企业急于通过发行股票，筹集资金上项目，扩大投资规模。这样会使已经十分紧张的能源、交通、原材料的供求矛盾更加突出。目前，间接融资的规模已经偏大，直接融资的增长势头也很猛，存在着诱发通货膨胀的危险。

当前出现的股票热，受到国内外的关注。不少新加坡、中国香港等境外的政界、经济学界人士和新闻媒体普遍认为，发展中国家建立股票市场“宜慢不宜快”。这方面，印度尼西亚、印度等国家都有过痛苦的教训。即使那些股票市场历史悠久的西方发达国家，也不时被突然而至的股市风暴所困扰。一些日本专家认为，筹集资金和转换企业经营机制，也并不必须偏重于股份制一途。日本企业在经济高速增长期间，主要采取由银行吸收存款的间接筹资方式，以降低筹资成本、减少投资失误、增强企业竞争力以及保障居民金融资产的安全性。这是国际公认的成功经验。我们应当认真地研究和借鉴这些经验。

这次会议上有人提出一个观点："为什么形成股票热？就是因为供求失衡，筹码不够。解决办法就是再多发股票。"这个观点只考虑一个方面，没有考虑另外一个方面。股票市场虽然也受供求规律的支配，但是它不同于一般的商品市场的供求规律，而是带有极大的投机性，对群众心理的影响特别大。另外，中国有自己的特殊情况，股民缺乏风险意识，现实就是股票赚大钱，这当然刺激他们的需求，这种需求是满足不了的。

为了保证股份制和股票市场试点工作的健康发展，必须在国务院的统一领导下，有计划有步骤地开展这项工作。目前，要重申国务院和各有关部门的规定，坚持稳妥试点的原则，一方面总结经验，另一方面健全法律法规和创造必要的条件。待条件具备后，再考虑逐步推开。

下面，我根据党中央、国务院确定的方针，讲几点个人的意见：

一、进一步规范股份制和股票市场

首先，要加强股份制和股票市场的法规起草工作。前一段，国务院有关部委曾先后下发了《股份制企业试点办法》、《股份有限公司规范意见》、《有限责任公司规范意见》等近十个有关股份制规范的意见，这只是一系列股份制与证券市场法规配套文件的一部分。国家体改委要牵头抓紧起草证券法、股票发行与交易管理规定，报全国人大或国务院批准后，尽快颁布。法规和各种办法不可能在一开始就尽善尽美，这需要在实践过程中根据出现的情况和问题不断修改、不断完善。全国性的法律、法规颁布后，各地地方性法规与之相矛盾的，要以全国性法律、法规为准，不能各自为政，降低股份制和股票市场的规范标准。同时，要力求与国际惯例接轨。

其次，要加强股票市场中介机构和证券交易所的建设。包括证券公司、会计师事务所、律师事务所、资信评估机构等，保证股票发行与上市公司的质量，这样既维护了国家的利益，又保护了投资者的利益。我们股票市场的中介机构要向国际标准看齐。财政部要参照国外有关法规，抓紧制定对会计师事务所的管理办法，这会有利于保证股份制与股票市场试点工作的顺利进行。

另外，股份有限公司的组织和运作要规范化，各试点地区和单位要根据目前已颁布的法规，对股份公司进行规范，对一些不规范的行为要加以纠正。只有做好股份制企业的规范化工作，打好基础，才能保证上市公司的质量。

对这次会议以前一些地方擅自批准成立的股份制公司和发行的股票，也要认真做好善后处理工作，要区别不同情况，按照国务院有关部门的规定进行规范和清理。

二、加强股票市场的监管工作

为了加强对股票市场试点的统一领导，国务院建立了证券管理办公会议制度，代表国务院行使对证券市场的管理职权。现在的证券市场在我国还仅仅是最近几年才出现的新事物，我们还没有监管的经验，要借鉴和吸收其他国家成熟的、行之有效的管理经验，结合我国的实践，建立符合我国国情的监管体系。

国务院已决定组建国务院证券委员会和中国证券监督管理委员会。国务院证券委员会是列入国务院序列的独立机构，负责统一协调股票、债券、国库券的有关政策，负责宏观管理和指导监督。中国证券监督管理委员会是准官方或半官半民的监督管理组织，不是政府部门，由有证券方面知识和经验的同志和有关专家组成，其职能就是根据国务院授权，对证券市场进行稽核、检查和监管。在这两个机构没有成立之前，各部门仍应各司其职，工作中的矛盾由国务院证券管理办公会议统一协调解决。同时，股票市场的运作，基本上是依法进行的微观经济活动，要更多地依靠从业机构的自律管理，政府部门主要是立法和依法监管。政府部门过多的介入和直接干预，不利于保持政府公正、超脱的地位，也容易把所有风险都推到政府身上。

为了保证试点工作的顺利进行，保证股票公开、公平、公正地发行和交易，促进股票试点工作的健康发展，要抑制投机行为，对人为操纵、内外勾结、利用内幕消息进行股市交易的不法分子要坚决打击。严禁党政机关各级干部和国营企业、事业单位以“机构”或“基金会”名义入市炒买炒卖股票，违者要给以纪律处分。一些股票发行试点城市要注意打击黑市交易和其他违法活动。

三、保证股票发行和上市公司的质量

各地在进行企业股份制和股票市场试点中，一定要注重保证股票发行和上市公司的质量，严格按规范进行操作。如果股票发行和上市公司的质量得不到保证，国家的利益就可能受到损害，投资者的合法权益也得不到保护。要保证股票发行和上市公司的质量，就要按照严格的程序进行工作，主要是要过三关。

第一关，就是要严格对发行股票企业的资产评估和财务审核。对于资产评估不实，伪造、漏报企业财务资料，以及会计师事务所与企业串通虚报资产和财务盈亏等违法行为，要严肃处理，违反法律的要追究相应的法律责任。要加强资产评估和注册会计师制度的建设，要抓紧制定股票发行过程中的资产评估和财务会计审核标准。为尽快提高评审质量，试点初期可以聘请一些国际知名的会计师、律师，就国内股票发行与上市的财务审计和稽核工作提供咨询意见，逐步使我们的会计师事务所达到国际标准。

第二关，凡要求发行股票和上市的企业必须向证券交易所提出申请。证券交易所要建立和完善上市委员会。上市委员会由交易所会员代表、会计师、律师和企业的代表组成。当地政府要指定一位主要负责人归口管理这项工作，上市委员会是民间机构，但要加强领导，政府应有一定责任。上市委员会对上市公司的申请提出审批意见，报中国证券监督管理委员会备案。证监会在一定时间内有否决权。

第三关，是加强政府有关机构对股票发行的稽查监督。国务院证券委员会要管股票发行额度，进行宏观调控；中国证券监督管理委员会要监管股票发行和上市。今后，未经证券交易所上市委员会批准，并向证监会备案，任何企业不得擅自发行股票。马虎过关或徇私过关，要追究法律责任。证监会也要在公众监督下进行工作。

另外，当前在试点工作中较为突出的一个问题就是缺乏从事股份制与股票市场的专业人才，使我们的一些工作受到了影响。为此，要按照国际惯例，加强对专业人员的培养。这是一项基础工作，一定要加紧进行。人才培养在立足国内的同时，还可以采用招聘等方式从海外吸纳一批学有所成的专业人才回国工作。

四、全国统筹规划，分三个层次，积极而又稳妥地进行股票市场的试验

第一个层次是在上海、深圳举办证券交易所，可以公开发行可上市股票。第二个层次就是允许广东、福建、海南三省以及广州、厦门两市公开发行不上市股票。这是今年1月的规定，但是后来发现，公开发行不上市的股票很难操作，既然公开发行，又不让它转让、上市，就必然要形成黑市交易，而且很难禁止。所以，现在考虑改为公开发行异地上市的股票，即在当地发行，在上海或深圳上市。三省两市在本地公开发行股票，也有一个采用什么办法的问题。发行后如何与上海、深圳联网、上市，也有一些技术性的问题需要研究。第三个层次是其他省市。可以挑选一两个符合条件的企业到上海或深圳去发行可上市股票。在公开发行股票还没有找到妥善办法以前，就在每一个省公开发行股票，风险相当大。现在改革开放要做的事情很多，股票发行试点放慢一步，反而可收水到渠成、事半功倍之效。还是分三个层次，积极而又慎重地试点为好。

由于目前各方面条件的限制，某些地区的股票热已引起一些混乱。李鹏同志已召开国务院总理办公会议，决定在最近一个时期内，全国暂缓批准公开发行股票。这段时间可长可短。待立法加强，组织机构建立，以及发行办法完善以后，再行开始。暂缓绝对不是停顿。只是讲暂缓批准，批准以前的工作照做不误。各地可以积极创造条件，做好基础准备，而且工作要做得更好。如果工作进展顺利，可以早一点重新开始批准。我们总的意见是，对股份制和股票市场要坚决地探索和试验，并积极引导，想办法把这件事办好。还是要照邓小平同志的话做，坚决试、大胆地试、大胆地闯。现在适当放缓，是为了

总结经验，积蓄力量，使股票市场能更健康地发展。

五、适当控制股份制企业的试点工作面

股份制试点工作，要以探索转换企业经营机制为主要目的。在目前市场发育很不完全的条件下，股份制对于转换企业经营机制的作用不宜过分夸大。要按照《中共中央关于加快改革，扩大开放，力争经济更好更快地上一个新台阶的意见》和《全民所有制工业企业转换经营机制条例》的精神，创造条件逐步进行股份制的试点。各地要加强对试点企业的正确引导，在转换经营机制、改善内部管理上下工夫。同时，要坚持试点取得经验后再逐步扩大的原则，着重抓好已试点企业的规范化工作，注意不断总结经验，不要急于在面上铺开。

还有一点，企业内部职工持股也包括法人相互持股，只能出具出资证明或股权证书，不要采用“股票”形式，严格限制转让范围，不要扩散到社会上去。股份制改革试点最好选择国营大中型企业，这样才能积累经验。当然，大企业改组工作量更大，不能仓促行事。

今天到会的都是一些省市和国务院有关部委的负责同志，希望大家要以改革开放和经济发展的大局为重，统一认识，从全局出发，认真执行国务院对股份制和股票市场试点工作的有关规定，坚决按照国务院有关股份制和股票市场试点工作的统一部署来办。今后，无论哪个地区或部门，如果不听招呼，令不行、禁不止，仍然擅自批准发行股票，就是违反纪律，就要追究有关人员的责任。只有这样，才是对国家负责任，对改革开放负责任。这要作为一条纪律，希望大家遵守。

通过这次会议，大家总结了经验，统一了认识，经过我们共同努力，一定会将股票市场试点工作提高到一个新的水平，保证我国经济体制改革的健康发展。

关于通用航空公司空难事故的批语*

（1992年8月14日）

请蒋祝平[1]、闫志祥[2]同志阅（要看原信）。

对通用航空公司要严肃查处，不处理人不好向全国人民交代。

民航局对人民来信（早已敲响警钟）不予重视，空难惨痛，事出有因，也要吸取教训。

（抄送书明[3]同志）

朱镕基
8.14

---

* 1992年8月11日，中共中央办公厅、国务院办公厅信访局《来信摘要》反映，中国通用航空公司航空器修理厂机务人员黄复初致信朱镕基同志说，7月31日中国通用航空公司B2755号飞机失事并非偶然，是该公司长期以来管理混乱、公司领导严重渎职的结果。雅克42型飞机自引进后，技术资料管理和飞机维修工作都存在很多问题。通用航空公司职工对这些问题曾多次向中国民用航空局反映，一直未引起重视。这是朱镕基同志在该《来信摘要》上的批语。

〔1〕蒋祝平，当时任中国民用航空局局长。

〔2〕闫志祥，当时任中国民用航空局副局长。

〔3〕书明，即王书明，当时任国务院副秘书长。

坚决打击走私活动*

（1992 年 9 月 7 日）

当前走私问题严重，缉私秩序混乱，并且还有恶性发展的趋势。尽管海关、公安等部门做了大量工作，打击走私取得了很大成绩，但走私活动仍然有发展的趋势。所以，应该引起我们重视，并采取相应的措施。

走私活动的危害性是很大的，不但在经济上，而且在政治上和国际上都有非常恶劣的影响。首先是在经济上，如果不严厉而且有效地打击走私，国家对外开放就不能够正常进行，国内的民族工业也不能很好地发展。一开始，走私物品集中在彩色显像管、电冰箱、压缩机，现在又发展到录像机、集成电路、电子计算机等等，这必然严重影响我们民族工业的发展。经济上的危害很大，而政治上的危害更严重。走私活动对我们的党风、政风以及队伍的腐蚀很严重。老百姓很有意见，特别是腐蚀到军队和执法机关内部，影响就更坏。因此，必须从政治上考虑打击走私的问题。我看到一份简报，说某个单位走私一船一万台录像机，只花了十万元就买通了边防的干部，货就被放进来了，但这船货可以赚好几千万元。走私在国际上的影响也是很恶劣的。真正跟我们做生意的外国人并不希望走私活动猖獗，否则正当

---

* 1992 年 9 月 7 日，朱镕基同志主持召开专题会议，研究打击走私问题。这是朱镕基同志在听取打击走私情况汇报后的讲话。

1992 年 9 月 26 日，朱镕基在广东省珠海市考察工作。图为在拱北海关缉私艇上听取工作汇报。右二为珠海市委书记兼市长梁广大。

生意就没法做。

分析走私活动猖獗的原因，从客观上讲是我们自己的工业还处于幼稚状态，主要靠关税等手段来保护，我们的价格体系也不合理，已越来越不适应我们进入国际市场的要求。比如国内汽车价格太高，相当于国际市场的五到十倍，因此，从香港走私豪华汽车什么办法都有。录像机也是这样。随着改革开放的深入，我们要恢复关贸总协定缔约国地位，参加国际市场的竞争，必须逐步理顺国内的价格体系，提高国内工业的竞争力。如果完全依靠关税的保护，我们的工业发展不起来。

打击走私应采取的措施，第一，要提高全党及各级党政领导干部的思想认识，使大家认识到走私不仅仅是经济问题，而且是政治问题，是违法犯罪问题，必须予以打击。现在有的人认识还不清楚，出现了一个村、一个县以走私为业的现象，认为走私是开放搞活、繁荣经济的好办法。这是完全错误的。所以，必须提高大家的认识。我赞成以国务院的名义发一个通知，统一思想，端正认识，明确打击走私重点省区和部门的职责与任务。

第二，要进一步完善立法，坚持有法必依、执法必严。要打击走私，必须严刑峻法。过去，我们存在有法不依、处理不严的问题，往往以经济处罚代替法律处理。针对目前走私活动出现的新情况、新问题，要尽快对有关法律法规作进一步完善补充，使打击走私工作做得更好。

要查处走私大案要案，抓住几个大案件，严肃处理，震动一下，就能够把走私活动的气焰打下去。因此，请中央纪律检查委员会、中央政法委员会牵头，组织有关部门集中力量查处几个大案要案，公开进行处理，谁讲情也不行。

另外，关于各部门协同作战问题，也应从立法上完善一下。如工商管理部门遍布全国，要发挥它们在缉私中的作用，请全国打击走私协调小组提出意见，报请全国人大常委会法工委考虑。同时，请国家工商行政管理局研究制定打击贩卖走私物品的规定。

第三，要从思想政治上和装备手段上加强缉私力量。首先，要从思想政治上提高海关、公安系统及有关部门缉私队伍的政治素质，以保证真正有效地打击走私。此外，物质上也要给予保证。原则上同意海关系统增加编制，加强缉私力量，也包括公安系统建立两个海巡大队，请中央机构编制委员会、人事部尽快考虑。我赞成加强缉私队伍建设的关键是提高素质，增加人员要从现有党政机关干部和军转干部中调剂解决，不要从社会上招聘。

增加缉私装备问题，要实事求是地考虑，原则上由财政部解决。总之，增加缉私装备这个事非办不可。

缉私秩序也要很好地整顿。多头缉私实际上没有效果、没有秩序，要坚决制止。

一定要把深圳经济特区办好*

（1992 年 9 月 26 日）

我五年没来深圳，这次来刮目相看。深圳变化很大，成绩很大，证明了邓小平同志建设有中国特色社会主义理论是完全正确的。看到特区政策的成功，我感到非常高兴。我觉得深圳很大的一个特点，就是已经形成了良性循环，这个非常重要。一个省、一个市、一个地区形成了良性循环，就说明经济发展走上了正常轨道，前途就不可限量。

特区政策现在证明是成功了，但是，搞特区是希望将来能推广到全国，就要求有普遍意义。因此，我觉得特区的试点非常重要，现在还只能说是取得了第一个阶段的胜利，或者说是一个初步的胜利。我觉得要完全把特区办好，恐怕要包括以下三个方面的内容。这些只是我的一种想法，提出来供大家参考。

第一，利用特区政策吸引外资，引进技术，加快经济建设，这一点深圳特区已经成功了。当然，还应该向更高阶段发展。深圳实际上也注意到这个问题了，就是原来的一些办法对特区发展起了很好的历史作用，现在不一定要再搞下去了，例如你们刚才讲的“三

---

* 1992 年 9 月 20 日至 28 日，朱镕基同志在广东省考察工作，先后考察了广州、湛江、茂名、惠州、深圳、珠海、中山等地。这是朱镕基同志在听取深圳市委、市政府工作汇报后讲话的一部分。

来一补”〔1〕，应该向更高阶段发展。我看，深圳当前首先是抓基础设施建设，把城市建设得更符合经济中心这样一个条件。深圳正在建设，前途远大，我觉得标准还可以更高一点。我们历来忽视中心城市建设，深圳是个新城市，要向国际城市的方向发展。特别是香港回归祖国以后，深圳如果还是一个乱七八糟的景观，那就不行了，就不能成为华南的一个经济中心。在城市建设方面，规划一定要抓得好，标准稍微高一点，不能今年修了，十年后又要重新翻建。现在欧洲那些大城市，几百年的建筑，仍然令我们赞叹不已。资本主义几百年的发展，对中心城市建设是非常重视的。所以，我认为抓基础设施建设，非常重要。其次，基础设施的完善，为发展高级的第三产业准备了条件，这是促进良性循环最重要的。光靠搞工业，收不到几个钱，现在看得很明显。特别是搞“三来一补”，更收不到几个钱，而且环境越搞越坏，那是历史的产物。所以，还是要发展金融、服务、咨询、仓储、旅游等高级的第三产业，特别是商业，把流通领域搞活，这个非常重要。昨天，李灏〔2〕同志讲了一个情况，对我启发很大：现在每天通过深圳海关的车辆，人家是几万辆，我们是几百辆，全给香港人包了，大量的走私物品从这里进来了。如果我们搞一个运输公司，完全按国际惯例经营，在香港高薪聘请职员，把运输业包起来，比办工业的效益要好得多。另外，只有这样，我们才真正掌握了国际经营的手段。现在，我们和香港是前店后厂的关系，他们是店，我们是厂。他们赚大钱，80%、90%都让他们赚了，我们也就拿个10%。这说明，我们还没有掌握国际经营这个手段。我觉得，我们不要把注意力过度地放在工业方面，要把流通领域搞活，把高级的第三产业发展起来。

---

〔1〕“三来一补”，指来料加工、来样加工、来件装配和补偿贸易。

〔2〕李灏，当时任中共深圳市委书记兼深圳市市长。

工业还是搞高新技术产业，真正来搞知识密集、技术密集、经济效益比较高的产业。已经到这个程度了，深圳再搞劳动密集型的产业是浪费土地。深圳按这个次序搞是大有希望的：首先是认真抓基础设施建设，把城市真正建设成为中心城市；然后，大力发展高级的第三产业；工业结构要调整，主要是搞高新技术产业和经济效益高的产业。

第二，深圳作为一个经济特区，可以运用资本主义的各种经营方式，但是我们还是能够保证社会主义经济作为一个主体。同时，我们可以抵制资本主义腐朽的东西，建设社会主义的精神文明。这一点，我觉得深圳是抓得很紧的。也可以说，我们还是能够运用特区来建设社会主义的。

第三，党的十四大将确定搞社会主义市场经济，这一点我们要给予更多的注意。社会主义市场经济究竟怎么搞，我看应该首先在特区搞出一个模式来、搞出一个雏形来。发展社会主义市场经济，意味着我们的企业都要推向市场，服从市场经济的规律，自主经营、自负盈亏，国家实行宏观调控。这个宏观调控是好讲不好做。怎么调控？怎么通过金融、财政等各种手段把经济管好？最重要的是法律，就是要有法律制裁。法律体系健全了，一切按法律规定办，真正走上法制轨道，我希望能够在深圳、珠海这些特区首先实现。不这样搞是不行的。我们的企业往往是上项目的时候是市场经济，把项目效益说成好得不得了，说是你们不要管我，我的项目是百分之百出口，一个钱不要你的，讲得非常好；项目上马后，就要搞计划经济了，你得给我原材料，给我让市场，帮我借钱。这样怎么行？一会儿市场经济，一会儿计划经济，我们政府哪受得了！这就要有法律约束，企业搞不好就要破产、清盘，追究领导人的责任，不能把风险全放到政府身上。所以，我觉得在特区，要先把社会主义市场经济的模式、一套法律体系健全起来，这是一个非常重要的问题。不在五到十年内解决这个问题，国民经济要上新台阶是非常困难的，最后还可能出问题。

同志们，深圳确实跑在全国前面了，但现在不能满足于此。邓小平同志给了你们这个任务，一再鼓励你们。我希望你们下点工夫，真正搞出一个社会主义市场经济的模式。对企业真正地放权，政府就是监督。责任是企业的，资不抵债的时候，政府就警告企业，甚至罢免企业领导人，但是平时政府不干预企业的决策。政府各部门要大大精简，不要去管那些不需要政府管的事情。另一方面，政府调控的手段运用得怎么样？譬如房地产，政府要下个狠心，把信贷规模控制住，它就热不起来了。要有个清醒的估计，哪有那么多人需要豪华别墅呀？房地产市场能发展那么快吗？总之，要在探索社会主义市场经济的模式上创造一些重要的经验，这是我对深圳的一点希望。

广东的实践证明了改革开放政策的成功*

（1992年9月28日）

广东这几年的发展相当快，改革开放的成绩很大。我这次实地看了以后，更深刻地感受到发展变化之大。在这里，我想谈三点感想和一点希望。

第一点感想，我认为广东改革开放以来的实践，证明了邓小平同志建设有中国特色社会主义理论的成功，证明了改革开放政策的成功，也证明了特区政策的成功。这是中外公认、举世皆知的。首先，广东的农业问题解决得好。农业是国民经济的基础，农业上不去，其他经济部门就发展不起来。农业发展也是根据邓小平同志的思想，首先在农村实行了改革。现在，广东的农业确实已经走上了一条高产、优质、高效的路子。很多地区从粮食不能自给，到实现了自给有余。这是广东经济发展的一个很重要的基础。其实，广东的产业发展经历了一个调整结构、提高效益的过程。记得80年代初期，我来广东，那时候地方同志谈的大多是如何发展“三来一补”〔1〕企业。后来是抓利用外资，引进技术改造现有企业。现在，广东的产业结构调整又提高了一步，逐步地向现代化、大批量、高新技术的方向发展。工业经过内部调整、改组，正向更高一个等级发展。这是非常可喜的

---

* 这是朱镕基同志在广东省考察工作期间，听取省委、省政府工作汇报后的讲话。

〔1〕 见本卷第219页注〔1〕。

现象。

随着工业的发展和流通领域的繁荣，基础设施的建设变得越来越重要了。这些年，广东花了很大的力量搞交通建设。没有基础设施建设，你的土地值不了几个钱，你的地要卖好价钱，就得修公路、铁路。沿海、沿江地区要修港口，另外还要修机场。基础设施搞起来以后，经济的发展就更快了。

广东各地对城市建设也很重视，许多城镇跟我五年前来的时候相比完全面貌一新了。我看，城市建设规划还是要实行“一个人、一支笔、一张图”，一管到底。要是听这个的意见，又听那个的意见，那不得了啊，肯定搞不好。就得一个人管，就是市长管。我在上海工作时就是我管，“一支笔”，只有我才能批地。土地对广东非常重要，因为它可以吸引外资。如何将土地开发纳入城市和交通的规划，怎样充分利用级差地租，怎样把生地变成熟地，怎样考虑长短结合，才能够使这块地更值钱，这些问题都要认真研究，通盘考虑。如果几支笔来搞是不行的，要吃大亏。

看了广东这些地方，我确实深刻地感到，沿着邓小平同志指引的改革开放道路走下去，我们的经济建设就能够加快，人民的生活水平就能够不断提高，党就有威信，人民也会拥护我们。广东能够取得这些成绩，我觉得一个主要的原因，是广东省委、省政府在改革开放以来坚持党的基本路线不动摇。大家围绕着发展生产力、以经济建设为中心这条主线，既坚持四项基本原则，又坚持改革开放，一心一意坚持走这条道路，这是一条非常重要的经验。当然，广东有较好的客观条件，毗邻港澳，华侨众多，所以利用外资、引进技术、开辟国外市场的渠道都比较方便，但主要还是广东的同志工作做得比较出色，办事能够从实际出发，能够把广大干部和人民群众的积极性调动起来。我们下去一看，到处都热气腾腾，干部、群众都心情舒畅，这一点应该充分肯定。

第二点感想，我觉得改革开放以来广东的实践，证明了邓小平同志今年南方谈话的精神是完全正确的。只要我们认真地学习，全面地理解，扎扎实实地贯彻执行，全国就能够像广东一样，加快改革开放，加快发展速度，真正使国民经济上一个新台阶，最终实现“三步走”的战略目标。

我特别感到，今年以来广东的发展特别快，这显然是邓小平同志的南方谈话产生了强大威力，调动了人民群众的积极性，也激发了外商的投资热情。香港的大老板过去给我的印象是，捐赠几个亿都可以，但几百万元的投资他都不干。广东也许情况不一样，投资可能稍微多一点，别的地方要香港大老板去投资是很难的。但今年以来不是这个情况了，外商和港商纷至沓来，香港大老板们也来了，不但是到广东，也到上海、北京及内地去了。他们的投资热情很高。这是一个新的动向、新的变化。这是因为邓小平同志的南方谈话进一步肯定了改革开放政策的成功，表明了党的基本路线要长期坚持下去的决心，从而掀起了这样一个高潮。

第三点感想，我觉得广东的实践证明，根据邓小平同志的思想提出来的建立社会主义市场经济新体制，在中国能够或者将要得到有效的运行。邓小平同志早已指出，市场经济并不是资本主义独有的，资本主义也有计划；社会主义也有市场，社会主义也可以搞市场经济。广东的实践就充分证明了社会主义市场经济这个模式是行得通的，而且非走这条路子不可。广东把企业推向市场，让企业能够自主经营、自我积累、自我改造、自我发展、自负盈亏；政府转变职能，不干预企业的经营决策，但要进行有效的宏观调控。这种模式在资本主义国家实行了几百年，也是逐步形成，而且是逐步有效的。在我们社会主义国家，在仍然保持社会主义的性质、以公有制为主体的前提下，也能够实行这个模式，这就是广东现在的做法。当然，我们现在还不完善，特别在宏观调控方面，我们做得不够好，还不会运用宏观调控的手段进行资源和生产力的合理配置与结构调整。我们的本事还不大，还不能把一切经济活动纳入法制的轨道，对企业还是干预过多。但是我相信，做得不够的方面是能够完善的，这条路是能够走通的。广东在短时间内能走到现在这一步，我相信将来肯定能够把这些方面完善起来。

最后，我根据接触到的一些宏观情况，对广东省提出一点建议和希望。中央最近一再提出，要认真地学习、全面地理解、扎扎实实地贯彻邓小平同志南方谈话精神，既要解放思想，又要实事求是。这是因为，我们要把已经调动起来的群众积极性引导好、保护好、发挥好。我们在珠江三角洲一带看到干部、群众的积极性很高，大家精神焕发，干劲很足，一派生机勃勃的景象。这是非常可喜的，对这种积极性一定要保护好，不能给他们泼冷水。但也要引导好，因为还有个宏观的问题，许多事情在局部是能够做到的，但拿到宏观上来看也许就做不到了。中山市讲 15 年、顺德市讲 10 年赶上亚洲“四小龙”，可不可以做到？我相信可以做到。但作为一个战略整体来看，就要考虑一些宏观问题了。全国目前是什么状况呢？全国的形势空前的好，但是也有一些问题要引起我们的注意。什么问题呢？一个是投资规模，另一个是信贷规模，超过太多了。今年 7 月，全国全民固定资产投资比去年同期增长 35.6%，实际规模比这大得多，下面有的没有报。如果就是这个数，也不是不得了。问题是摊子还在铺，越铺越大，到 8 月份已经比去年同期增长 36.4% 了。如果按这个趋势发展下去就不得了。投资连带着信贷，哪来那么多的钱？就是要银行多发票子。票子发得太多，宏观经济就可能出问题，我们不能不考虑。因此，党中央、国务院最近发了一个通知，要求对固定资产投资规模和信贷规模进行宏观调控。这不是说现在已出了什么了不起的大事，而是说如果这一趋势还这么发展下去，那事情就难说了。另外，同志们也要考虑到国际形势的变化。现在全国四分之一的产品是出口的，广东和上海的产品各是三分之一出口。因此，进出口贸易对中国来说非常重要。目前全世界经济萧条，或者说国际市场有限，想让出口保持目前百分之十几到百分之二十的增长速度，相当困难。我们对国际市场的增长不能估计太高，特别从长远来看，归根结底还得靠我们自己，要加强管理，提高产品的质量和竞争力，真正去占领市场。所以我总的感到，既要看到当前形势大好，又要清醒地估计可能发生的一些问题，要全面规划，统筹安排，不能把摊子铺得太大。

广东很重视基础设施建设，我认为这是抓到点子上了。最近这几个月，我基本上是在抓铁路、抓交通、抓民航。经济怎么能够搞得上去呢？我们现在正在研究对上述这几个部门的体制进行改革。要通过改革，调动各个方面的积极性，调动中央和地方的积极性，调动领导机关和基层的积极性，通力合作，群策群力，共同把事情办好。不仅包括交通，还包括邮电通信，不调动各个方面的积极性，邮电通信事业也上不去。现在单是多装电话机没有用，因为没有通道，打不通。电话机装得越多，通道不足，接通率就越低。最近，我们考虑，要把铁道部门、电力部门、机电部门和通信兵等的通信能力也充分利用起来。只有大家一起上，才有可能把电信搞上去。总之，今后三年就是要大力抓好基础设施建设，再不下气力抓就晚了。广东在治理整顿这几年没有丧失时机，抓紧基础设施建设，促进了经济发展，情况就大不一样。就全国来讲，晚了一步，现在要赶上去。

加快基础设施建设，也要注意全面规划、统筹安排，一下子想搞得太多也不行。比如说铁路，广东主要是先抓好几条带战略意义的主干线的建设。我觉得，广东各市县大的基建项目，应当服从全省的统一规划，如果各行其是，就不好办了。基础设施建设要超前，但不要造成浪费。广东的土地是很宝贵的，在搞开发时应当十分爱惜，对这一点同志们务必引起足够重视。

贯彻邓小平同志重要谈话精神，既要解放思想，又要实事求是。从全国宏观的情况来考虑，经济建设要保持一个合适的发展速度，才能实现我国国民经济的发展战略目标。我完全相信，广东力争20年赶上亚洲“四小龙”的目标能够实现。但在具体的工作安排上不能操之过急，特别是前十年应当多从稳重一点的角度来考虑。后十年情况就不同了，经济实力增强了，基础打好了，市场机制建立起来了，就可以考虑搞得更快一些。

1992年9月22日，朱镕基在广东省广州市考察黄埔港。前排左一为广东省省长朱森林。

关于当前经济形势和宏观调控的意见 *

（1992 年 10 月 20 日）

党的十四大总结了十一届三中全会以来坚持党的基本路线的伟大实践，以邓小平同志建设有中国特色社会主义理论统一全党思想，确定了加快改革开放和现代化建设的决策和部署。这对动员全党和全国人民夺取社会主义事业的更大胜利，实现振兴中华的伟大理想，将产生巨大的推动作用。为了贯彻落实党的十四大精神，我根据江泽民、李鹏同志的指示，对当前全国的经济情况作一个通报，并对如何加强宏观经济调控，提出一些意见。

一、改革开放和国民经济发展进入新阶段

以邓小平同志视察南方重要谈话和今年 3 月中央政治局全体会议为标志，我国改革开放和现代化建设事业进入了一个新的阶段。广大干部和群众思想更加解放，精神更加振奋，上下团结一致，到处热气腾腾。

---

* 1992 年 10 月 20 日，即中共十四届一中全会闭幕之后的第二天，中共中央、国务院在北京召开经济情况通报会，给各省、自治区、直辖市和中共中央、国务院各部门主要负责同志打招呼，防止经济过热。这是朱镕基同志在会上讲话的主要部分。

1992年10月19日，在中共十四届一中全会上当选为中央政治局常委的江泽民、李鹏、乔石、李瑞环、朱镕基、刘华清、胡锦涛在北京人民大会堂合影。（新华社记者王新庆摄）

（一）改革开放向深度和广度发展。

第一，人们的思想观念发生了重大转变，改革开放意识显著增强。通过学习邓小平同志的重要谈话，打消了姓“资”姓“社”的顾虑，许多领导同志亲自抓规划，各地区大胆搞试点，全国出现了生机勃勃的新局面。

第二，以转换企业经营机制为重点，全民所有制企业的改革有了新的进展。国务院今年发布的《全民所有制工业企业转换经营机制条例》，对市场经济条件下企业的责权和经营机制的转换，作了明确而具体的规定，对原来的企业管理体制有了明显的突破。

第三，价格改革迈出了较大步伐。今年先后提高了粮食购销价格，实现了购销同价，有16个省区市的380个县市进行了放开粮食价格的试点；7月1日，又提高了铁路货运和煤炭、天然气的价格；较大范围地放开了生产资料的价格，使国家和有关部门管理的生产资料与交通运输价格由1991年年底的737种减少到目前的89种；取消了煤炭、原油、成品油、钢材的计划外价格的最高限价。

第四，对外开放取得新的进展。一是扩大了对外开放的范围。今年以来，国务院在支持浦东开发区建设和批准海南成片开发洋浦经济开发区的同时，还批准开放了5个沿江城市、18个省会城市、13个沿边城市。二是扩大了对外开放的领域。批准北京、上海、天津、青岛、大连、广州6个城市和5个经济特区各试办一至两个外商投资商业零售企业，还批准在上海外高桥保税区内设立一家中外合资的外贸企业。此外，金融、保险、旅游等原来禁止或限制外商投资的行业，今年也开始进行外商投资试点。三是扩大了对外开放的窗口。先后批准了34个开放口岸，其中沿海口岸7个、沿江口岸4个、沿边口岸12个、航空口岸11个。

第五，利用外资增长较快，外国和港澳台地区投资者的信心增强。今年1月到9月，实际利用外资117亿美元，比去年同期增长52%。

此外，转变政府职能、精简机构的工作正在开展。县级机构改革试点单位已有350多个。有关部门还按照中央4号文件〔1〕的精神，拟订了投资、财政、金融、商业、外贸、科技、教育等方面的改革方案，正在陆续出台。

（二）国民经济发展步伐加快。

第一，农业在连续几年丰收的基础上，今年又取得了好收成。农村经济注意调整结构，开始迈上高产、优质、高效发展的轨道。乡镇企业加快了发展步伐，预计今年的总产值可增长30%以上。

---

〔1〕见本卷第177页注〔1〕。

第二，工业发展速度明显加快。1月到9月工业总产值比去年同期增长19.3%，预计全年可能超过20%；国内生产总值比去年同期增长10.6%，预计全年可能超过12%。国有大中型企业的经济效益有所提高，骨干作用有所增强。

第三，财政收入增长较快。1月到9月，累计财政收入2668亿元，比去年同期增长21.8%。扣除增加发行和提前入库的国库券收入227.51亿元，按可比口径计算，增长11.4%。财政支出2619亿元，增长16.4%。

第四，进出口贸易持续增长。1月到9月，全国累计出口总值575亿美元，比去年同期增长16.2%；进口总值525亿美元，比去年同期增长21.4%。边境贸易和“三资”企业的进出口贸易发展更为迅速，与去年同期相比都是成倍增长。

二、当前经济发展中的几个问题

今年以来，随着国民经济高速增长，也出现了一些值得重视的问题。

（一）固定资产投资增加较猛，但未向产业结构优化的方向发展。

今年以来，固定资产投资一直保持了较高的增长速度。1月到9月，全民所有制单位固定资产投资比去年同期增长36.3%，全国新开工5万元以上的基建和技改项目已达36931个，比去年同期增加7958个。9月末，全民所有制单位在建总规模已达12306亿元，比去年同期增长23.2%。新开工项目中，能源、交通、原材料等基础产业的比重下降，高级写字楼、豪华公寓项目明显增加，一般加工工业和低水平的重复建设有所抬头。建设项目超概算和资金安排不落实的情况越来越严重。

固定资产投资增长过猛，还带动了现金投放过多，推动了生产资料价格的上涨，如建筑用钢材价格，已由年初的每吨1700元上涨到3000元左右。

（二）金融形势趋于紧张，银行信贷和货币投放压力增大。

一是信贷规模不断扩大。去年1月到8月，银行贷款增加额只有974亿元，今年达到1864亿元，比去年同期增长91%。按照这个趋势，全年新增贷款规模可能达到4000亿元，而去年实际是2895亿元。二是货币投放增多。到今年10月15日，货币净投放达到481亿元，比去年同期多投放300亿元。9月末，市场货币流通量达3559亿元，比去年同期增长30.4%。去年全年货币发行量为533亿元，今年原计划发行600亿元，预计要发行900亿元。三是储蓄存款增幅下降。9月末储蓄存款余额为10852亿元，增幅比去年下降4个多百分点，主要是计划外集资挤了储蓄存款。四是农副产品收购资金紧张，有些地方出现了“打白条”的现象。

（三）工业生产高速增长，交通运输紧张，产成品库存增加。

今年1月到9月，工业总产值增长19.3%，但能源生产总量只增长3.1%，货物周转总量也只增长3.3%，大大低于工业生产的增长速度。铁路运输的矛盾最为突出，当前货运车皮满足率只有60%，铁路主要限制口只能满足需要的40%左右。沿海港口也出现了压港、压船、压货的现象。交通运输已经成为影响经济增长的“瓶颈”。

去年我们搞限产压库促销，产成品资金占用到去年年底比6月底减少229亿元。今年8月底比年初又增加了257亿元，相当于今年同期银行新增工业流动资金贷款309亿元的83%。“三项资金”[1]占用

〔1〕“三项资金”，即产成品、发出商品和应收销货款占用的资金。

增加更多，今年8月底比年初增加544亿元。

（四）经济发展的若干热点出现了一些值得注意的问题。

今年以来，经济发展中出现了几个热点，主要是开发区热、房地产热、股票热等。从总体上说，这是改革不断深入、市场逐步发育的反映。但是，有些地方脱离实际，不顾条件，盲目攀比，发展过快。据不完全统计，1991年年底，全国共有各类开发区117个，到今年7月已发展到1874个，比1991年增长了约15倍，占地面积增长幅度更大。1991年年底，全国房地产公司有3776家，到今年8月底已超过5000家。今年头8个月，房地产业有偿出让土地约2000幅，面积达1000平方公里以上。股票发行出现了超计划发行和不经批准擅自发行的情况。

三、采取积极措施，加强宏观调控，促进国民经济持续高速发展

总的来说，当前经济形势大好，对于这一点，国际舆论也给予了高度评价。但是，对于发展过程中的一些问题，国内外不少人士也表示担心。一些国际金融组织、世界权威研究机构、著名经济学家和工商界人士都认为，中国已经出现经济过热，通货膨胀的压力正在逐步加大。《亚洲华尔街日报》的年度调研报告认为："尽管增长如此快速，看来中国的通货膨胀率今年能保持在7%以内，但是不一定能维持到明年。事实上目前城市的通货膨胀率已达11%，经济过热现象已开始出现。"10月9日，英国《金融时报》一篇文章说："今年通货膨胀率加速上升已引起人们担心，中国可能又要经历一个'繁荣—下降'的经济周期了。"

对这些估计，要作具体分析。我认为，目前我国经济加快发展，

是由于十多年改革开放积累的潜能转化为动能的结果。从全国来说，根据现有的经济实力和社会承受能力，这种发展速度是有其客观条件和物质基础的：第一，农业发展不但已经成功地解决了人民的温饱问题，而且还有一定的粮食、棉花等储备。第二，消费品的生产能力大于市场需求，不必担心消费品供应短缺。第三，重工业有相当的基础，可以提供我们需要的大部分能源、原材料和多数技术装备。第四，我国已逐步从封闭型经济转变为开放型经济，进出口贸易已经占国内生产总值的三分之一，外汇有一定的储备，吸引外资的环境明显改善，可以从国际市场上调剂余缺，支持国内经济增长。因此，当前中国经济发展总的来说是正常的、健康的。但是，许多人士的这些担心，也不是完全没有道理、没有根据的。我认为，现在有以下几个问题值得我们研究和考虑。

（一）关于投资拉动和速度问题。

在市场疲软、经济发展缓慢的情况下，可以采取增加投资的办法来启动和刺激经济的增长。这也是其他国家常用的方法。事实上，当前的投资拉动确实促使工业企业，特别是重工业企业的生产高速增长，经济效益有所回升。但是，这种投资拉动仍然是从放松货币控制开始，并不完全是依靠宏观经济杠杆和市场机制的驱动，而更多依靠的是政府的直接干预。世界银行最近关于中国经济的研究报告指出："放松货币控制，生产即开始迅速回升，但回升的速度和方式也引起一个关键问题，即这种回升是否持续，以及它是否会把经济径直带上一股强劲的上扬势头，从而导致通货膨胀和经济过热的卷土重来。"这就是说，投资拉动的强度要适当。但是，由于我国尚未建立起市场的宏观调控机制和企业的自我约束机制，由投资拉动的经济发展一旦加快，就会以加速状态前进，直至达到极限速度，产生"飞车"现象。目前，我国的经济增长速度，不但已经远远超过了党的十四大提

1992年1月19日，朱镕基考察“惠州26—1”油田的海上开采平台。左四为广东省副省长张高丽。

出的要求，而且已经超过或者接近世界各国和各地区，包括日本和亚洲“四小龙”在内的经济起飞时期的高速度。尽管我们主观上还希望能更快一些，但这样的加速度能否不经过大的震动而持续发展下去？我们大家都还没有把握。从今年以来投资规模增长速度逐月加快的趋势来看，原有的经济结构矛盾更加突出，交通运输全面紧张，生产资料价格急剧上升，有利于市场经济机制形成的买方市场逐渐消失。这已经可以说明，投资拉动的强度在继续加大，通货膨胀的风险也越来越大了。

另外，目前投资的资金来源并不完全是自有资金或银行贷款，很多是来自各种计划外集资，如卖地、卖户口、发行证券、粮食挂账、欠缴税金和各种硬性摊派，已经引起财政金融秩序一定程度的混乱，造成某些不良的社会后果。

问题还在于，现在铺下的摊子，后续投资还很大，明年的投资贷款和货币发行规模势将难以为继，搞得不好，就有可能留下一批“胡子工程”以及因为没有市场需求和原料供应而无法竣工的项目。

（二）关于改革和发展的关系问题。

加快改革，建立社会主义市场经济体制，是党的十四大提出的历史性任务，也是关系整个社会主义现代化建设全局的一个重大问题。这个改革是一场新的革命，绝非易事。我们应当把注意力的重点放到加快改革上来。

为了尽快建立社会主义市场经济体制，使市场对资源配置起基础性作用，必须加快价格改革。如果我们打算在三年左右的时间里基本上放开生产资料的价格，明年就应该考虑：铁路货运提价，原油平价转高价，煤炭的国家定价部分减少，电也要提价。实施这些改革，对加快交通运输、能源等基础产业的发展，抑制加工工业的过快增长，调整和改善国民经济结构，是十分必要的。这部分提价因素，再加上今年调整价格“翘尾巴”和市场价格自发上涨的影响，可能拉动物价指数上升 7%，其中大中城市的物价指数将再次突破两位数。看来，给价格改革留下的回旋空间已经很小了，如果投资拉动的强度继续加大，物价上涨的形势就会更为严峻，对改革全局是不利的。

（三）关于当前面临的农副产品收购资金紧张问题。

据人民银行分析，造成农副产品收购资金紧张，主要是以下几个原因：商业部门调销后的货款收不回来，如纺织工业尚拖欠去年的棉花款；财政该补贴的未补或欠补；部分省市的农业银行储蓄下降；上半年银行信贷增加过多，有的地方挪用贷款搞开发区、房地产和购买证券等。摊子铺得太大，影响贷款及时收回再贷。

据人民银行测算，今年农副产品收购资金需要1200亿元。根据惯例，银行承担60%，即700亿到800亿元，目前资金尚未落实。商业部门自筹和财政补贴加价款占40%，即400亿到500亿元，资金只落实不到一半。目前，已有11个省区提出还要中央帮助解决农副产品收购资金319亿元。如要人民银行解决这个缺口，只有再多发票子。

（四）关于国际市场问题。

我国经济与国际市场已经有了相当密切的联系，我们的经济盘子应当建立在对国际市场发展趋势的恰当估计上。现在世界经济萧条，国际市场容量有限，今后我国出口要保持每年25%的增长速度是有困难的。当前，美国经济不景气；日本受泡沫经济影响；欧洲经济的“火车头”德国在统一政策上出了问题，为了抑制通货膨胀，采取了高利率政策，从而动摇了欧共体的货币体制。香港地区是经济最景气的地方，但也是对世界经济波动反应灵敏的地方。一旦国际市场动荡，香港地区就要受到冲击，从而波及我国南方沿海地区。恢复我国在关贸总协定的缔约国地位，对我国的改革开放会有促进作用，但我们也要履行义务，减让关税，增加进口，面对竞争。今年我国外汇储备虽有增加，但增加速度明显放慢，近两个月，外汇储备急剧下降。国家外汇储备从某种意义上说也是一种晴雨表，外汇储备下降到一定程度会影响外国投资者的信心和我国的对外信用。为了应对国际形势的风云变幻，我们应该保有必要的外汇储备。目前两百多亿美元的国家外汇储备，仅够三个月的外贸支付和还债需要。

综观以上四个方面的问题，为了不使今后几个月的经济环境绷得过紧，防止社会总需求和总供给的矛盾进一步扩大，促进国民经济持续稳定发展，党中央和国务院已下发了《关于加强对固定资产投资和信贷规模进行宏观调控的通知》（以下简称“中央8号文件”）。现在，我在这里再次强调以下宏观调控措施：

第一，加强对固定资产投资规模的调控，严格控制固定资产贷款规模和新开工项目，正确引导资金投向，调整投资结构，保证重点建设。

今年计划调整以后的投资规模和信贷规模不能突破。严禁挪用流动资金贷款搞固定资产投资。要认真执行国家产业政策，切实调整产业结构，尤其要突出加强交通运输的建设，停止一般加工工业的重复建设。新上项目的概算必须考虑到价格上涨的因素和相应的铺底流动资金，不得留缺口，不准形成新的拖欠。全国清理三角债工作已经基本结束，全国基建、技改项目在1991年年底以前形成的拖欠已基本清理完毕。从今年开始再发生的固定资产投资项目的资金拖欠，国家不再投入资金清理，而应扣减有关省区市下一年度的基建、技改投资和贷款规模。要切实加强对社会集资的管理，各类证券要按国家计划发行，不得以乱发债券、股票和向企业硬性摊派等方式搞计划外集资。现在，全国共有1874个开发区，不但超过了国力所能承受的限度，也超过了实际需要。各地要坚持开发一片、收效一片的原则，根据需要和可能适当进行调整，特别要注意与现有企业和老城市的改造结合起来统筹安排。

第二，加强对信贷规模和货币发行的调控。

今年经过调整的货币信贷计划，信贷规模已经有了较大增加，是能够适应加快经济发展和改革开放步伐需要的。因此，各级党委和人民政府以及有关部门都必须坚决、认真地执行好这个计划，不得以任何方式迫使银行超计划发放贷款。今年全国信贷规模要控制在3500亿元左右，现金投放要控制在900亿元以内。中央8号文件规定：“哪家银行突破了，由哪家银行负责；哪个地区突破了，由哪个地区的党委和人民政府的主要领导同志负责。”

第三，积极组织货币回笼、资金归位，确保农副产品的收购。

要严格实行有关部门、有关地区各级政府机关的责任制。人民银行该投的基础货币已经分配下去，各地不得截留、挪用。各省、自治区、直辖市政府主要领导同志和人民银行行长要负责本地区的收购资金到位；各级专业银行行长要负责本系统的收购资金到位；各地商业、供销单位负责人要负责组织货款回笼，继续用于收购；各地财政厅（局）长要负责财政补贴资金拨补到位。要层层抓落实，限期到位，定期检查。必须采取坚决措施，遏止粮食企业挂账猛增的势头。凡属地方财政应补未补而要求新挂账的，银行一律不予挂账，并停止贷款，由上一级财政部门如数将应补未补款扣回后拨给粮食部门。纺织部和有关地方政府要组织纺织企业千方百计搞好限产压库促销，迅速归还棉花欠款。产品没有销路的，要立即停止生产。总之，银行该贷的要贷，财政该补的要补，商业系统的收购资金要到位，农业银行挪用拆借出去的资金要收回。不该搞、不该贷款的项目，或者不急于搞、不急于贷款的项目，都要给收购资金让路。如果哪个地方由于资金问题影响了农副产品的收购，引起了群众的不满和社会的不安定，应当由该地区各级政府有关领导负责。

第四，努力扩大出口，加强进口管理，确保今年年底国家外汇储备不低于 200 亿美元，力争保持年初 217 亿美元的水平。

我们应该吸取历史教训，花光外汇储备可以是很快的。我们不能把扩大基本建设规模放在大量进口原材料和能源的基础上，更不能把宝贵的外汇用于进口消费品包括小轿车。应该集中有限的外汇主要用于引进先进技术，改造国民经济的薄弱部门，加快产业结构调整。

今年 8 月底我国外债余额已达 665 亿美元，年底可能接近 700 亿美元，下半年还本付息就要 106 亿美元，已经接近警戒线。要严格禁止计划外再借新债。

对以上几项宏观调控措施，有的同志可能提出，这些主要还是行政手段，为什么不采取经济手段？对此，我想说明的是：第一，目前造成投资膨胀的原因主要是政府行为和各种不规范的行政干预，对此仅仅采取经济手段是不能很快解决问题的。而且，在当前市场发育很不成熟、约束机制远未形成的条件下，经济手段也很难及时收到效果。第二，即使是发达的市场经济国家，也不排斥在必要时使用行政手段。第三，现在采取的措施，也并不完全是行政手段。

在认真贯彻执行中央 8 号文件、严格实施国家宏观经济调控措施的基础上，各地区、各部门的领导同志要把工作重点逐步转移到深化改革、建立社会主义市场经济新体制方面来。要切实安排好今冬明春的工农业生产、市场物价、财政税收和其他各项经济工作，确保国民经济的发展取得更大的成就。当前农村的突出矛盾是农民收入减少、负担过重，部分农产品销售困难和工农业产品价格剪刀差扩大，致使农村市场难以拓展，还有些地方忽视农田水利、基础设施的建设。如果不采取积极措施解决这些问题，不仅农业这个国民经济基础的稳固要受到影响，而且还要制约工业的发展。因此，各级领导同志务必高度重视农业和农民问题。

在我国改革开放和经济发展进入新阶段的关键时刻，为了巩固和发展当前的大好形势，加快国民经济发展的步伐，实现党的十四大提出的宏伟战略目标，希望各地区、各部门的领导同志，从全国大局出发，按照党中央和国务院的要求，自觉执行国家的宏观调控政策，切实解决好当前经济工作中的问题，真正使我国社会主义现代化建设更好更快地上一个新台阶。

总结清理三角债经验，防止产生新的拖欠*

（1992 年 12 月 23 日）

从 1991 年下半年开始的全国性清理三角债工作已经取得很大成绩。到目前为止，1991 年 12 月底以前形成的三角债已基本清理完毕。今天召开总结和表彰会议，主要是总结两年来清理三角债工作的成绩和经验，并重申防止新欠的措施。

一、清理三角债取得的成绩

1991 年 6 月 1 日，李鹏同志主持国务院总理办公会议，研究清理三角债问题。当时，全国三角债累计达 3000 亿元左右。1991 年 6 月底，在工商银行开户的 4 万户企业，“三项资金”〔1〕占用达 3523 亿元，其中产成品占用 1306 亿元，严重影响了国民经济的正常运行。许多企业转不动了，频频告急，要求尽快组织清欠。因此，国务院决定把清理三角债工作作为搞好国有大中型企业、提高经济效益的一个

* 1992 年 12 月 23 日至 26 日，全国清理三角债总结表彰会议在北京召开。出席会议的有各省、自治区、直辖市和计划单列市以及国务院有关部门负责同志。这是朱镕基同志在会上的讲话，曾发表于《金融工作文献选编（1978—2005)》，原标题为《总结清理三角债经验，防止产生新的拖欠，保证国民经济健康发展》。编入本书时，对部分内容作了删节。

〔1〕 见本卷第 232 页注〔1〕。

突破口来抓。

形成三角债的主要原因，一是由于建设项目超概算严重、当年投资计划安排不足和自筹资金不落实，造成严重的固定资产投资缺口，形成对生产部门货款和施工企业工程款大量拖欠；二是企业亏损严重，挤占了企业自有资金和银行贷款，加剧了相互拖欠；三是企业产品不适销对路或根本无销路，产成品占用资金上升，形成投入—产出—积压—拖欠—再投入—再产出—再积压的恶性循环。此外，商品交易秩序紊乱，结算纪律松弛，信用观念淡薄，也加剧了三角债。

首先在东北三省四市进行了清欠试点，明确了清欠工作的指导思想，立足于治本清源，从解决三角债源头入手，重点对固定资产投资项目拖欠这个源头进行清理，并狠抓了限产压库促销、调整产品结构和扭亏增盈。这两年，全国共注入清欠资金 555 亿元，其中银行贷款 520 亿元，地方和企业自筹 35 亿元；清理拖欠项目 14121 个，其中基建 5420 个，技改 8701 个，连环清理了 1838 亿元的拖欠。除少数不符合国家产业政策及贷款条件的项目外，全国基建、技改项目在 1991 年年底以前形成的拖欠已基本清理完毕。

在连环清理债务链的过程中，与源头相关的机电、原材料以及配套工业等生产资料行业、建筑安装施工企业，相应清理了流动资金拖欠 1400 多亿元。为了解决与固定资产拖欠项目关联不大的行业的流动资金拖欠，1991 年对拖欠煤炭、汽车、棉花的货款也进行了重点清理；1992 年 4 月份，以宝钢为龙头进行流动资金清欠试点，在取得经验之后，又积极稳妥地在关系国计民生的煤炭、电力、林业和有色金属四个行业进行了重点企业流动资金清欠；为了缓解棉花收购资金紧张，在今年 12 月份又清理了棉花拖欠款 28 亿元。以上共清理流动资金拖欠 352 亿元。

这样，两年共清理固定资产投资和流动资金拖欠款 2190 亿元，

1991 年清理 1360 亿元，1992 年清理 830 亿元，实现了注入 1 元资金清理 4 元拖欠的效果。通过清理三角债，明显地缓解了企业资金紧张的状况，加速了资金周转，提高了经济效益，使一大批能源、交通、原材料重点建设项目建成投产，并使一大批原来亏损、微利企业转为盈利，增强了经营活力，对国民经济的健康发展起到了重要作用。

二、清理三角债的主要做法和经验

李鹏同志在今年 3 月 7 日召开的国务院总理办公会议上，对全国清理三角债工作取得的成绩给予了很高评价。他说，这次清理三角债工作指导思想明确，工作方法科学得当，基本上遏制住了前清后欠的势头，取得了很大的成绩。这有利于搞好国有大中型企业，有利于企业转换经营机制，有利于国民经济的正常运行。

之所以能取得这样的效果，主要是抓住了形成三角债的源头和清理的重点，采取了以下做法：

（一）立足于治本清源。从清理固定资产投资项目拖欠这个源头抓起，顺次解开债务链，同时在防止新欠上下工夫，抓住了主要矛盾。这个认识是通过调查研究并经过东北试点后取得的。实践证明，从固定资产投资拖欠项目入手进行清理的做法是成功的。两年来，大部分清欠资金回流到了机电、原材料等生产资料行业以及建筑安装行业的国有大中型企业。投入固定资产投资贷款，解开债务链后，收回了流动资金贷款，银行总的贷款规模并没有大的增加。

（二）治理流动资金拖欠采取釜底抽薪的方法，实行限产压库和“压贷挂钩”〔1〕的政策。流动资金的拖欠有三个源头。由于投资缺口

〔1〕见本卷第 34 页注〔1〕。

产生的拖欠，通过注入固定资产投资贷款，相应得到清理。但是，由于企业亏损和产品积压造成的拖欠，就不能通过注入流动资金贷款来解决，那只能是增加企业亏损和积压占款。扬汤难以止沸，只有通过限产压库促销、清仓查库、扭亏增盈等工作促使企业改善经营状况，从而釜底抽薪，减少流动资金占压和企业间的拖欠。1991 年，全国完成限产压库 229 亿元，安排了 70 亿元技改挂钩项目。由于 1992 年库存上升和信贷规模十分紧张的原因，从清欠贷款指标中拿出 30 亿元兑现了部分技改挂钩项目，收到了好的效果。

（三）各级领导高度重视，各有关部门团结协作。国务院组织制定了清理三角债的方针、政策。各有关部门和各地政府主要负责同志加强领导，深入现场督促检查。各级计委、经委、银行、财政及清欠办等部门通力合作，全国几十万人的清欠队伍统一行动，经过艰苦努力、辛勤劳动、认真操作，使注入的银行信贷资金及时到位，启动运转顺畅。各新闻单位加强宣传报道，保证了清欠工作的顺利进行。

（四）狠抓防欠措施的落实。为防止新欠继续产生，国务院有关部门制定了清理三角债、限产压库、扭亏增盈、防止新的粮食财务挂账等配套政策措施，各负其责。针对今年上半年粮食财务挂账和固定资产投资建设又出现拖欠的新情况，发出了《关于一九九二年上半年粮食财务挂账情况的通报》和《关于今年上半年固定资产投资新拖欠情况的通报》。国务院办公厅及时转发了这两个通报，推动了这项工作的顺利进行。

三、关于防止新欠的意见

去年以前全国范围内出现的三角债，是我国新旧经济体制转换过程中，多年积累的国民经济深层次矛盾通过资金形式的反映。产业结构失调、企业效益不高，导致了企业间的信用和金融秩序问题。货款拖欠是企业之间的经济行为，本应由企业按照法律规范予以解决。由国家投入信贷资金进行清理，实际上是将企业之间的债权债务关系转移到企业与银行之间，这只能是国家采取的一种非常措施。目前国家组织的清理三角债任务已基本完成，但企业之间的三角债问题还没有完全解决。今年以来，由于国民经济高速增长，银行货币投放、信贷规模增长很快，产成品积压和企业亏损额也在上升，有的地区又靠新的拖欠和施工企业垫资上项目，建设项目超概算和资金安排不落实的情况仍很严重。据建设银行对 1991 年在建的 266 个大中型基建项目概算执行情况的调查分析，这些项目实际需要投资超过计划安排达 50%以上；列入今年基建计划的 402 个续建大中型项目，也有 63 项超过计划投资总额。因此，必须认真贯彻落实防止新欠的各项措施，以免再度出现全国范围的三角债。

第一，搞建设要量力而行，不留资金缺口。要认真按照中共中央、国务院《关于加强对固定资产投资和信贷规模进行宏观调控的通知》和中共中央办公厅、国务院办公厅《关于确保农副产品收购和严格控制新开工项目的紧急通知》精神，制止单纯追求工业产值和低水平重复建设的倾向，严格控制固定资产投资规模，严禁挪用流动资金贷款搞固定资产投资。要加快投资管理体制的改革，做到项目投资决策、审批者的权力和责任相统一。国家计委、国务院经贸办等有关部门已作出规定，要求安排建设项目要综合考虑物价、利率、汇率、劳动工资、建设期贷款利息和铺底流动资金等因素，不得留缺口，不准形成新的拖欠，不准挪用流动资金贷款搞固定资产投资。从今年开始，由于建设资金不落实再发生新欠的，要扣减有关省市和部门下一年度的基本建设、技术改造投资规模与银行贷款规模，并对拖欠严重的企业以及上级主管单位有关负责人予以通报和行政处分。

第二，落实好清欠贷款回收计划。要按照中国人民银行等部门《关于收回固定资产投资项目清欠贷款有关问题的通知》，抓好清欠贷款的回收，按贷款合同规定的还款计划认真执行。凡完不成年度还款计划的，不得安排新开工项目。银行有权根据清欠借款合同，于第二年从企业自有资金或项目投资中扣还。企业无力归还的，从有关省区市和部门固定资产投资计划中扣收。

第三，认真落实好《全民所有制工业企业转换经营机制条例》(以下简称《条例》)。《条例》所规定的 14 项企业经营权，解决了容易产生拖欠的许多问题。各级政府要尽快转变职能，防止由于政府行政指挥或计划失当造成的产品积压和拖欠。企业要适应社会主义市场经济需要，在经营活动中自觉按市场经济的要求，规范自身的行为，严格按经济合同的要求办事，自觉防欠。

第四，加快企业补充自有流动资金和压缩“三项资金”占用工作。1991 年为了搞好国有大中型企业，国家选定了 1000 多户骨干企业，在“八五”期间每年按销售收入的 1%提取补充流动资金。这项工作已经取得了一定的成效，要逐步扩大到有承受能力的大中型企业。要继续压缩不合理的产成品资金占用，加快资金周转，对“三项资金”占用超过合理水平的企业，银行应当停止增发贷款。

第五，采取有效措施解决粮食财务挂账问题。各地区要按照国务院《关于解决财政欠拨、欠补、欠退和企业挂账问题的通知》要求，对老的挂账要逐步消化，属地方财政应补未补或未补足而出现新的挂账的，银行一律不予挂账，并停止贷款，由上一级财政部门如数将应补未补款扣回后拨给粮食部门。

第六，进一步加强法制管理。要支持、鼓励企业增强自我保护意识，依法保护自己的合法权益。在执行经济合同中发生的经济纠纷，企业应向仲裁机关申请仲裁或向人民法院提出起诉，追究违约方的责任。各企业对经确认无法收回的应收账款，要按照财政部颁发的《企业财务通则》和《企业会计准则》的有关规定处理，避免长期挂账，消除潜在亏损。

第七，加强对固定资产投资项目的监督检查。今后，凡是由国家拨款、国家银行贷款、各级政府举借或担保的各类国外贷款固定资产投资项目，在项目决策阶段或开工建设之前，均需由国家审计机关审计确认资金特别是自筹资金来源的合理性和可靠性。未经验资的项目，有关部门不予办理开工手续，施工企业不得施工。

第八，加强银行结算制度改革，适应社会主义市场经济体制要求。要引导商业信用，使企业之间的信用行为合同化、票据化。银行要按照国务院《关于整顿商品交易秩序，严格结算纪律的通知》精神，继续认真加强银行系统的结算纪律和对企业结算活动的监督。企业不得无理拒付应付货款，银行也不得袒护在本行开户企业的无理拒付行为，否则追究有关人员的责任。

在一九九二年全国经济工作会议上的总结讲话*

（1992 年 12 月 24 日）

这次会议开得很好。好在什么地方呢？会议期间，我参加了小组讨论会，感到大家确实是敞开思想，畅所欲言，冷静估量了当前的形势，对当前工作中存在的问题作了如实的反映。同时，对明年的工作，大家统一了认识，表示要振奋精神，真抓实干，进一步深化经济体制改革，转换企业经营机制，搞好国有大中型企业，限产压库促销，扭亏增盈，狠抓质量，全面推进技术进步。这些工作一点也不能放松。只要我们大家统一认识，扎扎实实抓下去，大好形势一定能够发展，当前存在的问题和困难也一定能够逐步缓解并解决。但是，对思想统一的程度，也不宜估计过高，统一认识可能有一个较长的过程。

对于当前经济形势，可以把大家反映的意见概括为三句话：第一句话，形势大好，要充分地肯定。形势确实是大好，特别是邓小平同志的南方谈话、3 月中央政治局全体会议关于加快改革开放和经济发展的决定、党的十四大的胜利召开，调动了全国人民的积极性，确实出现了历史上不多见的好局面。这个认识大家是一致的。第二句话，防止发生经济过热。当前确实是出现了一些热点，要注意防止过热，

---

* 1992 年 12 月 21 日至 24 日，国务院在北京召开全国经济工作会议。出席会议的有各省、自治区、直辖市和计划单列市负责同志，国务院各部、委、局负责同志。这是朱镕基同志在会上总结讲话的主要部分。

大家对此的认识也是统一的。我看这就需要“两点论”：既要看到当前的有利条件，也要看到不利因素；既要充分肯定当前的成绩，又要看到问题。“两点论”不是各占 50%，形势大好是主流，前进中的问题是支流，但是如果这些问题不解决的话，会发展得越来越严重。第三句话，解决问题不要一刀切。大家普遍反映，你热我不热，全国热地方不热。我参加几个组的会，没听哪个省说自己这个地方是过热了。特别是西北、西南地区的同志说，我们这里不但没有过热，连暖乎、温乎都没有达到；东北地区的同志说，跟沿海省市比起来，我这里还冷着呢。而沿海地区的同志又认为他那儿有条件将经济增长速度搞得更快一些，也不存在过热问题。尽管大家都是敞开思想讲，赞同要防止过热，但是一谈到具体问题，就认为自己这里没热。就是说，“别人害病，不要让我也吃药”。全国形势这么好，每一个省都想抓住这个千载难逢的机遇冲上去，我们很难断定谁热谁不热。恐怕这个问题还是要请各地领导同志，根据中央精神，对当前形势作一个冷静的估量。然后，分析自己在哪些方面有问题，要采取一些什么措施来解决。我想至少可以作以下一些分析。

首先，热不热主要不是看生产速度，而是看建设规模、资金投入。只要是注意了质量、效益、外向型，产品能卖得出去，速度能搞多快就多快。我们不但不怕快，而且要力争有效益的高速度。问题是这个速度主要是靠加快改革开放，改善现有企业经营管理，还是主要靠建设资金投入。最近我看到一个报告讲，南方某个省经济增长速度很高，但是靠现有企业发挥潜力的增产因素只有 20%到 30%，其余 70%到 80%是靠大量的资金投入。这当然也可以，只要自己有钱，产品又有需求。问题是明年如果没有那么多钱投入，问题就来了。李鹏同志在全国计划会议上讲了，不是我们要抽紧银根，其实银根并没有抽紧。票子超发这么多，信贷规模突破这么多，说明并没有抽紧银根，明年计划也没有抽紧。更没有像1988年那样，压缩基本建设。问题是你铺的那个摊子，不是现在这个增长规模所能够容纳得了的。所以，不是谁要抽紧银根，而是总要有个总量平衡。因此对高速度需要分析，是真正扎扎实实靠现有企业的技术进步、产品质量提高和企业转换经营机制、调整结构搞上去的，还是靠大量的基本建设资金投进去的。如果摊子铺得很大，建设规模超过资金、原材料、外汇供应的可能，明年就难以为继了。

你那个地方的资金紧张不紧张，首先看农副产品收购资金保证了没有。如果连农副产品收购资金都保证不了，那就是你的基本建设规模搞得太大了，仓库里的东西积压得太多了，不然农副产品收购资金怎么会紧张？全国1200亿元农副产品收购资金，中央银行的800亿元早就拨下去了，为什么收购进度还慢了一半呀？农副产品收购资金你都不保证，那就可能是开发区搞得太多了，房地产搞得太多了，建设项目上得太多了。有的地方银行贷款不够，就发债券、股票、奖券，卖户口和使用其他集资方式，提走了部分银行储蓄存款，到收购农副产品的时候当然就没有钱了。

其次，要分析工业高速发展的规律性。你说一年可以增长20%，可以相信，再多一点也可以相信。你说可以搞到50%、60%、70%，甚至于一年翻一番，就值得怀疑了，能搞那么快吗？一年搞这么快，也可以相信，但几年都这么快，就不大容易让人相信了。有些地方在前几年调整结构，集中力量搞了一些重大项目，这两年投产了，这当然可以快了。但以后几年你还上得去吗？一个项目搞几年才能投产，能按照这个速度连续搞几年吗？所以，不能一概而论，要非常认真地进行分析，分析一下推动经济高速增长是持久的因素还是暂时的因素。今年的飞跃也要靠前几年的积累，不可能年年都飞跃。所以邓小平同志讲，要隔几年上一个台阶。一年上一个台阶就很难。

再次，要分析工业发展的速度主要是靠重工业还是靠轻工业上去的。目前重工业的发展速度主要是靠投资拉动的，或者说过去的生产能力没有发挥，现在投资增长一拉，一下子生产加一倍，这都是可能的。但那是不会长久的，能老是增长一倍吗？投资拉不动怎么办？一年投资增长百分之二十几就很高了。今年工业企业产销率是95%到96%，重工业是98%，是靠投资拉动把产品销掉的。但轻工业的产销率只有90%到92%，相当一部分产品销不掉。因此，资金占用增加了590亿元。当然，这其中也有铁路部门运不出去造成的积压，可总是积压在仓库里了。在这590亿元里，有随着生产速度上升而增加的合理库存二三百亿元，也还有300多亿元是积压的。所以，姑且不讲这590亿元将来造成的损失，现在资金占用增加这么多，企业的利息负担就受不了。为什么速度提高了，而企业效益没有相应增长呢？利息就把企业的效益减去了一大块，企业的经营状况并没有很大的改善。

我希望同志们回去以后，不要只说“你热我不热”，还是要认真分析一下，冷静地估量一下形势，扎扎实实地把工作搞好。政府部门不要干预企业，不要逼着人家搞高速度。那种地市县层层压速度的老一套办法，早已批评过了，现在不能再搞了。

明年的经济工作，还是要坚持深化经济体制改革、建立社会主义市场经济体制的基本思路。去年中央工作会议提出要搞好国有大中型企业，提出要把经济工作转移到调整结构、提高经济效益的轨道上来。这是一个长期的方针。去年12月召开的全国企业技术进步工作会议提出，要大力调整结构，推进技术进步，转换经营机制，加强企业管理，达到提高经济效益的目的。这些方针都是符合邓小平同志南方谈话精神的，是真正贯彻邓小平同志指示的正确方法。明年的经济工作还是念这本经，因此我要强调以下几条。

一要积极转换企业经营机制，努力搞好国有大中型企业。《全民所有制工业企业转换经营机制条例》（以下简称《条例》）经过各方面的艰苦努力，好不容易颁布了。大家要去认真贯彻，不要把它摆在一边，置之不理。只有进一步深化改革，把国有企业搞活了，上面讲的这些问题才能解决。把《条例》赋予企业的权利落实了，按照这条道路走下去，就能够自主经营、自负盈亏。

有不少企业提出要进出口权。现在机电企业没有自营进出口权很麻烦，牵涉很多技术问题和售后服务问题。我赞成只要符合条件，尽量给它自营进出口权。而大量一般性产品的进出口，如果过分分散出

1992 年 8 月 25 日，朱镕基在甘肃省考察白银有色金属公司。前排左为白银有色金属公司经理陈永年，右为白银有色金属公司西北铅锌冶炼厂厂长刘维玉。

口，也难以管理。我们尝试推广一个办法，就是联合的办法。我一直在做这方面的工作，也促成了一些事情。我看还是工业企业和外贸企业联合，借鉴日本综合商社的办法，再加上我们自己的经验，搞一种工业企业和外贸企业互相参股的模式。工业企业自己要建立一套出口体系不是那么容易的。最近，经贸系统的中国化工进出口总公司分别与中国石油天然气总公司、中国石油化工总公司互相参股，成立了联合的石油进出口公司，我看这种形式就很好。现在全世界的船舶进入了一个更新周期，抓住了这个时机搞拆船工业肯定大有前途。物资部管拆船公司，五矿公司管进口旧船。我建议拆船公司和五矿公司相互参股，联合建立拆船进出口公司，马上制定一个规划，搞到300万吨的拆船能力。全国集中搞一两个点，效益高，环境污染也容易清理。所以，企业不要一味地要权，要走出新的改革路子。

有些机关在精简时成立了许多公司，想把已经下放的企业重新收上来或者利用仍旧保留的行政权力，强迫企业接受这些公司的“服务”，这也是不行的。企业应有的权利不能收。

明年要继续减轻企业的负担。第一，去年中央工作会议有个二十条政策，其中十二条是改善外部环境的，八条是要求加强企业内部管理的，这些政策在今年继续执行。第二，财政部花了很大的力量，制定了《企业财务通则》和《企业会计准则》，我非常支持。“两则”是带有改革精神的，给企业也放了一些权，让了一些利。第三，国务院经贸办在这次会上又提出了十五条政策措施，其目的也是减轻企业负担，增强企业自我积累、自我改造的能力。这些政策还没有定，让大家先讨论，国务院还要审议、协调。

二要注意防止产生新的三角债。两年来经过艰苦工作，我们取得了清理三角债的巨大成绩。国务院正式宣布这项工作已经结束，以后再发生新的三角债，不再采取国家投入贷款这个办法。我们制定的八个文件都是为了防止新欠，其中最重要的一条就是谁新上的基本建设项目如果投资不落实，就要在下一年的投资和贷款规模里扣回来，不能再依靠国家注入资金。

三要继续抓好限产压库促销。这项工作绝对不能放松。我认为，这方面以前从国务院生产办到国务院经贸办的同志都下了很大的工夫。要不是这么做，今年的"三项资金"[1]占用就绝不是增加590亿元的问题，可能要增加到上千亿元，那就是另一种局面了。有人说限产压库是行政手段，不符合市场经济原则。问题是对于片面追求产值增长速度，仅仅用经济手段去解决是不可能完全奏效的。在这种情况下，我们在逐步更多地采用经济手段的同时，还必须采用行政手段。

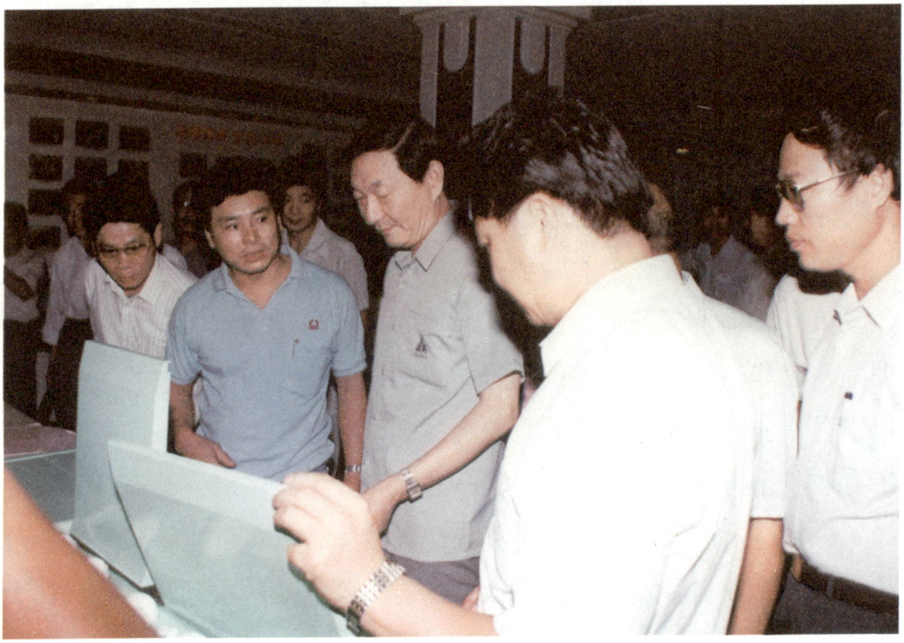

1992年9月27日，朱镕基在广东省中山市考察威力洗衣机厂。右一为广东省副省长张高丽。

〔1〕见本卷第232页注〔1〕。

四要抓紧扭亏增盈工作。今年这么高的经济增长速度，国家补贴没怎么减少，这怎么能行？亏得最多的就是石油、煤炭行业。这些行业亏损也有客观原因，但大家都要想办法扭亏。绝不能一手拿国家补贴，一手搞铺张浪费。明年给石油、煤炭部门都规定了扭亏指标，一定要争取完成，其中很重要的出路就是发展第三产业。

五要狠抓质量和技术进步。企业的技术进步要抓住几个重大项目。今年纺织行业抓住了机遇，动用国家外汇储备 15 亿美元中的一部分引进技术，把自动络筒机、喷气织机等技术都引进来了。纺织行业一定要把这几个项目搞上去。一旦搞上去，纺织行业就会翻身，质量、品种、效益就上去了，全盘都活了。质量工作永远不能忘记，永远是我们管生产的同志首先要抓的东西，任何时候都要念这本经。抓质量、抓技术进步，不靠这个手段，你那高速度能搞上去吗？我们过去吃亏就吃亏在进行基本建设、引进技术时，没有按照产业政策，大家都分散去搞，形不成规模经济，搞得没有效益，没有什么竞争力。

最后，讲一下明年的宏观经济环境，大家要有足够的估计。第一，前面讲的宏观指标相对于现在铺下的摊子是很紧的，搞什么东西都要量力而行，不能再乱铺摊子了。有些开发区搞不下去了，没有前景，就赶快停了。当前国际上一片萧条，对国际市场的容量不要估计得过分乐观，不要以为我们想出口多少就能够出口多少。第二，我们要搞社会主义市场经济，首先要进行价格改革。明年原材料、能源、运输要涨价：考虑煤炭指令性计划部分，从 1 月 1 日起再放开 1.6 亿到 1.7 亿吨；铁路货运从 7 月 1 日起每吨每公里涨 1 分 5 厘；3000 万吨原油平价转高价；钢材价格基本放开；电价也相应上调。不涨价，这些薄弱环节就始终得不到加强，重复建设会更厉害。政府要两方面都考虑：不加价，结构调整不了，薄弱环节改善不了；加了价，企业负担加重了，亏损要增加。所以要采取措施消化，宏观政策要注意这个问题。第三，明年我国要争取恢复关贸总协定缔约国地位，保护知识产权、中美市场准入已达成了协议。这就要减让关税，减少非关税保护措施。最近已经公布了第一批3000多种税目的产品，降低了关税。这些固然有利于我们进入和参与国际市场，但是对我们的企业也是一个严重的挑战。如果不意识到这一点，那将来又会有相当多的企业面临很多困难。所以，我们在考虑明年工作时，都要把这些因素考虑在里面。最后我要说，我们还是要进一步深化经济体制改革，搞好国有大中型企业，转换企业经营机制，防止产生新的三角债，抓好限产压库促销，抓紧扭亏增盈，狠抓质量工作和技术进步，打击假冒伪劣产品；同时，要进一步加强思想政治工作和企业民主管理，抓好两个文明的建设。

我相信，紧紧地抓住以上这几条，持之以恒地抓下去，大好形势一定会继续发展，目前存在的这些问题就会逐步得到缓解，并最终得到解决。希望我们大家共同努力！

加快铁路建设与改革步伐*

（1993年1月11日）

首先，要充分肯定铁路工作的成绩。去年，铁路职工在国民经济高速发展、铁路运输设施很不适应的非常困难的情况下，奋发图强，千方百计超额完成了预定的运量目标。我们铁路的工作尽管做得不错，但还是不能够适应国民经济发展的要求。当前，铁路运输太困难了，对国民经济的发展制约太大了。这更加坚定了我这样一个决心，一定要把铁路工作抓上去。把铁路建设抓上去，抓住了这个环节就能带动全局。要提高国民经济的效益，就要调整产业结构，当前就要大力发展交通运输事业。尤其铁路，既是排头兵，又最薄弱，亟待加强。今天我想重申几个问题，也算是给同志们鼓鼓劲。

一、决战三年，加快全国铁路建设步伐

为什么说决战三年呢？人的这股气要鼓足，时间拖得太久不行。关键是这三年，搞上去了，可以起到决定性的作用。现在铁路运输全面紧张，十二条线二十几个限制口的运载能力只能满足需要的40%，最多也就是60%。用三年总要把这种状况改变一下吧，要一鼓作气，

---

* 1993年1月8日至11日，全国铁路领导干部会议在北京召开。出席会议的有全国铁路系统各单位的负责同志。这是朱镕基同志在会上讲话的主要部分。

狠狠地打一个歼灭战！但是三年解决不了根本问题，五年也解决不了，恐怕要十年。我们先把这三年的决战组织好。昨天，我同铁道部党组的同志们初步研究了一下这三年应该完成哪几条铁路线建设，一共排了十条线，大概有七条在“八五”期间是可以完成的，有三条完不成。

（一）京九线[1]，全长2370公里。铁道部原计划在1997年建成，现在准备1995年年底铺通，1996年实现分流配套、发挥效益。这已经是尽了最大的努力。但是，大家能否再想点办法，争取在“八五”期间发挥一点效益行不行？实现在1995年年底以前有所分流，哪怕工程还没有全部完成。因此，我自告奋勇来给你们当京九线的顾问，给大家起点精神鼓舞的作用，希望加快一下建设速度。要把京九线作为一个典型，可以考虑实行分段包干、分省包干，看能不能搞快一些。我建议，京九线途经的每个省的常务副省长也当那一段铁路的建设顾问。因为对这些省来讲，这条铁路是一条生命线，对当地的经济发展是很重要的。我听到一些反映，说有的地方对修铁路还要收劳力集资费；有的地方铁路建设与文物保护发生了矛盾，虽然经过专家勘察论证，避开了，对文物没有影响了，但还是不让动工，一耽误就是三年多。我希望大家要把眼光看远一点，积极支持修铁路，铁路发展起来了，对经济会有很大的推动。修铁路经过的地方政府，不要搞摊派，敲竹杠，收这个费、那个费，搞得铁路修不通。如果扫除了这些障碍，我相信铁路建设就可以加快。只要中央和地方、路内和路外共同努力，积极配合，团结协作，铁路建设一定能够加快，决战三年一定能够取得决定性的胜利。

关于修不修京九线也有不同意见。最近，有位在铁路系统工作过

---

〔1〕见本卷第76页注〔1〕。

的老同志写信给我，随信附上了一位同志的建议，他对修京九线有不同意见。我仔细研究了他的建议，认为这个意见提得好。首先，他敢于提出不同意见。其次，他有两个重要的观点是正确的。一是在加快新线建设的同时，必须重视科技兴路，发挥现有铁路的潜力，进行技术改造，采取配套措施。这个意见很重要。我们在决战三年、加快铁路建设的同时，绝对不能忘记这一条。一定要加强对老线的技术改造，这些挖潜措施投资很省，见效很快，值得铁道部仔细地研究、采纳。二是在加快新线建设的时候不能忽视工程的质量，否则后患无穷，特别是要避免地质条件没搞清楚就施工，这几十年的教训太多了。我们在加快铁路建设的时候，肯定会遇到这个问题，一定要事先注意。要在“质量第一,百年大计”这个前提下加快建设，绝对不能压指标，单纯地求快。京九线还是要修，因为就当前国民经济发展的状况看，不是仅仅改造旧线就能解决问题的；技术改造还是要搞，目前搞得还是不够，离要求差得很远。铁路运输还得做适应经济高速发展的准备，还要加强，还是要修京九线这条南北干线，而且必须快，要打歼灭战。

（二）兰新复线〔1〕，全长1600公里，1995年年底完成。我不是在压指标，但咱们要有一股劲儿，要有一个奋斗目标，大家去真抓实干。

（三）宝中线〔2〕，全长500公里。我去看了，干得不错，条件非常困难，桥梁隧道里程在20%以上。希望在1995年6月修通，这对缓解天水这个口子的铁路紧张状况将起到很大作用。

---

〔1〕兰新复线，是国家“八五”重点建设项目。它东起甘肃武威南站，西抵新疆乌鲁木齐，全长1622公里，于1994年9月完成全线铺轨。

〔2〕宝中线，是国家级电气化铁路干线。它东起陕西宝鸡，西到宁夏中卫，全长498.19公里，于1994年通车。

（四）侯月线〔1〕，全长250公里，1994年6月铺通。

（五）浙赣复线〔2〕，全长940公里，还剩400公里没有完成，1995年要全部建成。

（六）京广线〔3〕改造，主要解决广州北、株洲北、衡阳北枢纽的改造，把京广线的运输能力从现在的3000万吨提高到5000万吨。

（七）大秦线〔4〕二期配套。煤运到秦皇岛没问题，可从秦皇岛港运不出去，卡脖子，要采取特别措施解决。

以上七条线基本上都是1995年前完成，剩下三条即使完不成也要搞出个名堂。

（八）南昆线〔5〕，我去看了。这条线太重要了，对支援少数民族地区经济发展、开辟西南通路，意义都非常重大。尽管这条路非常难修，高山峻岭，有100多米高的桥墩，人很难进去，电也没有，但也不是不可以提前修通。怎么办？从易到难嘛，先从南宁往云南修，今年可以过平果，先把这一段打通，接着尽量往前延伸，等三年决战完成以后，再把一些队伍补充加强到困难地段，建设速度就可以加快。总之，对这条线要采取积极的态度，“八五”期间尽可能多修一点。

---

〔1〕侯月线，是晋煤外运的南通路之一。它西起山西侯马，东到河南济源月山，全长256.6公里，于1994年通车。

〔2〕浙赣复线，是中国重要铁路干线。它从浙江杭州经江西通往湖南株洲，全长946.4公里，于1995年4月全线竣工。

〔3〕京广线，是贯通中国南北的重要铁路干线。它起自北京，止于广东广州，全长2288公里，纵贯河北、河南、湖北、湖南、广东五省。

〔4〕大秦线，是中国西煤东运的主要通道之一。它西起山西大同，东至河北秦皇岛，横贯山西、河北、北京、天津，全长653公里。第二期工程于1988年开工，1992年12月开通运营。

〔5〕南昆线，是国家一级电气化铁路干线。它东起广西南宁，西至云南昆明，北接贵州盘县红果镇，全长874公里。它是在艰险山区修建的一条长大干线，全线修建桥梁447座、隧道258个，于1990年12月正式开工，1997年12月开通运营。

这对于广西经济发展和贫困地区脱贫致富有决定性的意义，对云南、四川、贵州也都有积极作用。

（九）成昆线〔1〕电气化改造，全长1100公里，也是非常难修，但完成后可使运输能力从800万吨提高到1800万吨。

（十）西安至安康线。对宝成线〔2〕二线有很大的争论，四川与陕西方面有不同意见，就是走安康还是修复线。去年我到宝成线考察，通过与各有关方面研究，最后认为还是走西安到安康这条线比较好。

1992年8月23日，朱镕基在秦岭视察宝成铁路宝鸡至秦岭段越空工程时观察地形地貌。左五为铁道部副部长屠由瑞。

〔1〕成昆线，是中国重要铁路干线。它连接四川成都和云南昆明，全长1100公里。

〔2〕宝成线，是中国第一条电气化铁路。它北起陕西宝鸡，南至四川成都，全长669公里。

先打通安康到阳平关，从阳平关修到成都。西安到安康一直往南，还可以通到贵阳。这条线对陕西省的脱贫致富有决定性的意义，所以陕西省听到这个消息后欢欣鼓舞。如果修宝成复线，施工期间影响运输，进出川物资的运输将更加困难，因此四川方面对修西安到安康线也能接受。这条线施工难度很大，其中70%是桥梁隧道，有长18公里的隧道。

我们昨天初步研究了一下，七条线在“八五”期间完成，并且尽快发挥效益，另外三条线要争取大部分完成。这样，目前的限制口到1995年运输能力可以大大提高，紧张状况就可以大大缓解，也可以说是限制口的翻身。我们提出这样一个目标，希望大家共同努力。

但是，还有很多困难。除了刚才讲的，坚持“质量第一,百年大计”绝不能放松以外，还有很多其他的问题。第一是建设资金问题。去年7月1日，铁路建设基金每吨公里增加了1分钱，国务院已经决定从今年7月1日起每吨公里再增加1分5厘，但要看上半年的经济形势。我们大家共同努力，促使国民经济的大好形势继续发展，力争这个措施在7月1日能够出台。出台以后，这个钱一分也不能吃掉，都要用于铁路建设。根据铁道部平衡的情况，今年建设资金还差22亿元。到时如果实在不够，我们想办法再增加一点贷款，请国家计委考虑。请大家放心，只要在确保“质量第一,百年大计”的前提下，尽可能搞得快一些，我们就绝不能让大家没有钱，没有钱也要挤出钱来搞。铁路不搞上去，国民经济就很难上去。第二，物资的供应也是个问题。上次，我跟物资部、冶金部的同志说过了，铁路建设是重中之重，物资先给铁道部。今年上半年钢轨还差18万吨，物资部、冶金部要尽快想办法，保证一下这个需求。马鞍山钢铁公司负责提供的车轮、轮箍，也要开足马力生产。总之，各部门的同志都要支持，齐心协力，把铁路建设搞上去。

二、深化改革，改善铁路经营管理

铁道部根据煤电油涨价、运营成本提高的情况测算，今年要亏35亿元，现在估计只亏4.9亿元。我在昨天讲了一句话：铁路部门不允许亏损，不应该亏损。同志们，对你们施加一点压力，现在我们要集中力量把铁路建设搞上去。国家把大量的投资投入铁路，你们的建设队伍都上去了，你们的闲人都有活干了，你还亏损？现在亏损的最大原因是人多，煤矿、石油行业都是这样，大约多二分之一到三分之二的人，怎么消化？主要是发展第三产业。这么大量的投资投进去，为你们创造了发展第三产业的条件，而且还同意给你们优惠政策发展第三产业，特别是要发展商业、服务行业。我相信各个铁路局只要在这方面多想办法，就不会亏损。要做到这一点，确实需要深化改革。去年，国务院发布了《全民所有制工业企业转换经营机制条例》，铁道部又搞了实施办法，大家要很好地贯彻。铁道部本身要放权，不能像过去那样管理。一定要把责任加在企业身上，让它真正成为一个自主经营、自负盈亏的企业。半军事化的组织、集中统一的管理，这是我们铁路的特点所决定的，必须有集中统一的调度，必须有集中统一的建设。但不是什么东西都要集中，在经营管理方面要放点权，让企业有更多的经营自主权，这样企业才有可能做到自负盈亏。我相信这样一搞，每个铁路局的积极性都会提高，它看到自己创造的价值，自我积累，自我改造，就会有利于发挥现有旧线的能力，有利于旧线的技术改造。我希望铁路系统能够在企业转换经营机制、铁道部转变职能方面，在企业自主经营、自负盈亏的道路上有突破性的进展。在这个前提下，我相信今年铁路行业不会亏损，而且有可能拿出更多的钱投入旧线的技术改造。

三、狠抓路风，加强全国铁路系统的精神文明建设

我在广西到农村访问了一户果农，问他申请计划外车皮要不要塞钱。他说不要，不但不要塞钱，连烟也不要递，铁路办事人员身后挂着“要廉政、抓路风、不允许送礼”的牌子。这是普通农民的反映。我看柳州铁路局的路风是比较好的。总的来讲，铁路的路风都是比较好的。这要感谢我们的很多老部长、老同志，在这方面抓得比较紧，两个文明建设一起抓，加强了思想政治工作。但是，现在铁路上的问题也不少，车匪路霸还相当厉害。车匪路霸不完全是铁路本身的问题，与整个社会的治安和铁路内部的廉政相关，所以要狠狠地抓。只有这样，才能把我们铁路部门的工作落实到基层的每一个职工，使大家都能发挥积极性，团结一致，完成我们的任务。

最后还要强调一下，要注意铁路运输和建设的安全。去年还算好，铁路没有出很大的事故，就是宝成线有两次塌方。希望同志们还是要抓质量，抓安全，鼓舞士气，真抓实干，奋发图强，把铁路运输和铁路建设抓上去。

搞好金融宏观调控*

（1993 年 1 月 16 日）

在国民经济运行中，金融是非常重要的调节手段，除了价格杠杆以外，金融是影响最广泛的调节手段。因此可以说，去年国民经济取得的成就，与金融工作者的努力是分不开的，金融战线的同志们作出了很大的贡献。当然，在工作中也有一些教训、一些问题。针对当前出现的问题，我讲三点意见：

一、严格进行总量控制，从紧进行宏观调控，防止经济过热

去年，国民经济高速发展中出现的一些问题，是前进中的问题。出现这些问题的原因，是我国的社会主义市场经济体制还没有形成。国民经济在旧的机制下高速发展，出现一些问题是不可避免的。这些问题，也只能通过深化改革，通过完善企业和金融机构的自我约束机制来解决。在市场机制还未形成的情况下，我们应该严格进行总量控制。同时，应在资金投向上、在调整产业结构上下工夫，特别要支持铁路、港口、民航、通信等基础设施建设和能源及原材料工业发展，

---

* 1993 年 1 月 12 日至 16 日，全国银行分行行长、保险分公司总经理会议在北京召开。出席会议的有各省、自治区、直辖市和计划单列市银行分行行长等。这是朱镕基同志在会上讲话的主要部分。

以提高整体经济效益，抑制通货膨胀。

去年，固定资产投资规模增长40%左右，贷款规模、货币发行量都增加很猛，这都是历史上没有过的，今后的工作更要谨慎一点。今年的信贷规模要严格进行控制，一定不要突破。从紧进行金融宏观调控，就是说，金融是宏观调控的最后一道关口，从一开始我们就应该努力工作，守住这道关口。事实已经证明，控制总量是相当难的，如果开始不紧，往后总量就很难控制住。

首先是控制固定资产投资规模。去年和前年清理三角债，重点是清理固定资产投资项目的拖欠，银行做了很大的努力，对这个成绩要充分肯定。现在看来，去年由于固定资产投资项目安排过多，地方自筹资金往往是“一女多嫁”，安排不落实，最后还得依靠银行贷款。银行信贷规模有限，贷不了那么多，就又可能产生新的三角债，这是我们应当认真注意防止的。

另外，流动资金占用过多，也是造成现在信贷规模猛增的一个原因。今年无论如何要继续坚持限产压库促销的方针，扭亏增盈，不许挂账。不要追求那种带水分的、不讲效益的速度。凡是销售、运输不出去的东西，不能让它生产，不能让它占压资金。“压贷挂钩”〔1〕是清理三角债的一个好办法，要继续实行这个办法，这样可以减少资金占用，加速资金周转。

二、深化金融改革，建立银行风险约束机制

现在，我们的银行一方面受到行政的压力，在原来计划经济体制的惯性作用下，要服从行政命令，叫你贷你就得贷。另一方面，银行

〔1〕见本卷第34页注〔1〕。

贷得越多，奖金就越多，办公楼也就盖得越高。我看这是强迫和自愿相结合。也就是说，银行只有激励机制，没有承担风险的约束机制。贷款项目没有效益，贷款收不回来，银行却没有责任，这是不行的。专业银行作为金融企业，要自主经营、自负盈亏，在国家政策的统一指导下，进行金融活动。不能搞奉命贷款，贷款要经过审查、评估，包括政策性贷款，也要进行审查，不能把风险转嫁到国家身上。这次会议也提出了建立责任制问题，希望大家很好地实践，逐步建立银行承担风险的约束机制。这里牵涉到投资体制改革问题。我感到，现行投资体制存在很大问题，不改革是不行的。要借鉴多数国家搞市场经济的成熟经验，改革投资体制，成立真正的政策性银行、独立的商业银行，把银行办成具有风险约束机制的，自主经营、自负盈亏的银行，不能把银行当做政府或部门的出纳和会计。

三、严格控制发行证券和新建金融机构

国库券是国家为了平衡财政收支而发行的证券，不发不行。当前，企业债券发行这么多，问题不少。通过银行信贷，还有产业政策，国家可以对宏观经济进行调控，项目可以优选。但是，企业债券不受银行控制，有的利息高达20%，企业怎么能还款呢？实际上，最后风险还是会转嫁到国家身上。另外，债券发多了，势必影响银行存款。新成立的中国证券监督管理委员会要严格控制股票、债券的发行。我们要保护公众利益，按国际惯例办事，实行规范化管理。那种主张先推广、后规范的意见是不对的，那非把企业搞乱不行。我们的意见是先立法，再试点，取得经验以后再推广。我希望证券的发行要慎重，不要发得太多。现在国库券卖不掉，主要原因就是国库券的利息没有企业债券和其他债券的利息高。尤其是有的地方盲目推广内

部职工股票，用高利息集资，最后把股票推到社会上去，将来危害很大。

另外一个问题是，对新建金融机构也要严格控制。最近批准成立了一个首钢华夏银行，许多国有大中型企业纷纷要求给它们金融权。我知道外国的大企业集团也有银行，这是它们企业集团综合经营的一种业务嘛。如果把它当成企业集团的“钱袋子”、“保险柜”，随时可以开保险柜去取钱，那怎么能保护公众的利益呢？现在我们的企业集团还没有条件都来搞银行，只能搞华夏银行这一家，先试试看，而且它要接受中央银行的统一管理。企业集团办财务公司，部门、地方办信托投资公司，都要规定严格的条件，并且要从严审批，加强监管。现在，金融、财政等系统办了不少投资公司、证券公司，针对如何管理也应该加快立法步伐。我以前讲过，要坚持银行业与证券业的分离，禁止银行从事证券业务，严禁用银行贷款经营证券业务。银行设立的证券公司，必须与银行脱钩，组织、人事关系都要脱钩。证券公司不能用吸收的客户交易保证金来发放贷款。对于行政机关办信托公司、证券公司、房地产公司，证券公司与银行之间的资金拆借，信托投资公司兼营证券业务，存贷款利率与债券利率的协调等，都要尽快研究并制定管理办法，纳入法制的轨道。

实行真正的政企分离*

（1993 年 2 月 17 日）

这篇厂长经理座谈会的发言摘要里所反映的问题，看来带有一定的普遍性。《条例》〔1〕颁布已经半年多，在我们的身边还发生这样的事情，可见贯彻《条例》确非易事。在政府机构改革、转变职能的过程中，通过成立行政性公司，把已经放归企业的正当权益收上来，甚至取消企业的法人资格，重新使企业成为行政附属物和经济盘剥的对象，这不是改革，而是倒退。这样做，不仅不利于市场主体的形成，而且会强化行业垄断，窒息市场活力，显然，对社会主义市场经济的建立是十分不利的。因此应当明确，各级政府机关在机构改革中成立的公司，或者由富余人员组成的公司，都必须立即和原机关脱钩，实行真正的政企分离，在经济上独立核算（开办初期需要财政补助的也应单独立账），除极个别特殊情况并经国家批准外，这些公司不得兼有行政职能。这应当作为一条重要的原则确立下来。希望国务院经贸办党组作些调研，制定出有关规定和办法。

朱镕基

1993 年 2 月 17 日

---

* 这是朱镕基同志在《经济日报》1993 年 2 月 11 日刊载的《翻牌公司的内幕新闻》一文上的批语。

〔1〕《条例》，指《全民所有制工业企业转换经营机制条例》。

1993年2月11日　星期四　政府之窗　经济日报　第七版

从一些政府行为看建立市场经济新秩序的必要性

组建集团公司，对于提高生产力，合理配置资源，增强企业竞争力，迅速与国际市场接轨有着重要的意义。但是，不管自愿与否，强行组建集团，收走企业法人资格等做法，是和改革的目标背道而驰的。

2月4日，中国企协召开厂长经理座谈会，与会的同志披露了近一段时间一些部门在组建集团中的所作所为。座谈结束时，主持人袁宝华会长对记者说，建议《经济日报》把今天座谈会的内容公诸报端，题目就叫——

翻牌公司的内幕新闻

本报记者　陈水勇　王　保

●取消企业法人，收走法人权益，机关变企业，企业变车间，政府行为兼有行政管理、企业经营、经济技术服务三种职能，企业还有什么自主权？

●行政权力直接进入市场，必将形成中间截留，市场垄断，企业机制转换和多年积累的改革成果是前进还是倒退？

●截留《条例》下放给企业的权力，仍以旧的职能划分和管理方式行事，还谈什么转变政府职能？

某制药厂，是一个已有300多年历史的老厂，国家一级企业，产品畅销海内外，各项经济指标均居行业前茅。去年下半年，上级行政公司要组建集团，到厂征求意见。按照设想，集团成立后，厂里的所有权力包括法人资格都收归集团，实行产、供、销、人、财、物、党、工、团九统一，原企业成为委托法人或称“二级法人”。厂长提了几条意见：一、成立集团必须请专家进行可行性论证，商标随便使用会造成混乱和不良影响。二、要保持两个积极性，如果把原有的权力都收回去了，这会大大挫伤企业的积极性，使企业无法面对市场的挑战。三、要有一套完整的措施，以保证产品质量不受影响。厂长的意见没被采纳，集团组建按部就班进行。

这位厂长说：“我怎么也想不通，参加集团应该靠自愿。可公司领导说，你是核心层，核心层没有自愿与不自愿，谁想不通，把他调到集团他就通了。可我还是想不通，我是委托法人，我自己还要办三产，还要办其它厂，我以非法人的资格去管法人，难道不违法吗？后来我又提出了一些别的方案，比如说，我们几个厂联合起来，公司作为一个经济伙伴加入，并进行衔接工作，他们不同意。我说要么退其次，集团叫个别的名字，我呢还保留原来的名字、权利和法人地位，也不同意。说要搞就搞个大的，搞个国内外都有影响的。

“这种集团公司，不是企业本身发展的需要，不是自愿的，而是强迫性的，命令式的。谁听话跑在前面，就说他拥护改革，谁疑义或反对，就说你阻碍改革的进行。对外说一点权也没有收，可实际上全部收回去了，把企业变成车间、工段，根本不考虑具体情况，拿着一个模式就硬套，一刀切，就得这个模式。（袁宝华插话：如此主观武断令人吃惊，形而上学盛行，辩证法丢到九霄云外，这实在是企业的又一次灾难。）

“不能保留法人资格，那我这个副总经理还兼厂长，行不行？对这条，他们同意了。可是兼了两个月，又说不能兼了，原因是精力分散，做不好工作。我问哪一块做不好，又摆不出来。在成立集团公司这事上，我一直扛着，可扛到最后，不让你在这里干了，我也就扛不了了。

“多年的改革成果毁于一旦，我伤心透顶，心都碎了！”

某水泥厂也是一家大型企业，年销售收入2亿多元，利税占行业80多家企业的70—80%。去年底，该行业刮起“集团热”，上级行政公司让所属企业填表，统一格式，统一措词：我自愿参加××集团……并让法人盖章签字。

这位厂长说：“我说我不想参加，他们说那不行。我想胳膊拧不过大腿，签就签，盖就盖。后来在讨论章程时，我就放了一炮，我说章程里面写着，有与法律不符时可以修改，可你这个章程和《条例》中规定的14条完全对着干，这不是修改不修改的问题。要收我的法人，这不行。我们企业累得贼死，还不一定活得起来，你翻个牌变成集团公司，自己先活了，钱多了，收入高出一大块。折旧费免征的部分他收去了；新产品开发基金先交后返，按月全额上交集团，按季返回企业，还要扣去30%；按时交纳管理费，一年弄去我好几百万，好处他拿走，烂水全留下，你这是抽我的血，割我的肉。（袁宝华插话：这种公司，又收权，又派款，最厉害。有个集团公司成立不过一年，亏了600万，它要每个成员企业负担50万，这比乱摊派、乱平调、揩企业的油更厉害，是用刀割肉，从揩油到割肉，最后形成新的官商垄断集团，这和社会主义市场经济哪有共同之处。）

“我一句土话，坚决顶住，损害我企业一点利益我都不干。但有一条，你是上级领导，我也不是要摆脱你，适当地给你点钱搞些别的那倒无所谓。我不是对你总承包了吗，我来个反承包，你集团公司200多人，一人年收入4000元，加起来80万，我全包了，但必须把14条原原本本还给我水泥厂，别说80万，就是100万、150万，也比那些条条框框拿我的钱还要省得多。他们说，这不行，这不是让我们丢人现眼吗。

“《条例》的精神是进一步简政放权，可这种集团公司是既收权又要钱。不久前市里一位负责人当着我们集团的经理和书记说，成立集团唯一的标准就是要把企业搞活，现在企业已经被勒到肉里了，你还勒他，你要是勒死企业，我先勒死你们两个。市里的态度够明确的，但实行起来就有问题。

“我在厂里中层干部会上讲，他搞他的集团章程，咱们按14条精神坚决顶住。春节前我给总经理下了‘最后通牒’，我说你要继续按章程干，我就在报上公开宣布退出集团。你让我干我就干，不让干就不干，但不让我说不行。我这么顶肯定也没有我的好处，我的帽子掌握在他们手中，早晚都得把我免了，我已作了最坏打算，到时他可能要动动我，我也想来改革一下，民主选举厂长，看他怎么办。他要再按老章程，不按14条办，我就到处告状，反正不是鱼死，就是网破。”

某内燃机总厂是全国同行业最大的厂，产品占全国的七分之一，年销售收入16亿多元，本身就是一家跨行业、跨地区的不叫集团的“集团”，他们也受翻牌集团的困扰。

这家企业的负责人说：“改革这么多年，但企业地位仍然很低，人家想怎么着就怎么着，优惠政策想给就给，想收就收，政府部门的翻牌公司向我们发难，要收我们的法人去成立集团，我们这么大的企业，没有一点自主权，如何搞活？如何参与市场竞争？如何下海游泳？我们坚决不干，顶住了，但也得罪了上级，说我们是‘刺儿头’、‘造反派’，无组织无纪律，我们得拿出许多精力来对付。

“组建集团，这本来是一件很好的事情，但中央的精神下来后，到中间层就变了味。政府机构凭借手中的权力，把牌子一翻，就把自己变成企业。如果以企业组建集团，就不存在这个问题。像首钢，它就是从小到大滚起来的，通过兼并、参股，我的核心层也就起来了，模式也有了。要进入集团，还得申请、审查。但这些行政机构没有核心层，于是就收下属企业的法人，拼凑核心层。

“现在建的翻牌公司，其实就是‘企业人民公社’，‘一大二公’、‘一平二调’、‘政企合一’、‘敲钟吃饭，干活单说’，所有人民公社的‘优越性’和功能，它都具备了。中央提出把搞活企业作为中心环节，他们变成搞活政府机关为中心环节。我们把这种公司叫做‘蝙蝠’，属于飞禽走兽一类。说它是‘走兽’因为它是哺乳动物，还因为它又长着翅膀所以又是‘飞禽’。

“这种翻牌公司用各种行政手段控制企业，利润一月一交，折旧一月一交，花一分钱也得到他那里批，国家退给企业的钱它拿走一大半，建个小银行，企业要钱得到它那里贷，还得付利息。按说放水养鱼这水应该放在企业里，可他在中间先给截留了。改革10多年来一点点一天天争来的企业自主权就这样全没了。”（袁宝华插话：一夜之间又回到了10多年以前，这是改革的大倒退。）

与会的企业家认为，翻牌公司至少有三大危害：

第一、过去是企业围着政府转，现在是企业围着集团转；过去是不找市场找市长，现在是不找市场找董事长。对国家而言，它是企业，政府官员摇身一变成了企业家，而对企业而言，它是上级主管单位。机关变成企业，而真正的企业变成车间。如此下去，企业无法转换经营机制。

第二、权和钱捆在一起，必然助长腐败，导致不正之风，并为权钱交易大开方便之门。

第三、市场规则要求公平竞争，而行政权力进入市场，就无公平可言，真正的企业将不堪忍受。

与会的企业家强烈呼吁：改革不能就这样——走向误区！

企业

围着指挥棒转

王全大　画

1993年2月11日，《经济日报》第七版刊登《翻牌公司的内幕新闻》一文。

积极稳妥地进行棉花流通体制改革试点*

（1993年3月10日）

棉花问题在我国国民经济中具有特殊重要的战略地位。50年代初，我们就把棉花作为稳定社会、恢复经济的最重要的农产品之一。六七十年代，周恩来总理、李先念同志亲自抓棉花工作。棉花是我国最重要的经济作物，全国大约有两亿棉农，他们是以生产棉花为主要收入来源的。可以说，没有粮食、棉花等主要农产品的稳定增产，就不可能有我国工业的稳定发展。对此，我们必须有足够的认识，绝不能疏忽大意。去年，主要是由于自然灾害，全国棉花总产量减少了20%，大约少了3000万担，这是个大事情。如果今明两年棉花生产还是上不去，对今后几年的纺织工业和整个国民经济的正常运行，就会带来严重影响。

这次棉花工作会议确定了一些政策，就是要向农民传达一个信息，即国家需要棉花，要调动广大棉农的积极性，按照国家合同定购计划，多种棉花，种好棉花；不要怕多种棉花卖不掉，国家保证收购，今年的棉花肯定能卖个好价钱。要解除棉农的顾虑。过去曾经发生过“卖粮难”、“卖棉难”，今年我们要下决心解决这个问题。可以告诉广大棉农，只要是在定购合同计划以内的棉花，收购价格绝对不

---

* 1993年3月8日至10日，国务院在北京召开全国棉花工作会议。出席会议的有各有关省、自治区、直辖市负责同志和国务院有关部门负责同志。这是朱镕基同志在会上讲话的一部分。

1993 年 2 月 19 日，朱镕基在山东省嘉祥县护山村向农民了解化肥供应及价格情况。右二为内贸部副部长马李胜，右三为山东省省长赵志浩。（新华社记者李锦摄）

会低于上个年度。即使棉花大丰收，也会用增加国家和地方储备的办法，按保护价收购，不会让农民赔本，而且要让农民得到一定的利益。这样棉农才有积极性，才能把棉花种足种好，并且愿意增加投入。

这次会议上，大家对棉花流通体制改革问题反映很强烈，许多省区市都要求放开棉花市场，放开棉花价格。大家都希望把改革搞得更快一点，这种愿望是好的，但是要根据实际情况来作决定，否则欲速而不达。我们考虑，现在还不是全面放开棉花价格的时机，因为去年棉花歉收，不能完全保证国民经济的需要，在这个时候讲全面放开棉花价格是不妥当的，时机不成熟。经过几年的试点，粮食价格逐步放开了。农产品由国家定价的，目前只有棉花、油料、烟叶等几种特殊商品。现在，纺织行业处于全行业亏损的边缘，近期也没有很快好转的迹象。在我国社会主义市场经济机制发育还不健全，棉花生产丰歉波动较大、产量还不能完全适应纺织工业需要的情况下，一下子完全放开价格和经营渠道，只能导致“棉花大战”，造成价格猛涨，不但农民得不到好处，纺织工业也会受到损害。所以，我们认为不能全面放开棉花价格和经营渠道，还是要坚持去年国务院55号文件〔1〕精神，积极稳妥地进行棉花流通体制改革试点，取得经验，再逐步推广。对此，我代表国务院再讲三点意见。

第一，进行棉花流通体制改革试点、放开棉花价格，只能在棉花定购数量以外的范围进行，而且必须在认真完成外调任务的前提下。合同定购的棉花价格不能放开，定购的棉花已经签了合同，如果在棉花歉收、已不能满足纺织工业需要的情况下，放开价格不是要大

〔1〕国务院55号文件，指1992年9月22日《国务院批转国家体改委关于改革棉花流通体制意见的通知》。

家都去抢购棉花，哄抬价格吗？最终是纺织工业承受不了。所以，定购的棉花，价格是国家管理的，不能放开，国家定购数量以外的才可以放开。放开价格要真正起到促进生产、引导消费的作用。如果棉花丰收，还要搞保护价，增加国家储备，财政拿钱贴息，维持棉花价格不下跌，防止棉贱伤农。这一点要明确。搞粮食流通体制改革，我们有了一些经验，如果没有平准基金，没有一笔风险基金准备丰收时多收购，盲目地放开粮食价格，丰收时价格就会下跌。棉花市场也是这样。

1993 年 2 月 21 日，朱镕基在山东省德州地区了解农业机械情况时，德州行署专员杨传堂（前排左四）汇报农用拖拉机购销与使用情况。前排左一为山东省委书记姜春云，左二为朱镕基夫人劳安；第二排左二为农业部副部长陈耀邦，左四为化工部部长顾秀莲。

（新华社记者李锦摄）

第二，搞棉花流通体制改革试点，要在原有的收购、加工场所，以供销社为主渠道进行。供销社收购点都有棉花收购标准，有棉花检验机构，因此只能在这个基础上，以供销社为主渠道进行试点。棉花市场要规范化、法制化、现代化，不能搞“骡马大会”式的棉花市场。

第三，要严格执行国家的棉花收购标准，强化国家质量抽查监督工作。绝不能把棉花经营搞乱，使棉花质量下降，重复过去的教训。最近，商业部到山东省做了一些调查，我把他们调查的情况向大家说一说，以便引起大家的注意。根据调查，放开棉花市场不一定能卖好价钱，农民可能得不到多少好处，主要是中间环节得好处，“倒爷”得好处。对放开棉花市场担忧的是纺织厂，忧的是棉花价格放开的时机不成熟。现在棉花供求关系趋紧，如果棉花价格上涨，质量下降，没有稳定的渠道供应，纺织企业将难以承受。济南市国棉四厂反映，刚宣布棉花市场放开，省内农口的某公司就到厂里兜售棉花，并要在价外加价 3%。还有一些对棉花品级标准毫不了解的公司，也向纺织企业兜售棉花。去年 9 月到 12 月，山东省对青岛市未下达调棉计划，山东省供销社青岛棉麻采购站的供棉量仅占当地棉花供应总量的 10%左右。有的产棉县已经提出，因今年棉花价格已放开，对国家调拨计划，如价格高就执行，否则就不调棉。因此，一旦棉花价格放开，国家的调拨计划、出口计划及储备任务都将难以完成。据反映，现在产区计划外纱厂正在恢复生产。青岛市纺织工业总公司认为，如不马上抓紧采取措施，数月以后，青岛市将有相当一批纺织企业可能“无米下锅”，被迫停产。同时，将难以保证棉花质量。小轧花机禁而不止，虽然山东省政府三令五申，禁止用小轧花机加工棉花，但是产地县的乡村普遍在筹建小型棉花加工厂。国家质量技术监督局在最近召开的纤维检验专业会议上，邀请了准备试点的几个省的代表参加，他们反映的问题也是比较严重的，出现了不要标准的错误认识。今年1月份江苏省纤检所检验的南京十批棉花中，品级下降的占10%，重量不足的占60%；从山东调拨的棉花质量看，相符率很低，只有30%左右。棉花等级下降是由于遭了灾，使质量大大下降；再有，就是不执行质量标准，使一些棉花经营单位非法牟取暴利。有的单位直接在轧花厂更换包装，随便升等升级。据了解，江苏省半数以上的轧花厂有这种情况。还有一些经营单位，到南方购回低等级棉，到山东改装成高等级棉外销，转手获取大量利润。在这种情况下，监督检验工作遇到很多困难。所以我的意见是，一定要严格执行国家标准，强化国家质量监督抽查制度。如果放松了质量工作，降低了棉花质量标准，我们今后几年都恢复不起来，纺织行业会遭受很大损失。因此，我们要积极稳妥地搞好棉花流通体制改革试点，棉花市场要规范化、现代化，要审核经营单位，实行会员制，未经审查的经营单位不能进入棉花交易市场。要强化国家的质量监督抽查工作，哪个地方搞歪门邪道、弄虚作假，就登报批评，还要罚款；否则，国民经济发展就要受到损害。我们希望大家要顾全大局，按照国务院文件精神办事。总之，对棉花流通体制改革试点既要采取积极的态度，也必须慎重行事。在棉花歉收的情况下，一是防止“棉花大战”，二是防止质量下降，这两件事务必请同志们注意。

防止通货膨胀要始于“青蘋之末”*

（1993 年 4 月 1 日）

一、对当前经济形势的估计

去年以来，在邓小平同志视察南方重要谈话精神的指引和鼓舞下，全国经济形势总的说来是很好的，发展是健康的。同时也要看到，当前确实面临不少问题，我们要善于总结经验，及时发现和解决这些前进中的问题。我这里想强调一个观点，当前各种矛盾集中表现为金融形势紧张，究其根源是投资规模过大，问题在于经济结构没有改善，隐患是可能引发严重的通货膨胀。

现在，金融形势紧张的状况已经越来越明显地暴露出来了。

（一）在去年和今春大量发行货币的情况下，许多地区仍然出现支付困难。去年投放货币 1158 亿元，今年元旦至春节 22 天又投放了 1100 多亿元，春节后回笼不理想。按往年的规律，3 月底应可全部回笼。但到 3 月 31 日，还有 259 亿元没有回笼。因此，全年货币投放将可能在 1500 亿元以上。货币发了这么多，有些地方仍然支付困难，已有 13 个省来电、来函告急。“白条子”的问题暂时解决了，但“绿条子”问题依然存在，一些农村邮局不能及时兑付汇款，如四川积压

* 1993 年 4 月 1 日，中共中央召开经济情况通报会。这是朱镕基同志在会上讲话的主要部分。

待兑汇票3亿元，湖南也有2亿元。专业银行存款备付金大幅度下降，备付率由去年年初的10.4%降为年末的5.8%，今年又进一步下降到3.8%，已在警戒线以下了。

（二）资金大量流向沿海地区，内地大量集资分流，储蓄存款增长相对下降。去年的贷款规模虽然控制在计划之内，但数百亿元的资金通过集资和拆借，绕过贷款规模的限制流向沿海地区，由短期贷款变成长期贷款。

（三）重点建设资金难保，扶持棉花生产资金和粮食预购定金等农业资金有规模、无资金，政策落实不了。由于存款增长缓慢，资金来源减少，加之不少银行和非银行金融机构的资金通过各种渠道被拿去搞房地产、炒股票等，保证重点建设投资越来越困难。特别是一些地方的重点建设资金和农业资金没有保证，将资金缺口留在刀刃上。

（四）外汇紧缺，调剂市场上人民币大幅度贬值。主要是进口的需求太大，外汇市场供求矛盾加剧。去年年末，我国外债余额达693.2亿美元。按实际收汇计算，我国的债务率为128%，偿债率为24.8%，分别高于和接近国际公认的100%和25%警戒线。外贸出口也不理想，据海关总署统计，今年1月到2月全国出口仅比去年同期增长2.3%，增幅是1986年以来最低的；进口则增长23%，增幅是出口的10倍。截止到2月底，国家现汇结存202.5亿美元，比去年同期减少30.4亿美元。

金融形势紧张的根源在于投资规模过大。去年全社会固定资产投资达到7582亿元，比1991年增长37.6%。去年铺开的摊子，现在正是用钱的时候。今年头两个月，固定资产投资继续高速增长，国有单位完成投资228亿元，比去年同期增长64.1%。目前全国在建规模3万多亿元，即使不上新的项目，按目前的投资进度逐年递增，也要五年才能完成。

问题还不只是投资规模过大，关键是产业结构没有改善。同时，由于社会总需求增长过快，原有的结构矛盾显得更加突出。

一是产业结构没有改善，有的地方反而有劣化的趋势。从投资结构看，去年在国有单位投资中，能源、原材料等国家重点建设投资虽有增加，但比重由 1991 年的 44%下降到 39.8%；加工工业投资增长幅度明显高于能源、原材料投资增长幅度，比重由 16.5%上升为 18.4%。

农业问题不容忽视。我国农业的技术基础和抗御自然灾害的能力比较脆弱，今年 1 月到 2 月，农业投资的比重又下降近一个百分点。

二是地区结构不平衡问题更加突出。从地区投资结构看，明显地向东部沿海地区倾斜。由于沿海地区的经济发展比内地快得多，进一步刺激内地用高利率的办法集资，分流银行储蓄存款，以保住资金不致外流。

三是所有制结构的发展趋势值得注意，国有经济的产值增长幅度明显低于非国有经济。

隐患是有可能引发严重的通货膨胀。现在，通货膨胀还在可以控制和承受的范围内，但是，发展趋势值得注意。从居民消费价格指数看，今年 1 月到 2 月比去年同期上涨 10.5%，其中 35 个大中城市上涨 15.2%。从工业品价格看，今年 1 月到 2 月比去年同期上涨 18.2%，原材料、燃料、动力购进价约上涨 25%。钢材、铜、铝、木材、油品等生产资料的价格超过国际市场价格。有些工业企业的生产已经难以维持。从国库券的二级市场看，至今年 3 月 31 日，1992 年五年期的国库券价格下跌至面值的 94%。人们开始寻求保值手段，如抢购黄金首饰、外汇等，以减少通货膨胀带来的损失。这反映了群众对通货膨胀的预期心理正在形成。今年国库券发行困难，也与此有关。

另外，今年为了理顺价格，加快改革，加大基础行业的投资力度，优化产业结构，决定提高铁路货运及石油、成品油等生产资料的价格。5 月 1 日，还要提高营业税的税率。银行利率也不能不提高。这些改革是建立社会主义市场经济体制的必要措施，但在短期内会提高企业的生产成本和固定资产投资的开支，也会推动各种物价的上涨。

因此，我们不能不对通货膨胀予以高度重视。当然，只要农业不出问题，所有这些还可以控制在能承受的范围之内。如果农业有个三长两短，那么通货膨胀的发展就会相当严重。而通货膨胀具有一旦启动就会加速发展的特点，它不可能在没有任何措施的情况下，自动停止和消失。通货膨胀发展到一定程度，国民经济就会陷入混乱，从而诱发许多社会、政治问题。这种教训是很多的。国际、国内经验还表明，对于通货膨胀应当防止于“青蘋之末”，不能等到它严重发展后再去治理，那要付出很大的代价。

二、当前需要采取一些应急措施

要从根本上解决问题，必须通过深化改革，但这有一个过程。为了改革和发展能顺利进行，建议针对前进中面临的突出问题，采取以下一些应急措施：

（一）要考虑提高银行存贷款利率的问题。因为物价上涨，银行实际存款利率已为负数，降低了群众储蓄存款的积极性，加剧了资金的紧张，在某些地方已经出现了“利率大战”。提高利率是市场经济条件下治理通货膨胀的通常做法。在我国当前企业经营机制尚未转换和投资责任机制尚未形成的情况下，提高利率对抑制信贷的作用不显著，但对吸收储蓄存款是迫切需要，而且势在必行。当然，要考虑到提高利率会增加企业目前已经很重的利息负担和还款困难。要充分估计到一些刚刚好转的国有企业会重新陷入困境，有些企业会从盈利转为亏损，对此要有足够的思想准备，但是不提高利率，宏观经济的困难会更大。

（二）要考虑刹住全民集资的趋势。现在兴起的高利率全民集资之风，如果任其发展，将会形成银行储蓄下降、资金周转失灵和投资失控的后果。国内已经发生一些利用高利率集资、骗取资金的大案，值得我们警惕。集资一定要按国务院的规定执行，对违反规定的要登报批评。在今年国库券销完以前，一律不得发行企业债券。对集资活动要进行整顿。国务院即将颁布关于集资管理的法规，在此之前，对集资暂缓审批。

（三）要按有关规定和规范，积极稳妥地进行企业内部股份制的试点。最近，证券的发行、转让和收益分配，以及企业内部股份制推进过程中积累的问题，有逐步暴露之势。有些企业把明确规定不准上市交易的内部“股票”推向市场，有的城市已形成几万人规模的股票黑市交易。发生这种现象的根本原因，是在法律法规不健全、群众缺乏证券知识和风险意识的情况下，某些地方领导急于筹措资金，不按国务院规定和规范办法有步骤地进行试点，急于求成，随意铺开，不考虑可能给社会安定带来的后患。国务院办公厅将要下达关于制止在企业内部股份制试点中不规范做法的通知，希望各级政府认真执行，严肃制止和查处各种违法违纪行为。关于企业在国内公开发行股票并到上海、深圳上市，以及少数企业到香港发行股票和上市的问题，国务院已经做了部署，下达了指标，各部门、各省区市都在积极进行股票发行和上市的准备工作。关于股票发行和上市的管理法规也即将颁布。希望各地区要按国务院的部署办事，不要擅自行动，不得突破今年股票发行的指标。希望有关部门要按照1992年国务院68号文件[1]的分工，各负其责，共同把全国的证券市场管好。

（四）银行要限期清理和收回超范围、超期限的拆借资金。各专业银行要限期留足备付金和交足准备金，严格控制基础货币的供应。要严格禁止银行或非银行金融机构将信贷资金用于炒买炒卖房地产和股票、期货。当前各地银行无论资金多么紧张，也要在保证支付的前提下，一保农产品定购和收购资金，二保铁路等重点建设。其他贷款要根据国家产业政策，量力而行。

（五）要采取一定的经济措施，调整资金的地区分布结构。从资金运动的规律来看，资金必然要往获利高的地方流动，但这样必然会加大不发达地区的困难，进一步扩大地区间的经济差距。在目前我国社会主义市场经济体制还不健全的情况下，中央有必要、有责任进行宏观调控。我们既要鼓励一部分地区先富起来，也要注意帮助中西部地区的发展，实现共同富裕。

（六）要进一步重申并且严格贯彻执行《全民所有制工业企业转换经营机制条例》（以下简称《条例》）中的规定。企业必须坚持工资总额增长幅度低于本企业经济效益增长幅度、职工实际平均工资增长幅度低于本企业劳动生产率增长幅度的原则。要严格控制消费的过快增长。

三、要根本解决问题，就必须加快和深化改革

从根本上讲，当前出现的问题，还是由于传统的计划经济体制没有在深层次上受到触动，社会主义市场经济体制还没有形成。历史经

〔1〕1992 年国务院 68 号文件，指 1992 年 12 月 17 日《国务院关于进一步加强证券市场宏观管理的通知》。

验证明，靠旧的体制、旧的方法、旧的机构，高速发展经济是有很大风险的。传统计划经济体制的弊端是缺乏约束机制和风险机制，没有宏观调控的市场经济体制的缺陷是经济上的无政府状态。如果不改革旧体制、建立新体制，而让计划经济和市场经济两者的弊端结合起来，“大锅饭”加上盲目性，高速发展是难以持久的。因此，当前加快改革，特别是加快投资、金融、财政体制的改革，应该成为我们经济工作的重点。当然，正在进行的企业改革绝不能放松。总之，要加快发展就必须深化改革。

（一）当前各个方面针对固定资产投资膨胀，普遍认为从加快投资体制改革入手，带动金融、财政体制的改革，对于建立和完善社会主义市场经济体制关系重大。投资体制改革的重点，是建立投资约束机制和全社会固定资产投资的宏观调控体系。今后对于一般加工工业项目，应该主要由专业银行和商业性银行根据国家产业政策和计划、行业管理部门的规划，独立评估，自主决定贷款与否，并对贷款项目的效益和回收风险负责。对于社会效益好而投资回报期长的基础设施和基础产业项目，应该主要由国家和地方筹集政策性资金来解决。可以考虑成立国家长期开发信用银行，由它根据国家综合经济部门确定的产业政策、生产力布局方案和推荐的项目，经过独立评估，在国家确定的投资和贷款总规模内，自主决定。

（二）与投资体制改革相适应，还要进行金融体制改革。银行体制改革的重点，是建立中央银行的宏观调控体制和转变专业银行的经营机制。要强化中央银行的权威，严肃金融纪律。要建立一套适应社会主义市场经济体制的利率形成机制。中央银行要配合财政用发行国债弥补财政赤字的做法，试办国库券、财政债券、国家长期开发信用银行债券的抵押、买卖业务，为间接调控货币供应量创造条件。专业银行的改革要以政策性银行与商业性银行分开为目标，先做政策性业务和商业性业务分账经营、分别核算的试点，并进行贷款限额管理下的资产负债比例管理和资产风险管理试点。对政策性银行和商业性银行都要建立一套监督机制，中央银行要对专业银行实行每年稽核的制度。还要考虑政府有关部门对银行实行监督的组织形式。

（三）要进行财政体制的改革。这些年财政累计向银行透支达1398亿元，这个问题已经到了非解决不可的时候了。今后要在进一步深化财政改革、强化税收征管的基础上，逐步做到只用发行国债的办法来弥补财政赤字，停止财政向银行透支借款的做法。要下决心理顺中央和地方的财政关系，明确各自的财权和事权，形成一种较强的约束机制。

（四）要进一步贯彻落实《条例》，深化企业改革，强化企业的监督机制、约束机制和激励机制。既要落实企业的自主经营权利，也要落实自负盈亏的责任。要加强对国有资产的管理，理顺产权关系，确保国有资产的保值增值，防止国有资产的流失。要进一步探索适应社会主义市场经济的产权关系。关于国有资产的管理，国务院正在组织起草更加具体的管理办法，作为《条例》的补充。

四、关于抓住机遇和珍惜机遇的问题

邓小平同志关于抓住机遇、加快发展的指示，高瞻远瞩，催人奋进。我们应该认真体会，正确把握。我领会这里有两层含义：一是大发展的机遇不多，稍纵即逝，如不及时抓住，把经济迅速搞上去，坐失良机，就可能犯历史性错误；二是发展机遇难得，应该十分珍惜。如果不切实际，盲目求快，造成大的损失，也会失去机遇，同样会犯历史性错误。在改革开放以前，我们也有过几次发展机遇，但是没有抓住、抓好，结果拉大了与发达国家的差距。当时，我们主观上也想大发展，但是高度集中的计划经济体制，不能保证经济高速、有效地发展，加上经济指导思想有些不切实际，结果经济大起大落，反而失去了机遇。因此，要抓住机遇，加快发展，必须坚持党的解放思想、实事求是的思想路线。一定要按经济规律办事，坚持从实际出发，在优化结构、技术进步、改善管理、提高效益上下工夫，在这个基础上求得较快的发展速度。如果我们仍然用铺摊子和只追求产值、不讲效益的办法来搞经济工作，旧体制下曾经多次出现的老问题就有可能旧病复发，国民经济的稳定、快速发展就难以持续下去。所以，从积极的意义上提出要注意防止经济过热，是为了把经济工作搞得更好。

社会主义和市场经济能够成功结合*

（1993年5月13日）

今后的五年，是我国改革的关键时期，当前正从各个方面加快步伐，力争在90年代初步建成社会主义市场经济新体制。现在有的外国朋友提出，中国一方面坚持社会主义，另一方面发展市场经济，二者似乎矛盾。这一问题的提出，实际上关系到如何理解社会主义和市场经济。

我们认为，计划和市场都是经济手段，而不是一种社会制度的标志。社会主义经济并不能简单地等同于计划经济。在我看来，社会主义经济的本质主要有两点：一是高度的资源配置效率、高度的劳动生产率，二是维护社会公正、实现共同富裕。计划经济和市场经济相比较，市场经济是比计划经济更为有效的资源配置方式。这是我们坚持社会主义而又选择了市场经济的一个重要原因。维护社会公正、实现共同富裕是社会主义的理想。公有制为主体和私有制为主体作为不同的财产占有形式相比较，以公有制为主体更有利于维护社会公正、实现共同富裕。因此，我们坚持社会主义的市场经济，就是说在所有制形式上，我们以公有制为主体，而在运作机制上实行市场

---

* 1993年5月13日至16日，国际行动理事会第11次会议在上海召开。出席会议的有来自30多个国家的前国家元首或政府首脑等重要来宾。这是朱镕基同志在会议开幕时讲话的一部分。国际行动理事会是非政府组织，成立于1983年，成员为发达国家和发展中国家的前国家元首或政府首脑。

经济。

看来，问题的实质在于以公有制为主体能否建立起市场经济体制。对于这一点，我的看法是坚信不疑，积极探索。

首先，以公有制为主体并不排斥私有制的存在，今后我国将继续允许和支持私营企业、外资企业的发展，让它们同公有制企业平等竞争。其次，公有制的实现形式可以多样化，可以是国家所有、集体所有，也可以是国家、集体占有控股地位的股份制形式。同时，部分小型国有企业还可以出售、出租给集体或个人经营。可见，以公有制为主体，同样可以建立起产权清晰、责任明确的企业制度。

当然，从计划经济向市场经济转变是一个复杂的过程，在社会主义国家建立市场经济体制更是前人没有走过的道路。在经济体制改革中，过去我们向国外学习和借鉴了不少反映市场经济规律的先进的经营方式和国民经济管理方法。通过学习借鉴和自身的实践，我们对如何让市场对资源配置起基础性作用有了更为深刻的理解。建立责任明晰的产权关系是市场经济的基本要素，除此之外，还有另外两个基本要素。那就是，减少政府的干预，让企业自由地接触市场、进入各个市场领域；解除对价格的管制，让市场决定价格。

我给诸位展示的并不仅仅是一幅理论的图景，实际上，实践已走在理论的前头。迄今为止，我国约有股份制企业 3700 家，约 70 家公司的股票公开发行上市，1 万多家企业被兼并。通过简政放权，各级政府对企业的干预大量减少，企业自主经营、自由进入市场的权利在逐步扩大。价格改革步伐较大是我国经济体制改革的重要特征。去年先后放开了 571 种产品价格，国家定价部分已降至 20%左右。市场价格信号已经越来越灵敏地引导着资源的有效配置。

改革不可能一蹴而就，各方面改革也不可能完全取得平衡。当前，我们突出地感到宏观经济管理体制的改革已经显得滞后，对国民经济的稳定、地区之间的均衡发展带来一些不利影响。因此，在继续深化企业改革的同时，今后一个时期将着重加快投资管理体制的改革，以此带动计划、金融、财政体制的改革。这些领域的改革对于建立宏观调控下的市场经济体制至为关键，难度却很大。但是我们的事业不仅得到全国人民的大力支持，而且得到许多外国朋友的热情帮助，我深信这项伟大的改革工程一定能够成功。

加强宏观调控的十三条措施*

（1993年6月9日）

根据国务院总理办公会议的决定，以7个部长为首的调查组到14个省市做了一个月的调查研究。回来以后，国家计委牵头进行了总结、综合，提出了当前应该采取的措施建议，对这项工作的成绩应该肯定。

当前经济形势的走向，有两个特点：一个是经济发展速度越来越快；另一个是票子越发越多，物价涨幅越来越高。国内生产总值增长速度，去年是12.8%，今年第一季度达到15.1%；其中，工业总产值增长速度，去年是20.7%，今年第一季度是22.4%，5月份已经达到27.3%。仓库里积压的产成品越来越多，出口也在下降。居民消费价格指数在3月、4月都突破了10%，其中35个大中城市在17%以上，5月份还呈上升趋势。我在去年的通气会上就讲过一个观点：

---

* 朱镕基同志于1993年6月9日主持召开国务院总理办公会议。会议针对当时经济过热、通货膨胀正在发展的严峻形势，研究加强和改善宏观调控措施。这是朱镕基同志在会上的讲话。会议首先听取了国家计划委员会和国家经济体制改革委员会的汇报。国家计委还汇报了国务院派出的7个调查组的调查情况和政策建议。朱镕基同志经过反复考虑，在会上提出了加强宏观调控的十三条应急措施，同时又指示国家计委补充几条行政性措施。会后，国家计委补充了三条意见，形成了《中共中央、国务院关于当前经济情况和加强宏观调控的意见》（即“十六条”）初稿，经报请中共中央批准后，于6月24日以中央6号文件下发。这个文件对当时扭转经济过热、控制通货膨胀、实现“软着陆”，具有决定性意义。

通货膨胀一旦发生，就会以加速度发展。不要认为两位数不可怕，很快就可能突破20%。因为去年摊子已经铺开了，基本建设大量投入，生产资料价格猛涨，票子超经济发行，在这种情况下，一定会拉动居民消费价格指数加速上涨。今天上午，我和李铁映同志会见了世界银行和国际货币基金组织的负责人。他们的意见相当一致，都认为中国经济已经过热。现在不能再拖延了，也不能再去争论了，这几个硬指标已经摆在那里了，要把问题看得严重一点。去年基本建设投入增长60%，今年前5个月又增长近70%。去年货币发行1158亿元，今年春节前又发了1100多亿元，到现在还有477亿元没有回笼。历来上半年都是货币净回笼，而今年上半年货币净投放可能达到550亿元。如再不采取措施，今年货币发行有可能达到1800亿元以上。

怎样采取措施？我讲三条思路：

第一，当前最重要的是统一认识。如果还是认为“我这里不热”，还是讲“只要给我票子，我一定能把经济搞上去”，“通货膨胀没什么关系，现在市场上商品丰富得很”等等，就会贻误解决问题的时机。1988年的抢购现象并不是因为商品不丰富，而是因为群众对通货膨胀的心理预期。现在这个过程又已经开始，表现为抢股票、抢债券、抢黄金、抢外汇、抢高档商品，一般商品价格和服务收费普遍看涨，群众对此表示不满。

统一认识很重要的一点，是要把生产速度和基本建设投入分开。我们讲要抓住机遇，加快发展，只要是有效益的速度，生产出来、卖得出去，那就越快越好。现在的问题是，不认真去抓深化改革，抓企业的机制转换，抓经营管理、技术进步，抓质量、品种，抓扭亏增盈，而是成天在那里扩大投资规模，上基建项目，搞房地产、开发区，到国外招商。你说给钱就能把经济搞上去，我看未必。有了钱没有钢材，进口钢材又没有外汇，买石油也要外汇，我们已经变成净进口石油的国家了，铁路、港口、民航都卡着脖子，你怎么搞得上去？所以，必须统一认识，全国还是要一盘棋。由于所处的位置不一样，地方局部的感受与中央全局的感受不一样，局部和局部、沿海地区和内地的感受也不一样。但无论是什么样的感受，现在都应该统一认识，否则没法解决当前的问题。

第二，当前要采取的措施不是搞治理整顿，而是进一步深化改革。1988 年治理整顿的办法适合当时的情况，有一些办法拿到现在也可能适用，比如保值储蓄。但是情况已经变化了，社会条件、利益分配的格局、经济管理的手段大不相同了。现在再用计划经济体制下的那套办法已经不灵光了。现在只有走深化改革这条路子。我们应该把解决当前经济的突出问题，变成加快改革、建设社会主义市场经济体制的动力。只有改革动真格的，才能解决当前的问题。

第三，主要采取经济手段、经济办法、经济政策，尽可能少采取行政的办法。去年，我在通气会上关于行政手段讲了三条：一是目前造成投资膨胀的原因主要是政府行为和各种不规范的行政干预，对此仅仅采取经济手段是不能解决问题的。而且，在当前市场发育很不成熟、约束机制远未形成的条件下，经济手段也很难及时收到效果。二是即使是发达的市场经济国家，也不排斥在必要时使用行政手段。三是现在采取的措施，也并不完全是行政手段。

当然，主要还应采取经济手段。事实上，行政手段已经越来越行不通了。但要指出，如果没有坚强有力的组织手段、雷厉风行的纪律手段、铁面无私的法律手段相辅而行，任何正确的经济手段也是难以奏效的。把这些手段均视为行政手段，是十分有害的。

关于应急措施，很多同志发表的意见都是好的，但要区别一下哪些是当前就应该马上付诸实施的，哪些是涉及长远的配套改革、目前还不能马上实施的。我准备讲十三条应急的措施，不一定全面，希望有关部门加以补充、细化。

第一条，要把住基础货币闸门。当前最关键的是严格控制货币发行，一定要把住这一关。货币发行量是基础货币供应量的最重要指标，这个指标不控制住，我们不知道会走向何处！控制了这个指标，就控制住了通货膨胀的速度。对基本建设规模、信贷规模要严加控制，但单纯控制这些指标，难以控制得住。资金早已多元化了，审批已经没有多大作用。当前基本建设规模为什么搞这么大？一是银行违章拆借，二是社会非法集资。这两个闸门一开，钱都来了，基建规模就上去了。钱怎么来的？究其根源无非是放松了银根，大量发钞票。我的意见，今年货币发行无论如何不能突破1500亿元。如不能守住这一关，形势就很危急。一定要把基础货币投放控制住，这是能够做到的。如果还像去年那样，今年可能1800亿元到2000亿元都能发下去，那么，明年的通货膨胀就可以想象了。

要控制住基础货币，就不能像现在这样，省里一来找，人民银行就都给兜起来。这个办法不行，这样下去，1500亿元肯定要突破。现在我们是要求不“打白条”、不“欠绿条”，要保重点企业生产、保重点建设，但地方都要求人民银行拿钱，这怎么得了！地方不是没有钱，集资、卖户口、卖地，有的地方钱多得用不完呢，却把硬缺口留给人民银行发票子，这样人民银行就不成其为中央银行了，宏观经济必然会失控。我们再也不能采取由人民银行发票子保支付、“包打天下”的办法了。

第二条，要坚决制止银行违章拆借。人民银行已经起草了通知，马上发出去，要坚决执行。去年最厉害的就是这一条，人民银行千方百计控制贷款规模，但是通过违章拆借，绕过贷款规模，1000多亿元就放出去了，这是个很大的教训。现在要赶快收摊子，当然为时已晚，因为钱都是往获利高的地方流，投到了房地产、股票市场。那些房地产，将来可能卖不出去。在海南岛，房地产最多的已倒了十次手，中间的钱都已经分掉了，一些人成了暴发户，最后都反映在银行账面上，结果就是泡沫经济破灭，银行倒账。现在怎么办？第一，各个专业银行凡是违章拆借的，都要往回收。第二，收不回来的，一件一件报上来，认真查处，看看钱都到哪里去了。现在发现，凡是违章拆借的，多数与贪污受贿等腐败现象连在一起，如不彻底整顿查清，银行会瘫痪。在 6 月 7 日召开的中央政治局常委会上，江泽民同志、乔石同志都指出，金融要整顿，首先从金融着手来深化改革，国务院要大胆动手，愈早愈快愈好。

以上两条，请李贵鲜同志负责。

第三条，要坚决制止乱集资。现在全民办金融、全民集资，此风不刹住，利率再提高，储蓄存款也不会增加多少。这件事我和罗干同志来负责，国务院办公厅、法制局要召集国家计委、财政部和人民银行，迅速立法，制止乱集资。要把沈太福案件〔1〕从头至尾向社会公布，向全民进行法律和风险教育。要告诉人们，闷头想发财有可能倾家荡产。沈太福非法集资这件事，发现得太晚了。法律不健全，政府可以做检讨，但是不能赔，也赔不起。我们没有办法，只好清盘，清多少退多少。从沈太福案件也可以看出，这些事情都是与贪污受贿联系在一起的。

第四条，要严格控制信贷规模。去年我们控制住了，今年还要

〔1〕沈太福案件，指北京市长城机电科技产业公司（以下简称“长城公司”）特大乱集资案件。长城公司以生产一种高效节能电动机为名向全社会集资，其年利息高达 24%。从 1992 年 6 月到 1993 年 2 月，在全国非法集资达 10 多亿元，投资者达 10 万人。1993 年 4 月 18 日，长城公司总裁沈太福被正式逮捕；1994 年 3 月 4 日，被判处死刑。

继续控制。但是究竟控制到多少，这一条也请李贵鲜同志负责组织研究。

控制信贷规模，关键是不能什么都保。还是我常讲的，一保农业，二保重点企业的生产和出口，三保重点建设。在这个次序中，保农业是绝对不能动摇的，任何情况下都不能动摇。别的保不了也要保农业，如果我们农产品收购再打一年“白条”，我们的基础就动摇了。“二保”、“三保”就是按国家产业政策来保。但是请大家注意，我们保企业的生产资金，但有的企业把生产资金拿去搞房地产了，而且还亏掉了，这怎么得了啊！这样的企业我们保得起吗?!

第五条，要准备再次提高存款利率，或者实行保值储蓄。我是主张实行保值储蓄的。人民银行的同志担心物价上去后无力支付利息，但是我想：如果我们不能把通货膨胀压下来，让居民消费价格指数连续超过20%，那就没法交代了。我们无路可退。我相信，只要全党上下一致，通货膨胀是可以压下来的。保值储蓄最终付出的利息，可能比存款利率再提高几个百分点的利息要少。我们再次实行保值储蓄，就是出了一个安民告示，人民就安心了。这一条也请李贵鲜同志负责组织研究、比较，提出建议，然后由国务院讨论决定。我看这项措施出台的时机早一点好，因为现在国内外的经济学家都说我们的利率调控力度不够，要赶快加强。

第六条，人民银行要加快改革。人民银行的各级机构要将自身开办的营利性金融机构分离出去，要下这个决心。人民银行的一切活动不能有利润动机，你掌握着钱，你又把这些钱调去搞房地产、搞投资，那样你就不是金融主管部门，而是唯利是图的投资者、投机者，那还有什么宏观调控？不能再搞了，要赶快交出去。财务、人员、资金要彻底脱钩，绝不能把人民银行变成直接投资者、股票炒卖者、直接经营者。刚才贺光辉〔1〕同志讲的银行改革步骤，当然不是一下子就能够实现，但要抓紧研究、实施。

第七条，专业银行要保证支付。专业银行要有调度本系统资金的权力，要把省人民银行的权收上来，交给专业银行。现在挤兑是在挤专业银行，因此，如果把保支付的责任放在省人民银行的头上，一旦出了问题，我们是找不到人负责的。现在就要明确，如果发生了支付困难，是各专业银行行长的责任，首先要撤行长的职。这样，各专业银行才能收缩贷款规模，否则专业银行没有切肤之痛，是不会收缩的。请人民银行组织各专业银行制定具体办法来落实。

专业银行各级机构要同自身开办的非银行金融机构和其他经营机构，包括房地产公司、信托投资公司、证券公司，在资金、财务、人员上彻底脱钩，这一点要和人民银行一样。人民银行要首先“自我革命”，否则你自己没有脱钩，怎么要求专业银行脱钩？如不一刀两断，信贷规模控制不住，资金拆借也控制不住。

第八条，要把投资体制的改革和专业银行的改革结合起来。刚才我讲了，投资体制不改革，单纯控制固定资产投资规模是控制不住的。我们经过长期的研究，已经设计了一个方案，要再研究一下，把方案搞得更完善一些。其目的就是要有一个约束机制、风险机制和资金配套的机制；否则，投资规模总是要失控，三角债还要继续发生。基础设施既然是政策性的，就要通过金融债券、财政投融资、成立国家长期开发信用银行来解决这个问题，产权要国家控股，银行贷款要配套。政策性的贷款和商业性的贷款一定要分开，至少要分别独立核算，不能再吃“大锅饭”，否则没法追究责任。要建立银行系统的监督机制。外国的银行都有监事会或者董事会，对银行的业务进行监

〔1〕贺光辉，当时任国家经济体制改革委员会副主任。

管。我们的银行谁管？这要很好地研究。

第九条，国库券的发行任务一定要限期保证完成。这件事情我和刘仲藜[1]同志负责。过去发行的国债，7月1日起就有240多亿元要兑付，国库券才卖了80多亿元，怎么还？刘仲藜的口袋里，最少的一天只有800万元。前天，我又批准他向人民银行借款30亿元，不然他就没法开支啊！我们不能"打白条"发工资。现在有人想买国库券也买不到，可见宣传工作做得不够。要想一系列的办法，完成国库券的发行任务。有的同志提出来，在二级市场上发行国库券，就是低于面值发行，但这个办法现在也来不及了，当前只有采取服务到基层、服务到户的办法。国库券发行任务不完成，好多事情不能办，股票、债券都不能发，各个省区市会有意见。原则上还是完成国库券发行任务的省区市，可以发行股票、债券，但不能延伸到县。5月6日中央政治局会议的决议已经写上，各级党委和政府要把完成国库券发行任务当做政治任务，财政部要抓紧。今后一定要确立一个原则：财政赤字只能通过发行国债来解决，不能再向银行借支。

第十条，今年已经确定的发行股票和在海外上市的计划要落实。50亿元的股票还是要发行，九大公司到香港上市也要继续搞，但是一定要规范化，要按我们已经颁布的法律来规范。现在不少地方的股票黑市非常猖獗，储蓄受到影响。不开一个正门，不好取缔黑市。一个省只确定一两个企业的股票上市，如果你一个也不让它搞，它怎么取缔黑市呢？黑市一定要取缔，越晚越被动。

第十一条，要抓紧研究加强外汇市场管理，稳定外汇的比价。前些时候，我们放开了对外汇调剂价格的行政控制，外汇调剂价一下子上到1美元兑换人民币10元以上。有的同志说我们搞错了。但是，

---

〔1〕刘仲藜，当时任财政部部长。

现在放开有一个正面的作用，就是限制进口，钢材的进口差不多已经抑制住了。当然，外汇比价上升这么高，不利于市场和心理稳定，外商的投资信心也受影响，必须采取措施稳定汇价。外汇比价上升的原因有四点：第一，投资需求、进口需求的拉动。第二，境外结汇，资本外流。现在好多单位竞相到海外办公司，到香港"买壳"上市，炒房地产，连外国人都感到奇怪，有关部门对此要加强监管。第三，炒卖外汇，搞投机。第四，人民币还要贬值的预期心理，导致惜售或抢购外汇。请李岚清同志牵头，就稳定外汇市场、加强外汇监管，尽快研究出措施来。

第十二条，要抓紧研究整顿房地产市场的办法和政策。邹家华同志一直在抓，还请邹家华同志继续负责抓下去。现在房地产市场这样热，一方面冲击了我们的房改，另一方面，泡沫经济的危险正在增加。本来 1991 年房改的形势非常好，但房地产热一来，就把房改冲掉了，都去搞高级房地产了，群众的住房问题解决不了。马来西亚住房部部长对我讲，他们有一个政策：所有房地产公司必须有二分之一的资金盖廉价房子，由政府来分配，建这部分房子是没有利润的，甚至是赔本的；但另外二分之一资金盖的高价房子，可以赚很多钱。我让刘鸿儒[1]同志去考察过，回来还写了一个材料发到各部门。我们无论如何也要实行这个政策。现在各地房地产公司如雨后春笋，不去解决老百姓的住房困难，都去搞高级别墅、度假村怎么行呢？我很担心，我们没有那么大的高级房地产市场。银行拆借资金，我估计有相当一部分，可能 50%以上，投到这里面了。日本在 1985 年搞泡沫经济，1990 年破灭，到现在经济元气还恢复不过来。我看泡沫经济迟早要破灭，你就不要再往里投钱了。

---

〔1〕刘鸿儒，在 1991 年任国家经济体制改革委员会副主任。

第十三条，要加强税收征管，堵住乱减免税的漏洞。这件事我和刘仲藜同志负责，要制定一个应急的办法，要把税收上来。我提两条原则：今年以内不再出台任何新的减免税政策，对临时一次性减免税也暂停审批。谁打报告也不行，有问题采取其他办法解决。现在减免税的漏洞太大了，名义税率与实际收的税差额太大。不少企业，包括国有企业，转移利润、偷逃税款。特别是“三资”企业表现得更加明显，把进口原材料的价格高估，把出口产品的价格低估，把盈利做成亏损，最后一个税都不交。我们要搞一个应急的措施，加强税收的征管，否则财政会越来越困难。

我就讲这十三条，已经分了工，其中有七条是银行负责的，希望大家把它们细化，6 月 17 日向中央政治局常委汇报，看常委们有什么指示，我们再研究。汇报还是请陈锦华〔1〕同志做准备，要把当前经济情况综合讲一下，然后根据深化改革的精神提出防止经济过热、制止通货膨胀、加强宏观调控的应急措施。常委们原则批准以后，我们就制定文件一个一个下发，各项细化工作不能超过 6 月 20 日，这样 6 月底各项文件才能最后定稿。这件事请何椿霖〔2〕同志抓一下。

---

〔1〕 陈锦华，当时任国家计划委员会主任。

〔2〕 何椿霖，当时任国务院副秘书长。

认真抓好“菜篮子工程”*

（1993 年 6 月 24 日）

这次“菜篮子工程”工作会议非常重要，也开得很好。会前，国务院总理办公会议听取了汇报，研究了进一步支持“菜篮子工程”发展的有关政策，并作出了一些具体决定。现在，我讲几点意见。

第一，我非常同意大家指出的，最近几年“菜篮子工程”的建设，包括生产和流通，都有了很好的发展，取得了显著成绩，但是目前还存在着一定的隐忧。我觉得，这样的估计是比较全面的。

当前形势很好。从去年以来，一直向前发展的好形势是历史上少有的。全国人民建设有中国特色社会主义的积极性空前高涨，国民经济确实取得了很大的发展。但是，在前进过程中，由于两种机制的转换，不可避免地发生了一些矛盾和问题。主要是投资规模过大，并带动市场物价上涨。值得注意的是，农村物价上涨幅度超过了城市物价的涨幅。农村物价上涨，必然影响农民的生活水平。城市物价上涨，除了影响在岗的职工、干部的生活水平外，必然要导致一部分退休职工、亏损企业职工生活的困难。所以，党中央、国务院已经决定，要采取宏观调控措施来解决这些问题。现在采取措施还来得及，因为我

---

* 1993 年 6 月 21 日至 23 日，国务院在北京召开全国“菜篮子工程”工作会议。出席会议的有各省、自治区、直辖市主管“菜篮子工程”的副省长、副主席、副市长及国务院有关部门的负责同志。这是会后朱镕基同志与部分会议代表座谈时讲话的主要部分。

们从去年以来一直在提醒大家要有一定的思想准备，既要抓住机遇加快发展，又要珍惜机遇、用好机遇。

为什么市场物价指数上涨达到两位数了，我们仍感到人心和市场还是稳定的呢？一个是政治上的因素。现在社会是稳定的，全国人民是团结的，政治上形势是非常好的。另外，“菜篮子工程”和市场消费品目前能够充分满足群众需要，也是一个非常重要的因素。尽管我们采取了一系列宏观调控措施，但是见效起码要三个月，甚至于要半年。在这期间，要稳定人心，稳定市场，靠什么？就是要靠“米袋子”、“菜篮子”！“民以食为天”，吃的东西价格涨得不那么厉害，人们的基本生活水平就能够保证。如果我们再狠抓一下消费品生产，狠抓一下质量、品种，使市场消费品的价格不要涨得那么快，充分地满足群众需要，物价涨势就可以趋缓。所以，现在是关键时刻。如果我们要让国民经济高速增长持续下去的话，全国就要服从宏观调控。在宏观调控的过程中，把“菜篮子工程”和消费品生产抓好，把市场安排好，这是保证政治和经济措施见效的一个非常重要的手段。我们过去常讲，“菜篮子”里面看形势。“菜篮子工程”搞得好，大家都说市长好；“菜篮子工程”搞得不好，公共汽车上大家都在骂市长。这是我在上海工作时的亲身体会。但现在情况有了新的变化。比如说，各大城市跟各地都建立了商品流通关系。有的菜当地不一定种了，到别的地方买更便宜，而且品种更多。这就是大流通了，但仍然说明“菜篮子工程”的重要性。

隐忧是什么呢？第一个隐忧是农产品、粮食价格放开以后，以为把农产品推向市场、把农民推向市场，就什么问题都解决了，曾经一度忽视了农业。没有看到，这样一来粮价下跌，甚至下跌到成本线以下，农民利益受到很大的损失。农民因此不愿种地了，生产积极性遭到很大的打击。任何一个国家，包括发达国家没有不对农业进行补贴的。以为把粮价、农产品经营一放开，政府就可以撒手不管，就不要提供补贴了，而把对农业的补贴拿去干别的，这就要吃大亏了。没有一个粮食的平准基金，就不能保护农民的利益。后来我们发现了这个问题，制定了保护价制度，保证农民不吃亏。粮食再丰收，价格也不能掉到成本线以下。怎么能够实行保护价呢？这就得靠平准基金。没有这个平准基金，怎么能够保证实行保护价呢？因此，我们得出一条经验：不论是中央财政，还是地方财政，凡是由于价格改革，把粮食价格放开的，减少的补贴不能挪作他用，还要一律用于农业。农业的补贴，支持农业的基金、投资和各种事业费用，不但不能减少，而且

1993 年 6 月 24 日，朱镕基在北京中南海与出席全国“菜篮子工程”工作会议的部分代表座谈时讲话。

（新华社记者刘建国摄）

还要增加。美国的做法是大量地补贴在生产过程，欧洲共同体是补贴在销售过程，没有哪个国家不是想办法去补贴农业的，都得保护农民的利益。日本的政策是：美国的粮食再便宜，也不进口。日本的大米始终保持很高的价格，这就是保护农民的利益；否则的话，农民都不种稻子了。对我们来说，这个问题也必须解决好，不然也是一个很大的隐忧。第二个隐忧是搞开发区、搞房地产，确实在某些地区很热，在一定程度上忽视了农业。这样下去，对农业，特别是对“菜篮子工程”就是一个很大的打击。暂时看来好像“菜篮子”很丰富、很繁荣，但从长远看是要出问题的。所以这次会议特别强调，占了菜地以后，一定要补上。不管怎么补，在远郊区再去开发菜地也好，建立固定协作关系也好，反正得想办法补上。这个问题要是放松了，将来是会吃亏的。第三个隐忧就是农业生产资料涨价。饲料涨价、柴油涨价、化肥涨价、农膜涨价，生产费用大大地提高，搞种植业和养殖业的人已经感到无利可图。在这个时候，政府如果不从政策、资金或者其他方面给予帮助，原来搞起来的“菜篮子工程”，有可能最后也维持不下去了。希望各省区市检查一下这件事情，对这个问题给予足够的重视，不让这个隐忧变成真正的忧患，不让不利因素发展下去，切实把“菜篮子工程”抓好。

第二，为了扶持“菜篮子工程”的继续发展，要稳定政策，就是稳定调动农民积极性的政策。特别是“八五”时期后三年，要继续稳定政策。这次，陈俊生同志把“七五”期间中央制定的扶持“菜篮子工程”的政策都列了出来，经过国务院总理办公会议讨论，统统地予以肯定，不变！只有个别的，比方说中央财政对饲料粮的平议差价补贴，过去曾经起过很大的作用，现在价格放开了，粮价放开了，补贴本身的意义就不像以前那么大了，所以我们准备逐步减少这项补贴。但是，刚才我讲了，减下来的补贴，这是中央财政的补贴，绝对不能拿去干别的，仍然要用于“菜篮子工程”，或者是用在农业上。农业是国民经济的基础，所有财政上对农业的支持，包括由于改革减下来的钱，都得统统用于农业。农业补贴绝对不得挪作他用；不但不应该减少，还应该增加，这点认识要统一。当然，现在财政很困难，但至少不能减少农业补贴。中央这样做，我们希望地方也应这样做。中央的补贴终究有限，大量的政策还是在地方实施。我们希望各个省区市都要稳定这个政策。如果你们能够进一步地支持农业，进一步地研究并采取调动农民积极性的政策，我们就向你们学习，向全国推广你们的经验。我讲要把减下来的农业补贴都用于建立平准基金，或者叫风险基金，总之是保护农民利益的基金。究竟怎么建立，我们还没有经验。我已经请财政部会同有关部门专门研究这个问题。中央、地方两级都要建立平准基金，还要搞一系列的立法，不然没保证。

第三，要把“菜篮子工程”的组织实施与贯彻国务院在 5 月 27 日发布的《九十年代中国食物结构改革与发展纲要》结合起来。农业也要调整结构，把产供销衔接起来，逐步向合理的食品消费结构发展。

第四，加强“菜篮子工程”的领导。加强领导，主要是依靠大中城市的市委书记、市长。这是他们最重要的一个职责，保证城市群众“菜篮子”的供应，是非常重要的。我们只有依靠他们，才能把这个工作做好。我们代替不了他们，没有他们，我们拿多少钱也搞不出成绩来。不仅是大中城市的市委书记和市长，省委书记、省长也要关心这个问题。这也是关系到一个省、一个地区政治和经济稳定的大问题。同时，也希望中央有关部门都来支持“菜篮子工程”的工作。

在这里，我讲一下机构的问题。加强“菜篮子工程”的领导，就得有人去管这件事情。在机构改革过程中，我们已经发现，有相当多

1993 年 12 月 15 日，朱镕基在安徽省芜湖市考察菜市场。左三为安徽省委书记卢荣景，左六为国家计委副主任罗植龄。

的地方，在粮食价格、副食品价格放开以后，把这方面的机构给撤了，人员“下海”了，经费“断奶”了。这样做倒是很痛快，省下一笔钱去搞开发区，但是吃亏就在眼前。我一直在讲，农业的服务队伍绝对不能散，机构不能撤，经费不能断。我们这么一个有 8 亿多农民的国家，基础就是农业。“民以食为天”，粮食问题、“菜篮子”问题关系到国家的根本。说实话，尽管目前经济存在许多问题，但只要农业不出问题，我们就不害怕。

当前农业主要抓三件事。第一件，坚决不“打白条”，要下死命令。第二件，切实减轻农民负担。第三件，就是在夏收以后的购销、储运中已暴露了很多问题，如丰收的地方缺资金，粮食运不出来。现在大面积缺粮的地区很多，各部门、各地区要想办法解决当前夏收期间存在的这些问题，把粮食工作做好。同时，把秋种面积落实，要争取把农民的积极性再调动起来。

这些事情都得有人去抓。没有机构怎么抓？至于说机构本身机制要转换，人员要减少一点，工作效率要提高，官僚主义要减少，这些都是对的。但是，绝不能把机构都撤掉了。美国的农业部是全国最大的部，有几万人。种子的发放、检疫、农贷，分工细得不得了，都掌握在农业部，各种农业技术的推广工作也都在里面。我不是说美国的农业部规模大，我们的也应该大。我的意思是，有的人说搞市场经济，这个机构就可以不要了，美国不就是搞的市场经济吗？他们为什么还要？我们有自己的特点，不是要照抄，但做事情没有人管是不行的。

关于整顿路风问题的批语*

（1993年7月2日）

请罗干同志告韩杼滨[1]同志：

要注意方向。路风首先是领导作风的问题，而不是群众的问题。只发动群众自查自纠，而不查领导，不让群众检举，路风是纠正不好的。首先把局长级干部的案件着力查清，严肃处理，路风就会好转。

朱镕基

7.2

---

* 1993年5月上旬，铁道部召开了全路整顿路风工作会议，采取了相应措施，于6月下旬向国务院报告了整顿情况。这是朱镕基同志在该报告上的批语。

〔1〕韩杼滨，当时任铁道部部长。

金融工作“约法三章”*

（1993年7月7日）

这次全国金融工作会议，是一次统一思想认识、端正思想作风的会议，是一次推进金融改革的会议，也是一次贯穿批评与自我批评精神的会议。会议的第一天，周正庆[1]同志代表人民银行总行党组作了工作报告。会议期间，我参加了两个半天的分行行长座谈会，还同人民银行的一部分老行长进行了座谈，老同志们提出了很多很好的意见。这次会议达到了肯定成绩、检讨缺点、统一认识、团结奋进的目的，会议开得很好。

首先，要肯定成绩。最近几年，人民银行在李贵鲜同志和人民银行党组的领导下，做了大量的工作，成绩是主要的，应该充分肯定。各专业银行行长、人民银行各分行的行长、全体金融战线上的职工同

---

* 1993年7月2日，八届全国人大常委会第二次会议决定朱镕基同志兼任中国人民银行行长。7月5日至7日，国务院在北京召开全国金融工作会议。出席会议的有各省、自治区、直辖市和计划单列市人民银行分行行长，各专业银行总行、中国人民保险公司的负责同志，中共中央和国务院有关部门的负责同志等。这次会议是我国经济处于转折关头召开的一次重要会议，也是为贯彻中央6号文件召开的第一个全国性会议。朱镕基同志在讲话中就认真贯彻中央6号文件、加强和改善宏观调控、整顿金融秩序作了具体部署，特别是明确提出对银行系统领导干部“约法三章”的严格要求，对扭转货币供应失控和金融秩序混乱的局面产生了重大作用。讲话曾发表于《十四大以来重要文献选编》上册，原标题为《在全国金融工作会议上的总结讲话》。编入本书时，对个别文字作了订正。

〔1〕周正庆，当时任中国人民银行副行长。

志们，在党中央、国务院和人民银行总行党组的领导下，做了大量的工作，我代表国务院向同志们表示衷心的感谢。你们两头受压，四方受气，任劳任怨，你们的处境我完全理解，我对你们表示亲切慰问。

其次，这次会议也检讨了缺点和失误。在会议发言中，很多同志都表现了自我批评的精神，这很好。我们的问题主要是没有严格按照党中央、国务院的指示和银行的规章制度办事，而是各行其是，发生了不少违章违纪的事情，甚至还有不少大案要案，也反映我们没有很好地抓队伍建设。正如江泽民同志所指出的，金融秩序混乱，纪律松弛，已经达到影响改革开放和经济发展的程度。有些地方的银行不能坚持原则，把“金库”的钥匙都交给了人家！你不能怕得罪人，顶不住就要报告，你不报告就是失职。

第三，统一了认识，坚定了信心。同志们说，如果不下决心扭转当前的金融混乱局面，不制止住通货膨胀，经济就可能大起大落，我们就会失去大好的发展机遇。现在中央下了这么大的决心解决经济发展中出现的问题，我们就更有信心了。这次会议统一了这个认识，大家回去就要狠抓落实，要动真格的。

第四，会议提出了明确的要求，也有落实要求的许多具体措施，大家还提出了很多可行性很强的宝贵意见，这样就更好贯彻落实了。

当然，贯彻落实《中共中央、国务院关于当前经济情况和加强宏观调控的意见》（以下简称“中央 6 号文件”），光靠金融系统一家是不够的。只有全党、全国人民，特别是各地区、各部门的领导同志用中央 6 号文件统一思想、统一步调，大家一起努力，才能把中央对当前经济工作的重大决策真正落到实处。但是，金融是国民经济的命脉，在国民经济中处于重要的地位，我们承担了非常艰巨也很光荣的任务，对贯彻好中央 6 号文件负有不可推卸的责任。如果我们的工作做得好，对扭转局势、加强宏观调控会起到重要的促进作用。因此，

1993 年 7 月 7 日，朱镕基在全国金融工作会议上讲话。右二为中共中央政治局委员、国务院副总理钱其琛，右三为国务委员兼国家科委主任宋健。（新华社记者王敬德摄）

我们要把自己的问题看得重一些，对自己要求更严格一些，切实把中央 6 号文件贯彻好、落实好。

今天，我根据党组同志的意见和会议讨论的情况，讲三个问题。

一、把认识统一到中央 6 号文件上来

以中央 6 号文件来统一金融系统的认识，是落实中央关于当前经济工作的重要决策，是完成整顿金融秩序、改革金融体制的任务，扭转资金全面紧张局面的关键。

关于中央 6 号文件的形成过程和背景，我在会议开幕那天的讲话中已经讲了。由此大家不难看出，中央 6 号文件是在总结了一年多来经济高速发展的经验，研究了前进过程中发生的矛盾和问题，集中了各部门、各地区和许多老同志以及各民主党派、群众团体智慧基础上

产生的一个重要文件。可以说，这是一个集思广益的文件。同时，中央 6 号文件提出的十六条宏观调控措施，十三条是采用经济手段，三条是行政手段，但也不是“走老路”。我们是把解决当前经济工作中存在的问题，作为加速建设社会主义市场经济体制的动力，力求通过加快形成社会主义市场经济体制的办法，来解决当前经济发展中出现的问题。因此，这个文件是一个充满改革精神的文件。

要贯彻落实好党中央、国务院关于加强宏观调控的重要决策，必须用中央 6 号文件来统一全党的认识。根据我学习中央 6 号文件的体会，我认为当前需要统一以下三个方面的认识。

第一，强化宏观调控，防止经济过热，是当前迫在眉睫的任务。

现在经济从总体上讲不过热，但局部地区、局部领域已经过热，现在再不强化宏观调控，有些问题就来不及纠正了。有些地方的领导同志不同意这个看法。有的说，你热我不热；有的认为，市场商品供应很丰富，物价涨了，补贴也多了，奖金发得也不少，不会出什么问题；有的说，只要你给我钱，我就可以抓住机遇，把经济搞上去；有的地方还说，我这里生产速度并不高，不但不热，而且还很冷；等等。我觉得，说经济热不热，不能只看速度高不高。如果生产速度是依靠挖掘现有企业潜力，调整结构，抓企业经营机制转换和质量、品种，抓改善经营管理，生产出来的东西运得出去、卖得掉，效益好，这样的速度越快越好。但是，如果是靠基本建设大量投入，摊子铺得很大，又长期建不成，资金十分紧张，已经影响到企业的流动资金和重点建设项目资金的需要，票子又发得很多，这种状况下的速度可能一时会很高，但不会持久。现在商品供应确实比 1988 年时好多了，但 1988 年也不是商品供不应求。我当时在上海工作，那时仓库里商品并不少，把商品拿出来，降价卖，抢购风马上就平息了。问题是宏观环境绷得太紧以后，人们对通货膨胀的心理预期就会加大，发生社会动荡的可能性也会加大。江泽民同志讲，由于所处的地位不一样，对形势的分析可能不同。但要对形势有个正确的认识，就要从整体和全局来看问题。现在我们的宏观经济环境已经绷得很紧，再不控制住总量，就可能发生严重的通货膨胀。对这个问题不要再争论下去了，希望大家将认识统一在中央6号文件的精神上，强化宏观调控，防止经济过热。

第二，整顿金融秩序是强化宏观调控的重要方面。

江泽民同志对于金融秩序混乱、纪律松弛的问题有过两次重要批示。大家要正视金融系统存在的问题，如果不正视、不解决这些问题，全国大好形势不但不能发展，而且有可能逆转。

一是违章拆借。这是导致固定资产投资规模过大的一个重要原因。银行起到了推波助澜的作用。根据中国人民银行总行调查，去年以来，拆出资金余额在1000亿元以上，其中最多的主要是广东、北京等几个省市。

二是非法集资。这不都是银行的事情。这种集资有很大的危害，造成很多社会问题：直接影响银行储蓄，使储蓄下降，重点贷款保证不了，“打白条”、“打绿条”难以避免；投资者上当受骗，有的甚至连本金也难以收回，北京市长城机电科技产业公司就是一个典型。对长城公司的问题发现太晚，我们有责任，让一些同志上了当，让老百姓吃了亏。但我们现在只能尽量把钱追回来，我们不能赔，也赔不起。群众在投资时，必须考虑投资风险，只是埋头想发财，结果可能会倾家荡产。中央政治局常委会议决定，要利用这件事，对全民进行一次法制和投资风险教育，要加强这方面的宣传。有的省大办钱庄、当铺，它们也搞储蓄，搞存贷款。农村里各种基金会、互助会都搞起来了，导致资金成本越来越高，风险越来越大。这种现象一定要制止。国务院办公厅通报了五个地区乱集资的问题，刹了一点风，但还远远不够。从报纸上看，现在有的部门还在搞，有的未经批准发外币债券。国务院已经明文规定，在国内外集资都必须经过批准，不经批准搞集资是非法的。乱集资制止不了，提高存款利率也起不了增加储蓄的作用。

三是金融管理混乱，恶性案件不断发生。农业银行河北衡水支行擅自向国外开了100亿美元的备用信用证，尽管现在农业银行总行已发表声明作废，但后果还难以预料。现在有的部门、企业，在国外用上亿美元购买企业，也不向国务院报告。衡水案件暴露后，又陆续暴露了许多诈骗案件。现在各种诈骗活动很多，我们一定要提高警惕。

四是滥设金融机构，擅自或变相提高利率，结算纪律松弛。企业反映，按法定利率很难借到贷款，资金几经倒手到企业后利率很高。这次提高利率后，必须坚决刹住这些违法行为。要坚决杜绝企业给银行送干股和银行参股拿回扣等不正当做法。现在银行之间相互占用汇差的问题很严重，企业对此很有意见。

当然，上述问题并不都是银行的责任，其他部门的问题也不少。现在财政也在搞信贷，把国家预算资金变成预算外资金拿来搞有偿使用，拿去放贷款，越搞越大。这种状况必须通过加强金融管理来解决。其他部门也要检查自身存在的问题，固定资产投资规模这样大，绝不仅仅是财政和银行搞起来的。

第三，强化宏观调控，不是实行全面紧缩，而是进行结构调整，我们不会像外界传说的那样搞全面紧缩。

当前我国经济的高速发展从总体上讲是健康的，前进过程中发生的问题通过加快和深化改革就可以解决，没有必要实行全面紧缩，今后也不会采取全面紧缩的政策。今年的货币发行增加很多，资金投入也很多，资金紧张的根源在于固定资产投资规模搞得太大，致使重点企业、重点建设的资金没有保证。我们要进行结构调整，把不该搞的停下来，集中资金保证重点。要根据优化产业结构的原则，按照国家的产业政策调整资金投向，加强基础设施和基础产业。在这个过程中，会暴露不少矛盾和问题，难免要触及某些方面的利益，引起一定的震动。对此，要有足够的思想准备。在这次整顿金融秩序中，要贯彻“软着陆、点刹车”的方针，不能刹车过急。现在主要是进行结构调整，要优先保证农业、重点企业和重点建设的资金需要。当前农副产品议价收购部分的资金还没有全额到位，重点企业的流动资金还很困难，今年上半年重点建设的资金到位率不到计划的一半。因此，当务之急是调整资金的投向，保证重点需要。

二、银行系统的领导干部要严格执行“约法三章”

人民银行党组要求银行的各级领导干部识大体，顾大局，严肃组织纪律，提出了“三要”和“十不准”的要求，这些都是完全正确的，我都赞成，大家要认真执行。为了在最短的时间内扭转局面，根据江泽民同志的意见，我在这里将“三要”和“十不准”概括为“约法三章”。

第一，立即停止和认真清理一切违章拆借，已违章拆出的资金要限期收回。各银行要在今年 8 月 15 日前，将违章拆给非金融机构的资金全部收回；拆给非银行金融机构的资金先收回 50%，其余违章拆借，违章参股、投资的资金要在 8 月 15 日前提出收回计划和处理意见，并上报总行。

第二，任何金融机构不得擅自或变相提高存贷款利率。不准用提高存款利率的办法搞“储蓄大战”，不得向贷款对象收取回扣，或者将资金通过“关系户”放高利贷。

第三，立即停止向银行自己兴办的各种经济实体注入信贷资金，银行要与自己兴办的各种经济实体彻底脱钩。过去违反规定将信贷资金充当资本金注入企业的，要限期收回。

各级银行都要认真贯彻执行“约法三章”，否则，将严肃追究当事人和主要负责人的责任。

认真贯彻执行“约法三章”，把金融秩序切实整顿好，必须加强各级领导班子的思想和作风建设。要坚持两手抓，两手都要硬，要始终坚持党的基本路线不动摇，不懈地对职工进行思想政治教育。正人先正己，只要领导干部以身作则，认真执行“约法三章”，就一定能够带出一支坚强的金融队伍。

在整顿金融秩序时，要注意稳定队伍，稳定机构，稳定人心，保护大家的积极性。前一段时间金融系统出现的一些问题，是在特定的社会环境下发生的，有些是新旧体制转换过程中难以避免的。问题的责任主要在上面。对工作中发生的不触犯刑律的一般违章问题，只要明确责任，如实报告，认真纠正，改了就好。

三、进一步推进金融改革

金融改革，既要从我国目前实际情况出发，又要遵循市场经济发展的一般规律，逐步向国际规则靠拢。

改革的重点是，强化中央银行职能，加快形成统一、有效的宏观调控机制，以适应社会主义市场经济的需要。

通过改革，必须建立一个在国务院领导下的独立执行货币政策的中央银行体系，调节社会总供给与总需求的平衡，保证币值的稳定；必须建立一个中央银行监管下的以国家政策性银行和国有商业银行为主体的、多种金融机构并存的金融组织体系；必须建立一个统一、开放、高效、有序的金融市场体系。为此，这次会议后，要在以下方面抓紧进行改革。

第一，加强中央银行职能和基础建设。

1. 强化中央银行职能。中国人民银行作为我国的中央银行，其主要职能是，通过制定和实施货币政策，严格控制全社会的货币供应总量；加强对金融机构的监管；保证金融体系的安全。首要目标是保持货币的稳定，以促进经济的合理增长。

2. 运用宏观调控方法。现阶段要由控制银行信贷规模和现金发行，逐步过渡到控制全社会货币供应总量，综合运用再贷款、存款准备金、利率、储备限额、汇率等经济手段实施货币政策。根据市场发育的条件，逐渐增加间接调控的比重，逐步向间接调控为主过渡。

3. 控制基准利率，实行灵活的利率政策，调节资金供求。在基准利率基础上，决定金融机构利率浮动范围和幅度，并以此影响货币市场和证券市场，逐步形成以中央银行基准利率为基础的利率体系。

第二，建立中央银行监管下的以国家政策性银行和国有商业银行为主体、多种金融机构并存的金融组织体系。

1. 组建政策性银行，实现银行政策性和商业性业务的分离，改变目前专业银行政企不分的体制。目前，要抓紧组建国家长期开发信用银行和进出口银行。政策性银行在国家产业政策和规划的指导下，在国家财政的支持下，不以盈利为目的，自主经营、自负盈亏、自担风险。

2. 分离后的商业银行要依法经营，坚持资金使用安全性、流动性和盈利性统一的原则。

要有组织地做好金融资产清理工作，为其他改革打下基础。逐步实行自主经营、自负盈亏、自担风险、自我约束。由信贷规模管理逐步转向实行资产负债比例管理。按巴塞尔协议的要求，逐步提高资本充足率。鉴于非银行金融机构的资金占全社会资金的 30%，要加强风险管理。

对各类、各级银行实行监督和稽核的机构与机制问题应该尽快研究解决。可以借鉴市场经济国家这方面的经验，并且结合我们自己的特点，创造有效的形式。

第三，建立统一、开放、高效、有序的金融市场体系。

1. 建立全国统一有序的、规范化的同业拆借市场，使同业拆借市场变为真正的头寸市场。

2. 发展短期票据市场。规范债券的信用评级，促进债券市场的健康发展。完善股票市场。在企业股份制改造的基础上，规范股票的发行和上市，逐步扩大规模。完善证券交易所的管理。

3. 外汇市场要通过加快外汇管理体制改革，控制资本流出，有效利用外汇资金。逐步建立以市场汇率为基础的人民币汇率机制，最终达到汇率并轨。这项工作明年要起步。

推进金融改革，首先要进一步增强加快改革的自觉性和紧迫感。有些同志提出，过去金融系统的改革讲长远目标的多，讲近期如何改的少。这个问题提得好，请人民银行总行党组认真研究这个意见，尽快拿出切实可行的近期改革方案。这里，我讲一下关于人民银行省分行、县支行机构设置的改革问题，我的意见是不能急，要慎重。从长远看，中央银行应按经济区设置分支机构，但目前省分行、县支行都不撤，要稳定机构，稳定队伍。分行、支行的职能要转变，在加强对金融机构的监督上多做工作。总的来讲，我们金融系统的同志特别是各级领导同志，要克服因循守旧的观念和单纯业务观点，要在深化改革中找到扭转金融紧张局面的出路。同时，要通过改革，建立起适合中国国情和社会主义市场经济要求的金融体制。

全国金融工作会议今天就要结束了。大家回去后，要立即向地方党政领导汇报这次会议的精神，尽快制定具体贯彻落实意见，扎扎实实地把工作开展起来，切实完成党中央、国务院交给我们的任务。

整顿财税秩序，加快财税改革*

（1993年7月23日）

不久前，国务院召开了全国金融工作会议，会议概括为四句话，叫做“整顿金融秩序，严肃金融纪律，推进金融改革，强化宏观调控”。根据江泽民同志的指示，强化宏观调控从整顿金融秩序入手，这是因为金融在国民经济中处于重要的枢纽地位。财政、税务部门同样是国民经济的重要部门、关键部门，因此，整顿财税秩序也是当务之急。昨天我向国务院总理办公会议报告，在全国财政、税务工作会议上也要提出四句话，叫做“整顿财税秩序，严肃财经纪律，强化税收征管，加快财税改革”。我认为，根据当前财税战线上的问题，应该提出这四句话。概括一点说，一是整顿，二是改革，用改革的办法进行整顿，在整顿的基础上加快改革。下面，我分开讲一讲。

---

* 1993年7月20日至23日，全国财政工作会议和全国税务工作会议在北京召开。这是继7月5日至7日召开全国金融工作会议之后，贯彻中央6号文件的又一重要会议。出席会议的有各省、自治区、直辖市和计划单列市财政、税务厅（局）长，国务院有关部门负责同志。这是朱镕基同志在会上讲话的主要部分，曾发表于《十四大以来重要文献选编》上册，原标题为《整顿财税秩序，严肃财经纪律，强化税收征管，加快财税改革》。编入本书时，对个别文字作了订正。

一、整顿财税秩序是深化财税体制改革的前提

首先要弄清楚在社会主义市场经济条件下究竟要求有什么样的财税秩序。我觉得应该破除一些混乱的甚至是错误的认识。有的同志以为随意减免税收，不规范地给企业以优惠，甚至竞相攀比给外资企业提供最优惠的条件，这就叫“改革开放”，这就叫“解放思想”。其实，这是一种很大的误解。你看看世界上哪一个市场经济国家是这样做的？市场经济的基本要求就是平等竞争，而随意减税让利不利于平等竞争，不符合市场经济的原则；行政干预、长官意志、主观随意性，正是传统计划经济的典型做法。市场经济是规范化、法制化的经济，不是谁想干什么就干什么，更不是谁分管什么就可以为所欲为，而是必须接受法律、法规及行政纪律的约束。

我们应该从改革的角度来认真领会《中共中央、国务院关于当前经济情况和加强宏观调控的意见》（以下简称“中央6号文件”）精神，认真地、自觉地整顿财税秩序。当然也应该指出，要整顿财税秩序，也不是财税部门本身能完成得了的，不少违章违纪的事情甚至于违法的事情是在当地某些领导直接干预和指示下发生的。银行没有顶住，财税部门也是这样。所以，财税部门的同志要坚持原则，要顾全大局，要对党和人民负责。除了某些地方领导的干预，有很多问题如抗税、逃税、偷漏税，涉及社会的各个方面，也不是财税部门完全能解决得了的。因此，整顿财税秩序必须得到全社会的支持，特别是各级地方党政领导的支持。我们应该把整顿和健全财税秩序提高到建立社会主义市场经济体制和维护长治久安的政治局面的高度来认识，大家共同努力把工作做好。

二、财税部门职工要严格遵守“约法三章”

我在全国金融工作会议上给金融战线广大干部、职工提出了“约法三章”，今天也给财政、税务战线上的全体工作人员提出“约法三章”。这个“约法三章”与金融工作的“约法三章”一样，把当前整顿的主要任务都概括进去了。要做到这三点难度相当大，但是不做不行，不做就不能扭转当前这个局面。所以，我在这次会上特别地呼吁和提醒同志们，大家一定要严格地、坚决地执行以下的“约法三章”。

第一，严格控制税收减免。中央6号文件作了明确规定，今年内国家不再出台新的减免税政策。过去国家有政策规定的，如“三资”企业“免二减三”[1]，还照样执行，但是新的口子一律不开。临时性、困难性的减免税今年内一律停止审批。我们要真正地对党和人民负责，希望税务总局、海关总署、进出口协调办公室不要再送申请减免税的报告来。任何人不许批减免税。有困难走别的渠道。减免税无从查核，最后弄得什么钱也收不上来。政策性减免税过去有规定，但是对期限已经到了的马上就得恢复征收。对各地越权自定的减免税政策，要坚决地按党中央、国务院的要求，立即停止执行，进行清理。对那些没有经过国务院批准，搞承包流转税，并在投入产出总承包中包了流转税的，都得进行清理，同时要按税法规定进行处理。今后的改革方案应该把税政和税务分开，减免税属税政，应由财政部从严把关，税务机构无权减免税；征税属税务，是税务总局的职责，应该扩大税务总局在征税方面的权力和权威。这次会议以后，各地要组织专门的班子来清理、检查。我在这里宣布，从现在起，

〔1〕见本卷第15页注〔1〕。

如再发现擅自减免税收，要严肃追究当事人和有关领导者的责任。

第二，严格控制财政赤字，停止银行挂账。财政收支的原则应该是量入为出，收支基本平衡，最好是略有结余。中央如果出现财政赤字，应该用发国库券来解决，不能到银行透支。到银行透支就是发钞票，就会引发通货膨胀。所以，我一再明确强调，财政到银行透支就到今年为止，因为今年已经打入预算了，从明年开始，绝对不许到银行借款弥补赤字。财政部向银行借的款，现在已经1000多亿元了，实际上很难还，今后不能这样搞。财政有赤字，可以发国库券，可以借新债还老债，这也就是间接地限制财政支出规模不能搞得太大。地方预算不能打赤字，到银行挂账是不行的，借钱是要还的。今年不许粮食企业再到银行增加新的挂账。现在累计起来，粮食企业因地方财政应补未补和其他原因造成的亏损在银行挂账已经接近500亿元了。前两年增加得很多，一年100多亿元。这里面大部分是本来应该由地方财政来补给粮食企业的。“民以食为天”，不花钱去补贴粮食企业，粮价怎么稳定？地方财政补贴不到位，粮食企业就到银行挂账，屡禁不止，今年又在银行挂了新账35亿元，这怎么得了！这次要作个硬性规定，下半年不能再挂。上半年已经挂了的，就只好扣中央财政拨给地方的粮食加价款和专项补贴，扣的钱直接由财政部拨给银行。

第三，财税部门及所属机构，未经人民银行批准，一律不准涉足商业性金融业务，所办公司要限期与财税部门脱钩。财税部门自己不要去办那么多公司。你去办公司，谁办得过你？你又是裁判，又是教练员，又是运动员，那打球谁打得过你？不能这样干，这样干会腐败的。当然，对财政信用问题有不同的认识。我的看法是，财政部门搞一点信用可以，有利于拾遗补缺，但搞多了不行，搞多了，特别是挪用财政资金放高利贷，就会出现腐败。如果没有严格的管理，一定是这种趋势。所以应该明确，要搞财政信用只能让专门机构去搞。这方

1993 年 7 月 23 日，朱镕基在全国财政工作会议和全国税务工作会议上讲话。

（新华社记者兰红光摄）

面今后要立法，要严格控制，不能截留和挪用财税收入去搞信用放贷，不能搞高利贷，搞商业性金融业务要经过人民银行批准。

现在基建规模为什么搞得这么大？当然是各个地方都想快一点。但是没有钱，怎么能搞这么大？这里的问题，第一是银行搞了违章拆借，通过拆借的渠道把钱弄走了，许多资金弄去搞房地产了，计划内的重点建设资金和重点企业的流动资金、农产品收购资金都不能保证。银行发放的贷款，投向也不合理，绝大多数投向商业、投向个体户、投向集体企业，而投向工业部门的很少，投向国有工业的就更少。这种投放结构是不行的。基建规模大一点不怕，问题在于大的不是地方，该搞的没有搞，瓶颈的制约越来越严重。第二是搞了非法集资，大家都用高利率集资，把银行储蓄抽走了。因此，重点建设没有钱了。第三是某些地方财政把预算内资金转成预算外资金，放高利贷，搞计划外的不符合产业政策和结构调整的基建项目。所以，不能只看银行工作上的问题，而不看财政、税务工作自己的问题。请你们立即清理一下财政信用问题，要坚决纠正放高利贷的做法。财政、税务部门办的公司，特别是商业性金融公司，一律要限期与财税部门脱钩。我说的“约法三章”中，难度最大的就是这一条。首先要把公司或机构清理好，搞清楚有多少，都是什么关系。然后在财务关系上一定要脱钩，不能混在一起。当然，完全脱钩，在目前情况下是很难的，脱钩后还得有挂靠单位，没有人管就更无法无天了，但在财务上一定要分开，而且是彻底分开。公司利润的分配要有章法。

以上就是我说的“约法三章”。虽然难度很大，但后退无路，后退就无法解决当前的问题。对财税部门来说，今天以前所发生的不触犯刑律的一般违章问题，考虑到特定的历史条件，只要大家严格检查，如实上报，明确责任，认真纠正，改了就好。至于违法、犯罪则要另当别论。今天以后，如果再搞违反“约法三章”的事，一经查出，那就要按党纪国法严肃处理。这一点一定要明确。因此，对上面提出的“约法三章”，请财政部和税务总局搞出具体实施规定来。特别是脱钩问题，怎么个脱法，要有明确规定。原则我已讲得很清楚了，希望大家把这个精神贯彻下去。当然，并不只是对银行、财税部门才提出这样严格的要求。8 月，中央将要召开中纪委二次全会，江泽民同志要去讲话，在全国开展反腐败，要制定一个反腐败计划。不在全国开展反腐败，我们就无法建立社会主义市场经济体制。掌握国家命脉的银行和财税部门走在前面，应当感到光荣。将来全党、全国都要这样做。

三、强化税收征管，严格执行国家财经纪律

整顿财税秩序要有个目标。今年下半年工商税收要力争增收 300

亿元。没有这样一个奋斗目标，财政困难解决不了。今年已经没有时间进行大的改革了，只能靠一堵减免税，二卡银行挂账，三是实行脱钩，这样税收就可以大大增加。目前新体制还没有出台，不能不采取一些应急措施。当然，增收300亿元不是国务院下达的指令性任务，而是一个奋斗目标。大家回去好好考虑一下，有没有这个可能性。这方面，我补充几点具体意见。

（一）税收征管要加强。税务部门要敢于顶住压力，执行国家统一税法。骗税问题要解决，以后发现一个要严肃处理一个，要认真地、毫不留情地处理，要坚决地与这些违法违纪行为作斗争。大家都知道，许多“三资”企业在账面上把原材料的价格“做”得很高，卖出的商品价格“做”得很低，最后，一点利润也没有，都是亏损，十几年都可以不缴税。深圳有个经验，跑到香港去查原材料价格，结果发现原始票据都是假的。如果认真追查，可以多收不少钱。这方面要多给税务部门一些支持，包括收税手段方面的支持。银行不要占压税款，这件事银行一定要办到。

（二）国库券要抓紧入库。买国库券是“名利双收”的事，一曰爱国，二曰高利，比银行存款利息还高一个多百分点，还给保值。搞乱集资靠不住，风险很大，买长城机电公司债券的人连本金都保不住，这是个教训。老百姓对《人民日报》发表的《十亿元大骗局的破产》那篇文章反映很好，可以多写几篇这样的文章，使大家感到还是到银行存款、买国库券是最保险的。同时，我们也希望财政部认真地总结一下国库券发行工作的经验，把办法好好地完善一下，这是一件大事情。应该考虑让银行、邮局、证券公司都能代销国库券。另外，也要搞好国库券的二级市场。原来讲国库券发完以后，就允许企业发债券。我们最近研究了一下，觉得这个问题很大。因为今年国库券只有300亿元，债券计划总额近1000亿元。如果国库券发行工作完成后，马上就把大量的债券推向社会，它的利率又比银行储蓄高，又会形成一股集资风，那么，我们两次提高储蓄利率所预想的效果就难以实现。所以，最近我们和人民银行、国家计委、国家经贸委、财政部等部门商量，投资债券不要发了，纳入信贷规模。地方企业债券也不要一拥而上，要报国家计委、国家经贸委审定，排个发行顺序，分期分批地发。有的也可不发，增加信贷规模就是了。中国目前主要还是要走间接融资的道路，银行还是主渠道，这样才能很好地执行产业政策。现在定了一个原则，下半年不能开工新的项目，要先保在建项目。这样，增加一点信贷规模可以满足大家的需要。股票只要是严格规范化的，就照常进行，照常试点。这方面我们还有一点把握。我们估计，最大的冲击来自集资，而不是股票。

（三）加强“两金”[1]和其他收入的征收管理。对征收“两金”，从方向看是应该取消的，但“两金”现在是财政收入的重要来源，随便取消不行。国务院要逐步取消“两金”，折旧今年就免收“两金”，其他收入免收“两金”也要有个计划。要按计划进行，不能自行取消，这方面的工作还得抓紧一些。

（四）把财税大检查搞好。今年已宣布大检查从8月份开始，重点检查偷漏税、越权减免税和擅自取消征收“两金”。我有一个建议，财税大检查的方式是不是可以做一些改进或改革，就是要把这项工作逐步纳入正轨，不要搞突击。我主张把检查工作经常化。按照市场经济国家的做法，要有非常健全的会计师事务所、会计公司这样一个体系。中国一定要培养出一批国际水平的会计师，要靠他们去建立一批合格的会计师事务所，让他们去查，查出问题后重罚。这样，财税检查才起作用。但是，现在会计师事务所的水平还不高，而且弄虚作假

〔1〕见本卷第35页注〔1〕。

相当严重。我们一定要立法，把会计师事务所变成一个光荣的行业、非常有权威的行业。对它们实行严格的法制，弄虚作假要停业、撤销、判刑。今年你们可以试一试，指定一些合格的、有权威的会计师事务所，给它们一些权力，然后对它们的审计结果作一个评定，使其逐步走上正轨。

（五）要坚持量入为出、量力而行，大力弘扬艰苦奋斗、勤俭建国的精神。办事要看财力可能，实事求是，否则不仅办不成事，而且会欲速不达，造成巨大浪费。地方各级财政要自求平衡。凡是年初打赤字预算的地区，都要按《国家预算管理条例》的规定，重新调整预算。上半年收入完成不好的、有可能出现赤字的地方，也要适时调整预算。江泽民同志多次讲要警惕享乐主义、拜金主义、极端个人主义和各种腐败现象，反对挥霍浪费。现在各种公司剪彩、开招待会，大包小包地送礼，后来发展到送礼券，有些领导干部就“笑纳”。资本主义国家都不能这样搞，这叫公开行贿。

（六）要保证国家重点建设资金的需要，压缩一般性的支出。不要办那种没有实效的节了。现在哪个地方不办节？什么节都有，我不是说不该办，而是太多了。钱花了不少，有多少效果？有几个外国人来？招商招进了几个？还不是大家吃一顿、喝一顿，从财政拿钱，或向企业摊派。要压缩一下会议的经费和行政开支，专控商品要停止审批。亏损企业、拖欠利税的企业也在大买汽车，银行绝对不能贷款给它们。

四、根本出路在于深化财税体制改革

现在如果不开始进行财税体制改革，明年的日子就很难过。财税体制改革在一个省里搞试点是搞不下去的，要改革就全国推行。在这个会上财政部拿出了一个方案，我觉得这个方案还要修改。有的同志看到这个方案可能会说，你们是搞集中收入，把地方的财力收上去，那还不如搞统收统支得了。我看这是一种误解。我们总是向前走的，绝对不会回到统收统支的老路上去。但是，同志们也要有一种改革的思想。江泽民同志讲，现在这种包干体制是一种不适应市场经济的落后的体制。当然，我们从计划经济到市场经济已过渡了14年，这么多年是在逐步改革、逐步前进。现在的财税体制是一种过渡性的体制，它是在特定的历史条件下形成的，也起过重要的历史作用。不要用今天去否定昨天。下面，我对财税体制改革讲四条意见：

第一，要按照邓小平同志建设有中国特色社会主义理论，总结14年改革开放的实践，尽快建立适应社会主义市场经济要求的财政税收体制。要充分认识加快财税体制改革的必要性和紧迫性，加快改革的进程。为此，中央已经决定，从明年1月1日开始，在全国全面推行财税体制改革，不搞试点。

第二，实行分税制和分别征收。分税制是什么意思呢？就是在财政体制上不再搞什么包干、什么分成，而是按税种划分中央和地方的财政收入，中央收哪几种税，地方收哪几种税。实行市场经济的国家都是这样的。要尽量减少共享税，当然，共享税一点没有也不行，但原则是尽量分税。分别征收是什么意思呢？就是组建两套税务征收机构，一个叫国家税务局，完全是垂直的，收中央税；另一个叫地方税务局，收地方税。共享税由国家税务局负责征收，统一政策，统一征管，收完以后，把地方应该分得的共享税收入退给地方，分钱不分权。

建立两套税务机构是个很好的办法。在建立社会主义市场经济体制过程中，财政、税务、银行、会计师事务所、律师事务所等要加强。现在精简机构，一些工业管理部门的人员要精减50%，这些人到哪里去？就是去加强这些部门。在税务机构改革过程中，要注意稳定，绝对不要引起人心浮动。明年1月1日实行分税制改革，但机构肯定一时组建不起来，所以一切工作都要靠现有的机构来做，无非是收了税再分账。组建机构没有一年甚至更多的时间是不行的，所以大家都不要人心惶惶。我倾向将现在的税务局改建成将来的国家税务局，地方税务局再组建新的，可以从国家税务局抽一些人去，一步一步来，这样人心就安定了。

第三，在明确财政职能、进一步下放财政支出责权的基础上，划分税种，保证中央必要的、固定的支出。明确财政职能，是指财政究竟干些什么；进一步下放财政支出的责权，是指把许多支出职权下放给地方财政，事权都下放给它。在这个基础上，划分税种，明确哪些是中央的、哪些是地方的，从而达到一个目的，就是保证中央必要的、固定的支出。财政部现在提出的方案，表明了一种指导思想，就是建立转移支付制度，中央多收，然后返还给地方，以增强中央调控宏观经济的能力。这个指导思想没有错，但是我考虑，暂时不能完全做到，因为有些同志反映，把原来的上缴省都变成补贴省，这个办法还不易为下面所接受。所以，为了减少目前改革的阻力，还是要考虑现有的利益格局，不要过分强调把中央收入的比重提得过高，要逐步地来。根据财政部给我提供的国外资料，在财政收入中，一般的国家都是中央财政收入占全国财政收入的60%，地方财政收入只占40%，中央财政收入占主导地位。而在财政支出中，中央财政支出占40%，地方财政支出占60%，地方占大头。这是因为中央政府负有保证全国经济发展、地区平衡、物价稳定的责任，负有巩固国防和拓展外交的责任。因此，中央财政在收入中应该占大部分、在支出中占小部分，这样它才有能力去调节地区之间的不平衡，才有能力去调控，这就是转移支付的理论。接下来的问题是中央每年要花多少钱，请大家考虑一下。我想有几笔支出是硬的，应该用中央的收入来支付。第一笔，是军费加武警费用支出。按照江泽民同志讲的，军队要吃“皇粮”，不要去经商，不要把军队搞腐败了，这方面的开支每年还要再提高一些。第二笔，是重点建设支出。当然，重点建设支出不能完全靠财政，将来要通过国家长期开发信用银行，可以采用金融债券和财政投融资等办法来解决。第三笔，是行政、科技、文教、卫生、外交、援外等经费，按需要恐怕也得加一些。粗粗算起来，这三笔支出数量就很大。中央财政应该收哪几种税呢？第一笔，产品税；第二笔，增值税。这两种税是比较可靠的，而且会有增长。第三笔是关税。企业所得税基本上由地方收，但银行、金融、保险、邮电、铁道等企业上缴的所得税无论如何要上缴中央。银行的利润、保险公司的利润归中央。中央大体上收这样几种税就差不多了。方案出台的第一年，要考虑地方的既得利益。中央财政的比重以后逐年会提高。地方要是认真地收税，把该收的都收上来，也可能增长得更快。怎样设计税种和怎样划分税种，还需要结合具体情况很好地研究。实行分税制以后，要给地方下放支出的责权，地方的支出中央不要管，它愿意怎么用就怎么用，不要干预。现在我们过问太多，哪笔钱用在哪儿，买酱油的钱不能买醋，不必这么做。但是，地方不能随便增加新的税种，增加新的税种必须经国务院批准，不然大家搞乱摊派、开征好多税怎么行。要统一税法。要建立和健全税收立法和执法、司法相互独立、相互制约的机制，真正将税务和税政分开，把征收、管理和检查分开，增强约束和监督。

第四，在贯彻《全民所有制工业企业转换经营机制条例》（以下简称《条例》）的基础上，实行《企业财务通则》和《企业会计准则》（以下简称“两则”），规范政府和企业之间的分配原则。要淡化承包责任制和利税分流的矛盾，不要把这两个东西对立起来。我们逐步完善“两则”以后，可以逐步化解这个矛盾。

我是不赞成承包流转税的。搞投入产出大包干把流转税承包了，我也是不赞成的。没有经过国务院批准的，要立即改正过来，都要按照“两则”来实行。“两则”也需要进一步完善，并与贯彻《条例》有机结合起来。

我们准备根据中央财经领导小组的决定，马上成立财政和税制改革领导小组，设计、起草财政和税制改革方案。金融改革现在也成立了一个领导小组，正在加紧设计方案。金融改革的主要指导思想，就是使中国人民银行成为真正的中央银行，各省区市的分行要转变职能，权要收到中央来；否则，金融一定失控，信贷一定失控，发票子一定失控。中央银行不能搞信贷，不能参与具体的信贷活动，它就是掌握利率政策、汇率政策、基础货币投放等，规定统一的货币政策。专业银行要成为真正的商业银行，自负盈亏。政策性贷款要与商业贷款分开，由专门的银行搞。比方说，现在要成立进出口银行、长期开发信用银行，这都是搞政策性贷款的。各级银行都要成立监事会，要有银行外面的人来进行监督。监事会每年要开两次会，审查银行的工作方针、资产负债表、工作报告。监事会最大的权力就是可以建议上级撤销行长的职务，有这一条就行了，就可以监督了。财政、税务、金融这三个改革方案如果今年能在党的十四届三中全会上通过、明年1月1日实行，我认为这是一个长治久安的基础，是建立社会主义市场经济体制的基础。有了这个基础，目前存在的困难就可以得到缓解，甚至于基本解决，大好形势就可以继续发展，经济发展速度还可以保持在一个较高的水平上。

最后，希望财税系统的各级领导班子要加强作风建设、思想建设和组织建设。我们身上肩负着很重要的任务：“四句话二十四个字”和“约法三章”。这些任务的完成难度都很大，我充分估计到了这个难度。那么，任务怎么样才能完成呢？就是各级领导班子要以身作则，只有自己以身作则，才能够严格要求部下。自己不能勤政，又不廉政，吃吃喝喝，乱批条子，任人唯亲，到处搞关系，把国家财产不当一回事，你还坐在讲台上面作报告，下面能不骂你？更不会照你说的去做。你也不敢认真处理一个人，就只能搞点福利主义，给大家发点奖金，形成一种庸俗的机关作风，这要害死人的。所以，必须从我们自己着手。自己带头，为人表率，才能有真正的廉政建设，才能真正遵守“约法三章”。大家一定要加强思想政治教育，坚持党的基本路线一百年不动摇，坚持四项基本原则，坚持改革开放，两手都要抓，两手都要硬。同志们，我在这里讲的，如果我自己做不到，请同志们检举、揭发。如果我自己做不到，我绝对不要求大家。如果你们发现我有不廉政、不勤政的问题，你们可以检举、揭发。但是我也要求大家，你们自己一定要以身作则，“约法三章”你们首先要做到。我相信，只要大家团结起来，同舟共济，认真贯彻中央6号文件的精神，我国的大好形势就会继续得到发展。

统一认识，勇于改革，做好金融工作*

（1993年7月28日）

对今后工作，我想讲三条，作为希望，也可以作为中国人民银行今后一个时期的任务。

第一，统一认识。我希望同志们近期要更快地认真学习中央6号文件〔1〕，用中央6号文件的思想统一我们总行机关工作人员的认识，使我们全体工作人员跟党中央保持一致。我认为这是最重要的一个问题，也是我们这一次加强宏观调控能不能成功的一个关键。

要全面地理解、正确地贯彻邓小平同志的指示，他的讲话是非常全面的。要实事求是，不能攀比，有什么条件就搞什么，出了问题自己负责。去年发现银行违规拆借问题相当严重。从银行把钱拆借出去，不仅直接把基建规模搞大了，而且导致计划内重点建设项目该贷款的没有钱贷，影响到整个国民经济的运转。这是个大问题。我们的贷款规模去年是3570亿元，今年是3800亿元，但今年上半年只安排了1300亿元，实际贷出去的只有900多亿元，就是说真正该放的贷款还不到全年的四分之一。所以，要看到我们金融工作的运行，在过去一年中，是有很多经验教训的，有许多失误的地方，助长了投资结

---

* 这是朱镕基同志在中国人民银行总行机关全体干部职工大会上讲话的主要部分。

〔1〕中央6号文件，指1993年6月24日《中共中央、国务院关于当前经济情况和加强宏观调控的意见》。

构不合理、规模过大。去年基本建设投资总规模从 1 万亿元一下子跳到 2.2 万亿元，今年上半年又增长了 69%，一年的时间，哪有这么大的财力？显然是靠发票子。在建规模最能说明问题。判断基建规模是否过大，是通过许多综合指标来看的。基建投资的年度规模增长太猛，特别是在建规模增长过猛，生产资料价格必然上涨更猛。钢材的价格，从去年年初的 1600 多元 1 吨上涨到今年的 4000 多元 1 吨，上涨了一倍多。我国从出口钢材变成了进口钢材、进口原材料。通货膨胀率也急剧上升。这样得出一个综合判断，就是要防止经济过热。这样搞下去不行，基建的摊子不能再铺了。

同志们，你们是了解全国金融情况的，你们的认识应当比地方的同志高出一筹，你们心中应当有全局。这几十年，通货膨胀的经验教训是很多的。通货膨胀在没有启动时，人们往往不太注意；通货膨胀一旦启动了，那就会加速发展。这几个月就是通货膨胀加速发展的时候，现在 35 个大中城市的居民消费价格指数已经超过 20%，6 月份是 21%，今后几个月肯定还要涨。这不是我们加强宏观调控的后果，绝对不是，你们要作解释，这叫“滞后效应”。就是因为去年以来基建规模搞得过大了，恶果今后几个月就要出现。谁也没有这个本事，一说加强宏观调控，物价马上就能降下来，神仙也做不到。宏观调控要起作用是几个月以后的事情，或者说是半年以后的事情。只要大家同舟共济，同心协力，统一认识，半年以后，经济形势一定能稳住，毫无问题。我希望同志们纵观全局，深刻理解中央 6 号文件精神，这样我们才能很好地调控金融。

金融是个枢纽。银行工作确实是操国民经济“生杀之大权”啊！你松一松，它就上去了；你紧一紧，它就下来了。你要它生，它就生；你要它死，它就死。银行工作就是有这个本事，尤其是在中国目前这个情况下。所以说，我们的工作是非常重要的，要非常慎重。

1993 年 7 月 28 日，朱镕基在中国人民银行总行机关全体干部职工大会上讲话。右二为中国人民银行副行长戴相龙，右三为中国人民银行副行长白文庆。

全国金融工作会议在统一认识上，取得了很大成绩。10 个调查组回来汇报，普遍反映一个问题：现在资金拆借都停止了，而且正在拼命把拆借的资金收回来。这说明，参加全国金融工作会议的同志们的表现是认真的、积极的。大家也感到金融工作的“约法三章”讲得很清楚。但是又出了另一个问题，就是把所有的贷款渠道通通切断了，关上门了。你不是叫我关闸门吗？我全给你关上。拆借出去的资金，都变成钢筋混凝土了，你还收得回来吗？收不回来了！收不回来，你硬要他收，他就把正规贷款的钱都不贷了，都挪到收回的拆借资金里去，说我收回了多少拆借资金，那怎么行呢？

现在许多省都有这个情况：正道没有钱，信贷规模完不成。农业方面我们开了多次会议，强调不“打白条”。现在是定购粮食不“打白条”，但议购粮没有人收购，眼看着粮价下跌。如果粮价要下跌到保护价以下，那谁还种地啊！秋粮就没有人种了。重点企业的资金不到位，还差一半。也就是说，国家安排的那些能源、交通等重点建设项目，按历年的规律，上半年资金到位应当相当于全年计划的40%，现在却只有30%左右，而且是靠银行多发票子，临时由中央银行拨下去，这样才勉强使重点企业停工少一点。

由于流动资金困难，生产企业又发生了三角债。这样下去，那我们的经济就稳不住了，就要下滑。而我们恰恰希望经济不要下滑得太厉害，不要引起太大的社会震动，现在有这个危险。我们的工作是不是也有不周到的地方？比方说，今年第三季度的信贷规模现在还没有下达，贷款规模是多少，各地区都不知道。所以，我就要求把第三、第四季度按月的贷款规模统统下发，一直到基层，让企业知道没有压缩它们的贷款规模。同志们，你们每个人的工作产生的影响是非常大的，有一点考虑不周，下面就无法办事。我希望发个电报，把贷款规模尽快分配下去。江苏、浙江、安徽这三个省反映比较强烈，明天我就与人民银行总行的同志和各专业银行行长去南京，召集三个省有关负责同志开会，现场解决这些问题，当场把贷款规模下达给他们，研究怎么解决资金困难。只要不搞歪门邪道，只要是正常的资金需要，就是多发票子也在所不惜。我们有这个决心，但是你要走正道。

我一再讲，现在不是全面紧缩，只能搞结构调整。就是总的贷款规模不降下来，还是那么大，但是不要往房地产投钱了，特别是不要向什么旅游度假村、高级写字楼投钱，要往真正的重点建设项目、农业、有效益的生产里投。所以，我希望同志们把思想认识统一到中央6号文件上来，与中央保持一致，把自己的工作想得周到一点。对中央6号文件的精神要掌握，不能机械地执行。如果机械地执行，看样子你是压缩规模，一下子把闸门统统关住，那样干就把经济憋死了。

这里还有一个新问题，就是发债券的问题。我认为在中国目前的情况下，就是要走银行主渠道搞间接融资，直接融资不能搞那么多。世界银行有些专家比我还极端化，认为中国根本就不能搞股票，美国搞了几十年都搞不好，还是那个样子，你中国就能搞好吗？这里面丑闻多得不得了，投机厉害得很。在目前的环境下，企业债券我也不主张发。为什么？没有这个必要嘛！搞企业债券，地方就可以批，那就没有产业政策了。另外，企业债券利率高于银行贷款利率，加重了企业负担，筹资成本也增加，何必搞这个东西？今年计划发行 1000 亿元债券，除了其中 300 亿元的国库券，我对其他债券从来都是摇头的。前一段时间由于国库券的发行很不理想，因此规定在没有完成国库券购买任务之前，各种债券一律不许发行，这样才把债券控制住了。现在发行国库券的任务完成了，但完成得不好，只完成了 300 亿元多一点，这是出乎预料的。我不知道是怎么搞的，现在我还听到一些同志们讲，想买国库券买不到。首先是估计不足，其次是工作没做好。今后应当在现有的银行、邮局、证券公司都能买到国库券，想买就买嘛！国库券的发行工作虽然完成得不好，可总算完成了。现在就没有理由不让企业发债券了，但考虑到储蓄存款刚刚开始增加，几百亿元的债券就涌上社会，利率都高于银行储蓄利率，人们把储蓄存款又都取出来买债券，储蓄又要掉下来了，那么今年第三、第四季度的信贷规模更没有资金保证了。所以，我与国家计委、人民银行总行党组商量，作了一个决定，投资债券不发了。那怎么办？纳入贷款规模，增加信贷规模，利息还可以低一些，你何乐而不为？另外，企业债券不是都不能发行，但几百亿元一下子都推到市场上，受不了。可以分期分批发行，报个计划，国家计委排个次序：谁先发、谁后发，总不能一拥而上。有的债券不发的话，相应增加信贷规模，也可以达到同样的目的。当然还要规定一条，不能把债券都变成信贷，不然一下子增加六七百亿元信贷规模，那可不得了。总而言之，新开工的项目一律不准发债券。今年下半年不能再开工新项目了，这么多在建项目都没有资金保证，还能再新开工？必须开工的项目，个别报国家计委审批。这一条卡住了，信贷规模不需要增加很多，就能把债券问题应对过去了。

同志们，上面这一条规定是很厉害的。要进行宏观调控，我们都要执行中央 6 号文件，今年发行票子要控制在目标之内。目前本来是货币回笼的季节，却变成净投放近 700 亿元。去年货币投放 1200 亿元，加上这 700 亿元是 1900 亿元，这还是在不上新开工项目、保持原有在建规模的情况下；要是摊子再扩大，下半年再发 1200 亿元的票子也不够。所以，金融形势是非常严峻的。眼看今年的票子要发行 2000 亿元，我现在的手段就是提高利率，让储蓄增加，坚决刹住乱集资，才能少发一点票子。如果现在把五六百亿元的债券推向市场，储蓄就又要分流，票子又要多发。所以，这是生命攸关的事情。要把这个道理讲清楚。

原计划今年发行股票 50 亿元，没有改变，为什么？因为我们有手段。这手段就叫做“规范”，叫做“立法”。现在对股票有几个法规起作用，不怕它失控。因为发股票的企业想符合条件也不太容易，要过几道关才能发行股票，所以发股票不大容易失控。

第二，希望同志们要坚定一个信心，就是要通过强化宏观调控，能迅速扭转资金紧张局面，能保证国民经济持续快速健康地发展。大家要树立这个信心，我们是可以做得到的。只要大家能统一认识、同舟共济，我们就能够在不太长的时间里，扭转资金紧张的局面。今年 7 月份，就是从中央 6 号文件下发以来，国内外反映都是好的，形势已经开始改观。这说明中央 6 号文件的威力很大，符合实际情况，适应群众的需要，是得人心的。只要我们正确地执行中央 6 号文件关于金融工作的指示和我们最近作出的一些决定，同时注意及时解决执行过程中出现的问题，我相信，金融形势半年内有根本的改观是完全能够做得到的。希望同志们要有这个信心，我们大家团结一致，为实现这个目标来努力。

第三，希望同志们要树立一种勇于改革、开拓进取的思想观念，把金融系统的改革推向一个高潮。现在看起来，国民经济的宏观调控问题主要是金融调控，而金融调控呢，要靠改革。我们要下决心，加快改革步伐，现在是一个最好的改革时机，因为我们发现了这些问题，大家体会到了改革的紧迫性。在这样的一个历史背景下，顺理成章地把改革推向一个高潮，能够为人民群众所接受。金融改革的主要支点，用两句话来说，就是把人民银行办成真正的中央银行，把各个

1993 年 7 月 27 日，朱镕基考察北京印钞厂。前排右一为中国人民银行副行长周正庆。

专业银行办成真正的商业性银行。至于政策性的投资，要设立政策性的银行。人民银行不要自己直接搞信贷，信贷要由政策性银行和商业性银行去做。人民银行主要是掌握货币政策、利率、汇率，控制贷款规模和基础货币的运用。人民银行最大的手段是金融政策，调控基础货币。绝对不允许地方政府干预中央银行的工作。如果各省区市政府通过当地人民银行分行干预金融政策，我们的金融一定会失控。这不是哪个人高明不高明的问题，而是一个所处地位的问题。因为局部不管全局，只要自己发展快就行，不知道快到什么程度就会影响全局。现在，人民银行各分行要转变职能，不能成为一个资金调度的银行。机构不要动，就是要转变职能。人民银行分行主要行使监督的职能，监督社会集资，监督利率的统一，监督各个专业银行的工作。专业银行一定要变成商业银行。专业银行要能够从全国来调度资金，任何一个地方政府没有权力来干预专业银行的工作，说这个资金不能出省，绝对不允许！这是我们银行的权力，任何人不能剥夺。如果专业银行从全国调动它的资金还不能解决问题，再由中央银行用再贷款给它支持，这样才能形成一个正常的金融秩序。这一套东西，我们很快就要出台，先把方案设计出来，准备在今年八九月份召开的全国金融改革工作会议上全面地推行。关于这项工作，人民银行已经做了很长时间的准备。其实，这里也没什么奥妙，因为任何一个市场经济发达的国家都是这样做的，有现成的模式可以参照。专业银行要变成真正的商业银行，要自主经营、自负盈亏、自担风险。银行应该有很大的权力，但是，必须有监督，银行不能为所欲为。所以，我主张各级银行都要有监事会，这样的话，我看我们的银行都能办好。

最后，我给人民银行总行机关工作提出三点要求。

一是要求我们全体工作人员，树立全心全意为人民服务的思想和高度的责任感。希望同志们要坚持这一点，应该看到我们工作的重大意义。我们要对历史负责，对后代负责。我们担负这么重要的任务，没有一个革命的人生观不行。马克思主义者从来都是讲世界观、人生观的，我们要树立革命的人生观、世界观。我们没有别的要求，中华民族落后了几百年，一定要在我们手里把这种情况扭转过来，振兴中华民族，使我们的人民能够扬眉吐气。我希望大家要用这一点来鼓励自己。只有每一个工作人员都以高度负责任的态度来对待自己的工作，我们中央银行的工作才能够真正地出效率、出成果，才能够真正成为国民经济的"神经系统"。

二是希望同志们能够树立一身正气、两袖清风的清正廉洁的作风。我还是要强调这一点。现在我们一些行业的不正之风已经发展到相当严重的程度。今年 8 月份将召开中央纪律检查委员会二次全体会议，全国要开展一个反腐败的斗争。如果我们再不反腐败，我们什么工作都谈不到了。我希望银行系统、财政系统成为反腐败的先锋。我们大家要严格要求自己，对于一些实际的、具体的问题，我们来想办法解决。比如我讲的脱钩问题，我在全国金融工作会议上讲得很清楚，这一脱钩就把财路给切断了，会影响到你们的生活。像这些具体问题，可以给解决一下，还得给机关工作人员一点补助，不要使他们的生活水平下降那么多。但是，要走正道，你不能再把信贷资金挪用了去办公司，把赚的钱拿来做回扣、用来发奖金。这种做法不得了，如果这样做的话，那这个机关非腐败得一塌糊涂不行。我们要想点别的办法，走正道，从各方面改善同志们的生活。但是，我们不要搞歪门邪道。我希望人民银行总行机关党委、纪检组、党组再拟定些具体的办法出来，加强廉政建设。

三是希望我们的机关成为一个作风谦虚、效率很高、服务态度很好的中央机关。希望同志们要替下面来的同志设身处地想想，以谦虚的态度帮助他们，以解决问题的态度来接待他们。每一个人民银行总行党组成员要多了解些宏观情况，从全局来考虑自己这个局部的工作该怎么做。如果自己把自己封闭在一个很小的圈子里面，一个人管一摊儿，分兵把口，连自己银行别的业务都不了解，更谈不上对其他部门情况的了解。这样下去，我们银行工作是绝对做不好的。每一个党组成员不但应该做好自己的本职工作，而且要了解其他党组成员在那里做什么，自己应该如何配合全局的工作，还应该进一步了解现在国家计委在干什么，外经贸部在干什么。你不了解这些东西，你就不能使我们的金融工作更好地为各个部门服务。每个司局长、每个处的同志也都要了解全面情况。我想，提高机关工作效率还是大有文章可做的，希望同志们加以改进。

最后，希望我们大家团结起来，同舟共济，共同努力，一心一意把金融工作做好，把机关建设好。今后，我在工作中有什么缺点、错误，希望同志们批评、指正。你们可以给我写信，对你们的来信，我是每一封都会看的，而且会有答复。

解决资金紧张的八条措施*

（1993 年 7 月 29 日）

目前，各省出现的资金困难是多方面原因造成的，金融系统的秩序混乱是个重要原因。如果不从根本上改变现在这种状况，即使注入几十亿元资金，也是解决不了问题的。资金困难的深层次原因是投资规模太大了，没有那么多钱，非要办那么多的事，办了这一件，把那一件挤掉了；办了不该办的事，把该办的重点给挤掉了。这恰恰是我们不希望看到的事情。这些问题当然不影响对成绩的肯定，形势是大好的，但存在的问题也不容忽视，不然怎么会紧张到这种程度？解决这个问题，只有按中央6号文件〔1〕的精神，采取釜底抽薪的办法，堵邪门，开正路。现在不釜底抽薪，想拿几十亿元来解决三省资金困难的问题，是解决不了的。根据中央 6 号文件的精神，下面我提出几

---

* 1993 年 7 月初全国金融工作会议之后，金融部门贯彻中央 6 号文件精神，收回违章拆借资金取得了成绩，但各地普遍反映银行只收不贷，企业流动资金紧张、生产困难。为摸清实际情况，及时采取对策，朱镕基同志于 1993 年 7 月 29 日至 31 日，在江苏省考察工作，并于 7 月 29 日在南京市主持召开有江苏、浙江、安徽省政府负责同志参加的会议，研究解决三省资金紧张问题。这是朱镕基同志在会上讲话的主要部分。这篇讲话强调解决资金困难，必须采取釜底抽薪的办法，堵邪门，开正路。这次会议决定中央银行贷给苏、浙、皖三省专业银行 50 亿元再贷款，由它们有重点地解决企业流动资金短缺问题。随后从 8 月初到 11 月末，朱镕基同志先后主持召开了八次资金调度会议，研究掌握宏观调控的力度和银根松紧的程度，并具体调整贷款规模，解决各地流动资金紧张问题。

〔1〕见本卷第 331 页注〔1〕。

条解决问题的意见：

第一条，坚决停止非法集资。请有关省政府搞几条有效的、切实可行的措施发下去，凡是超过银行规定的利率搞集资的，不管是什么人，一律停止。包括那些自办的各种金融机构、钱庄、当铺等的非法集资，都不能搞，还是要走银行这个主渠道。在当前的情况下，不走银行主渠道，什么产业政策都没有了，后果非常严重。乱集资如果能刹住，资金紧张的状况就会有转机。各省负责同志在这个问题上态度要坚决，要派得力的工作组下去检查监督。

第二条，坚决停止违章拆借。今年7月7日全国金融工作会议以前发生的违章拆借，只要如实申报，认真清理，就不追究责任。7月7日以后还在搞违章拆借的，一定要追究有关领导的责任。已经拆借出去的钱，要尽量收回来；暂时收不回来的，要提出处理意见。拆借出去的资金即使投入了企业正常生产，补充了流动资金，用于重点建设，也得收回，改走正道，采取收回拆借、增加贷款的办法解决。增加贷款要有明确的政策界限，属于支持农副产品收购、支持生产和出口企业正常的流动资金需要、支持国家重点建设的拆借资金，收回后可转为银行贷款解决。对那些不符合产业政策、生产积压滞销产品的拆借资金，特别是对投入搞房地产和炒股票的拆借资金，必须作为清理的重点，抓紧收回。

第三条，坚决执行限产压库促销的方针。产品运得出去，销得出去，有效益，这种高速度是我们希望的。产品销不出去，叫什么高速度呢？现在“三项资金”〔1〕占用大量增加，5月底全国产成品资金比年初增加了572亿元，大大超过生产增长的幅度，说明有部分产品生产出来，没有销出去，或者没有运出去。不要追求那种得虚名、招实

〔1〕见本卷第232页注〔1〕。

祸的速度。

第四条，坚决控制固定资产投资规模。江苏、浙江、安徽三省的投资规模以80%、90%的速度增长，即使是搞基础设施建设，资金也保证不了。就是印票子给你搞，没有原材料，也搞不上去。如果中央不下6号文件，钢材价格还得涨，汇价也得涨，能搞得下去吗？投资规模一定要控制。那些没有销售市场的房地产项目，特别是那些高档别墅、高级宾馆、写字楼等等，该停的就要停。基础设施建设也要排排队，量力而行。下半年不要再上新开工项目了。

第五条，认真清理财政信用。造成这么大的投资规模，资金来源除原来讲的民间非法集资、银行违章拆借之外，还有一个就是财政部门把预算内资金变成预算外资金，搞财政信用。财政部门搞一点信用，拾遗补缺，是可以的，但不能拿财政资金去放贷。本来应该上缴的财政资金，被占用了去放高利贷，这是不允许的。财政信用不要搞得太多、太大，更不能拐几个弯，去放高利贷。一放高利贷，资金投向就难以控制了。

第六条，加强企业现金管理，严格结算纪律。企业必须把钱存在银行里，不许搞体外循环。只要你走正道，银行就保证你的合理资金需要。现在各地企业的存款普遍下降，值得注意。请各省政府发个通知，要求企业严格执行结算纪律，对违反纪律的要追究责任。

第七条，确保农副产品收购资金。为了确保收购农副产品不“打白条”，7月14日，我又主持国务院会议研究了这个问题。会议确定在个别地方收购资金临时出现缺口时，专业银行可按“先贷后报，先垫后补，事后算账，分清责任，限期归位，照章处理”的原则予以解决。大家都要按这个原则办。保支付是各个专业银行的责任，只能由专业银行负责。省专业银行解决不了，可以找专业银行总行；专业银行总行解决不了，可以找人民银行总行。这样才能分清责任。现在要解决的问题是：第一，各级财政补贴必须到位，不能再到银行挂账。今年新增的挂账，必须尽快归还银行；上半年发生的挂账由财政部统一扣回，拨交银行。第二，一律不准搞“户交村结”。“户交村结”就是收购粮食的时候，以户为单位去交，交完粮食以后，以一个村子为单位结算。村长把钱从银行领回去后，把摊派都扣掉，最后剩下多少是多少，甚至一个钱也不给农民。这种做法比“打白条”还要糟糕，农业银行要查这个问题。银行也绝对不能图省事，还是要一户一户结算、一户一户给钱。另外还有个问题，议购粮食那一部分，农民一点都不存，我们也收不了那么多。我一直主张放开粮价后，各个省原来用于粮食的补贴，应该用于建立粮食风险基金，不要拿去搞房地产。粮食收购价格下跌时，地方就用保护价收购一部分粮食存起来。存粮所需的资金由银行拿，但利息要由地方出。当然，国家也要存一部分粮食。如果把粮价放开后省下的补贴都用于搞别的了，对粮食市场放开不管，放任粮价下跌到成本以下，农业就必然要萎缩。至于经济作物，像烟叶就不能敞开收购。国务院最近发了《关于进一步加强烟草专卖管理的通知》，就按这个文件规定办。凡属列入计划的，按国家定的价格收购；凡属超产的，只能按保护价格收购，价格下浮 20%左右，让农民保了本还有微利。超产烟叶的税收全部上缴中央。这就是给地方、给农民一个信号，不能盲目地发展烟叶等经济作物。关于国家储备棉花的资金问题，财政部拿利息，人民银行拿资金，并一起纳入各省的信贷规模。如果地方需要储备棉花，按保护价收购，银行可以拿资金，地方财政出利息。

第八条，银行要堵邪门，开正路。要严格执行信贷政策，改进服务态度，不准搞只收不贷，绝对不能挪用正常信贷资金去还拆借资金。那就是把正门、邪门一起堵死，银行等于关门，国民经济就要停摆。这种错误做法，各级银行绝对不能干。你不给企业正常贷款，企业也就不把钱存在银行，逃避现金结算，那银行怎么能保支付？

我相信，只要按上面讲的八条办，就能够抑制当前通货膨胀的趋势，又不至于引起很大的社会震动。但是，那些房地产项目不停一点，没有销路的产品生产不压一点，谁都不伤筋动骨，全面都要保，还是搞全面膨胀，那就解决不了问题，投资结构也无法调整。因此，请同志们务必顾全大局，调整结构，确保重点。

切实加强外汇管理*

（1993年8月2日）

外汇管理工作历来重要，现在更为重要，已经成为稳定国民经济的一个重要因素。今天，我讲三个问题。

一、外汇工作和贯彻中央6号文件、加强宏观调控的关系

中央6号文件[1]刚下达一个月，在贯彻全国金融工作会议精神以后，加强宏观调控的措施已经开始见效，这说明中央6号文件提出的十六条措施是完全正确的。只要我们坚决贯彻中央6号文件精神，经济发展过程中出现的一些问题就会逐步向好的方向转化。

汇价是反映国家经济状况的非常灵敏的指标。从去年下半年开

---

* 1993年8月2日，国家外汇管理局全国分局长会议在北京召开。出席会议的有国家外汇管理局各分局主管外汇工作的副局长。这是朱镕基同志在会议开幕时讲话的主要部分。

〔1〕见本卷第331页注〔1〕。

始，外汇调剂市场[1]人民币汇价出现了急剧贬值的趋势，今年以来跌势加剧，年初时是1美元兑换人民币7.4元左右，到6月为10.9元左右，个别地方突破了11元。主要原因是经济发展速度很高，投资规模过大，拉动进口需求激增，因此人民币必然要贬值。国内通货膨胀加速，对人民币贬值的心理预期非常强烈，一些持汇单位炒买炒卖外汇的投机活动，更是外汇调剂价格急剧变化的重要原因。另一个原因是，我们取消了调剂外汇的最高限价。当时考虑取消限价，有利于真实地反映市场汇价的情况。但有一个缺点，就是相关的配套措施没有跟上，致使人民币汇价一下子贬到近11元。汇率急剧变化对国内外产生了很不好的影响，既给进出口企业带来更大的风险和不确定性，又加重了国内通货膨胀的压力，影响了海外投资者的信心。有人说人民币贬值以后有利于出口，我看不见得。各国的经验证明，本国货币过度贬值并不能促进出口。出口能否增加不完全决定于汇率，主要靠产品的品种、质量和服务。在限制进口方面，也不见得能真正起到作用。即使如有些人期望的那样，1美元兑换15元人民币，有的地方或部门还是会进口“奔驰”汽车。

有鉴于此，江泽民同志强调要整顿金融秩序，首先要把汇价平抑下来，达到一个合理的水平，并且要相对稳定，避免大起大落。因

---

〔1〕外汇调剂市场，指从1980年10月以后，陆续在我国各主要城市设立的外汇调剂中心或外汇交易所。企事业单位可在这一市场利用留成外汇进行调剂。后期，个人和外商投资企业也可进入。1988年3月放开汇率后，调剂市场汇率由买卖双方根据外汇供求状况议定，与官方（挂牌）汇率形成了两种汇率并存的局面。1993年12月25日，国务院发出《关于进一步改革外汇管理体制的通知》，从1994年1月1日起，实现汇率并轨，建立以市场汇率为基础的、单一的、有管理的人民币浮动汇率制度；建立全国统一的外汇交易市场，外汇指定银行为市场的交易主体。但继续保留外汇调剂中心，办理外商投资企业的外汇买卖业务。1998年12月，外汇调剂业务正式停办。

此，在6月下旬，我和有关部门的负责同志研究了平抑汇价、中央银行入市干预的计划，准备从7月2日起进行干预。但是，中央6号文件一下达，7月1日，市场汇价就开始变化了，到7月9日，1美元兑换8.76元人民币，所以，准备采取的措施尚未实施。我从香港报纸上看到，有人预计内地外汇调剂市场美元兑换人民币的汇率会反弹。因此，我在7月8日就告诉国家外汇管理局，要准备进行干预，不让汇率反弹到9元以上，也不要降到8.5元以下。可惜国家外汇管理局没有经验，到10日汇价反弹到9.21元时，各地束手无策。在11日，我们把17个外汇分局的领导请到北京，研究入市干预的方案。7月12日是一个具有历史意义的日子，中央银行第一次入市干预外汇调剂市场、平抑汇价，抛了6000多万美元，全国共成交1.1亿美元，创历史最高水平。这一仗打得很漂亮、很成功。现在汇价已基本稳定在8.6元到8.8元之间，中央银行抛的外汇从占总成交额的三分之二，甚至是四分之三，降到现在占总成交额的30%到40%。

近几天调剂市场汇价基本是平稳的，但问题并没有完全解决，形势仍然很严峻。持汇单位对申请卖出外汇并不积极，中央银行抛的外汇比较多，而申请买入外汇的需求还比较大。有的持汇单位把外汇当做炒买炒卖的资本，等待时机卖高价。持汇单位的外汇不抛出来，中央银行受到的压力相当大。一方面，投资需求拉动的力度没有减轻，进口的需求仍很旺盛；另一方面，一些持汇单位还在观望。因此，调剂市场的外汇需求大于供给。要稳定汇价，在一定时期内就要抛售外汇。说外汇调剂市场价格的形势严峻，问题就在这里。只有把调剂市场汇价稳定在9元以下，才能保证国民经济的稳定发展，这一决心是绝对不能动摇的。目前的8.6元到8.8元是比较合适的价格，因为在7月9日前，在中央银行没有干预的情况下，汇价曾跌到8.65元，这是市场形成的比较合理的价格。汇价稳定半年以后，国内外对人民币都有信心了，外汇调剂市场就可以进行正常的外汇买卖了。同时，由于今后对留成外汇实行限期使用的办法，外贸企业会逐步把外汇卖出，外汇供应量会逐步增加的。我们对外汇市场的干预，是完全符合市场经济规律的。现在明确一点：今年以内，中央银行还是要对外汇市场进行强大的干预。当然，在抛外汇时要精心组织，研究调控艺术，就是用最小的代价使汇价稳定在 8.8 元左右。同时，配套措施也要认真执行。该收的外汇要限期收回，该收的贷款也要收回。搞市场经济也必须执行国家的法律法规，不能搞外汇投机。同时，要整顿金融、财政秩序。如果以上工作做细了，相信会提高对外汇市场的调控艺术和调控效果。全国 18 个外汇调剂市场，哪一家在干预市场、稳定汇价工作方面取得成功的经验，我亲自为它庆功、发奖，并公开登报表扬。不过要达到以下标准：抛的外汇少，成交外汇数量多，汇价稳定，抛出的外汇要真正给急需用汇的单位。另外，就是要坚决打击外汇黑市。现在某些企业到处大造舆论，说要采取对策，联合起来搞黑市，要以 9 元以上的价格卖出它们掌握的外汇。所以，一定要打击外汇黑市，才能真正稳定汇价。

二、对当前外汇管理工作的基本要求

第一，要继续进行中央银行对外汇市场的适度干预，提高调控艺术，讲求调控效果，满足客户需求。

第二，要切实保证完成按市价收购上缴外汇的任务，该收的外汇一定要收上来，为实现市场调控创造条件。该压缩的贷款要压缩，该收回的贷款要抓紧收上来，要督促持汇单位卖出外汇。坚决执行留成外汇额度和现汇限期使用的办法。只要这样做，平抑汇价的外汇来源就是有保证的。为了达到稳定汇价的目的，即使再动用结存外汇储备，也在所不惜。最重要的是外贸企业要在下半年把出口搞上去，把外汇收上来，不要再流失了。今年上半年，据海关统计，出口额比去年同期增加4.4%，但扣除“三资”企业的出口，一般贸易比去年同期下降了。上半年进口增加了24%，贸易逆差高达50亿到60亿美元，导致结存外汇储备下降。如果现在再不抓出口收汇，国家外汇储备将继续下降，就难以支持外汇调剂市场的稳定。外汇储备一旦降到100亿美元，那就很危险，我国的对外声誉将大大下降。今年上半年出口额为386亿美元，扣除外商投资企业和易货贸易出口不结汇部分，应收汇282亿美元，但实际收汇185亿美元，其余的不知到哪里去了。外汇在境外结算漏洞很大，这里名堂多得很。在境外花钱买个小公司，就可以把外汇存在国外。所以，外汇管理局加强外汇管理、防止外汇流失的任务非常艰巨，要坚决同转移外汇收入的现象作斗争，把外汇流失的漏洞堵死。还要加强对进口付汇的管理。去年进口支付592亿美元，进口到货505亿美元，还有近90亿美元不知道支付到哪里去了，货走了一年还没有走到中国！加强外汇管理、防止外汇流失，这是第二项任务。

第三，要加强对外汇市场的管理和监督，按照国家产业政策调控用汇方向，严禁场外交易，打击外汇黑市。

最近，我在考虑一个问题：国务院是否要发一个通知，暂停收购境外企业。因为我们现在还没有达到输出资本的程度，但是目前有大量资金外流，特别是流到香港买“空壳”公司，在国际上已造成不良影响。

另外，我们需要再研究有关携带人民币出境的问题。如果人民币大量流到国外，外汇又收不回来，就会形成资金外流。同时，非贸易外汇和旅游外汇也难以收上来。过去外国人到中国来，都要把外汇通过银行兑换成人民币，外汇交给国家。现在由于可以携带人民币出境，外国人可以从境外带人民币或者通过黑市换成人民币，可以不用外汇而用人民币支付在中国的费用。因此，要重新研究携带人民币出境的政策，要加强管理。同时，要严禁外币在中国流通。目前，在沿海地区，港币、美元等外币大量流通，对此要严格管理。

第四，要按照建立社会主义市场经济体制的要求，建立全国统一的外汇市场体系，扩大外汇市场覆盖范围，实现全国联网、统一规则、统一报价、地区之间互相调剂的目标。我赞成明年取消外贸企业无偿上缴20%的出口收汇额度的做法，前提是国家不再提供平价外汇，用汇单位一律都在调剂市场购买外汇。当然，对于那些需使用平价外汇的单位就要由财政补给汇差人民币。但是，因为目前这一套监管制度还不完善，如果没有完善的管理，外汇就可能随便流失到国外。外汇管理部门要与有关部门密切配合，加强出口收汇管理，坚决制止违章境外截留外汇、资本外流和各种外汇流失现象。要制定一套周密的管理制度，保证外汇不流失，都到调剂市场上去买卖。关于非贸易外汇怎么进入到外汇调剂市场，请同志们再研究。最后，要加强法制建设，加快立法步伐。总之，要以改革推动外汇管理工作。

三、对外汇管理局提出“约法三章”

第一，严禁外汇管理部门及其工作人员倒买倒卖外汇或参与其他部门及个人倒买倒卖外汇活动。

第二，严禁外汇管理部门及其工作人员以调剂外汇权、审批权、外债监管权和机构管理权等谋求出国指标或收受礼品等好处。

第三，严禁外汇管理部门及其工作人员越权减免上缴中央的外汇，严禁越权审批对外借款、担保及境外投资。

这个“约法三章”是国务院、人民银行总行对大家的要求。

关于外贸出口工作和汇率制度改革问题*

（1993年8月11日）

一、当前外贸出口工作中急需解决的问题

（一）要解决外贸出口流动资金不足问题。外贸出口资金一定要给予保证，但首先要搞清楚究竟缺多少。要派人下去搞些调查，到一些重点出口企业和重点出口地区，把情况尽量搞清楚。只要是真正用于出口，而不是挪用搞房地产、炒股票、炒外汇等，资金要给予保证。此事请人民银行、外经贸部与国家经贸委、国家计委协商后提出意见。

外贸出口资金紧张与地方拖欠外贸专业总公司进口货款有关。这也是三角债的一种。要派人到几个重点地区做些调查，调查清楚后，可以考虑采取由中央银行给欠款地区增加贷款规模，同时对其所欠货款强制扣还的办法解决。

外贸企业自身也要积累一些自有流动资金，不能都靠银行。不能在自有资金这么低的情况下，还大量去搞海外企业和其他没有效益的投资。

（二）要统一认识，共同做好出口退税工作。出口退税是一件很重要的工作，要抓紧做好。一是要尽量简化退税手续，二是该退的税

* 这是朱镕基同志在听取对外贸易经济合作部工作汇报后讲话的主要部分。

一定要退足。如何简化现在实行的“两单两票”[1]手续，请国家经贸委牵头，会同外经贸部、税务总局做些调查，统一认识，实事求是地加以改进。与此同时，要继续坚决打击骗税行为。目前正在研究实施的外贸、海关、银行、税务部门的计算机联网工作要抓紧，争取明年1月1日实现全国联网。

（三）要加强对外贸企业的监督与管理。为了增加出口，提高经济效益，并防止外贸企业总经理个人说了算和因决策失误造成国有资产流失，大的外贸企业要尽快设立监事会，以加强监督与管理。监事会可考虑由外经贸部、国家计委、国家经贸委、财政部、人民银行等部门派人参加，每年开一两次会，主要是对企业的经营情况进行监督、稽核，对企业主要负责人的任免和奖惩提出建议。当然，在加强对外贸企业监督的同时，还要进一步落实企业的自主权。监事会不能干预总经理的经营决策权。

对外贸企业当前存在的内部管理不力问题要有一些解决办法。对业务员的权力要有所约束，不能让其损公肥私。对外贸企业人才流失问题要予以充分重视，采取切实措施加以解决。

此外，要帮助、督促有进出口自营权的生产企业积极完成出口任务。对连续三年未能完成申请自营权时所报出口额的自营企业，要考虑取消其进出口自营权。

二、汇率制度改革问题

外贸体制改革要与其他改革相配套。下一步外贸体制改革的重点

〔1〕“两单两票”，指出口退税企业在办理退税手续时要求提供的出口货物报关单、出口收汇核销单和出口发票、增值税专用发票。

是汇率制度的改革，实行汇率并轨，即在经常项目下，实行人民币有管理的可兑换。这一着棋下好了，全局皆活。我们一定要坚定信心，推进改革步伐。汇率并轨后对外贸出口有许多好处，可以解决当前外贸面临的许多问题，在国内外都会产生很好的影响。首先是不再存在无偿上缴外汇的问题，汇率变化主要靠市场调节，可防止因投机造成汇率大起大落；其次是鼓励政策简单明了，今后企业只缴所得税，对外贸企业的贷款优惠利率也没必要了。当然，汇率制度改革很复杂，涉及许多部门，需要各部门统一认识，积极支持，把可能遇到的问题想周到些，把对策意见具体化。

在外商投资企业、海外企业与国内其他企业目前还不能做到平等竞争的情况下，不宜过早地实行货币的自由兑换。当前，一方面要认真研究如何加强对外商投资企业的外汇管理、审查与稽核；另一方面，要加强对海外投资的管理，加强出口收汇监控，对到海外办公司的申请，一律停止审批。对外商投资企业投产后的管理，国家经贸委要抓起来，及时发现问题，制定政策。

关于外贸体制改革问题，请外经贸部吴仪〔1〕同志牵头，国家计委、国家经贸委、国家体改委、财政部、人民银行、税务总局、外汇局、中国银行有关领导同志参加，组成工作小组，做进一步的研究，提出方案，向李岚清同志汇报后提交总理办公会议审议。

---

〔1〕吴仪，当时任对外贸易经济合作部部长。

假冒伪劣商品影响国家的形象*

（1993年8月25日）

对假冒伪劣商品要从严把关，你们这儿是最后一关，这儿把不住，就流向了国外，问题就严重了，影响到我们国家的形象。最近，我看到许多材料，是俄罗斯有关方面反映我们的假冒伪劣商品太多，严重影响了我们国家的声誉。

假冒伪劣商品危害极大，一定要卡住假冒伪劣的商品，不让它们过关。靠假冒伪劣商品，国家是发展不起来的，是繁荣不起来的，也是没有前途的。

如何解决假冒伪劣商品流向国外的问题？我想无非就两条。

一是海关要从严把关，严格检查制度。现在你们可能人力不足，检查全部商品有困难，但可以实行抽查，对一批商品抽查几处。一旦发现问题，要从严处理，成倍或几倍地罚款，把出口假冒伪劣商品的人罚得倾家荡产。

二是通过各种渠道，让广大人民群众检举揭发，发挥“隐线”的作用，鼓励群众揭发假冒伪劣的行为。对于群众揭发并能查到实据的线索，要重奖揭发检举的群众，要逐步地形成全社会抵制假冒伪劣商品的社会风气和环境。

---

* 1993年8月23日至29日，朱镕基同志在内蒙古自治区考察工作，先后考察了海拉尔、满洲里、呼和浩特等地。这是朱镕基同志在满洲里海关听取工作汇报时的讲话。

在打击假冒伪劣商品的斗争中，还要充分发挥公、检、法、司的作用，搞综合治理。

1993 年 8 月 25 日，朱镕基在内蒙古自治区考察满洲里海关。左一为国家经贸委副主任俞晓松。

分税制将会促进广东的发展*

（1993年9月16日）

这次我和李铁映同志带着国务院有关部委的60多位同志，受江泽民和李鹏同志的委托到广东来，传达、介绍、解释党中央和国务院关于抓住机遇、加快财税体制改革的总体方案。原来你们对这个方案的调整不大了解，主要是方案变动大，彼此没有及时沟通，因而你们顾虑很大。通过三次“交锋”或者说三次交流，以及会后各个层面交换意见，我也与广东省各方面的同志作了接触，相信对大部分问题已有了一个解释，但你们是不是放心了呢？我也不敢保证，恐怕还是不大放心。恐怕还需要一段时间，大家进一步交流，把问题搞清楚。而且通过交流，我们对这个方案也深化了认识。这次海南、广东之行，特别在广东，我们花的劲相当大。我们了解到你们的顾虑在什么地方、困难在什么地方、问题在什么地方，有了切身体会和感性认识，在具体实施时对方案可以做补充或修订。当然，在大的原则性修改方

---

* 1993年9月9日至16日，朱镕基同志先后在海南、广东省就实行分税制问题进行调查研究。这是朱镕基同志在广东省调研期间，与省委、省政府负责同志座谈时讲话的主要部分。根据党的十四大精神，中央决定在1994年进行一系列以建立社会主义市场经济体制为目标的改革。其中，财税体制改革是最重要也是阻力最大的一项改革。广东省在此前实行财政包干体制时地方财政留成比例较大，因而对实行分税制存在很大顾虑。朱镕基同志在讲话中从大局出发，既坚持改革的原则，又对广东省提出的调整地方财政收入基数年等实际问题，采取适当让步等灵活办法，从而化解了矛盾，为在全国顺利实行分税制改革创造了条件。

面，还要由中央决定，但一些具体的细节修改我们可以自己做主。因此，这次到广东来，对我们是个很大的帮助，对于如何在全国推进这项改革也是很大的帮助。广东的问题解决了，全国的问题就迎刃而解了。所以，我们这次来的意义是非常大的。

刚才谢非和朱森林〔1〕同志的发言很好，体现了广东顾全大局、维护整个国家利益的立场和精神。我想，在广东省委、省政府的领导之下，财税体制改革方案会逐步地、圆满地得到实现。同时，我也告诉大家，谢非、朱森林同志在同我们的几次座谈中，对广东的利益是非常维护的，立场是非常坚定的，可以说是“寸权不让”、“寸利必争”。他们是尽了最大的力量，讨价还价，据理力争。但我也完全相信，他们这样做的出发点，不仅是为了振兴广东，而且也是为了全国的经济发展。所以，我想我们这样几次“交锋”，是非常好的，对推进财税体制改革是有利的。下面，我讲几个问题：

第一，党中央和国务院肯定，实行财政包干体制对广东的发展起了很好的作用，促进了广东经济的发展。如果没有这种体制，广东的经济不可能发展到今天这个程度。党中央让广东实行特殊政策、灵活措施是完全正确的。党中央没有任何一个同志否定这一点，更没有如外界谣传的“要批包干制”。我可以负责任地在此声明，让广东先发展起来、在广东设立经济特区等一系列政策，都是正确的。这既是老一辈无产阶级革命家和中央领导对广东的关怀，也是为了促进全国经济的发展。如果因为现在要改行分税制而否定财政包干、贬低财政包干，那是缺乏历史唯物主义的观点。党的十四大已经确定要建立社会主义市场经济新体制。市场经济的意义，就是要规范化、法制化，要平等竞争。因此，在我们建设社会主义市场经济体制的过程中，必须逐步

〔1〕朱森林，当时任广东省省长。

1993 年 9 月 13 日，朱镕基在广州珠岛宾馆向广东省委、省政府负责同志介绍财税体制改革方案。前排右为中共中央政治局委员、国务委员兼国家体改委主任李铁映，左为国务院副秘书长何椿霖。

改革现行的不适应市场经济发展要求的各种经济体制，这也是正确的，是历史所证明了的。所有市场经济国家在发展过程中所发生的问题，在我们这里都曾经发生过或正在发生。所以，如果不考虑参照、采用市场经济国家的一些现成做法，并结合中国的特点，根据邓小平同志建设有中国特色社会主义理论，创造我们的市场经济模式，许多问题就解决不了。事实已经证明，必须往前改革。改革，要从中国的实际出发，逐步进行。在这个过渡时期，不能不带有过去一些旧体制的遗留，还需要一个相当长的时期，才可能把它们逐步地改过来。当前，正好是一个机遇，可以尽快把社会主义市场经济体制的框架建立起来，然后把内容逐步充实，继续向前发展。这一点，应该很明确地肯定下来。实行分税制同广东实行的特殊政策、灵活措施没有矛盾，你们对企业包干、对市县包干的某些方法也不一定改变。但我看以后最终是要改变的，因为那个做法不规范。不一定要马上改，可以有一个过渡时期。我始终认为，分税制并不影响财政包干，就看怎么灵活地去执行。

我同意谢非同志刚才讲的观点，在旧体制向新体制转换过程中，有许多改革应该允许广东先走一步，先试一试。对这个精神我完全赞成。比如股票，虽然原来就已经有了，但真正成立证券交易所，还是在邓小平同志去年发表南方重要谈话之后。他明确地讲到，证券、股市这些东西好不好，允许看，但要坚决地试。对了放开，错了纠正，关了就是了，怕什么。当然，现在股票的问题也不少。只要是中央看准了的，不但可以让地方试，而且中央在财力、物力上给予支持；如果是中央看不准的，中央只能是允许试，只能给予精神鼓励，地方就“自费”改革。总之，要区别条件，区别情况。但是，勇于改革、勇于先走一步的精神，始终都是应该提倡的。我可以代表党中央、国务院讲这个话，没有否定财政包干体制。

第二，这次实行分税制的目的，是为了解决中央财政的困难。目前中央财政十分困难，已经到了难以为继的地步。如果不适当地集中中央财政收入、加强中央财力，日子就过不下去，最终全国都要受害，都搞不下去。比如广东的金融状况，今后几个月如果没有中央的支持，日子会相当地难过，经济发展不起来。所以，必须按照国际惯例，按照市场经济的原则进行财税改革。目的无非是两条：一是中央财政收入要稳定，不能再挖了。现在的情况是，地方财政增长很快，中央财政却在下降，地方纷纷到银行挂账并且数目越来越多。中央财政背了巨大的赤字，大量靠银行透支、发国债、借外债。二是中央财政收入要适当地增加一点。目前，中央财政收入占全国财政收入的比例太低了。在发达国家，中央财政收入占全国财政收入的比重大多在

60%左右，而我国目前不到30%，加上地方上缴后还不到40%。但是，对于这一点我们非常慎重，不能搞得太急，因为地方财力也不宽裕，也很困难，还有很重的发展任务。经过反复考虑，我们决定第一年不改变中央和地方原来财政收入的格局，第二年中央稍增一点，第三年再增一点，以后逐年增加，比例慢慢提高。从绝对数来看，增得也不多。同广东算账的结果，从1994年到1997年，中央从广东多拿走的不过占同期全省财政总收入的4%；到2000年，才是5%。由于广东的“蛋糕”做得大了，我认为这不会影响广东的发展，反而会促进广东的发展。

去年，广东财政收入是223亿元，上缴给中央23亿元，已作出10%以上的贡献。由于广东经济发展很快，财政收入这块“蛋糕”发展得很快，而递增上缴的比例没有财政收入增长的比例高，到今年估计上缴中央的财政收入会下降到占广东财政收入总额的7%到8%。到1994年，我估计这个比例还会下降。即使加上实行分税制后从广东多拿走的4%，也不会超过1992年广东上缴中央的比例。我的意思是说，从包干制改为分税制后，中央从广东拿走的财政收入，不会超过1992年这种比例关系，或者就在这个水平上下。因此，这不会影响广东的发展。就是到拿得最多的2000年，根据测算，当年广东财政收入将达到1197亿元，中央如果拿走109亿元，也只是占9.1%。所以，中央制定的这个稳步进行财税体制改革的方针是正确的，不会对各省市造成很大的影响。

这次分税制改革是按照全国统一的税制、一样的比例、一样的做法，不能有单独不一样的方法，更不能“一省一率”。中央这次是从各省市的财政收入中都多拿了一块。不多拿，怎么集中呢？同其他省市比较，究竟从广东是多拿了还是少拿了？我看，从广东不一定是拿得最多的。因为这次改革采取了非常简化的办法，并不是照抄外国的模式，把中央的税种搞得很多，把共享税搞得很多。实际上，中央税基本没有增加，共享税只增加了增值税一种，非常简单明了，容易执行。增值税收上来后又返回一部分，只是拿得多、返还得少。哪些省要拿得多，哪些省拿得少？工业比重很大，而第三产业又不很发达的省份，拿得就多。我估计，辽宁会被拿得多，因为增值税主要与工业有关系，同第三产业的关系不大。广东去年税收大大增加，主要靠第三产业，靠房地产和建筑领域的税收等，而这些税收是留给地方的，中央一点也没有拿。这方面的潜力是很大的。从近几年广东的情况看，这些税收的增长比增值税快。我估计在分税制改革中，上海、辽宁的财政收入被拿走的比例会比广东更高一点。当然，从绝对数来看，广东的贡献还是比较大的。越是第三产业发达的地方，中央从那里拿走的财政收入的比例就越低。

第三，关于“账外账”问题。广东可能有个特殊情况，江苏也许更加厉害，就是光算“账内账”不行，还要算“账外账”。这是我们到这里后最深的体会。对这个问题大家最关注。那天，我同叶选平同志谈的也主要是这个问题，他说他也搞不清楚，下面究竟收了多少钱。因此，很可能出现这样一种情况：虽然中央拿走的增值税并不多，但下面很有意见，因为以前是不用收税的，不但所得税不收，连增值税也不收。像电力行业实行包干，不收工业增值税，让它留在企业里，捆在一起去发展电力工业。预算外企业也不收税。一些地方搞“投入产出总承包”，只包一个基数，把所得税、增值税、利润全包在一块儿。而且，许诺以后税也不增加，等于把增值税免掉了一部分。还有一些困难行业、负债很重的行业，干脆让它们用自己的增值税来还债，等等。总之，“账外账”很大，好像谁也说不清。算账时，说来说去说不清楚的就是这一块。对这个问题，老实说，我做不了主，要回去请示。这次到广东来，最大的收获是对这个问题有新的认识、新的体会、新的考虑。广东方面的意见是，为了保持政策的连续性，这笔“账外账”就暂时不要收了，让它能够保持包干到“八五”期末，无非还有两年。刚才，谢非、朱森林同志又讲到这个意思。回去后，我首先要把情况向江泽民和李鹏同志报告，恐怕中央政治局常委还要开会讨论。我现在只能讲点个人意见，请你们不要往下传，因为个人意见是可以变的。我倾向于，对于广东省委、省政府已经认账的政策，为了保证顺利推行税制改革，在“八五”期间可以继续延续这个政策。但是，税还是要收，收了以后再返还。不收税是一种极不规范的办法，任何一个搞规范的市场经济的国家，都不会这样做的。由税务总局把税收上来，不是退给企业，而是退给广东省。通过这样的办法，使你们的电力行业总承包和其他一些承包办法可以继续下去。这样做，有一个好处，那就是打消大家的顾虑。说实话，这个“账外账”究竟有多大影响，你们没有底，我也没有底。不如原则上加以承认，具体的再加以甄别。财政部的同志担心，有了这一条，广东的同志会不会打个报告，说所有的增值税都早已包掉了、免掉了。不过我想，企业纳不纳税，总是有账可查的，最起码是有台账。我这样考虑，无非是中央少拿一点，增强企业的活力，使地方有积极性。但是，要坚持分税制的主要基础，即坚持分设两个税务局、分别税种、分开收税的原则。国税局是中央单位，由中央领导，中央发工资，中央任命局长。地方税务局是中央、地方双重领导，以地方为主。必须这样收税，不然中央的税收没有保证。这一条必须坚持。但为了保持政策连续性，我们可以采取灵活措施。那就是在一个时期内，先收了税然后再返还。变动不会太快，避免引起很大的震动。

第四，究竟是以 1992 年的地方财政收入为基数，还是以 1993 年的为基数？这个问题，我个人无权作出决定，因为中央政治局常委会讨论通过的方案，是以 1992 年为基数。当时主要考虑今年还有几个月，如果宣布以1993年为基数，不知又会出现多少在基数上做手脚的情况，结果就会把税制搞乱了。但是，到了海南、广东后，我个人考虑，财税体制改革方案本身有一条原则：地方在实行分税制前的既得利益格局还要保持。既得利益应该算到1993年，1994年才开始改税制。所以，1993年的利益不应动。以1992年为基数同以1993年为基数相比较，前者中央从地方拿走的比后者多。如果考虑中央财政困难多的因素，以1992年做基数为好；若考虑地方财政困难多的因素，考虑到顺利推行分税制，减少阻力，则以1993年做基数为好，这等于把中央财政集中的时间推迟了一年才实施。推迟一年，以我个人认识来看，也不是什么太大的事情。如果今年我们全党能够认识一致，大力推进这一系列改革，中国的国民经济面貌就会发生极大的改变，真正实现持续快速健康的发展。因此，能换取这样的结果，推迟一年实行，中央财政少集中一点，问题还不是太大。但这件事不只广东一家，涉及全国各省区市。财政部也有不同意见。我这只是个人意见。不能我在做“好人”，让刘仲藜〔1〕同志做“恶人”。他做“恶人”也是为了国家，我就喜欢这样的“恶人”。具体怎么办，只能回去再研究，很快就会有结果。但即使决定改为以1993年为基数，现在也不会宣布，最快也要到今年12月份，到时候做手脚也来不及了，以防止发生作假和混乱。

第五，实行分税制的计算方法。那天，会上有同志提出三个基数的问题，还有其他的一些问题。我考虑，分税制的计算方法越简单越好，不要搞得太复杂。即：在第一年保持地方的既得利益，不要去抠总收入、总支出是多少，算不清楚，恐怕连省里自己都搞不清楚。现在，不列收也不列支的东西多得很，怎么算得过来呢？最简单的计算方法，

〔1〕刘仲藜，当时任财政部部长。

是增值税中央拿四分之三，第一年从中扣掉广东原来财政递增包干时上缴给中央的部分，余数全部返还。第二年把上一年的返还基数，乘上一个系数后予以返还。以后，逐年类推。总收入、总支出是你们的“隐私”，我不想过问，我只管中央拿多少、最后给你们返还多少。

趁此机会，我对大家说说，这次实行分税制还有一个小小的“尾巴”没有改掉。这就是中央各个部都有财政部给的一笔钱，由各个部再拨给地方，总共300多亿元。比如，计划生育经费、中小学教师师资培训补贴等共100多项。从地方收上来，由中央各个部再分下去，把事权搞得很复杂，打酱油的钱不能用来买醋。这种分钱方法，就是统收统支，应该改革掉。我们原来计划在这次改革中把这笔钱砍掉，对地方收上来的钱该返还的，一次性还给地方。但后来考虑到我们的机构改革还跟不上，部门还这么多，部长到下面出差，基层提出许多问题，而部长手中没有“一把米”，就缺乏解决问题的基本条件。如果把这笔钱砍了，中央50多位部长比你们对搞分税制的顾虑还要大。考虑到这一点，中央政治局常委会议决定把它放到第二步，留待撤销有关部门时一并解决。因此还是保留了一些不规范的遗留问题，这次不是纯粹的分税制。但我们确定，今后这300多亿元不再增加，逐步解决。

另外，昨天你们税务局反映，由于营业税等改为增值税，实际上广东企业因此多负担税收30亿元。经过税务总局对账，情况是这样的：在这30亿元中，有15亿元属于广东本身的税收增加，不是由于税率提高带来的；在剩余的15亿元中，有9亿元是外商企业的税收增加。为什么增加呢？因为外商企业原来实行的是工商统一税，出口企业不是退税而是免缴工商统一税。现在改为增值税，都要征税，也实行退税，并不增加它的负担，只是方法规范化了，即这9亿元是把原来不收的税收上来，但出口后还要退回去。所以，只有6亿元是属于真正增加的部分。我已声明，我们原则上不增加增值税的税负，由产品税、增值税和部分营业税改为增值税，是按照国际通行做法，换算过来，只是技术上的变化，而不是要增加企业的负担。根据这条原则，这6亿元不应增加。怎么增上去的？要继续算账。现在，对改革以后增值税税率有不同的意见、不同的换算办法。财政部算的账是定为16%不会增加企业负担，而国家经贸委的账是定为14%不会增加企业负担。各种产业结构的不同，就会影响到换算率的不同。这个问题还可以再商量。我建议，在全国首先在广东选择几个不同产业结构的城市，比如广州、深圳、珠海、汕头等，请税务局分别按照14%和16%两种税率去测算一下，看看有多少企业增收了、多少企业减收了，得出总额。全国也进行测算，最后再去决定增值税的税率。我们不想利用分税制改革提高增值税的税负，那样对改革不利。这同分税制是两码事，搞不好，会有人把罪名归之于分税制，归之于改革，造成更大的麻烦。

最后，我希望在我们对许多问题基本达成共识的基础上，双方多做工作，为改革创造条件。我们回去后，将把在广东发现的问题很好地、认真地加以研究，提请中央决策并把结果及时向你们通报。这次我们带来的这些改革方案，要等党的十四届三中全会通过后才能正式实施。在此之前，虽然不登报、不作报告、不发什么材料，但我还是希望广东的各级领导，以及这次参加算账的同志，认真学习、充分了解改革方案的内容。对那些以讹传讹的同志要加以解释，不要把分税制说得那么可怕，不要把分税制同包干制对立起来，不要以这个否定那一个。这个改革方案，中央政治局常委会议已经讨论通过，不实行恐怕是不大可能的。如果既要执行，又把方案说得很可怕，使得干部、群众有一种抵触、抗拒情绪，那将来工作就很被动。应当做好了解、研究、思考的工作，然后考虑怎么过渡，对有错误认识的同志要进行解释。这样，才能使改革顺利地推行。同心协力，克服困难，对我们的工作都会有利。我想，广东的同志是会这样做的。

关于实行分税制问题致江泽民、李鹏同志并中共中央政治局常委的信 *

（1993 年 9 月 18 日）

泽民、李鹏同志并报常委：

受你们的委托，9 月 9 日至 16 日，我和李铁映同志率国务院 14 个单位共 60 多位同志，到海南、广东，向两省主要领导介绍了财税、金融、外贸、国有资产管理体制改革的总体思路和主要内容，并经过仔细地对账、算账，重点对实行财税体制改革后对两省可能产生的影响做了研究；同时还了解了两省贯彻中央 6 号文件〔1〕的情况，对他们在信贷规模和资金方面的问题进行了研究，并商定了解决的意见。现将有关情况和意见报告如下：

一、实行分税制改革对两省财力的影响

实行分税制改革后，与财政包干制相比，中央将从两省多集中一部分财力，但多集中部分占两省财力的比重都不大。

---

* 朱镕基同志到海南、广东省就实行分税制问题进行调查研究回到北京后，即致信江泽民、李鹏同志并中共中央政治局常委，汇报了与两省领导商谈的情况，反映广东省希望中央在两个问题上给予照顾：一是 1993 年广东经济增幅较高，希望以 1993 年实绩为基数；二是对广东原实行包干制企业所减免的税收，在实行分税制后国家在原定承包期内给予返还。为减少新体制出台的阻力，顺利推行分税制改革，朱镕基同志建议对这两个问题都作出让步，并提出了妥善解决的方案。

〔1〕 见本卷第 331 页注〔1〕。

海南省的财政包干制原定实行到1995年。按包干体制，预计1994年、1995年两年，海南可得财力约65亿元；实行分税制后，中央从海南省集中的部分，两年合计3亿元到5亿元，约为同期地方财政收入的5%到8%。

广东省的财政包干体制原定实行到2000年。1992年的广东财政留成收入为223亿元，扣除上缴中央财政的部分后，地方财力是200亿元。实行分税制后，从1994年到2000年，预计中央累计从广东比实行包干制多集中财力约240亿元，约占同期地方财政收入的5%。1992年，按老体制，广东上缴中央的收入占其财政收入的比例为10.3%；按新体制，在2000年，中央集中的财政收入预计仅占广东财政收入的9.2%。所以，与1992年相比，广东的负担比例并没有加重。

二、两省领导对实行分税制改革的态度和要求

海南省领导同志表示，坚决拥护党中央、国务院关于财税、金融等总体改革方案，并以此统一各级干部的认识，进一步研究贯彻落实的措施。对实行分税制后可能给海南财力带来的影响，双方也已达成共识。海南省提出，海南的基础设施比较落后，地方财力薄弱，希望中央今后在这方面多给予支持。

广东省的同志对搞分税制财政制度改革非常关心，对在广东省明年实行分税制时机是否成熟还存在一些疑虑，对分税制方案的内容也有一些误解。今年8月15日，广东省委、省政府曾向党中央、国务院提出，在2000年前继续实行包干制，或者缓冲一段时间，至少将包干制维持到1997年。

为了使广东省领导同志对分税制有一个全面、准确的了解，并进

一步消除他们的疑虑，我们先后召开了三次有省委、省人大、省政府、省政协负责同志及省有关部门和广州、深圳、珠海、汕头、佛山市的负责同志参加的会议，介绍情况、交流意见。会下，我和叶选平同志做了长时间的交谈，并和谢非、朱森林[1]同志两次单独交换意见；李铁映同志也和林若[2]等省市领导同志做了个别交谈；国务院有关部门还和广东有关厅、局对口交换意见，财政部、税务总局的同志日以继夜地工作，认真细致地对账、算账；几位部委领导也分头与广东省政府及广州、深圳、珠海、佛山、汕头的主要领导同志交换意见。经过对账、算账和反复交换意见，广东省委、省政府认为从明年起实行分税制势在必行，但提出两个问题，请中央予以照顾。一是1993年广东经济增幅高，为保现有利益格局，希望以1993年实绩为基数。二是在实行包干制时，省里减免了部分困难行业的税收；有的企业搞投入产出包干，税也不收了；还有一部分预算外企业，过去没有按规定征税。实行分税制后，以上这些企业负担要加重，要求国家在原定承包期内对这部分税收给予返还。

三、我们的意见

对海南、广东两省提出的要求，我们做了认真研究，提出以下几点意见：

（一）党中央、国务院决定广东实行特殊政策、灵活措施，实行财政包干体制，起了很好的作用，促进了广东的发展，对全国经济发展也起到了积极的作用。对此，应予以肯定。但从发展方向看，包干

〔1〕朱森林，当时任广东省省长。

〔2〕林若，当时任广东省人大常委会主任。

制毕竟是一种过渡措施。为了建立适应社会主义市场经济要求的规范化、法制化、平等竞争的体制，党中央、国务院决定实行分税制改革是完全符合改革方向的。当前应抓住机遇，先把市场经济体制的框架建立起来，以后再逐步完善。明年在全国（包括广东）实行分税制之后，对广东省内财政包干遗留的一些问题，既要坚持全国实行统一、规范的税制原则，也要适当照顾原来政策的连续性，可由广东省按照中央的指导性意见，根据省内实际情况研究决定。

（二）关于企业在包干制下减免税问题。鉴于这部分税收国家过去并没有收上来，为了避免对企业产生过大的震动，并减少新体制出台的阻力，建议凡是在中央6号文件下发以前，由省政府批准的减免税项目或企业，经财政部、税务总局重新审定，可以在原定期限内（但不超过1995年）实行征收后再返还的政策。

（三）关于基数年的问题。原方案主要是考虑1993年还有几个月，为避免人为扩大支出基数，确定1992年为基数年。但这次到海南、广东考察了解到，1993年与1992年相比，地方财政收支变化比较大，如果到1994年用原方案执行返还，从保地方既得利益着眼，对海南、广东这类财政收入增长很快的省份，其财力确实被多上划了一些。为了兼顾中央和地方的利益格局，减少改革的阻力，建议改以1993年为基数年。由于上划税种单纯，今后几个月做手脚的可能性不大。

考虑到广东担负着提前实现现代化的任务，分税制改革后，中央在重点建设投资等方面对广东的支持不但要与其他省区市一视同仁，而且还应有所倾斜。对海南省的基础设施建设，中央也要给予支持。

以上几点不仅涉及海南、广东，而且是带有全国普遍性的问题，建议作为适用于全国各省区市的统一政策定下来，这对顺利推行分税制改革会起好的作用。

妥否，请予审批。

（抄报国务院各负责同志，家宝〔1〕、培炎〔2〕同志）

朱镕基

1993年9月18日

〔1〕家宝，即温家宝。

〔2〕培炎，即曾培炎，当时任中央财经领导小组副秘书长。

分税制改革有利于中西部地区发展*

（1993年9月25日）

这次我们到新疆来，主要是要和自治区的同志们谈分税制问题。现在设计的这个分税制方案，是根据邓小平同志的思想，根据江泽民同志在党的十四大报告中确定的实行社会主义市场经济的原则设计出来的。这个方案，可以说把市场经济国家普遍的原则和它的一切优点，都力图吸收进去，对它的经验教训也是考虑过的。方案是符合国际惯例的，也考虑到中国的特色。

实行分税制，总的精神有两条。第一条，是要保证中央有一个稳定的财政收入。现在的体制根本不行，每年都是地方收地方的税，中央收中央企业的税，实际上也是“分税制”，但这种“分税制”跟我们现在的方案不一样，它使地方的税收增长很快，中央的税收却在不断下降。这个日子怎么过？中央收税是为了保证军队的需要，保证党政机关的需要，保证重点建设的需要，保证国家外交政策的需要，还要支援别的国家，还要保证全国各地区发展的平衡。富裕地区要对贫困地区作些贡献，如果中央不收一点钱的话，那样会富的更富、贫的更贫。邓小平同志有一个思想就是共同富裕。说实话，这是实行分税制的最主要的理由。现在中央的财政状况相当紧张，我说个数字，你

---

* 1993年9月23日至28日，朱镕基同志在新疆维吾尔自治区考察工作，先后考察了克拉玛依、阿勒泰、乌鲁木齐、石河子等地。这是朱镕基同志在听取阿勒泰地区负责同志工作汇报后讲话的一部分。

们就清楚了。广东今年的地方财政收入增加32%，中央在广东的财政收入却下降了11%。中央财政收入一年一年下降，赤字越来越大。中央军委作了决定，军队不许经商。不许经商又不给他发饷，军队的日子怎么能过下去？军队怎么能稳定？刚才讲的是中央的赤字，地方没有赤字。分税制就是要达到解决中央赤字这个目的。分开收税，你收你的税，我收我的税；你别挖我的，我也不挖你的。我们就是为了让中央的财政收入至少不下降，并不是想让中央多收多少，也不想挖地方多少。我们只想不要把中央这块都挖掉了，那将影响整个国家安定。

1993年9月25日，朱镕基在新疆维吾尔自治区阿勒泰地区考察皮革毛皮工业公司。左一为新疆维吾尔自治区党委副书记王乐泉，左二为国家经贸委副主任石万鹏，左三为阿勒泰地委书记陈建喜，右一为全国人大常委会副委员长、新疆维吾尔自治区党委副书记铁木尔·达瓦买提。

第二条，中央财政收入总是要增加一点，总是要比地方增加得快一点。不然的话，中央怎么能调整地区之间的贫富差距呢？阿勒泰地区的同志刚才讲，要修额尔齐斯河水库，要开发矿山，要修县乡公路，这些没有国家支持搞不起来。如果中央不从富裕地区多收一点的话，哪儿来这个钱？只有多印钞票。因此，中央必须从地方多拿一点，但拿太多也不行。拿太多了，方案反而通不过，不能实行。所以这个方案出来后，我们第一个到广东，首先从广东开始。它要是反对，这个方案就没法实行。因为它今后是要对这个方案作贡献的，拿得太多，人家不干。它有它的战略任务，邓小平同志给它一个在2000年赶上亚洲“四小龙”的任务。其实，中央政府也就多拿一点，也就是在广东原来实行包干制的基础上再多拿它整个财政收入的5%。拿这个干什么呢？无非就是支持中西部地区。所以，中央不能拿得太多。为什么要你们强调自力更生呢？中央想从富裕地区拿很多，但人家也有人家的困难，实际上是行不通的。应该说，分税制方案有利于比较贫困的地区，我想你们新疆应举双手拥护。

但另一方面，也不能太着急。第一年不能改变原有的利益格局。开始第一年就拿人家的钱，人家就不干了。只能从第二年开始，拿那么一点点；再过一年，稍微多拿一点；下一年，再多拿一点；越到后来拿得越多。只有这样才行。你想一口吃成个胖子，一下子把人家的都拿过来，把广东的钱拨给你们，那么你们将来都投我的赞成票，但广东就会把我的职务免了。所以，不能太着急。我们一再强调，财税体制改革一开始，要保持目前的利益格局。利益格局不变，以后随着地方的经济发展，中央逐步多拿一点，这是总的精神。同时，要把补贴和分税制分开。增加补贴是另外一个问题，不是分税制的问题。实行分税制的结果，是中央集中了财力。中央积累的财力越来越多，对中西部地区的支持就会越来越大。

全国要实行统一的分税制，如果哪一个省区市例外，其他省区市就绝对不肯干。比如说增值税，中央拿75%，地方拿25%，全国都这样。分税制是全国统一的，不能改变，没有一个地方能搞特殊。今天讲分税制讲不了那么详细，也不是短时间内一下子能讲清楚的。只是给同志们一个印象，分税制是合理的，这项改革是正确的，对新疆是有利的。你们明白了，就会拥护全国统一的分税制。这对你们有利，对全国也有利。

信息要真实、及时、准确*

(1993年10月14日)

信息工作很重要，也很辛苦。你们都是政府系统主管信息工作的领导同志，你们的工作做得很好。国务院办公厅统计了一下，最近几年，各部门、各地区政府系统的信息机构每年给我们提供6万多条信息，其中1万多条都送给我们看了。我每天要看很多文件，其中包括了你们报来的信息。你们的信息为国务院领导同志的决策，提供了非常重要的依据。因此，我向同志们表示衷心的感谢！

我非常重视信息，每天的文件即使到晚上12点我也要看完。为什么我每天必须看呢？因为离开了信息就无法工作。你不了解情况，你就不能作出正确的判断，就难以下决心。信息应该是我们正确决策非常重要的依据，没有信息就不能够作决策。但是，同志们，这个信息也得准确，如果信息不真实、不准确的话，我们作决策就可能出现失误。所以，我觉得至少应该给信息工作提出这样几个要求：

第一，要真实。得说真话，但我们有的人不说真话，报喜不报忧，这个不得了。信息无论如何要真实。同志们，你们来自各个地区、各个部门，各地区、各部门的工作在党中央、国务院领导下都很有成绩，工作做得很好，但是不能排除个别的地区、个别的部

---

* 1993年10月11日至14日，全国政府系统政务信息网络第八次年会在北京召开。出席会议的有各省、自治区、直辖市政府办公厅及国务院有关部门办公厅的负责同志。这是朱镕基同志在接见会议代表时的讲话。

门、个别的人，报喜不报忧，说假话，假造统计数字。对这个情况，同志们一定要辨别。虽然很难，但总是要注意这一点，信息要真实。

第二，要及时，不要“马后炮”。“马后炮”对作决策没有用，要及时地把信息反映上来。比方说，昨天我看到大量的信息反映资金紧张，好像问题大得不得了。这个信息实际上已经落后了。今年上半年的资金的确非常紧张，是因为开了邪门、堵了正路，搞拆借，搞集资，发股票，发债券，炒房地产，把银行存款差不多都给抽光了，因此银行贷不出钱。中央6号文件[1]下达以后，我们堵了邪门、开了正路，把违章拆借的钱收回来一部分。这个钱都转到重点建设和农业上面去了，调整了结构，资金紧张的情况缓和了。8月和9月，人民银行放下去1000亿元基础货币。在这两个月的时间里，把重点建设全年计划50%的资金都放下去了，到9月底，重点建设资金到位率相当于全年计划的70%，这是历史上没有过的。农业秋收的资金提前到位了，夏收没“打白条”，企业的流动资金也开始在发放。因此，现在再说资金全面紧张，就不及时了。如果你在7月份反映这个情况，那我们就要注意这个问题。9月底都已经过去了，你还说资金全面紧张，那就是“马后炮”了，已经不是这个情况了。

第三，要准确。现在有没有资金紧张的情况？还是有的。我们银行的工作还存在不少问题，该贷的也许没贷，不该贷的也许贷了，这个情况是有的。所以，你们在反映资金紧张的情况时要准确。什么叫准确呢？现在的情况不是全面的资金紧张，是有的工作还没有做到位，如对一些有效益的企业、有效益的生产支持得不够，没有及时地

---

〔1〕见本卷第331页注〔1〕。

贷款给它们，如果反映这个情况，那就准确了。现在如果还说资金全面紧张，那就不准确了。昨天我看到一个报告说重点建设资金至今尚未到位，实际现在已经到位了70%，你还说没到位。你去问问重点建设单位，它们很满意嘛！所以，反映情况要准确，不准确的信息往往造成一种舆论，常常会误导我们作出错误的决定。

总之，信息一定要真实、及时、准确。

银行信贷要堵邪路、开正门*

（1993 年 10 月 19 日）

金融形势在不到两个月的时间里迅速扭转，最重要的是刹住了乱拆借、乱集资风，然后两次提高利率，使储蓄存款上升，这三条实行下去，金融形势就缓和了，而且少发了200亿元票子；汇价稳定住了，物价恶化的程度抑制住了；过热的产业如房地产和规模过大的基础设施建设都放慢了，所以整个金融形势是大大缓解，见效很快。现在不能说乱集资已刹住，但乱拆借是刹住了。

也有问题。问题在什么地方呢？问题所在不是指导思想不明确，而是我们银行的工作不是做得十全十美，收回拆借搞得太厉害了。我们讲收拆借的时候，方针很明确，主要是针对正在参与搞房地产、炒股票的。对已变成钢筋混凝土收不回来的，不要硬收。拆借出去搞交通、能源的，或者提供给生产适销对路产品企业做流动资金的，不合法，应该收，但同时还要贷款给它们。堵邪路、开正门，不要走拆借，从正门走贷款。

我在今年 7 月的全国金融工作会议上已讲得很清楚，宏观调控不是全面整顿，而是结构调整，不是收。首先，在做这项工作时，雷厉风行是很好，银行系统从来没有像现在这样雷厉风行过，但在政策方

---

* 1993 年 10 月 19 日，中国人民银行总行 1993 年第四次资金调度会在北京召开。这是朱镕基同志在会上讲话的一部分。

面掌握得不够。这一收，恐怕大部分是把企业流动资金收上来了。因为搞房地产、能源、交通，炒股票，一借出去是收不回来的，如果硬要收，企业只能先把流动资金顶了债再说。其次，这一收把集资等来源都断了，资金无法调剂，市场陷于停顿了，这对企业的影响是非常厉害的。这次我在南京召开了有百货公司经理、工厂厂长参加的会议，他们反映这次收拆借影响相当大。当然，我们收回了大部分拆借，投入了重点建设和农业，对国民经济的健康发展起了重大作用；但也不得不承认，这造成企业的流动资金相当紧张。对这个紧张要具体分析，一部分紧张是由于搞那么高的速度，生产出来的东西卖不掉、运不出去，没有效益，往仓库里存，“三项资金”〔1〕猛增；但确实是有一部分生产适销对路产品、有效益的企业没有流动资金。这一点不能怪下面，政策完全掌握在我们手中，这就是我们的责任。所以，现在一紧，难以分辨谁有效益、谁无效益，确实存在一刀切的毛病。其中反映最强烈的是南京，银行开不了门。因此我带队去了南京，发现问题后，我认为要放。当然，不是无条件地放。当时讲得很清楚，基本建设要下来，速度要下来，乱集资不能再搞，在堵邪路这个前提下开正门。全年贷款规模在今年上半年都用完了，现在你不开正门，邪路又堵死了，还让人家活不活？因此我这次去，给江苏、浙江、安徽三个省增加了流动资金贷款规模。现在看起来这三个省的问题解决得比较好，8 月份，江苏情况开始好转，于是我们就推广江苏经验，按江苏的模式处理，把各省省长和银行行长找来开会，逐省核定并下达信贷规模、资金。但我发现我们银行内部思想不统一，工作做得不细，不解决问题。后来我就从广东开始，一个省一个省下去，碰到没有解决的问题就予以解决。每次下去都把各专业银行行长带上，因为银行对国民经济的

〔1〕见本卷第 232 页注〔1〕。

调控作用太大了。现在看来，凡开了现场会的省区市都解决得比较满意，哪怕它的资金还是紧，也觉得满意。在北京解决不了地方的问题，要到当地了解现实情况，一个项目一个项目算账，最后拍板、解决。事实证明，不采取这种办法，就解决不了问题。

根据我们到基层了解的情况，我们统一了认识，决定还是要放。实践证明没有出毛病，放得还不够。当时我们说，“点球”到位，没有危险。我对这个问题也有一个认识过程，开始不敢让工商银行放得太厉害，因为有 1989 年的教训，就是怕生产积压产品，所以对企业流动资金还是卡得紧。现在看起来，企业流动资金紧张是一个事实，其中有合理和不合理的部分。不合理的部分，现在也不能让它马上下来，马上下来不得了。大家应该注意，现在国有企业生产下降的速度是很快的，这样下去是不利的。所以在这种情况下，我们必须考虑适应当前的情况。企业流动资金放了一点，没有危险，有危险就是通货膨胀。通货膨胀要“硬着陆”是不行的，这有教训。最好延长这种通货膨胀，同时把高速度延长一段时间，让它慢慢地下来，这是最大的成功。如果现在还扣着资金不放，那真要犯错误了。当然，不是瞎放，不是去维持那么高的速度。现在速度下得很快，的确有资金上的原因。在一个多月的时间里，我们少发了 200 亿元的票子，争取了主动，争取了时间。现在放正是时候，10 月份是施工的黄金季节。

前一阶段，重点建设放得很好，但技术改造资金给耽误了。这是我的失误，我讲得不够。我一直讲技术改造优先，但没有把资金的数字讲出来，没把它落实到哪个银行多少钱。结果现在技改资金到位很差，把工商银行抠得太紧。所以，今天各专业银行提出的数字，我们都一一认账，没有危险，两个月要的钱一次给。

要求专业银行调度全国资金，又不给它留有余地，它怎么调度？请专业银行领导同志抓些具体事情，看看你们有没有本事调度全国资金，哪儿紧张往哪儿调。现在多给一些钱，让你们有调度余地，不要闹得揭不开锅。这个改革不能走回头路。另一方面，横向的拆借市场还得要发展。得让人民银行分行起蓄水池的作用，能把专业银行在各地区之间的头寸调剂搞活。这不是信贷规模，是为调剂头寸使用的，这可以弥补人民银行总行调度之不足。加快发展资金拆借市场，时间不要限在三天，三天周转不过来，时间抠得太严，谁都做不到，只要钱不跑到房地产里去，怕什么？我在南京与熊猫电子股份有限公司负责同志座谈，这个厂的彩电有销路，但流动资金给压了，银行说它占压了许多“三项资金”，厂方说这“三项资金”占压是历史上造成的。这位负责同志说今年未增加“三项资金”，现在你硬要拿着这个指标说企业不合格，把资金拿走，它没法生产，生产减了三分之一，停了七条生产线。因此，我当场就决定，只要产品销得出去，工商银行就不要卡人家过去积压的产品，他需要贷多少就给他贷多少。我也给这位负责同志讲，如果银行不给你钱，你就向我告状。要加强横向和纵向的调剂，把资金搞活。使资金拆借市场再活跃起来，现在只有一条渠道，就是银行贷款。企业债券也不让发了，但信贷这个门还半开半掩的，企业怎么弄法？我估计这次贷款规模安排下去后，资金问题就基本解决了，基本不会再喊资金紧张了，当然也不排除个别地方喊。

在中央农村工作会议上的讲话*

（1993 年 10 月 20 日）

从去年邓小平同志发表南方谈话以来，国民经济进入了一个高速发展的新阶段，取得了空前的成就。但是，在前进过程中也发生了一些问题。这些问题在今年 4、5、6 三个月来势很猛，如果不认真解决，也会使大好形势发生转折。因此，中央采取了加强宏观调控的措施，在仅仅两个月的时间内扭转了这种局面。可以说，这些问题基本得到解决。但我讲的是治标，并没有治本，要从根本上加以解决，就要靠深化改革。

去年以来的形势变化，很值得我们深思。大家看一看外国的舆论，分三个阶段。对于去年邓小平同志发表南方谈话以后全国发展的形势，全世界一片叫好，赞扬中国出现了奇迹，很多敌对的言论也转变了。在世界经济萧条的时候，中国经济取得这样的成绩，很了不起。但从去年第四季度开始到今年上半年，五六月份达到高潮，舆论已经变了。他们认为中国经济已经过热，正在走着一个从膨胀到破灭的周期，现在采取任何治理经济过热的措施都已为时过晚。我讲的这些话，都是美国《纽约时报》、《华尔街日报》上的语言。

---

* 1993 年 10 月 18 日至 21 日，中央农村工作会议在北京召开。出席会议的有各省、自治区、直辖市党政主要负责同志，中共中央和国务院各有关部门的负责同志。这是朱镕基同志在会上讲话的主要部分。

从中央6号文件[1]下达以后，到7月底，舆论又有一个转变。他们认为中国采取宏观调控的措施取得了成就，大出意外，经济“软着陆”成功了，看起来中国还是世界上经济发展最有前途的国家。香港经过一段徘徊，在内地开始进行金融整顿时一片恐慌，认为中国内地实行全面紧缩，但我们一再宣告不是全面紧缩而是搞结构调整，香港受的影响非常小。从7月份以后，香港经济节节发展，股市节节上升。香港报纸现在都感到港股指数太高了。为什么股市这么繁荣？主要是美国和日本的游资进入香港。为什么进入香港？主要是看好中国市场。美国很多大公司的董事长从去年以来都访问过中国。美国一个很大的投资银行，叫摩根士丹利，要把60%的资金投入亚洲，特别是投入中国，这对推动香港股市起了很大作用。我现在讲这些，是要说明形势对我们很有利，但千万要注意，别又让形势逆转。因为我刚才讲过，我们仅仅是治了标，根本问题并未解决，随时都有复发的可能。

一、宏观调控为什么这么快就取得成效

我自己也没有想到，宏观调控这么快就取得成效。首先是刹住了乱拆借，哪一次调控也没有这次这样雷厉风行。投资失控就是因为乱拆借，上千亿元拆借出去，投向房地产，投向股票市场。二是刹住了乱集资。这就把今年上半年银行存款急剧下降的趋势扭转了，同时也堵住了大搞基本建设的一个资金来源。这一条没有第一条做得好，因为集资的渠道太多，不像乱拆借那么容易刹住。乱拆借是一声号令就刹住了，谁也不敢以身试法，可以说基本上刹住了。三是两次提高银行储蓄存款利率，存款一下子上去了，银行增加了1000多亿元存款。

〔1〕见本卷第331页注〔1〕。

这样，整个资金形势趋于缓和。

二、信贷资金投放上有保有压

现在有一种反映，说如今的资金形势比中央6号文件公布以前还紧张，说银行只收不贷、多收少贷，出现了令人困惑的资源配置劣化的现象。这些同志的看法，叫做“见木不见林”，没有抓住当前形势的特点。现在并不是这种情况。整个资金形势怎么会又紧张了呢？今年上半年日子确实已经过不下去了，6月份存款大幅度下降，大量资金通过乱拆借绕开信贷规模投下去了，房地产开发猛得不得了，农产品收购“打白条”。重点建设资金今年上半年到位率只有19%，就是说一年时间过去了一半，资金只到位五分之一。重点建设不上去，兰新复线〔1〕、京九线〔2〕不打通，生产的产品就运不出去、销不出去，“三项资金”〔3〕占用大幅度上升。资金这么紧张，怎么没人喊？现在，资金结构有了很大调整，到9月底重点建设资金到位率达到70%，在短短的3个月时间里，把全年50%的资金一下到位，农业夏收没有“打白条”，秋收资金提前到位。到8月18日真正收回了400多亿元拆借资金，又统统投入农业和重点建设项目。不然，农业怎么会不“打白条”？所以，并不是全面紧缩，也不是只收不贷、多收少贷。上面那些说法都不符合实际情况。有些银行不贷，是无钱可贷。为什么无钱可贷？今年上半年搞得太厉害了嘛！五六十亿元资金流到沿海地区炒房地产，绕过信贷规模把几百亿元投入基本建设，没有钱了嘛。看账面有几百亿元存贷差，那是假的，存款早已绕过信贷规模变成钢

〔1〕见本卷第259页注〔1〕。

〔2〕见本卷第76页注〔1〕。

〔3〕见本卷第232页注〔1〕。

筋混凝土了，哪有什么存贷差？是靠中央银行发票子维持这么大基建规模的。

确实有一部分企业的流动资金相当紧张，但要分析原因，其中两个原因是银行工作的问题：一是收乱拆借收回了部分企业的流动资金。7 月召开全国金融工作会议时，政策是非常明确的，即收回拆借的目的是整顿金融秩序，主要是防止资金继续绕过信贷规模投向房地产。只要你不继续投就行了，已经变成了钢筋混凝土、房地产的，收不回就不要硬收，可以让他们制订一个还款计划。二是有的银行对企业流动资金贷款和重点建设项目贷款发放不及时。我们现在并不是逼企业还债，通过拆借投入合理用途的，收了之后要马上再贷给它。这个政策是很清楚的。比方说，有一部分企业原来流动资金不够，今年上半年又没有正门可走，银行资金都投向炒股票、炒房地产，没有流动资金贷款，只好高利拆借资金来充当流动资金。把这种拆借资金收回来是应该的，因为乱拆借是违章的，但要马上贷给这些企业流动资金，而且要按银行利率贷，不能搞高利贷。如果拆借来的资金用于能源、交通建设，也要收回，由国家计委列入计划，按正规贷款继续贷给企业。这个政策也是明确的嘛！同志们，我们的银行就这个水平，但应该表扬银行的雷厉风行，到现在为止，我没有发现谁还在搞乱拆借。我已宣布今年 7 月 7 日以前的不予追究，7 月 7 日以后谁搞就撤谁的职，现在还没有撤过一个人的职。但我们的银行还没有成为真正的商业银行，在收拆借资金的时候有点不分青红皂白，收了以后没有及时贷。为什么没有及时贷？没有钱，怎么贷嘛！银行开不了门，有的地方备付率只有 0.9%，收回的一点钱先用于提高备付率以保银行支付，不是它不愿意贷。多收回的就 400 多亿元，而且其中很多是应该收回、不应再贷的。

现在很多企业参与炒股票、炒房地产，钱用的不是地方，挪用了生产资金。现在你催它们还钱，企业只好用生产资金来还拆借来的资金，然后再喊流动资金紧张。另外，这么高的工业发展速度，产销率又不高，大量占压流动资金，谁保得了！没有效益的速度，我们从来就不提倡。所以，对企业流动资金的紧张，应作一些分析。不要说成是整体资金的紧张，更不要说成比中央 6 号文件下发以前更紧张。某些企业的流动资金是比中央 6 号文件下发以前紧张，但这是个别、少数、局部的现象。也确实有些有效益的企业，流动资金没有得到保证。银行工作是有很多缺点，这也与我们交代不清楚有关系，我们有责任，不能全怪银行。

7 月份收了一个月的乱拆借，发现了里面的问题以后，人民银行派十个调查组去下面调查过这个问题。江苏是喊得最厉害的，因为它的基建规模增长最快，生产速度过高，产品也销不出去，根本原因就在这里。我们在 7 月底到南京，把银行、国家计委、国家经贸委的负责同志都带去了，召集苏、浙、皖的领导同志开现场会议。会上确定增加投放一笔资金，用于解决企业流动资金问题。回来以后，马上根据江苏的经验，在全国开始注意这个问题。在明确规模要下来、速度要下来、不能再乱拆借、不能再乱集资的基础上，保证大家生产资金的需要。只要是有效益的生产，都要保证。然后，我一个省一个省地研究需要投放多少，8、9 两个月共发放再贷款 1000 亿元。我认为，这 1000 亿元下去周转起来，企业流动资金困难的局面会有好转。江苏从 8 月份开始缓和。现在有些同志反映的资金紧张状况，都是一个月、一个半月或两个月以前的情况。房地产项目有点困难，但没有停。据我们了解，没有一个房地产项目真正停下来，还在搞，只不过钱没有那么多了。现在把这部分乱拆借收回，用于重点建设，重点建设资金是到位了，但重点建设要把资金用到钢材、设备、工程队上，还有个过程。从这个项目转到那个项目，有一个周转过程。有人说我们做得不及时，我看相当及时。实际上宏观调控只搞了一个月，从8月开始放松银根。像第三季度这样放松银根，历史上都少有。我还是不放心，昨天召开了10月份的人民银行总行资金调度会。我现在差不多一个月要开两三次资金调度会。哪个地方喊得凶，我就研究哪个地方的情况，不喊的也照样研究。我们认为问题是不大的，但考虑到大家的情绪，又放了590亿元的基础货币。这590亿元今年可能周转不到一次，但也相当于1000亿元的贷款规模。

对于这个措施，在我们人民银行总行党组里面有不同意见。我们这个领导班子是老、中、青三结合：老的就是我一个，中年的两位，党组书记、副书记，其他都是“少壮派”，40多岁的年轻人。现在是年轻人坚决地反对放，说宏观调控刚刚奏效就放松银根，会前功尽弃，这些钱肯定又得回到房地产和重复建设里面去，往仓库里去。我们这几次资金调度会都有激烈的争论。后来我定下来再放一点，放的这部分主要是供给各专业银行之间的正常拆借，是横向的资金调节。

我的考虑是，明年要实行分税制、汇率并轨、放开价格等改革，都是大动作，应该创造一个宽松的环境。但是我现在也害怕呀，基本建设规模、生产速度还没有降下来，我是硬着头皮顶的。放的后果是很明显的：通货膨胀。这一点要跟同志们讲清楚，后果由我们大家来承担。不要光说资金紧张，我把资金放松了，将来造成通货膨胀，你们又说谁叫你们放的，那也不行。我们要统一认识，基于对形势的一种正确判断，共同承担这个后果，不能说风凉话。这次宏观调控一下子刹住了通货膨胀，说实话我也没想到这么快。我就讲宏观调控要制止通货膨胀不是那么容易，有一个滞后的效应。因为从去年到今年货币发行过大，前年才发590亿元票子，去年发1200亿元，今年上半年就多发了550亿元，发这么多票子必然有滞后的效应，所以我说通货膨胀会延续到明年上半年，至少要到今年年底，才能够制止。但没有想到八九月份物价就停止上涨了，8月份物价指数是15.1%，9月份物价没有再上去了。没有想到宏观调控、金融秩序整顿、抑制通货膨胀，见效这么快。

现在基础货币这么一放，见效快得很。这10多天，票子发了100多亿元，马上就要表现在通货膨胀上，第四季度的物价指数涨幅可能还要上去，你们要有思想准备。做任何一件事情，都要看到它的正面效果和负面效果。现在基础货币放一点，要让国有大中型企业的日子过得去，让人心趋于安定，社会趋于稳定，为改革创造宽松环境。另一方面，也要预计到由此导致的通货膨胀的加剧和延长。

三、现在突出的问题是市场问题

我今天讲这篇话的目的，就是要讲市场问题。江苏搞市场经济，反应灵敏，他们说资金问题缓和了，现在是市场问题突出了。江苏的乡镇企业很灵敏，很快感觉到这个问题。很可能出现两种情况，现在就要设法避免。第一种是通货膨胀继续发展，生产发展速度下不去，资金紧张，产品没有销路。在这种情况下，如果还继续投放资金，就会出现新的积压，就会发生通货膨胀，这个教训不能忘！一旦再造成大量的三角债，这个问题就很难办。第二种是如果不投放资金，不允许制造积压，那就会出现滞胀。仓库里的东西销不掉，又不允许制造积压，企业的生产增长速度降下去了，企业亏损，人员下岗，这就叫“滞胀”。这也是不得了的！我看到了这个问题，在江苏又听他们反映这个问题，就召集了20多个各类企业开座谈会，更深刻地体会到这个问题。我们要不研究市场，就会走滞胀的道路，这个事情不好办呀！

市场问题又在什么地方呢？我认为重工业的市场，问题不会太大。因为迄今为止，我们基本建设投资的力度没有降低，两个月里投了50%的重点建设资金进去，就是调整了投资结构。房地产还会搞的，基本建设投资拉动需求暂时还不会减少。这是硬着头皮顶着，不敢一下子都撤下来，怕影响重工业。在近几个月以内，投资的需求不会降低，重工业投资的需求不会减少。但是，还有一个周期性需求的问题。现在最困难的是钢铁工业。从去年到今年上半年，钢铁工业发了一个大洋财，那个时候不提供预付款就没货，光鞍钢一个月就收预付款 17 亿元，全国钢铁工业一派繁荣。当时钢铁企业并没有很好地利用这个环境，而是把生产资金大量投向基本建设，摊子铺得太大，炒房地产，到沿海地区搞什么“窗口”。这几个大钢厂我都去调查了。鞍钢我是 1991 年去的，困难得不得了，当时我就只让他们搞齐大山铁矿，这是他们的命根子，其他不要搞，就可以搞到 800 万到 900 万吨钢。但是，不听老人言呀！他们没有矿山，还要搞什么 1000 万吨规模的钢铁厂，我看是 1500 万吨也不止。摊子全铺开了，没有钱，钢材又降价了，预付款也没有了，钱全垫进去了。现在怎么样呢？又占用税款20多亿元，不交税了，情况比1991年还严重。这么搞行吗？如今，钢铁工业面临一个非常困难的时期。一个是基本建设铺那么大摊子，另一个是大量进口钢材，去年和今年进口钢材近 4000 万吨，不得了啊！钢铁工业不等到这三四千万吨钢材消化完，生产是上不来的。这个事情让我很头痛。我初步的想法，一是冶金工业现在要压缩投资规模，不能再铺摊子了，摊子已经太大了啊！二是要抓住这个好时机着重调整结构，不要再去生产那些建筑用钢材了。三是要垫一点钱进去，不能让钢铁厂的高炉停下来，一停那就完了。恐怕要把相当大量的资金投进去，压在库存里，这个钱需要多少不一定呢。现在钢铁库存已经由 2000 万吨增加到 2600 万吨了，今年上半年库存已经上去了，还得上升，恐怕要突破 3000 万吨，那没办法！所以说，钢铁工业最头痛。

汽车工业是第二头痛。同志们，去年以来汽车需求是哄上去的呀。背着财政赤字还去买汽车，有些县市领导的车都换了好几代了，都是拿财政的钱去买的，企业亏损也到银行借钱买车，花几十亿美元去进口散件组装汽车。另外，大量地进口汽车，去年不是有好多汽车采购团都出去了，买回来的汽车不都压在仓库里吗？现在是银行借钱给它垫着呢。所有的汽车，不光轿车，库存都大量增加。今年上半年轿车库存增加了260%，卡车也卖不出去了，它有一个更新的周期嘛。现在吉普车也要停产了，“一汽”停产了，“二汽”也要停产了。汽车工业面临困难，外国人已经预言了，香港报纸也说，中国这次汽车工业的萧条，按照往年的规律，至少要萧条一年。所以，我觉得很多重工业企业，并不是由于投资力度减弱，而是由于周期性的需求减少，或者说是由于进口太多、积压太多、生产太多。

但是，我认为重工业总的看还是比较好的，最困难的是轻工业。内贸部写的报告太乐观了，认为现在的轻工产品市场是由旺转平，前景还是很好的。我不是这个看法，我看很快要由旺转平、由平转淡。现在一反腐败，公款吃喝一下子就下来了。过去那些暴发户现在赚钱也不那么容易了，哄上去的那些需求也不是那么牢靠了，像南京的彩电、热水器都卖不出去了。

总之，我最担心的是市场问题，我希望各省区市的负责同志研究市场问题，未雨绸缪。现在要看到“三项资金”占用正在上升，这个趋势很值得担忧啊！

世界上没有哪个国家能维持像我们这么高的发展速度。我们的工业发展速度是百分之二十几、百分之三十，乡镇企业翻番啊。没有那么大的需求，人民生活水平也不可能提高那么快。另外，今年1月到8月全社会发放工资、奖金增长36.7%，一年的工资、奖金就增加了三分之一还多，这个是有据可查的，而实际上“小金库”发的钱根本没有统计进来。工资、奖金的增长远远超过通货膨胀，这是维持不了的。应该看到，这种分配是不公平的，亏损企业、离退休干部、公教人员欠发工资的屡见不鲜。所以说，这样的需求肯定不能持久，工资、奖金这样发下去还得了吗？

要解决这些问题，我认为，第一条，要把我们的注意力从基本建设转向技术改造。企业要赶快调整产品结构，抓质量、抓品种，尽快适应市场的需求，调整自己的生产方向，抓企业经营机制的转换，建立现代企业制度，苦练内功，靠点真本事。厂长要老老实实坐下来练点内功，把企业的生产搞上去。第二条，要开始研究一点政策，我讲的是价格政策。我不是说现在号召大家一阵风都来降价，我是说要研究降价的问题。比如说汽车，汽车不降价是绝对卖不出去的。这里面包括减税、让利等方面的政策配套。进口汽车要提高关税，国产汽车要降价。你那么高的国内价格，比国际市场价格都高两三倍，那人家不走私啊？什么电冰箱啊、彩电啊，价格要降下来，看能不能薄利多销。大量积压是搞不下去的。但还要慎重，要根据市场情况及早研究，不能一哄而上。第三条，要狠抓出口，打开国际、国内两个市场。去年以来，出口在萎缩。据外经贸部测算，我们的外汇储备最高峰是去年6月底，为254亿美元，到今年年底可能只有150亿美元了。外汇储备下降，在国际上的形象是很不好的。为什么呢？出口速度越来越下降，而且主要是“三资”企业出口，国有企业出口没有增加反而在下降；而进口在猛增，这怎么得了！所以，要赶快组织出口。现在不少外贸公司在炒房地产、炒外汇，不搞进出口了，那怎么行啊？对此有两条措施：一是今年还有两个多月，昨天我们决定，对于外贸出口收购资金给予充分保证，多收一点，多出一点。二是明年汇率并轨，对外贸企业出口会有很大的推动。第四条，要适当地降低一点乡镇企业的发展速度。乡镇企业要把劲使在调整自己的产品结构、提高质量、增加品种方面。

四、努力打开农村市场

我认为这是最重要的一条，也就是这个会议的主题。从去年下半年以来，我们在农业上出现了一些新的问题。一是粮食价格放开以后，没有稳定粮价，出现粮价下降的局面。到目前为止，我们还没有拿出一个宏观调控的办法，能够稳定农产品的价格。二是从去年以来，工农业产品价格剪刀差进一步扩大，农民种粮已经无利可图，不愿意种地了。这个非常危险，其后果还没有充分地表露出来。三是我

1993 年 2 月 19 日，朱镕基在山东省济宁市农村向农民了解生产、生活情况。

们去年把注意力过多地放在开发区、房地产上面，一定程度上忽视了农业。过去用于粮食的补贴，在粮食价格放开、补贴撤回来后，用于其他的地方去了，而不是用它来发展农业。我们应该注意到，所有的发达国家都是要对农业进行大量补贴，如果不补贴，工农业产品价格剪刀差很大，农民会活不下去。就像美国，只有几百万农民，负担了差不多两亿人口的吃饭、穿衣问题。劳动生产率那么高，还大量出口粮食，但是美国农民如果离开政府补贴，也还是活不下去。我们这么一个落后的国家，有八九亿农民，我们能够取消国家补贴吗？只有增加，不能减少。

所以，我觉得现在如果我们对农业不采取一些根本措施，农业就会发生危机。这种危机由于我们明年加快深化改革，还会加剧。为什么呢？明年，价格改革要走第二步了，要放开煤炭、钢材、化肥价格。油价也得放开，原油计划内平价 1 吨 200 元、高价 400 元，而市场价是 1100 元到 1300 元。这样一个按计划管理的油价，导致石油工业萎缩，它没有钱搞勘探了。价格混乱，企业也不好经营管理。所以，明年无论如何要把油价放开。当然，放到多少可以考虑和研究，要规范化。汽油和柴油马上要涨价，柴油涨价，农民还怎么耕地啊？所以，我请国家计委算了一笔账，就是把油价计划内平价取消，计划外 1 吨为 400 元，这比市场价格还差 1 倍多。油价恐怕要提高到 800 元 1 吨才行。考虑各种因素，明年物价的增长，粮价至少 1 斤要涨 1 角 3 分 5，我觉得还不够。我估计小麦不涨到 6 角钱 1 斤就没有人愿意种地。如果不下这个决心，提高农产品的价格，稳定农民，稳定农业，我们的工业品在农村就没有市场。

大家回忆一下，实行改革开放，为什么会取得这样的成就？那是因为改革从农村开始，首先是实行家庭联产承包责任制，然后在 1980 年、1981 年四次提高粮价。农村一下子就繁荣起来了。那是在计划经济体制下，好办一点。再后来才有城市改革开放事业的发展。如果忽视了农业，改革开放就不可能前进，工业也不可能发展，工业品也没有市场。所以，我觉得今天应该下决心，提高农产品价格。怎么提高？那无非是定购粮按国家定价，使农民有利可图。比方说，增加中央储备粮，银行拿钱，财政部出利息，按 6 角钱 1 斤把农民的粮食收上来。农民手里的粮怎么办？建立一个粮食平准基金，用这个基金去平稳农村粮食市场的价格。什么意思呢？只要市场粮价降到每斤 6 角钱以下，你就用 6 角钱收，那不就稳定了吗？这个差价和利息谁来补贴呢？那就是建立粮食平准基金。这个基金由地方建立，它的吞吐调控由地方负责，中央可以对粮食平准基金作一点贡献，补贴一点，但主要靠地方的财政预算，钱不会很多。有的同志说，那就变成全额收购了。对！就得把农民的粮食都收上来，才能稳定价格。我说还不至于出现这个情况，农民是卖跌不卖涨。如果把粮价稳定在有利可图的价格上，农民就不会把全部粮食都卖掉。口粮、种子粮、饲料粮，农民都得留着嘛，而且农民还得有一点周转才行啊，所以不会形成全额收购的情况。我觉得不下决心把粮价、棉价都提高，将来很难避免出现滞胀的局面。当然，这会增加城市居民的生活负担和一些农产品加工企业的负担。但是，我认为这个困难是可以克服的，也是必须克服的。希望同志们考虑一下这个问题，研究一下市场问题。同时，也研究一下如何振兴农业，我看恐怕最重要的是要使用价格杠杆。只有粮食、农产品的价格提高以后，工业产品的价格才能放得开。工业产品价格不放开，企业不能平等竞争，也无法考核它的效益。价格不放开不行，价格不放开，没办法搞社会主义市场经济。

树立全民环保意识*

（1993 年 10 月 25 日）

对工业污染防治工作，我有三点看法：第一，这项工作，是保护环境、保护自然、保护人类和造福子孙后代的事业，是很光荣、很艰巨的事业。第二，这项工作，既是技术性很强的工作，又是经济性很强的工作，而且与法制工作关系密切。第三，环保工作很有成绩。最近，中央电视台播放的《中华环保世纪行》，拍得很好，可以给全国人民一个很好的教育。从这部电视片中，大家都看到了陕西省铜川市工业污染的情况，我去过铜川市，确实是电视片中那种样子。同志们想想看，生活在那样的环境里，怎么能很好地工作、学习和生活？全国的环保工作者做了大量的工作，如果没有他们辛辛苦苦的工作，不怕得罪人，恐怕现在的环境污染情况还要更加严重。如果我们的环保工作不是这样有成绩，在很多地方改善了环境状况，我国环境污染继续恶化的状况也难以得到遏制。所以，我今天到会上来，向同志们表示崇高的敬意和衷心的感谢！

---

* 1993 年 10 月 21 日至 25 日，第二次全国工业污染防治工作会议在上海召开。出席会议的有国务院工业部门环保司（办）负责同志和综合经济部门有关负责同志，各省、自治区、直辖市环保局局长、经济委员会（计划经济委员会、生产委员会）主任，各省会城市、计划单列市主管工业或环保工作的副市长、环保局局长、经委（计经委、生产委）主任，企业代表、特邀代表等。这是朱镕基同志在会议闭幕时讲话的一部分。

1993 年 10 月 25 日，朱镕基在第二次全国工业污染防治工作会议上讲话。右一为国务委员兼国家科委主任宋健，右三为国务院副秘书长张克智，右四为国家环保局局长解振华。

对环保工作，我讲三点意见。

第一，环保工作与质量工作一样，要树立全民的环境保护意识。我们现在搞现代化建设，建立社会主义市场经济体制，有许多意识还不具备。没有这些意识，我国就不可能实现现代化，也不可能真正建成社会主义市场经济体制。一些同志没有质量意识，没有环境意识，没有纳税意识，甚至连投资风险意识也没有，随便乱集资、乱投资，这怎么能适应我国建设现代化、建立社会主义市场经济体制和深化改革的要求？所以，强调环境保护意识非常重要。过去有一种看法，认为工业化初期的国家，没有资金搞环保，要牺牲环境，省一点资金来发展工业。我认为，这种看法是不正确的。造成环境污染后，再来治理污染，投资会更多；如果造成了难以挽回的损失，治理就很难。不要认为先发展工业、后治理污染的做法能够省钱，能够加快社会主义现代化建设。不是的！例如，在开采煤炭问题上，如果搞大规模、现代化的煤矿建设，劳动生产率高，即使建矿时投资多一点，但环境保护做得好，省去了生产中的治理费用，投资是可以补偿回来的。在煤炭的使用过程中，如果搞集中发电、集中供热，就不会造成现在这么大面积的污染。我国使用煤炭所造成的空气污染、酸雨的问题很严重，一些外国专家提醒我们要重视这个问题。有些治理污染的项目，眼下看起来投资是大，但从长远看很值得。所以，各级领导都要有环境保护意识，要搞工业就要有环保投资，就要采用现代化的、先进的技术来建设，就要按规模效益、社会效益和环境效益同步的原则来办，不能怕花钱。现在一些同志有临时观点，只考虑短期效益，往往在处理发展经济与保护环境的关系方面瞎指挥，匆匆忙忙上项目，即使破坏环境、造成污染也在所不惜。这种做法是非常错误的，要采取措施加以制止。

第二，开展环保工作，一定要培养一支业务过硬、坚持原则、清正廉洁、刚正不阿的队伍。我最近看电视片《中华环保世纪行》，觉得安徽省马鞍山市的环境保护工作搞得不错，环保队伍确实做了很多工作。如果不培养这样一支过硬的队伍，环保工作就难以开展。当然，我们要进一步研究关于环保的政策、法规。目前已有不少关于环保的政策和法规，但还要进一步完善。现在主要是执行法规的问题，执行就得靠队伍，没有队伍是不能执行的，队伍不过硬也执行不好。

第三，要把环保工作与综合利用结合起来。有些同志认为环保工作是花钱的，不能创造效益，或者虽有社会效益，但没有经济效益。我看，这个观点是不对的。环保工作既有巨大的社会效益，也有一定的经济效益。如果把环保工作和综合利用结合起来，变废为宝，可以创造很大的经济效益。综合利用既保护了国家的资源，又充分利用了国家的资源，同时又净化了环境，可谓一举多得。我希望各有关部门联合起来，共同协作，把环保工作与综合利用工作搞好。

精心组织实施分税制改革*

（1993年11月25日）

去年以来，财政部、税务总局和国有资产管理局的同志们做了很多工作，成绩相当显著。首先是我国的财政状况有了很大好转，1月至10月份收支平衡有余，结余92亿元，好于过去的年份。我想，这个情况还会越来越好。我在今年7月份的全国财政、税务工作会议上提出的“约法三章”，绝大部分执行得是好的，特别是在控制减免税方面有显著的成绩，因此财政增收，很多不必要的开支节约下来了。这当然要归功于党中央、国务院的领导，归功于中央6号文件〔1〕的威力，但是，我们财政、税务部门同志的努力也是非常重要的。

其次是改革。从去年以来，我们在准备实行以分税制为中心的财政、税收体制改革方面做了大量的工作，做得非常细致，既考虑了国际的惯例、各个市场经济国家成功的经验，也考虑了中国的特点。制定的分税制方案，得到了全国各地区、各部门的一致拥护，最后在党的十四届三中全会上一致通过。我看这是很不容易的。如果不是同志们做了大量基础的工作、细致的工作，很难做到这一点。这项改革，我们多少年想实行而没有实行得了啊！在党的十四大上，江泽民同志明确宣布要建立社会主义市场经济体制之后，这个方案才有可能提

* 这是朱镕基同志在财政部、国家税务总局机关全体干部职工大会上讲话的主要部分。

〔1〕 见本卷第331页注〔1〕。

1993 年 11 月 25 日，朱镕基出席财政部、国家税务总局机关全体干部职工大会并讲话。图为会后与财政部部长刘仲藜交谈。

出。它是根据邓小平同志建设有中国特色社会主义理论提出的，没有这个理论就不可能进行这么大胆的改革。但是，实施这个方案比制定这个方案要难一百倍。同志们，这并不是夸张啊，要难一百倍呀！我们做了大量的工作，首先是到广东去做调查研究，征求意见。紧接着，我们又到十几个省区市进行调查测算。由于客观条件不同，情况毕竟不一样，有各种不同的类型。江苏、浙江是一个类型，山东是一个类型，辽宁是一个类型，上海是一个类型，西北地区是另外一个类型，天津从某种意义上讲也是一个类型。财政部的同志们忙着算账、谈话，不分昼夜。在这个中间我没少发脾气，我至今还感到内疚。后来，我跟财政部的同志做检讨，我说："你们这么辛苦我还发脾气，对不起你们！"他们说："这次改革是有伟大历史意义的，跟着您一起南征北战，尽管挨点批评，但我们的心情非常愉快啊!”我听了以后，眼泪都要掉下来。我确实感觉到这次财税体制改革是国家长治久安的基础，诚如江泽民同志讲的，是有历史意义的。从邓小平同志提出建设有中国特色社会主义、领导我们实行改革开放以来，我们还没有进行过一次这么广泛、深刻的改革。尽管在制定方案过程中我们作了一些让步，但是框架已经树立起来了，机制已经建立起来了，现在就是一天一天地朝着预定目标前进的问题了。最难的是这一步啊，这一步奠定了基础，就会促进我们的国家走向繁荣富强。这是一个伟大的历史时刻，是邓小平同志的思想为这个改革奠定了理论和思想基础，他是旗手，是改革开放的总设计师，为我们提出了建设有中国特色社会主义理论。江泽民同志亲自主持、决定这样一个改革方案，我们做了一点具体工作。在工作中，每一个重大的问题，我们都请示了李鹏同志。我和你们一起，都对这个方案的制定和推行尽了自己的责任和力量。我们是战友，我们参与了这个伟大的历史事件，我们作为共产党员尽了应尽的义务。在这里，我代表党中央、国务院向财政部、税务总局和国有资产管理局的全体同志们，表示我发自内心的、衷心的感谢!

这一次实行的分税制改革，或者叫以分税制为中心的财税体制改革，是这次财税、金融、投资、外贸、企业五大改革的中心环节。为什么呢?因为这五大改革真正触及地方利益的就是财税体制改革，它一改过去几十年实行的制度。我们不要去批判过去的制度，那个制度是符合当时的历史条件的，也是一步一步前进的。但是现在要搞社会主义市场经济，就要有社会主义市场经济的东西，如果还是以前那一套就要吃大亏，最后就要崩溃。这个改革触及地方的切身利益，但是要是不搞这个改革，就像一台发动机没有动力，经济就没法搞下去。所以去年以来，特别是近两个月以来，我花的时间最多、下的工夫最大的就是财税体制改革。现在准备实行的分税制方案就考虑到了这个难度，因此必须有中国的特色，要采取渐进的办法来进行。

改革总要有一个模式，机构、机制、制度都要按此建立起来。就分税制的目标而言，可以采取市场经济国家分税制的目标，但是要采取一种过渡的方式来补偿地方的利益，逐步达到既定的目标。这是中央的一种思路，现在证明是正确的。不采取这个过渡办法，我们根本就无法做到在两个月内全国各地区都拥护。分税制的目标是什么呢？就是要转换机制，适当增加中央财力。按照国际惯例，一些发达的市场经济国家中央政府的收入要占到财政总收入的60%，比60%高的国家还有的是，而它们的支出又只占总支出的40%左右，这也是一个规律。那么，中央政府多收的部分就采取转移支付的办法，按照各种系数、考虑各种因素返还给地方。这些国家正是用这个办法来维护国家的统一和经济的均衡。中央政府总要支持一些贫困的地区发展经济，来保持国家的统一和政策的完整。现在我国财政收入扣除债务，中央政府的收入只占30%还不到，而所占支出却超过50%，从哪里弄那么多钱来开支呢？靠赤字！赤字全由中央背了。中央的财政赤字一年一年往上加，怎么办呢？要增加发行国债来解决。今年发行300亿元国库券，结果售出310亿元，是当做政治任务才完成的。这说明我们的办法还是不行，要想办法让老百姓自愿购买。另外，明年有好多资金只能用来买国库券，比如说商业保险以及养老保险基金、待业保险基金的结余等等。明年凡是开支剩下来的钱必须用于购买国库券，不能拿去搞投资。邮政储金也要用于购买国库券，不得截留。这在美国也一样，美国的养老保险、年金等资金量最大的几项基金也是用来购买政府债券的。

所以明年要想多增加一点收入，就只有靠实行分税制改革，靠大家努力共同做好工作。但是中央还不能拿得太多，否则地方有意见，分税制改革就会遇到重重障碍，使你无法进行。我们现在准备实行的分税制是大家的一个创造，中央先收上来再退回给地方。这和国外的转移支付还不一样，他们是先多收了再返还一部分给地方，我们是收上来以后基本上又都返还给地方，中央没有留多少。现在算来算去，只要中央能够把增值税的四分之三收上来，中央的财政收入就可以达到占财政总收入的57%，接近60%的目标。但问题是，把增值税的四分之三收上来，中央的财政赤字是解决了，地方怎么办呢？因此，收上来还得退回去。怎么退呢？这里又出来个基数法，就是以1993年为基数，看看地方增值税的四分之三是多少，第二年基本上按照四分之三的额度返还给地方，稍微加一点。假定1994年全国增值税比上年增长10%，那就在返还给地方的基数上加3%，中央从增量里拿大部分，地方留小部分。这个方案地方可以接受。这样以1993年为基数，到后来中央就越拿越多了，到一定时候，1993年的返还基数相对就不太大了，等于最后中央把地方增值税的四分之三都收上来了，达到了中央的目标，也就是中央收入占全国收入的57%。我估计，这个目标要到2000年才能达到。但这里有两个问题：一是原来地方以为中央把增值税的四分之三拿走就不返还了，所以意见特别大，说那样地方就没法活了，实际上不是这样的；二是一些地方提出实行分税制，按原来的体制上缴给中央的那一块就不交了。那怎么能行？原来地方上缴的那一块有400多亿元，中央明年实行分税制只能增收95亿元。如果那样做，中央财政赤字不是又增加了300多亿元吗？现在是一个过渡时期，原体制上缴仍然要运行，这400亿元地方还得交，因为地方交的这400亿元是在1993年基数里的，没有变。地方原来能交，现在仍然能交，我们新拿的只是增值税增量的一部分，并不影响地方按照旧体制上缴。

需要说明的是，我们在后来跟各省区市协商时作了两个让步，这两个让步已经中央政治局常委和政治局会议讨论通过了。一个让步是，有的地方违反国务院的规定，实行了所谓的“投入产出总承包”，把企业的产品税、增值税免了一部分。而按照新办法，免的这一部分没有进入 1993 年的基数，明年就得收上来，这样企业就感到很困难。所以对分税制的顾虑是很大的，这是某些地方反对分税制的一个重要原因。虽然它原来违反了国务院的规定，但要地方自己取消正在执行中的决定也不太合适。我们考虑再三，为了保持政策的连续性，减少推行改革的阻力，同意这些地方继续承包到 1995 年，但分税制机制仍然要建立，税仍然要收上来，中央可以根据各省区市政府原来确定的承包企业进行返还。从 1996 年开始不再返还，完全按新体制运行。第二个让步是，确定以 1993 年为基数。原来中央准备以 1992 年为基数，因为 1993 年还有几个月没有完，基数有可能做手脚，使中央该收的收不上来，中央当时也考虑到了这个副作用。这主要涉及沿海地区的利益，它们在 1993 年发展很快，财政收入增长很多，如果以 1992 年为基数等于 1993 年拿了它一大块，1994 年拿得更多，使它们的利益受到很大的损失。以 1993 年为基数可以减小这方面的阻力，同时考虑到要做手脚也不是那么容易，所以中央就同意以 1993 年为基数。

现在弄虚作假的问题越来越明显。为什么呢？大家看 9、10 月份的税收全国平均比去年同期增长 50%到 60%，有的地区增长一倍甚至两倍，但是把产值增长、物价上涨以及财政收入本身的增长速度都考虑进去，这里面究竟有多少是非正常的，现在还不好说。一下增长这么多要提高警惕。这里我讲三点：第一，应该看到税收在 9、10 月份的大增长以及今后两个月的大增长是执行中央 6 号文件的结果，是执行全国财政、税务工作会议上的“约法三章”取得了成效，主要是把减免税收上来了，真正杜绝了随意减免税这个口子。多收税有什么好怕的呢？主要是要把账算清楚，什么是归中央的，什么是归地方的，至于怎么返还咱们再算嘛！所以，我们首先要正确地认识这个问题，多收了税不要害怕。我们的政策见效，工作见效，收税应该多。第二，9月份以前的银行信贷是很紧张的，9月份以后大大缓和，这个时候企业的欠税就交上来了。第三，这里面肯定有弄虚作假的问题。我们现在应该赶快想办法来防止有的地方弄虚作假，保证中央应该收的税归中央，否则我们财政就会感到困难。为此，我请财政部的同志草拟了一个电报，已经发出去了。现在看来，这个电报的措辞还不够严密，也不够严厉。我下面讲的防止以1993年为基数弄虚作假的问题，请你们做记录，再发到全国各地区、各部门。

分税制改革是整个经济体制改革的一个中心环节。为了充分调动中央和地方两个积极性，照顾地方目前的利益格局，党中央、国务院决定分税制改革以1993年为基数。为了防止各种弄虚作假行为，保证这项改革的顺利进行，国务院已经发出了《关于实行财政分税制有关问题的通知》，要求各地严格遵守财经纪律，严禁收“过头税”，严禁用不正当手段强制企业交纳历年“死欠”的税款。为了使各地全面、准确地了解分税制改革的内容，我再就防止以1993年为基数弄虚作假的问题，补充几点意见：

第一，要坚决防止利用减免税政策，虚增今年的收入基数，骗取两次返还。这次分税制改革，为了照顾地方政策的连续性，对中央6号文件下发以前各省区市政府批准实施的未到期的减免税项目或减免税企业，经财政部、税务总局审查后，予以确认，今年不列入基数，明后两年实行先征税、后退还的办法。这个办法已经照顾了地方的利益，因此，绝不允许各地再利用减免税政策虚增今年的收入，以抬高基数。比如，有些企业已经搞了投入产出总承包，税已经减免了。现在有的地方为了抬高1993年基数，就让企业把税交上来，然后地方财政再返还给企业；同时，以减免税为由，再要求中央财政明年收税后重复返还。对此，财政、税务部门要严格进行审查，对重复申报、弄虚作假的，既不承认其为基数，明年也不再执行减免税先收后还的政策。

第二，1993 年收回的“死欠”、“积欠”税款不能进入基数。“死欠”就是企业已倒闭，或者产品已报废，根本就没有能力交税，今年却采用转账或别的办法交了税，以此抬高基数；“积欠”是多年积累下来的老欠税，这部分税款是应该收上来的，但它是 1993 年以前欠的，不是当年的税源。“死欠”、“积欠”税款根本就不是 1993 年的税收，因此不能进入 1993 年的基数。

第三，不准收“过头税”，搞“寅吃卯粮”。凡税法规定应在下一年度征收的税款不准提前征收，如果提前征收了，也一律不准进入基数。要严格按照国家有关减免税以及外贸出口退税等政策执行，该归还的贷款应当及时归还，该退税的也要及时退税，绝不能为扩大基数而采取变通措施。凡不按政策规定而获得的收入，都不能进入 1993 年的基数。

第四，绝不允许强制银行给企业贷款交税，各家银行都要严格把关。财政、税务和金库管理部门要做好年终的对账工作，凡用贷款虚增的收入一律不做基数；没有入库的收入，也不能进入 1993 年的基数。

第五，今年 5 月 1 日，国家将商业零售环节营业税税率由 3%提高到 5%。按规定，今年商业零售环节营业税的 24%归中央，76%归地方。凡挤占应上缴中央的收入，不能进入 1993 年的基数。

各地区、各部门负责同志要坚决贯彻党的十四届三中全会通过的《中共中央关于建立社会主义市场经济体制若干问题的决定》（以下简称《决定》），拥护改革，维护大局，旗帜鲜明地反对从局部利益出发的弄虚作假。要严格进行监督检查，切实制止出现的错误和问题。凡在基数问题上弄虚作假的，一经查出，国务院要严肃处理：一是要在全国进行通报，点名批评。二是要追究有关人员的责任，该处分的处分，该撤职的撤职。三是要把违反规定的收入从基数中扣除，即中央财政在核定今年地方上划中央的收入基数时，剔除已经实行减免税政策的企业所交税款，剔除上缴的“死欠”、“积欠”税款，剔除地方未执行国家政策而征收的税款和应退未退的税款，剔除“寅吃卯粮”、收“过头税”以及收入混库〔1〕、错列项目的部分等；同时，还要进行一定的经济处罚。此外，各地 1993 年的财政收入，必须与同级金库的入库数一致。关于明年中央向地方返还税收问题，如果明年地方上划中央的收入少于今年，中央的税收返还也只能相应减少。总的原则是：既不能让老实人吃亏，更不能让弄虚作假的占便宜。还要指出一点，这次分税制改革方法明确，计算简单，所有基数问题上的弄虚作假，都是可以从税票上查出来的，千万不要“聪明反被聪明误”。为了维护法制的尊严，对弄虚作假、虚抬基数者，定要严惩不贷，勿谓言之不预也。

分税制改革是建立社会主义市场经济体制的重要内容，关系国家的长治久安，关系今后的经济发展。希望各地区、各部门在行动上而不只是在口头上认真贯彻执行党的十四届三中全会的《决定》，自觉维护大局，共同把分税制改革搞好。

最后我想强调，要把认真学习《邓小平文选》第三卷作为当前的头等大事来抓。我们只有深刻地领会邓小平同志的建设有中国特色社会主义的思想，才能把我们的改革搞好，把发展搞好。这一点，希望

〔1〕收入混库，指各级预算收入入库级次相互混淆，错误地将中央与地方之间、地方上下级之间和税种之间的财政收入混乱入库。

同志们一定要把它当做当前最重要的任务来对待。学习《邓小平文选》要按照中央的指示、江泽民同志的讲话，深刻学习，全面领会，正确贯彻。我强调几点：第一，要学得深一点。看看这个讲话是什么历史背景，邓小平同志过去是不是讲过这个话，过去是怎么讲的，现在有什么变化和发展。这样学习有助于更深刻地理解。邓小平同志讲话的特点，就是逻辑性非常强，思路非常清楚。第二，要全面地理解。比方说，去年以来在高速发展的过程中所发生的一些问题，都是由于没有全面地理解邓小平同志的思想。邓小平同志的讲话是辩证法，每一个方面都讲到了，既全面又有重点，只要你在工作中间都考虑到这些问题，就可以把握一个正确方向。如果你只是抓住一个方面去琢磨，猜测这里面是什么精神，就往往容易犯错误。他既讲主要要反“左”，又讲要警惕右；既讲抓住机遇，加快发展，又讲要避免发生大的错误，大起大落。哪一个方面他没讲到？如果把邓小平同志的思想理解为就是一个“快”字，我认为这是贬低了邓小平同志的思想。发展是硬道理，低速度不是社会主义，这是确定不移的真理。但怎么发展，他在很多地方讲的是改革，他是改革的总设计师。不改革，能够发展上去吗？光讲高速度，不顾条件，不实事求是，能有高速度吗？我们历史上搞过多次，一下子高上去，一下子掉下来，高速度就是基本建设高规模，结果搞不下去了，就掉下来，最后高低一平均，又把速度拉下来了。所以，我们一定要全面地去理解邓小平同志的思想。第三，要正确地贯彻。我们每个人要学习做解决问题的能手，我希望同志们都要到解决现实问题中去锻炼。发表议论是很容易的，真正解决一个问题是很不容易的。大家都要学习如何成为解决问题的能手，碰到什么困难都能想出办法来，尽管这种办法对工作不是万全的，任何一个政策都有它的副作用。正如刚才讲的以 1993 年为基数，也是有副作用的，但是你想找一个没有副作用的政策是找不出来的。把问题解决了，你能够前进一步，你再解决第二步。这是我对同志们的一个希望。

财政部应该是我们宏观调控最重要的一个综合部门，当然金融也是一个最重要的部门。我认为财政和金融这两个部门，可以说是我们宏观调控的两个支柱。我这里没有贬低计划部门的作用，计划是总的宏观调控，现在计划的手段在哪儿呢？离开财政、金融还有什么手段呢？越往社会主义市场经济走，计划的权威就在于能够灵活地运用财政和金融这两个最重要的杠杆、两个调控手段。所以，同志们担负了非常重要的任务，你们是很光荣的。我希望同志们坚持优良传统，能够继续坚持原则到底，同时要改进自己的作风。希望我们大家团结起来，互相理解，互相谅解，共同两手抓、两手都要硬，加强思想政治工作。我完全相信，我们明年的工作一定可以取得更大的胜利。

在一九九三年全国经济工作会议上的总结讲话 *

（1993 年 12 月 3 日）

全国经济工作会议已开了三天。大家一致拥护党的十四届三中全会通过的《中共中央关于建立社会主义市场经济体制若干问题的决定》（以下简称《决定》）和李鹏同志在这次会议开幕时的报告。对明年要进行的改革方案，大家表示赞同；对明年总的计划盘子，普遍认为比较妥当。在讨论中，同志们提出了一些值得注意的问题以及不少好的补充意见。我受李鹏总理的委托，把各个小组的讨论情况作个汇总，就大家提出的问题和意见作一些说明。我分别从改革和发展两方面来谈。

关于改革方案，大家认为：党的十四届三中全会所确定的建立社会主义市场经济体制的改革思路和国务院据此制定的具体改革方案，是一次历史上少有的、广泛而深入的改革。完成这次改革，可以基本上建成社会主义市场经济体制的基本框架。这是一个很好的历史机遇，我们应该抓住这个机遇，及时地推进改革，真正把我们的各项经济关系理顺，使国民经济持续快速健康地发展。大家认为，这些改革方案的可操作性比较强，方案比较具体、比较配套，实施起来也比较方便。同时，改革方案考虑到了各方面的意见，既考虑了发达地区的

---

* 1993 年 12 月 1 日至 4 日，国务院在北京召开全国经济工作会议。出席会议的有各省、自治区、直辖市和计划单列市负责同志，国务院各部、委、局负责同志。这是朱镕基同志在会上的总结讲话。

意见，又考虑了发展中地区的意见，也考虑了不发达地区的意见，而且考虑得比较充分。这些改革方案的确经过了充分的酝酿，我们与全国近一半的省、自治区、直辖市负责同志，以及经济综合部门的同志当面交换了意见，充分听取了他们的意见。这次会议的分组讨论也是一个改革，把上述三种类型地区的同志放在一起讨论，使不同地区的看法得到交流，促进大家了解全局并兼顾各方面的利益，这样对改革方案的评论就比较全面了。许多地区，特别是沿海地区的同志讲，为了全局的利益，自己应该多作一些贡献。对这些改革方案，大家总的意见是一致肯定的。

同志们反映的意见和建议主要有三条：一是觉得这次改革力度很大，难度也很大，自上而下的准备工作比较充分，但是自下而上的准备工作还不太够，因此，担心会不会搞乱。二是认为这次改革中央集权过多，影响了地方的调控能力和积极性的发挥。三是担心这次改革会加重国有企业的负担。我就这些问题讲几点意见。

一、关于改革问题

这次改革确实是空前的广泛、空前的深刻，内容非常丰富。要消化这些改革方案及其细节，需要下点工夫。这次改革看起来是全面推进，出台时间比较集中，其实许多事情已经做了或者正在做，并不完全是新的，也不都是集中在明年 1 月 1 日开始实行。难度比较大的，主要是分税制和税制的改革，还有汇率并轨的改革，这两项改革是比较艰巨、复杂的，而且有一定的风险。其他方面的改革已经在进行了，而且进展比较顺利。可以说，在党中央、国务院的正确领导下，全国上下同心协力，锐意进取，明年的改革出不了什么大问题。

下面，我分别来讲几项改革。

（一）金融改革由三部分内容构成：一是把人民银行总行变成真正的中央银行。二是把现在专业银行中的政策性业务分离出去，把专业银行办成商业银行；同时，另行建立政策性银行。三是建立全国统一开放、有序竞争、严格管理的金融市场。

从第一个内容来讲，就是坚持在国务院的领导下，中央银行独立执行统一的货币政策，保证币值的稳定，把金融宏观调控的权力集中到中央。这个任务实际上已经初步完成。原来人民银行各省、自治区、直辖市分行所拥有的7%的贷款规模调控权已收回总行，这完全应该，执行过程中也没有遇到阻力，执行的结果很好。与此同时，我们也给予人民银行各省区市分行应有的权力，比如金融监督、调查分析、横向头寸调剂、国库经理、现金调拨、外汇管理和联行清算。最近我们下达了200亿元资金给各省区市分行，作为一个“蓄水池”，调剂本地区专业银行之间的头寸余缺。各省区市分行做得很好，每个月都写一个报告给总行，使我们能够及时掌握宏观调控的力度。今后继续这样转换职能，就能够发挥各省区市分行的地区调控作用。

从第二个内容来讲，把专业银行办成商业银行，需要一个相当长的时期才能达到，工作进程只能是渐进的。商业银行的几条原则包括自主经营、自担风险、自负盈亏、独立决策等。这只是个目标模式，要达到这个目标需要较长的时间。因为国有企业经营机制的转换，还需要相当长的过程，如果专业银行按照商业银行的原则独立经营，根据效益，独立决定信贷项目，那么，相当一部分国有企业就受不了。关于这个问题，明年我们朝着这个目标能走多快，国家经贸委正在和各专业银行一起研究制定具体的实施细则。

我认为，成立政策性银行没有任何风险，对中央、对地方都有好处，有百利而无一害。现在政策性的国家开发银行已经成立了筹备组，并草拟出了一个章程，印发这次会议征求意见。这个银行的任务，就是要承担限额以上的重点基础设施和基础工业建设项目。这些项目关系国家经济建设的命脉和后劲，覆盖面比较广，占整个全民所有制基本建设投资总规模的60%到70%。我们认为这一块最容易出问题，即安排资金时，资金留下缺口，所谓“自筹资金”往往落空，形成三角债。现在成立政策性银行，就是要在国家计划安排的基本建设规模以内，首先保证重点建设项目的资金，一开始就百分之百落实。成立国家开发银行，无非是进行总量控制，防止把同一块银行贷款规模“一女多嫁”，导致基建规模失控、银行贷款规模突破、票子多发、通货膨胀。今后，国家开发银行和国家计委、国家经贸委要配合好，在最初定项目的时候就把资金定下来。这并不是要打乱原来的渠道，也并不影响地方搞项目的积极性。我们认为，地方重大的基础设施和基础工业项目不报国家计委，自己来搞，难免会发生重复建设。现在某些方面已经过度了、超前了，这样下去不但国力无法承受，建成后利用率也不高，还会造成极大的浪费。成立国家开发银行不会伤害地方利益，相反，对地方真正需要搞的重点建设项目资金会保证得更好。我们力争国家开发银行明年一开始运作，就能够使资金得到平衡，避免产生新的三角债。最近发现许多电厂的自筹资金不落实，致使哈尔滨三大动力设备厂的生产周转资金都很困难。经查，中央的建设资金都到位了，只有地方的自筹资金没有到位。大量三角债的发生，也多是因为地方自筹资金落空，要靠银行贷款，而银行又没有这块信贷规模。

进出口信贷银行〔1〕也成立了筹备组，正在制定章程。它主要是搞卖方信贷和买方信贷，鼓励出口，财政支持一块资金，这对推动大

〔1〕进出口信贷银行，即1994年成立的中国进出口银行。

型成套设备出口有好处。关键是财政能拿出多少钱，能够支持多大规模的卖方信贷和买方信贷。总的说来，促进出口对中央和地方都有好处。

农业发展银行是从现在的农业银行分离出来，搞政策性的粮棉收购和一些开发性的项目。这个银行准备在明年夏收以前成立，目前忙于秋收，不能分心。这个银行的筹备组马上也要成立了。现在的农业银行，在政策性业务分离出去以后，成为商业银行。同时，要在农村信用合作社的基础上有步骤地组建农村合作银行，国有商业银行可以向其参股，但不改变农村合作银行的集体合作金融性质。

（二）外贸改革很多已经在做了，也没有什么风险。

（三）建立现代企业制度的改革，江泽民同志讲是改革的重点和难点所在，这是一个很重要的根本性的改革，但是只能逐步达到目标模式，明年准备先进行试点。李鹏同志说，结合实施《国有企业财产监督管理条例》和建立现代企业制度，搞 100 个企业试点。国家经贸委、体改委、国有资产管理局联合起来搞 100 个，不要各搞各的。对国有财产的监管主要是防止国有资产的流失。大家顾虑监事会又会成为一个“婆婆”，干预企业的经营自主权。绝对没有这个意思，监事会只是受主管部门的委托，对大型国有企业进行监督。一年无非开一两次会，查一下国有企业的经营管理和资产负债情况，向它的上级机关提出奖惩意见，免得国有企业随便被卖掉，随便与外国人合营，资产随便流失。监事会绝对不干预企业的经营，不会成为一个“婆婆”。监事会成员不属于企业内部人员，不需要企业开工资，也不接受企业给他们的车马费。

（四）外汇体制改革。汇率并轨是有点风险的。所谓“汇率并轨”就是取消汇率的“双轨制”。现在国家牌价 1 美元兑换 5.8 元人民币，调剂市场价 1 美元兑换 8.69 元到 8.7 元人民币。国家牌价已经不能反映实际换汇成本和供求情况，应该取消，让市场来定价。当然，所谓“由市场来定价”，汇价也不能大起大落，否则外国人也不会来投资了，因此对这个市场也要进行管理，由人民银行负责管理和调节。市价涨到一定程度，就要抛售外汇，让它降下来；掉到一定程度，就要收购外汇，让它恢复到一个比较稳定的价格。汇率要有浮动，但浮动幅度不能太大，太大了不利于开放。现在看来只要人民币的币值稳定，实现有管理的自由兑换，外汇黑市就会越来越少。目前黑市的汇率比调剂市场还低，因为我们在调剂市场收购外汇还不是那么及时。实行汇率并轨，近期还只是在经常项目下人民币可以自由兑换外汇。外贸公司进口需要外汇，可以持有效凭证，拿人民币到银行去换外币。有效凭证就是指：进口许可证商品、配额商品，要有批件，没有批件不能进口；进口钢材等自动登记制商品是有计划的，要持登记证明和进口合同；引进项目的货物和技术进口是有合同的，要持项目批准部门的文件及相应的进口合同；其他所有符合国家进口管理规定的货物进口，只要持进口合同和境外金融机构的支付通知书，就可以到银行换外汇。要做到这一点，就必须实行跟踪结汇。外贸公司创了外汇，必须换成人民币，在银行结算，银行按当天的汇价把人民币给外贸公司。有些创汇的外贸公司感到不放心，担心将来想用外汇的时候兑换不来外汇。我们的办法是出个“安民告示”。比如你创了 10 亿美元的外汇，结汇换成人民币，给你建立一个台账，承认你有 5 亿美元在银行里可以随时兑换，这样外贸公司就放心了。因为外贸公司现在的外汇留成比例只有 40%，其余 20%无偿上缴给中央，10%无偿上缴给地方，还有 30%按市价有偿上缴，改革后建立了外汇台账，留成比例达到 50%。这并不是说用汇超过 50%就不让换了，50%用完了，只要持有效凭证，还可以拿人民币去换外汇。没有外汇的外贸公司要做进口生意也一样，拿人民币并持有效凭证到银行去换外汇就行了。这个办法是简便可行的，外汇调剂市场[1]就只存在于银行之间，不需要客户直接进调剂市场了。非贸易外汇要持支付协议或合同去兑换。个人出国根据出国的凭证去换外汇。实行汇率并轨对外贸公司是极大的支持，取消了无偿上缴，1 美元多拿 3 元人民币，相当于换汇成本每 1 美元可多收 1 元人民币。这个措施是从根本上推动出口，明年出口大有希望。

实现汇率并轨和经常项目下人民币可自由兑换，最大的风险是对外汇需求控制不住，特别是国内商品价格高于国际市场价格时，搞投机的人就要换外汇去进口。如果我们拿不出外汇，汇价就要升高；否则，就要把外汇储备换空了。对这个风险怎么办？国家计委要对控制外汇需求作一个规定，对进口商品要进行宏观调控。比如钢材，现在钢铁工业企业的困难就是因为钢材进口太多造成的，去年进口一千几百万吨，今年进口两千几百万吨，加起来近 4000 万吨。我们要吸取教训。国家计委经过平衡，规定只能进口多少钢材，在计划总量之内的进口可以换外汇，超过总量就要“刹车”，不给换外汇了。自由兑换外汇存在一定的风险，但是为了促进出口，我们愿意承担这个风险。我们今年积累了调控外汇市场的经验，银行和外汇管理局都得到了锻炼，相信明年会做得更好。所以决定还是要实现汇率并轨，不这样，出口上不去。今年一直到现在为止，我们一般贸易的出口还是下降的，因此不采取措施不行。何时开始实行汇率并轨要严格保密，只能在并轨的头一天宣布。但可以告诉大家，风险再大也要并轨。

汇率并轨以后，外资企业怎么办？外资企业现在实际上是不结汇，如果允许外资企业到国家银行换外汇，这个风险相当大。去年以前的“三资”企业是创汇多于买汇。去年“三资”企业大发展，随便

---

〔1〕 见本卷第 347 页注〔1〕。

签合同，大量的产品销到了国内市场，外汇不能平衡。因此，现在如果贸然开放国内外汇市场，让外国人自由兑换外汇，我们担心外汇市场会一下子被冲垮。初步意见是，对外资企业先维持现行的办法基本不变，实行一段时间后视情况再做调整。总的来说，汇率并轨有点风险，但还可以承受，问题不是很大。

（五）明年改革方案的中心环节是分税制和税制改革。这项改革的牵动面确实很大，有利益冲突。我们抓明年的改革，首先要把分税制和税制改革认真抓好。这项改革只能成功，不能失败，如果失败了，我们整个改革就有失败的危险。有的同志反映，分税制改革的方案太复杂，连专家都看不懂。我看不见得，现在的分税制改革方案应该说还是非常简单的。这个方案既汲取了发达市场经济国家几百年的成熟经验，又照顾了中国的特点，考虑到了目前中国各个地区的利益格局，采取渐进的改革，着眼于首先确定目标模式，然后建立达到这个目标模式的机制。实行分税制改革，中央不可能一下子集中太多财力，要慢慢来，这样风险就比较小。不这样做不行啊！明年 1 月 1 日实行分税制，如果一下子中央财政收入就达到全国财政总收入的 60%，把 1000 亿元的财政赤字都给了地方，地方能承受得了吗？现在这个改革方案和美国、日本的税制比起来是简单的，也是由中国特色决定的。中国税收的特点就是流转税占的比重很大，其中的增值税中央拿四分之三，加上过去中央拿的关税和中央企业收入等，中央的财政收入就可以达到全国财政总收入的 60%左右，其他税种基本上都给地方。像美国是联邦、州、地方三级收税，各有不同的税种，非常复杂。而我们的分税制是相当简便的，好执行。事权也好划分，中央的开支就是军费、重点建设拨款，还有中央和国家机关及事业单位的工资，主要是这三笔钱，现在一年大体上是 2000 亿元，其他由地方支出。按照这个办法，中央的财政收入可以集中到全国财政总收入的57%到60%，而中央的支出大概只占全国财政总支出的50%多一点。这样，中央集中的资金就可以平衡有余，就可以通过转移支付的办法，返还给地方，以调节地区间收入的不平衡，这是目标模式。这个目标什么时候能达到？大概要到2000年以后。现在中央一年差不多承担1000亿元的财政赤字，靠发票子和发国库券平衡。如果当前就做到中央财政收入平衡有余，就意味着把1000亿元赤字转给了地方，地方无法承受。因此在分税制改革的过渡时期，中央还得把基数年上收的四分之三增值税返还给地方，中央只留增量的大部分，使地方目前的利益格局不受到损害。

有的同志反映，中央返还给地方的是一块“死面”。实际情况不是这样。中央财政进行返还时，在返还基数的基础上每年都考虑有所增长，就是将相当于增值税实际增量的30%返还给地方，其余70%的增量归中央。中央并没有把地方财政收入全部的增量都拿走，从全国来讲，增值税只占到全部税收的40%左右，中央只拿增值税四分之三的增量的70%，相当于全部增值税增量的一半左右。地方财政收入增量的大部分仍归地方，所以不能说中央集中过多。明年通过分税制改革，财政部从整个财政收入的增量中大体多收95亿元。根据现在各地出现的弄虚作假的情况，这95亿元可能拿不上来了。就是多收95亿元，平均到每个省、自治区、直辖市和计划单列市也就是两亿元，当然，富裕的省可能多作点贡献。这样一个改革是非常温和的、渐进的，请同志们“高抬贵手”，因为这95亿元已经打到财政预算支出里了。以后“蛋糕”越做越大，增量越来越大，中央收的钱会逐步增多，有可能到2000年以后，中央财政收入可以占到全国财政总收入的50%到60%。因此我们认为，这样的改革不会有大的利益冲突。我曾去了十几个省、自治区、直辖市，和这些省、自治区、直辖市的书记、省长、自治区主席、市长座谈。大家都能从维护大局出发，一致拥护分税制，愿意多作贡献，风格都很高。大家都觉得这个方案符合社会主义市场经济体制的原则，不会影响地方的经济发展。所以，只要大家思想统一，分税制改革不会有太大风险。

现在的问题是税制改革可能会引起一些具体问题，需要很好地重视。税制改革中一个很重要的问题就是增值税的改革。过去的产品税、增值税、批发和零售环节的营业税统一改为增值税，都按增加的价值乘以统一的税率来计算。我们的原则是不增加企业的税负，不加重国有企业的负担，但是实际上不能完全做到，统一的税率只能使大多数企业的税负不增加。我们最后确定的增值税税率是17%，这个税率可以保证绝大多数的企业不增加负担，但是总有一部分企业的税负要增加。所以，我要给在座的负责同志打个招呼，叫喊税负增加的企业仅是一小部分。我想，我们还有别的政策来平衡税负增加的企业，即免收“两金”〔1〕。总体来看，明年国有企业的负担不会增加，而是普遍降低。

再一个问题是要把对“三资”企业征收工商统一税改为征收增值税，这可能也会增加一部分“三资”企业的税负。要有一个补偿的办法，即对外资企业实行增值税以后，税负加重的企业到年终算总账，加重多少，返还多少，返还年限根据合同年限定，但最长不超过五年。新办的“三资”企业一律按全国统一的增值税征税。我们在各大城市都召开了外商座谈会征求意见，大部分外商都是通情达理的，他们表示可以接受。

还有一个大的问题，是增值税的计算，即以销售额减去原材料、外购件的价值为计税基数，按净增的价值乘以税率17%。为了避免发票作假，要用印钞票的办法印发票，只在一家印刷厂印，一系列防

---

〔1〕见本卷第35页注〔1〕。

伪工作都要跟上去，一个环节脱节都会引起全国的混乱。因此，大家都要把注意力转到改革方面来，放在建立社会主义市场经济体制这个长远的目标上来，这样才可以防止可能发生的风险。

二、关于中央集权过多，影响两个积极性发挥的问题

根据我刚才简要介绍的各项改革方案的内容，同志们可以看出中央并没有在现有的基础上集权过多，集钱也不过多。所谓“集权”，金融本来就由中央调控，历来如此，现在只是把违章分散的现象清理、整顿一下，并没有改变地方在经济调控方面的能力。我们正在筹建农村合作银行和城市合作银行，也是为了达到促进地方经济发展这个目的。在金融方面无论是成立商业性银行还是政策性银行，都是为了加强宏观调控、保护总量平衡，不涉及权力转移问题。财政分税制划分了中央和地方的职责和事权，并不影响眼前利益的格局。中央也没有收权，如果说收权，也只是把某些地方挖中央财政的权收上来了。如果税务局不分成国家税务局和地方税务局，中央该收的钱是收不上来的。今年 1 月到 9 月，全国的财政收入增加 11.6%，地方的财政收入增加 18%，而中央的财政收入只增加 0.9%。不分开收税，中央的税收没有保证。关于宏观调控，大家要统一在党的十四届三中全会《决定》的精神上，合理划分中央和地方的经济管理权限，充分发挥中央和地方两方面的积极性。宏观经济调控权必须集中在中央。但是，根据我国国情，也必须给予地方必要的权力，使其能够按照国家的法律、法规和宏观政策，制定地区性的法规、政策和规划；通过地方税收和预算，调节本地区的经济活动；充分运用地方资源，促进本地区的经济和社会发展。实行分税制以后，中央更有能力来支援一些不发达地区和老工业基地的改造，不然，贫富差距悬殊很难缩小。

现在大家有个意见，说按新体制中央多收一块约 95 亿元，老体制的还要照收，而且有的地区还要递增一些，有点想不通。对此，我要说明一下。刚才讲通过分税制改革，把增值税增量的一部分收归中央，根据测算，明年中央大体可以多收 95 亿元；原来按老体制上缴的约有 400 亿元，如果要免去这一部分，中央财政赤字就要增加 300 多亿元，因此，作为过渡，400 亿元只好照缴。对此，各地区都通情达理，认为 400 亿元还是应该缴，因为都在每个省区市的财政基数里，大家对此没有意见。有意见的是上缴递增的那部分。我想只要通过实行分税制改革，中央确实多收了，是可以把按旧体制上缴的基数和增量都逐步免掉，使分税制能够更加规范化，这需要逐步达到。我与一些省区市的负责同志协商后约定，只要中央明年多收的部分比 95 亿元多，首先考虑把按旧体制上缴的递增部分免掉。

现在出现了一个问题，就是确定以 1993 年为返还基数年以后，一些地区弄虚作假。原来方案是以 1992 年为基数年，一些省认为 1993 年的财政收入增长比较快，增值税的增长尤其快，应该以 1993 年为基数年。中央考虑到地方的既得利益，同意以 1993 年为基数年，给地方返还更多一些，这有利于全国每一个省区市。当时，财政部担心一些地方会弄虚作假。从今年 9 月和 10 月的情况可以看出，确实有人弄虚作假、抬高基数。其手法是：第一，收“过头税”，“寅吃卯粮”，让企业把明年的税今年就交，于是 1993 年的基数就高了。第二，把历年的“死欠”、“积欠”也收上来抬高基数。收上来是好事，但这些根本不是 1993 年的税，是不能进基数的。第三，所谓“纠正减免税”，即原来已经同意企业减免的税收，现在又要企业上缴，然后又返还企业。这叫“空转”，企业没有受到损失，但是基数虚增了。9、10 月份，全国增值税增长 60%左右，其中有的省增长一倍到两倍，如果这样搞法，分税制改革就会失败。国务院最近连续发了两次电报，要求各地立即纠正这种错误，并派了两个组下去调查。我希望各位负责同志把国务院发的这两个电报能尽快转发到各地市县，告诉他们不要弄虚作假。弄虚作假都是会查出来的，只要一查税票就知道你的税怎么交的。对查出来的，第一，全国通报，点名批评；第二，不管是什么人，不管官有多大，主要责任者撤职查办；第三，弄虚作假部分不计入基数，也不返还。我希望各地区的负责同志，要教育地市县的同志，在行动上而不只是在口头上拥护党的十四届三中全会的《决定》、拥护改革，不要做与改革背道而驰的事情。中央绝不会在税都收不上来的情况下搞返还。改革本来很有希望，利益冲突也不大，就怕不实事求是。

同志们还反映，出口退税过去由地方负担20%，以后增加的出口退税由中央来退，地方原来承担的基数还要保留，大家希望免除这个基数。我也认为可以免除，但这样明年中央又要少收几十个亿，实在负担不起。再说，明年实行这个办法也还是一个进步。今年地方负担了出口退税的20%，明年出口退税增长了，地方只负担今年的基数，所占明年退税的比例可能就只有10%了，有的地方连10%还不到。三年以后，这个基数和出口退税额比起来就不算什么了。而且，出口退税最多的省都是沿海地区最富的省，这些省应该负担一点，把中央的困难减小一点，让中央过渡一下。

三、关于有的同志担心改革会增加企业负担问题

对此，我们已经做了充分的考虑。首先，明年我们把国有企业的“两金”全部免掉。今年以前是折旧部分免“两金”，只有对个别行业，如对石油行业全部免“两金”。明年国有企业统统免“两金”，免掉150亿元，这样就大大减轻了国有企业的负担。另外，我们准备

清理一下企业的债务，适当减轻国有企业的债务负担。但这里有个原则，国有企业的债务不能“一风吹”，“一风吹”只会鼓励今后更加大胆地借钱、大胆地浪费、大胆地不还钱，那样银行就没法开下去了，也不符合市场经济的原则。对长期亏损、扭亏无望的企业，我们赞成对它实行破产或者兼并，要认真实行《企业破产法（试行）》。据一些地方的同志反映，银行怕企业破产后冲掉它的债权。现在我们在预算里打了 70 亿元作为呆账准备金，用于破产的国有企业。企业破产后，把它的资产拍卖或兼并，留一些钱安置职工，其他的用于偿还税款、债务，确实偿还不了的，经过批准用呆账准备金冲掉。我们希望明年能使这个机制发生效益，让破产成为一种机制，督促国有企业的厂长、经理们很好地改善经营管理，使他们明白长期亏损下去是不

1993 年 9 月 24 日，朱镕基在新疆维吾尔自治区克拉玛依与南新油田钻井队的石油工人交谈。

（新华社记者武纯展摄）

行的。对一些确实有困难或因各种原因还本付息有困难的企业，可以根据情况考虑停息挂账或者计息挂账，但要严格地控制，分清政策界限。总体来讲，国家会从各个方面来支持国有企业，减轻它的负担，解决它的困难。我们相信，明年只要我们认真按照现代企业制度的目标模式推进改革，大家同心协力，国有企业的情况会逐渐好转。

四、关于发展问题

绝大多数同志都认为，明年总的计划盘子还是可以的。但是，有不少的同志表示担心，感到今年发展的基数很高，明年9%的发展速度不低，又出台了一些价格改革的措施，物价指数控制在10%以内怕做不到。我认为，这种担心有道理。

谈到这个问题，我先讲一下当前的宏观调控形势，主要是金融形势和我们应该吸取的教训。今年6月份，中央下发了6号文件〔1〕。从7月份起，我们开始整顿金融秩序，把乱拆借、乱集资、乱融资的现象整顿过来了，这个成绩是有目共睹的。我与丁关根同志商量，把世界银行一个关于中国经济情况的报告〔2〕发表在11月29日的《人民日报》上，目的是告诉大家，你们觉得现在银根收得太紧，世界银行认为我们还不能放松。这份报告对中国经济的分析是比较客观、中肯的，对宏观调控所取得的成绩是肯定的。同时，它提出一个观点：尽管宏观调控取得了这样的成效，但不可估计过高，放松银根的时机没有来到。他们是在批评我们过早放松银根。我们认为这个观点很值得注意，因为外面有些谣传，说党的十四届三中全会以后又要新一轮大

〔1〕见本卷第331页注〔1〕。

〔2〕指世界银行驻中国代表处高级经济学家华而诚撰写的《当前中国宏观经济形势分析》。

上基本建设了。我们虽然在 7、8 两个月收了乱拆借，制止了乱集资，基本建设的速度有了一点降低，但并没有实行全面紧缩。因为全面紧缩一定导致生产大起大落，必然引起社会不安定，所以这几个月来放松银根主要是调整资金流向，进行结构调整。7、8 两个月收了 400 亿元乱拆借，少发了 200 亿元票子，使通货发行过多的情况根本上好转了。但另一方面，收乱拆借的时候不可避免地收了一部分企业的流动资金，因此许多企业反映资金紧张。从 8 月初开始，我一个月开两次人民银行总行的资金调度会，根据各地反映的情况不断投放基础货币，缓解企业资金紧张的状况。从 8 月初到最近，一共投放了 2100 亿元基础货币。基础货币不等于钞票发行，而是中央银行向各个专业银行的再贷款。再贷款变成贷款规模还要乘上一个系数，一年是 2.5。这 2100 亿元在 8 月份才开始投放，在年内周转 2.5 次来不及，但周转 1.5 次还是有可能的。因此，我们估计 2100 亿元投下去，可以实现 3000 多亿元的贷款规模。这个放松是必要的，因为今年整个上半年只实现贷款规模 1000 亿元，看起来全年贷款规模没有 4000 多亿元是下不来的。去年贷款规模是 3600 亿元，但绕过贷款规模的乱拆借和乱集资差不多有上千亿元，所以去年实际贷款规模大体是 4600 亿元。今年批准追加后的贷款规模也是 4600 亿元，跟去年差不多。希望大家也不要突击花钱，贷款规模可以转到明年。我估计今年可能完成 4300 亿元，加上上半年的乱拆借、乱集资，也是 4600 亿元左右，跟去年基本持平，但结构大大调整了。

我听到各地普遍反映，说重点建设资金的到位率空前的好，包括基础设施建设和技术改造资金，确实是根据国家计委和国家经贸委的计划项目，“点球”到位了，没有错过施工的黄金季节。另外，农业收购资金基本上保证了没有“打白条”。现在农业银行的备付金率大大超过 7%，达到 13%了，钱存在那里等着收购农副产品。但有些省该到位的地方财政资金没有到位，向银行多挂账70个亿。地方财政的钱该拿的还得拿，不拿，财政部要相应扣减其中央专项补贴资金。一定要把农业保住。企业前一个阶段资金较紧张，现在看起来大大松动了，但是也不像世界银行报告所讲的那样太松。我们现在的银行机构是个庞然大物，在6月份以前，经济高速发展的时候，让它“刹车”刹不住。7月7日，我们召开全国金融工作会议，下死命令“堵邪路”，好不容易才刹住。刹住以后让它启动，让它“开正门”，也是难得不得了。现在的备付金率高到10%左右，按规定只要求达到7%左右，银行信贷并没有放得很松。

今天上午，辽宁省的岳岐峰〔1〕同志提出，现在松动银根，有大上基本建设的危险。我说，你讲得很对，但是现在银根并不太松，关键在于地方领导不要压银行贷款搞房地产、开发区，上大项目。当然，银行也要整顿作风，改革机制。银行这个队伍里面有些人作风不正，给点回扣，讲点关系，也可能把钱乱贷出去。请地方的同志还是把钱花在应该花的地方。最近，我看香港报纸说深圳、海南的房地产热又复苏了，我就很担心。广东省人大常委会通过一个法规，禁止炒卖“楼花”，这很好。钱只要不是流到房地产、开发区、炒股票这三个地方，产品不要过量积压在仓库就好。资金目前是趋于缓和了，只要基建一大动，资金马上就会紧张起来。现在的基本建设规模已经超过了我们的承受能力，再加码不得了。

物价指数能不能稳定在10%以内，关键在于基本建设规模能不能控制住。现在定的这个盘子，如果基本建设规模不突破，特别是银行贷款规模不突破，乱集资、发债券得到控制，就不会有什么大的风险。物价多涨一点，人民群众也可以承受。如果再突破这个规模，那

〔1〕岳岐峰，当时任辽宁省省长。

就不得了。因为今年的宏观调控只是治标，不是治本，只是使资金暂时缓和，为了避免大起大落，搞的是“软着陆”，根本没有解决基本建设战线过长的问题，也没有完全解决银行货币发行过多的问题。明年如果再突破，今年的一些问题就会加重，最后的结果只能是“硬着陆”。因此，我觉得实现明年计划和稳定物价的关键，在于基本建设规模不要突破。粗略估计，对于现在已经铺开的基本建设摊子，明年国家计委给的基建盘子还是保不了。就是说，如果不停、缓建一批在建项目，明年一个新项目都不能开。我希望大家一起来保证实现明年

1993 年 10 月 7 日，朱镕基在辽宁省大连市中国华录电子有限公司考察。右二为国家计委副主任曾培炎。

的计划，使经济能够“软着陆”。这里最重要的是，大家同心协力制止基本建设规模的失控。要控制物价涨幅，就要控制基本建设，要控制基本建设，就要控制固定资产贷款，明年1580亿元的固定资产贷款规模一定不能突破。

这两年我们在价格的结构性改革方面，迈出了较大的步子，实践证明都是十分成功的，没有引起社会的很大震动。明年价格改革中最重要的是调整石油价格。曾经设想每吨原油价格增加700元、800元、900元三个方案。李鹏同志决策，还是稳妥一些，定在700元，逐渐接近国际价格，这一目标准备分两年来实现。石油调价以后，会影响农业生产的成本和农民的收入，因此，粮食和农产品也要相应提价。同时，还要采取一系列的配套措施。例如建立粮食风险基金，中央拿出一笔钱，补贴给地方，地方也要拿出一笔钱，共同建立粮食风险基金。粮食提价以后，粮食主产区将大大受益。但对非商品粮地区和贫困地区，由于石油和农业生产资料涨价、农产品成本提高，还要实行补贴，补贴到户、到人。同时，粮食部门还必须通过吞吐粮食来维持议购粮食价格的稳定，否则农民还是要吃亏。所以，没有粮食风险基金，整个价格改革都不能实现。明年要想方设法使农民增收，不但足以补偿农业生产资料的涨价，还要更多地增加收入，这样农村市场才能打开，工业品的市场问题才能解决。现在不怕资金紧张，怕的是没有市场。明年就是要在开拓国外市场和农村市场上下工夫，开拓国外市场主要靠汇率并轨，开拓农村市场主要靠粮食提价，靠建立粮食风险基金。这两件事办好了，明年国民经济就全局皆活了。明年的物价指数，国家计委预测是9.9%，其中结构性的改革直接影响涨价因素为1.9%，包括间接影响大概为4%。其余5%以上都是由于今年涨价“翘尾巴”和明年自发涨价。总之，价格改革还要坚定不移地进行，抑制自发涨价还要靠控制基本建设规模。搞得好，物价指数可以控制在10%以内，搞得不好有可能达到百分之十几、百分之二十，我们务必要避免这种局面。

最后，讲一下财政赤字问题。我讲的赤字概念，包括软、硬赤字在内。所谓“硬赤字”，就是财政保吃饭的钱差一块；搞建设借的钱是“软赤字”。明年的“硬赤字”要增加400亿元，解决的办法是发1000亿元国库券。所以，明年国库券的发行工作是一项很重的任务，如果不完成这个任务，财政的日子无论如何过不下去。明年发行国库券既要参照市场经济国家的办法，又要考虑我国的特点，由财政部和银行来组织，使要买国库券的人随时能买到。希望各个地区的负责同志高度重视这个问题。

希望大家齐心协力，把明年的经济工作做好，使改革获得成功，使发展取得新的成绩。

关于平抑粮价的批语 *

（1993 年 12 月 12 日）

一

皓若[1]、美清[2]并致用[3]、官正[4]同志：

紧急调运和抛售粮食，以平抑粮价，是市场经济必需的措施，不是走回头路。要赶快行动，不要迟疑。今年粮食是增产的，收购进度也接近去年，库存是充裕的，涨价如此之高是不正常的，是可以而且应该平抑到合理水平的。限价不是有效办法。

朱镕基
12.12

---

* 这是朱镕基同志关于调运和抛售粮食以平抑粮价问题在一天内作的三次批语。

一、在新华社《国内动态清样》(附页) 第 258 期《对江西米价上涨的不同看法》一文上的批语。

二、在新华社《国内动态清样》(附页) 第 260 期《贵州省政府采取措施遏止粮价上涨》一文上的批语。

三、在新华社《国内动态清样》(附页) 第 261 期《湖北有关部门谈武汉米价上扬原因》一文上的批语。

〔1〕 皓若，即张皓若，当时任国内贸易部部长。

〔2〕 美清，即白美清，当时任国内贸易部副部长兼国家粮食储备局局长。

〔3〕 致用，即毛致用，当时任中共江西省委书记。

〔4〕 官正，即吴官正，当时任江西省省长。

二

皓若、美清同志：

要赶快加强粮食调运，恢复票证也无补于事。请忠禹〔1〕、万鹏〔2〕同志召开紧急会议，会同内贸部、农业部，安排好粮、油及副食品运输，从现在到春节，优先安排抢运。

朱镕基
12.12

三

皓若、美清同志：

要迅速督促有关省市调运、抛售粮食，平抑粮价，否则，将引起严重后果。粮价涨得这么高，而且发生连锁反应，一些国有粮食部门还认为是好事，而不采取措施平抑粮价，这是错误的。并告韩杼滨〔3〕、黄镇东〔4〕同志，现在至春节前，抢运粮食及副食品，优先安排运输。

（抄送关广富〔5〕、贾志杰〔6〕同志）

朱镕基
12.12

---

〔1〕忠禹，即王忠禹，当时任国家经济贸易委员会主任。

〔2〕万鹏，即石万鹏，当时任国家经济贸易委员会副主任。

〔3〕韩杼滨，当时任铁道部部长。

〔4〕黄镇东，当时任交通部部长。

〔5〕关广富，当时任中共湖北省委书记。

〔6〕贾志杰，当时任湖北省省长。

平抑粮油价格，稳定市场供应*

（1993 年 12 月 25 日）

一、目前存在的问题

今天国务院召开一个紧急会议，部署平抑粮油价格、稳定市场供应的工作。为什么要开这个紧急会议呢？因为出现了一些紧急情况。就是从 11 月下旬以来，粮油大幅度地涨价，由沿海地区到内地，由南方到北方，波及全国，由此带动了对家电产品、金银首饰和其他商品的抢购。抢购主要发生在中小城市，目前还未抑制住。

我们没有惊慌失措，也用不着惊慌失措。但我如实地讲，这个问题是在往严重的方向发展。我这是讲全国的情况，不是局部的情况，也许有一些省没有出现波动，也许有的省波动大一点，有的省波动小一点。但从全国看，情况发展得相当严重，很值得注意。

---

* 1993 年 12 月 25 日，国务院在北京召开全国平抑粮油价格、稳定市场供应会议。出席会议的有各省、自治区、直辖市人民政府有关负责同志，国务院各有关部门负责同志。这是朱镕基同志在会上讲话的主要部分。1993 年 11 月以来，国内市场粮食价格突然暴涨。当时粮食库存充足，粮食供求关系没有发生大的变化，粮价暴涨主要是通货膨胀对群众心理预期的作用，粮食市场又有人乘机炒作。12 月 18 日，正在安徽省作调查研究的朱镕基同志接到国务院有关部门关于平抑粮食价格的紧急报告，与有关部门商定，下决心动用国家库存粮食，向市场抛售，要求国有粮店挂牌降价，尽快将粮食价格降到合理水平。朱镕基同志回京后主持召开了这次会议，对平抑粮油价格作了全面部署。

这种情况我们是不是以前料到了呢？没有完全料到，特别是没有料到在我们库存最充足、根本不会出问题的粮食上面发生问题。没有想到，至少我没有想到。因为，我在11月份把主要精力集中在“票子”上，我怕“挤”银行，而不是怕“挤”商店。

不久以前，在全国经济工作会议上我讲了，我最担心的是市场问题，目前已经不是资金问题。现在看来，货币投放倒没有出什么大问题，市场问题依然存在。这两年进口近4000万吨钢材，把国内的钢铁工业搞得狼狈不堪，钢材销不动了。我在全国经济工作会议上讲了，钢材就得收购，高炉又不能停，平炉也不能停，不收购怎么办？中国的事情就得按中国的办法办，完全按经济效益原则办，一下子还达不到。现在钢材价格回升了一点，但还是难销，货款也不能及时收回来。价格回升，是因为心理预期认为基建规模下不来。市场问题没有解决，又发生了突击抢粮食的情况，现在粮食价格抬得空前的高，而实际上粮食库存充足，一点问题也没有。

一般地讲，粮食涨价对农民有利。我们在全国农村工作会议和全国经济工作会议上已经决定，明年一定要提高农产品的价格，特别是粮食的价格，粮食、棉花调价的幅度都算出来了。如果不调价，第一，工农业产品价格剪刀差日益扩大，不利于调动农民的积极性；第二，明年的农业生产资料价格由于上游产品特别是石油调价还会上涨，不足以补偿农民的生产成本。石油不调价，石油工业不能发展，要萎缩。石油调价，化肥、农药等农业生产资料都得涨价。如果我们不提高农产品特别是粮食的价格，农民不但无利可图，而且不愿种地了，因为收获的产品连成本都补偿不过来。

我们是准备提高粮食收购价格的，而且这个消息已经传出去了。但是，第一，这次涨价来的时间太早了，我们一切准备工作都未做好。农业是基础，粮食是根本。粮食价格的抬高会引起万物价格的上涨。我们讲提价是要从下一个粮食年度开始，是从明年夏收的时候开始。正因为如此，石油调价才定在明年 5 月 1 日出台。到那个时候，我们要同时宣布粮食和石油调价，使其在时间上一致起来。涨价来的时间太早，弄得我们措手不及，非常被动。第二，粮食涨价不但提前了，而且幅度很大，最高的是我们原定明年调价幅度的三倍。我们明年准备一斤粮食提价 1 角钱，这次涨价最高时达一斤 3 角以上，最近涨的也还是在一斤 2 角以上，还是大大地超过我们确定的明年调价幅度。

这样，问题就来了。比如说，城市居民是不是承受得了？我们原来考虑提高粮价是考虑到给城市职工加工资的。原定今年 10 月 1 日加工资，平均每个职工一个月增加 58 元。由于各地的测算方案太高，财政承受不了，现在又让各地重新测算，这样就把时间耽误了。我们发了文件，要求在今年年底前把增加的工资发到职工手里。今年物价指数达 13%以上，其中 35 个大中城市超过 20%。这么高的物价，工资一点都不加，老百姓能没有意见？结果增加的工资还未发，就涨价。老百姓本来就有气，现在不是气更大了吗？

这还不完全是一个城市居民的问题，不同地区的农民，情况也不一样。我到安徽滁县地区，这是个粮食主产区，对粮食涨价欢欣鼓舞，粮价越高他们越高兴。但是安徽省还有缺粮地区，比如岳西是大别山区的一个缺粮县，靠从外面调粮吃，而且是走山路运粮，现在就非常的危险。他们没有多少库存，买不到粮食，也买不起粮食，搞得不好，到冬天大雪封山的时候，青黄不接，有饿死人的危险。所以，农民的情况也不都是一样的，不同地区农民的情况千差万别，要听听他们不同的反映，不能笼统地说粮食涨价对农民有利。即使是粮食主产县，也不平衡，县内还有城镇居民。城镇居民对粮食涨价也是怨声载道。

总之，这次粮食涨价来得太早，准备工作没有做好，措手不及。涨价幅度这么大，谁能想得到呢？

现在我们讲粮价的涨落，要看同一品种，不要拿小麦和稻谷比，不要拿早籼米和粳米比，也不要笼统地讲平均数，这些都是不合适的。希望每个地区拿同一有代表性的粮食品种算算涨价幅度，也就是拿普通老百姓吃的粮食算一算。好米不要限价，谁有钱谁吃。稳定价格是稳定大路货的价格，是稳定绝大多数老百姓吃的粮食的价格。吃得起好米的人如果认为价格太贵了，他也可能回头买杂交米。我所说的稳定粮食价格，不是要求所有的品种都稳定在一个水平，既无此必要，又没有这么大的力量，关键是要稳住普通老百姓吃的粮食品种的价格。这是绝大多数人民的利益之所在。

二、产生粮油大幅度涨价的原因

我在报纸上已经公开讲过了、分析过了，这次涨价是一种人为的因素、暂时的因素、心理的因素造成的。绝对是这样，因为没有理由要涨到这个价。粮食库存很充足，现在是历史最高水平；今年粮食没有减产，至少保持去年的水平，很多地区都增产；收购形势很好，定购超计划，议购少一点，总的水平没有降低。那为什么要涨这么高？这真是怪事。所以说，是心理的、人为的因素暂时把它抬上去的。

粮价是怎么被抬上去的呢？广东是带头的，沿海地区是带头的。广东由于“比较利益原则”起作用，粮食播种面积大幅度下降，农民不种粮食了，粮食当然就紧缺。现在粮食市场又放开了，进口粮食价格合适的时候吃进口粮，价格不合适就放手到内地去抢购，把价格抬起来了，就是这么个过程。

这些去抢购的人并不是私商，而是公商，是大亨。这些大亨的特点是赔了钱找公家，赚了钱归自己。比起炒股票、炒房地产来，抢购粮食是“小巫见大巫”。大亨们可以一掷千金，粮食价格一下子就上去了。

我们的粮食部门在这个时候，在放开粮食市场和价格后，也没有经验，采取什么方针还不大明确。谁的责任呢？我的责任。我在国务院主管经济工作，不怪你们，也不怪粮食部门。粮食部门辛辛苦苦，做了大量工作，还面临着队伍不稳定的问题，不是他们的责任。我们没有思想准备，粮食价格放开才一年，在放开以后，没有明确的方针，因此，粮食部门跟着一起抢购粮食，抬高收购价格。当然，不是所有的粮食部门都是这样，但也不是少数。粮食部门要完成收购任务，不提高价格就收不到粮食，跟着一起抬，价格就上去了。11 月下旬，粮食收购一天一个价。

在这种情况下，国务院应当强调粮食部门不要抢收粮食了。更确切地说，只能按国家规定的保护价来收，收不到拉倒，不能跟着一起抬。事后来看，粮食部门跟着一起来抢，价格会越抢越高，农民的惜售心理会更加严重。

粮食部门不去跟着抢收有什么风险没有？我看没有。关键是销价要稳定，就是私人粮店涨价，国有粮店也不要涨，要压住台。这样，老百姓都会到国有粮店来购买，我们不惜售，敞开销售，销价就稳定住了，粮食收购价也肯定会下来。现在，大家要来总结这个经验教训。

我到安徽调查了城市粮店、农村粮站。他们的意见是，高价收进来再降价卖出会亏损。合肥的粮店是自己到农村收购粮食，买进的粮食都是高价，标二杂交米每斤 7 角 5 分。安徽省政府作出决定近日要降到每斤 7 角钱，粮店说降到每斤 7 角要政府补贴才行。我说，现在卖的粮食大多是去年收购的，粮店现在高进高出倒卖，乱套了。粮店不是从粮食系统批发粮食，而是去高价抢购、高价销售，还振振有词说不能降价。而从整个粮食系统看，收购的稻谷每斤只有 3 角 2 分，而大米每斤卖 5 角 6 分，怎么会赔本呢？

这就给我们提出一个问题：粮食市场的价格放开以后，粮食流通采取什么方针？国家的宏观调控究竟起什么作用？现在没有一个明确的方针，更确切地说，没有明确的办法。一方面是沿海地区高价抢购粮食，另一方面，农民乐于卖高价，加上粮食部门参加抢购，几个因素凑在一起，粮价一下子就上去了。

另外，对税制改革，老百姓甚至有些干部也不清楚，谣传这项改革会推动涨价。我看新出台的“消费税”这个名字就没起好，老百姓以为是加在消费者身上的、是价外税，实际上不是，并且只有 11 种商品有消费税。这个问题没有早讲清楚，税则在国务院没有通过前也不好讲。更可怕的是，有人认为税制改革要增加企业负担，企业就要转嫁负担，因而所有商品都要涨价。因此，我们要反复地讲，这次税制改革从全国平均水平看，没有增加税负，不会推动涨价。个别行业、个别产品提高税负或降低税负总会有的，平均算不会增加税负。少数增加税负的企业叫得厉害，不要被这种假象迷惑，造成全面涨价的态势。我们已经考虑到这一点，采取另外一项措施，就是普遍地减免“两金”〔1〕，国有企业的 150 亿元“两金”不收了。这对于那些降低了税负的企业来说，得到了更多的好处；那些提高了税负的企业，也可以得到平衡。世界上没有一个国家的改革方案能把百分之百的人都照顾了，做不到的。所以，也不光是粮食涨价，还有各项改革的声势推动物价上涨，造成恐慌。

---

〔1〕 见本卷第 35 页注〔1〕。

这次涨价由于党中央、国务院及时决策，严令全国国有粮食企业挂牌降价，平价抛售专储粮。因此，很短时间内就稳住了粮价。

有的同志说现在粮价稳定了，还开什么会？着什么急？问题是粮价稳定在什么水平上？稳定在这么高的水平，我们受不了哇！就是说，计划明年 1 斤粮食涨 1 角，而现在已经涨了两角，这个情况绝对不允许持久，一持久就会引起涨价的连锁反应和一系列问题，所以我们要开紧急会议。我说一句引起大家注意的话：我们现在是在暴风雨的前夕。我的意思是，如果现在不采取措施把过高的粮价降下来，那么我们就会面临一场全面涨价的暴风雨。我看把问题看得严重一点好。我们完全有措施、有力量、有能力把粮价降下来。千万不要只看到粮食涨价对一部分农民的鼓励作用，粮食涨价的连锁反应要引起我们的注意。大家要了解这个情况，仔细思考一下。心理预期的改变、社会的动荡，这两条就够我们呛了。同时，粮食涨价马上就会反映到票子上来，就是全面的通货膨胀。今年货币发行量控制在 1650 亿元，日子还过得去，还可以说基本实现了宏观调控的目标。但是，不抑制住粮油价格上涨的趋势，它就会带动万物价格的上涨，明年春节的日子就难过了。这些情况我不能不给同志们讲一讲。你们在地方，不一定了解全面的情况，你们不了解今年年初和今年春节的日子是怎么过的，紧张得不得了！我亲自到印钞厂去动员，开足马力印钞票。现在进口印钞机安装好了，今年别说发 1650 亿元票子，就是发到 2000 亿元，都没有问题，但是，发这么多票子如何收场？银行不怕挤兑，商店也不怕抢购，就怕人们的心理恐慌，就怕价格抬上去，老百姓活不下去，发生社会动乱。我们这些主管经济全局的人不能不考虑这些问题。你们在一个省的范围，也是一个全局，也得考虑这些问题。

三、目前怎么办

今天会议上发给大家的会议纪要，是江泽民同志、李鹏同志同意的，是党中央的决定、国务院的决定，必须执行。在此之前，中办、国办发了一个紧急通知，也有这方面的精神。今天发的会议纪要更具体、更明确。

中央的精神是什么呢？我们大家一起来统一行动，协调配合，马上把粮油价格降下来。这既是精神，又是命令。同志们！不下命令不行，否则谁都不肯率先降价，降价就吃亏，谁还愿意干。

每个地区都有自己的利益，你降他不降，他跑到你这个降价的地方来买，粮油都流到他那里去了，他赚钱，你赔本。菜子油就是个明显的例子。上海菜子油 1 斤卖 2 元 6 角 5 分，江苏是 3 元 6 角，浙江是 3 元 8 角。上海原来一天销 300 吨菜子油，现在是 900 吨，中央紧急给上海调了 4000 吨。上海的价格低，江苏、浙江都来抢，民工一买几十斤带回去。因此上海也要求提价，上海宁肯补贴市民 1 块钱，也不能让全国都到上海来买便宜油。就是这样，我们也未同意上海涨价。如果我们认为 1 斤菜子油 3 元 5 角是合理的，全国都涨上去，就再也下不来了。我们通知上海等一等，我们来协调全国的油价，全国各地一个价。一个价是指标准价，产区和销区总有差价，各种比价、差价按惯例计算就行了嘛。我们定的是基准价，全国统一，谁也别吃亏，谁也别占便宜。

今天开这个会就是下个命令把粮油的价格降下来，统一地降，谁都不许违背中央的命令。降价的目标分两步走：第一步，元旦以前，全国把粮价降到每斤涨 1 角钱的水平，就是涨价前的价格或者说是保护价加上 1 角钱，这就是元旦以前的粮价。全国都是这个基准价，允许有合理的地区差价。但是，没有达到这个价格的地方不得往上涨，这句话一定要加上。基准价只能是降价的依据，不能成为涨价的依据。低于基准价的地区，也要相应地稳定或者降低价格。第二步，明年春节以前，还要降，因为明年国家原来定的是每斤只涨1角钱，现在标二杂交米每斤6角5分，等于已经涨过了，明年调价还有什么意义？明年石油调价，农民不又该骂我们了吗？过了元旦，我们再看形势，也有可能粮价就自动下来了。只要降低销价，我估计没有哪个私商、大亨还敢去抢粮食。粮食部门不跟着抢，就没有人跟它抢，最后农民还得按原来的价格把粮食卖给我们。元旦后粮价不自动降的话，我们还要下命令降，总之要为明年每斤粮食涨1角钱留点余地。也就是说，明年春节以前，要把粮价降到涨价以前的水平，然后到下一个粮食年度即到夏收的时候每斤再涨1角，同时宣布石油涨价，就是这个方针。有不同意见可以说，也应该说，但各地一定要统一行动，绝无例外。至于基准价定了以后，不同地区、不同品种的差价、比价问题，有关部门再协调。

对食用油价格，我没有绝对的把握，我看菜子油不超过2元8角1斤行不行？油总是好办一点，关键是粮食。你们要放心大胆地抛食用油，不够就进口，外汇现在好解决了嘛！东南亚一些国家都要求我们进口他们的油，我现在不担心进不来油，就怕未测算好，一下子又进多了，又出现“卖油难”。测算好了，定个数分到每个省，你们自己去进口就行了。

粮食降到1斤6角5分或6角6分，食用油降到1斤2元8角，粮食系统是不是要亏本呢？不会亏。道理很简单，去年收的杂交稻是100斤32元，早籼稻是100斤28元，就只有这个价。现在高价收进来这么一点，明年再说，明年还要提价嘛。再一个，粮食定购进度完不成就完不成，不要再去高价抢。这里没有要粮食部门不抓收购的意思，按涨价前的价格不管你们叫定购价还是保护价，该收还得收，但不能再去高价抢购。用抬高价格的办法去完成收购任务，那成了凑热闹了，这不行！要稳住，不要怕。粮食降价销售，不会亏。

同志们，退一步说，就是亏，也得这么干，中央和地方共同来分担这个困难，要稳住大局。让价格这么涨下去也得给职工补贴，不是一样吗？但是到了不得不给职工补贴或者增加工资的时候，问题就大了，动荡的面就大了。所以我说，第一是不会亏；第二就是亏，也在所不惜，吃不了大亏，一定要把粮油价格降下来。

这个会议纪要里还讲了一些内容，工商、物价部门要依法管理好粮食市场，这些问题都得很好地研究。

四、粮食购销体制改革的问题

刚才我已经提到了这个问题，就是在粮食市场和价格放开以后，国家怎么管理好粮食市场。这个问题现在还不是当务之急，当务之急是把粮食价格降下来。但我也想讲一点思路，大家回去研究一下，研究建立一种什么体制好。

对粮食系统在历史上起的作用要充分肯定。从去年放开粮价以来，粮食系统做了大量的工作，辛辛苦苦，现在又面临很多困难，为克服这些困难想了很多办法，为减少国家亏损补贴、保证市场需要做了很多工作，这些成绩应当肯定。今年开全国粮食厅(局）长会议时，我一再讲要巩固粮食系统这支队伍，这一点没有变。但是，从 10 月以来的粮油突发性涨价也给予我们很深刻的教训。这些教训必须总结，必须通过改革来吸取。

第一，粮食工作的重点是收购。粮食不抓在粮食系统手上，市场是稳不住的。我在报上批评过一些错误思想。认为粮食放开后就不能管了，这是天大的错误，没有哪个市场经济国家不干预粮价的。粮食问题大得很，韩国金泳三在竞选总统的时候承诺不开放大米进口市场，结果在乌拉圭回合谈判时别国对他施加压力，因此他就开放了。开放以后，国民游行抗议，他深深地鞠躬向国民道歉，撤掉了三个部长，最后十个部门大改组，把总理也换了，都是由放开粮食市场引起的。看来粮价再这样涨下去，我也该引咎辞职了。日本的首相细川护熙也是由于开放国内的大米市场，向国民道歉。日本开放还是有条件的，进口大米便宜，国产大米很贵，它长期不敢开放，用高价来买本国农民的大米。现在开放了，廉价大米进来还是卖高价，跟国内大米的价格一样，然后把差价补给农民。这个做法跟我们的差不多。这就是说，任何一个市场经济国家对粮食市场和粮食价格都要进行干预。如果我们在这个问题上撒手不管、放任不理，是幼稚的。也就是说，我们不了解市场经济体制怎么操作，缺乏这种知识，缺乏实践，因此才会有这种误解，认为干预粮食市场是走回头路，违背市场经济规律。

怎么干预？不掌握粮源行吗？现在工农业产品价格剪刀差确实存在，确实不合理，但让它自发地调整就不得了，会引起一系列的震动。不合理只能让它逐步合理，一下子合理怎么做得到？谁承受得了？关键是掌握粮源。

我到安徽省调查，发现把粮食分为定购和议购，问题比较多。滁县粮食部门就指责银行，粮食收购资金保证不了不“打白条”，主要是议购部分保证不了。但银行说都保了，银行认为保了定购就是保了。确实说不清楚哪个讲得有道理。今后不要分定购、议购，就看国家需要掌握多少粮食才能够稳定市场，定个数，必须收购，必须保证资金。

这个数究竟是多少呢？请内贸部与各地粮食部门商定，估计需要

1993 年 12 月 15 日，朱镕基在安徽省合肥市王大郢村向农民了解粮食生产销售情况。左三为安徽省委书记卢荣景。

掌握 70%到 80%的商品粮，必须收到库里才能够稳定市场。这些粮食是周转性的，与专储粮不是一个概念，而是进了仓库以后还要把它们再拿出来卖掉。怎样才能把这些周转粮食收进来，而且是按国家规定的价格收进来呢？我提出两个办法供大家选择：第一个办法，在粮食下来以后，粮食系统没有收购 1400 亿斤到 1600 亿斤以前，不开放粮食市场；只有当百分之七八十的商品粮收完以后才能开放，才可以多渠道收购。这个办法是过去的办法，大家反映又走回头路了，但我看只要能稳定市场、稳定价格就好。第二个办法，允许多渠道收购，大家一起上，但价格要统一。谁如果违反国家规定的粮食收购价，坚决予以查处。工商部门要加强管理，打击投机倒把。这个办法大家反映可能管不住。所以，这两种思路都还不成熟，应该还有第三种、第四种更好的办法，大家可以讨论。这不是当务之急，当务之急是粮食降价。但是我们要考虑到夏收很快要来了，这个体制问题要赶快改革。改革的目的就是国家要把粮食拿到手里。

第二，除了抓收购这个中心环节以外，我们还应该把粮食加工和批发抓在自己的手里。粮食加工很重要。现在农村粮食加工有分散的趋势，一家一户都在搞碾米厂，然后与城市的私商挂钩，这样搞下去，粮价是无法控制的。所以，我们还是应以集中的、比较大一点的粮食加工厂为主，以比较低廉的成本来吸引农民和粮店，通过加工改进包装，批发出去。粮食零售就好办了，零售就是不光国有粮店可以卖，所有菜市场、超市、百货公司都可以卖。批零有差价控制，零售价就高不上去，谁想抬高谁就倒霉，因为你抬高了没人到你那里去买。

第三，粮食系统把政策性经营与商业性经营分开，分成两支队伍。第一支队伍管粮食的收购、加工、批发，国家还必须给一定的补贴。第二支队伍是粮店，是管零售的，这是商业性的，自主经营、自负盈亏。实际上，你们现在已经这样做了，很多粮店不只是卖粮食，还卖百货。这一部分完全自负盈亏，分流以后变成零售商业，不吃国家补贴。国家也不应把包袱都丢给粮店，加重它的负担。国家该背的还要背一点，通过社会保障系统来解决，不要把这些负担都加给商业性经营的粮店，那样它就搞不成自负盈亏。但是也要给粮店一定的压力，它也要分流一点人员，也要作点贡献。将来，国家支持它发展第三产业，逐步搞成一种综合性经营的商店。粮食零售网点不仅不能收缩，还要增加一点。最近北京方面就有反映，看不到国有粮店了。过去集贸市场等到处都可以买到粮食，一涨价就显出国有粮店的重要性了。这次要求国有粮店挂牌降价，现在怕是看不到挂牌，国有粮店太少了，不能灵活地控制粮食市场，不能成为主渠道，看来国有粮店似乎是收缩太多了一点。今后不但不能收缩，还要适当地有所发展。就是说，在零售方面，国有粮店也要成为主渠道。主渠道不一定是占很大的比重，那不需要。现在还有国有的超市、百货公司、菜市场，它们也可以搞零售，也可以挂牌降价。总之，从粮食的收购、加工、批发，一直到零售，我们的国有粮食部门要成为一个网络式的主渠道，这样才能把价格控制住。但国有粮食部门不要搞垄断，还要有 20%到 30%的粮食由多渠道经营，鼓励竞争。这种思路对不对，请大家考虑，至少在今年夏收之前得有个说法。

关于如何处理不同意见的批语*

（1994 年 1 月 2 日、12 日）

一

（1994 年 1 月 2 日）

维澄同志：

不要顾虑。不同意见总是有的，互相切磋、启迪思考有好处。今后，有不同意见或措词尖锐的意见仍请转给我（我希望听批评意见。银行方面的意见我并非都同意。我也经常给他们提批评）。

朱镕基
1.2

---

* 这是朱镕基同志关于如何处理不同意见的两次批语。

一、1993 年 11 月 30 日，中共中央政策研究室转来一位同志写的一份材料，指出当时的货币政策存在着若干问题，并提出了相应建议。中国人民银行专门组织撰写了一份材料，认为该同志的意见“不符合事实”。对此，中共中央政策研究室主任王维澄向朱镕基同志写了报告，解释有关情况的来龙去脉。这是朱镕基同志在这份报告上的批语。

二、1994 年 1 月 11 日，国务院研究室向朱镕基同志报告：关于该室一位同志就汇率并轨问题向海外记者发表同国务院决定不一致的意见一事，已召开全体干部大会，对该同志进行了严肃批评，并要求大家从中吸取教训。这是朱镕基同志在这份报告上的批语。

二

（1994 年 1 月 12 日）

梦奎〔1〕同志并袁木〔2〕同志：

发表不同意见不但允许而且我总是采取鼓励态度，并且经常表示欣赏。× × × 同志发表的这个意见在讨论决策过程中，也是我们反复研究过的。但是既经决策，就不要再发表了，特别是不能在公众场合，通过新闻媒介发表。吸取教训就是了。

朱镕基
1.12

〔1〕梦奎，即王梦奎，当时任国务院研究室副主任。

〔2〕袁木，当时任国务院研究室主任。

基础设施建设要统筹规划、量力而行*

（1994 年 1 月 14 日）

同意，最好再写一篇社论，强调基础设施建设也要统筹规划，合理布点，量力而行。目前盲目大上，重复布点，规模已超过承受能力，建成后也不可能充分利用，还债都会有困难。滞后不好，超前也受不了，都是大项目。

朱镕基
1.14

* 1994 年 1 月 8 日，国务院总理办公会议讨论房地产业发展问题，要求写一篇指导性文章，送《人民日报》发表。这是朱镕基同志在该文章送审稿《防止房地产业盲目发展》上的批语。

继续整顿金融秩序，严格控制信用总量*

（1994年1月15日）

一、1994年金融工作的方针和任务

根据中央的总方针，国务院决定今年金融工作的方针是：继续整顿金融秩序，稳步推进金融改革，严格控制信用总量，切实加强金融监管。有的同志说，现在的气候是都在准备大干快上，都在讲发展是硬道理，你却讲金融还要严格控制，好像不合拍。同志们，今年金融工作的方针是根据中央的精神制定的，与中央的方针是完全合拍的，大家要坚决贯彻落实，不能动摇。

第一条方针是继续整顿金融秩序。要把金融秩序整顿好，不是一年两年的事，现在秩序还是相当的混乱。我昨天晚上看了一份内参，山西、河北联合破获了一起特大金融诈骗案，案件出在山西省忻州地区，牵扯到中国农业银行。中国银行去年出了几个大案，上亿美元都被诈骗分子汇到国外去，连图章都不查对，起码的规矩都没有，听起来令人不能容忍。哪个银行没有案件啊，这样搞下去怎么得了！不整顿怎么行呢？整顿工作一点也不能放松。同志们！我看需要对我们领

---

* 1994年1月12日至15日，全国金融工作会议在北京召开。出席会议的有各省、自治区、直辖市和各经济特区、计划单列市人民银行分行行长，各专业银行行长等。朱镕基同志在闭幕会上的讲话，曾发表于《金融工作文献选编（1978—2005）》，原标题为《在全国金融工作会议闭幕会上的讲话》。编入本书的是讲话的主要部分。

导干部的政绩考核考核，促使大家兢兢业业，负起责任。做错了事情总得有点自我批评吧，不要等到撤职查办再算总账。去年整顿有成绩，但任务还没有完成，这项工作是金融系统长期、艰巨的任务，今年绝对不能放松，必须坚持不懈地抓下去。现在问题发现得比较多了，情况摸得更清楚了，下一步要认真总结教训，检查责任，切实整改，关键是领导干部。

第二条方针是稳步推进金融改革。为什么要稳步？就是别把老百姓吓坏了。金融改革去年已经进行了，把人民银行办成真正的中央银行，目标已经非常明确，已经起步了。今年要成立几个政策性银行，为把我们的专业银行变成商业银行进一步创造条件，这个问题基本上都打好了基础，马上都要出台了。我们要稳步推进金融改革，走一步看看发生了什么问题，及时加以补救。银行的改革应该说是走在前面的。如果不是这样，去年的宏观调控不会那么快取得成效。现在不可否认金融是宏观调控的一个最重要的手段，因此，要稳步地推进改革。

第三条方针是严格控制信用总量。就是说，今年国家计划确定的指标一点也不能突破。我刚才讲了，今年的形势好还是不好，关键要看是不是能把基本建设规模控制住。基本建设规模控制住了，票子就控制住了，通货膨胀的压力就可以减轻，否则后果难以设想。基本建设规模靠什么控制呢？关键在银行贷款。没有钱，基建怎么能上得去？1992 年、1993 年的教训就是我们把金库敞开了，基本建设才上去的。你把金库钥匙死死地把住，它怎么能上得去呢？现在基本建设的摊子已经铺得够大了。同志们记得吧，1992 年的固定资产投资总规模是 7582 亿元，去年是 1.15 万亿元，今年计划定了 1.3 万亿元。现在看来，去年也不止 1.15 万亿元，今年也绝对不止 1.3 万亿元，起码现在有 2000 亿元的缺口，弄不好建设规模很可能一下子就上去了。

大家不要拿1.3万亿元跟2000亿元的缺口比，好像1.3万亿元计划，超过2000亿元不算什么。关键不在这里，问题在于在这1.3万亿元全社会固定资产投资中，有5000亿元是属于个人盖房子、集体搞建设，不是国家花钱。其余的8750亿元是国有单位的固定资产投资规模，在这8750亿元外，再超过2000亿元是不得了的。为什么说有2000亿元的缺口呢？第一，现在还没有列入国家计委计划本子里的项目，硬缺口起码还有500亿元，留在那里等着要突破。第二，国家计委计划本子里安排的项目里面很大一部分自筹资金是没有着落的。自筹的比例很高，但到哪儿去自筹呢？过去是靠乱集资，靠银行乱拆借，现在把这个路子堵死了，他到哪儿去借？到哪儿去拆呢？这起码又是500亿元。第三，现在打到银行新增贷款总规模4700亿元里的固定资产投资贷款是1580亿元，占三分之一。这个比例历史上没有过，打得很高，也就是说，流动资金比例打得太低，到时候非要增加流动资金不可，起码差500亿元。这样算下来，再加上其他一些因素，缺口不是有2000亿元吗？在这种状况下，如果我们不严格控制信用总量，发票子就不是1800亿元，发2500亿元恐怕也不够啊！现在如果不把基本建设规模控制住，也就是说，不把银行贷款控制住，将会出现难以预料的后果！因此，在李鹏同志主持召开的国务院总理办公会议上，已经讨论了对三个500亿元缺口的处理问题。第一个500亿元，即把缺口留在刀刃上的、计划本子外的500亿元，李鹏同志授权银行，不管什么硬缺口，绝对不能在计划外安排。如果这个缺口很硬，那就请到国家计委去纳入计划本子，把其他比较软的项目挤出来。要是挤不出来，那银行一个钱也不会贷。第二个500亿元，即国家计委计划本子上有的项目，国家安排的那部分贷款，银行当然要照计划贷；但自筹的那一部分，地方要真正自筹，也就是地方财政要拿钱，集资不行，银行贷款没有。因此，你的自筹资金不到位，这个项目就不要

1994 年 2 月，朱镕基在福建省金匙摩托车厂考察，了解企业流动资金情况。前排右二为福建省委书记、省长贾庆林，右三为中国民用航空总局局长陈光毅。

开工，你的资金不落实下来，国家的资金也不能到位。以后不能再搞这些名堂，到国家计委批项目时，说我自筹呀，我有钱呀，口气大得很！回去以后就压银行给贷款。现在不行了，你压银行也没有用，你要自筹不了，这个项目你就不要搞。流动资金 500 亿元，我原来也想把它挤到 4700 亿元信贷计划里边去，把 1580 亿元固定资产贷款减掉一点儿。但现在看来，1.3 万亿元摊子已经铺下来了，把 1580 亿元固定资产投资贷款再压下去几百亿元，确实是难啊！大批的项目下马，又可能引起大起大落。考虑到中国的国情和现状，明明知道 4700 亿元、1580 亿元的盘子是打不住的，也只好这样了。500 亿元的流动资金缺口，下半年看形势再定。如果上半年信贷计划控制得好，下半年有余力，我们就在现在的计划数上加一点儿流动资金；如果上半年控制得不好，还超过了计划，下半年想加流动资金只能考虑再砍一批项目。总之，要到下半年看情况再定。但前面讲的两个 500 亿元，绝对不能超过。同志们，我就拜托大家严格地按照国家计委的计划本子、人民银行和各个专业银行总行下达的计划执行，一块钱也不能超过！如果没有这一条，今年的日子就不会好过，改革关就可能闯不过去！

什么叫做银行的独立性？银行不能独立于党中央，不能独立于国务院，但要独立于地方政府和国务院的各个部门。除党中央、国务院以外，对银行的工作谁也不能干预，可以提意见，但不能下命令，不能指定银行干这样、干那样。严格控制信用总量，这是国家的利益，是人民的利益，大家一定要严格地按计划执行。我现在不敢讲发行1800亿元票子一定能控制得住，因为国家计委的计算不一定是配套的，4700亿元的贷款和1580亿元的固定资产贷款不一定和货币发行1800亿元配套。我倾向于货币发行算少了这种分析，因为今年有很多因素要占用货币，如汇率并轨、税制改革都要多占用货币，这还没有加上通货膨胀的因素。虽然如此，我们还是要努力工作，力争货币发行控制在1800亿元。

第四条方针是切实加强金融监管。把银行贷款规模卡住后，扩大建设规模还有一条路，就是乱集资。这条路去年堵了一下，非常有效，特别是长城机电公司违法集资案公告天下以后，情况好得多了，但是现在又有复活的趋势。根据各地人民银行分行写的报告，有些地方已经开始出现这个苗头。对乱集资，无论如何要把它刹住，加强监管，绝对不能任其发展。把乱集资和超规模这两条路堵死，基本建设规模就难以扩大，这样物价就稳定了。改革有了宽松的环境，就会取得成功。

去年7月全国金融工作会议上提出的“约法三章”，今年要继续贯彻执行。第一，就是禁止乱拆借，这一条还得坚持，要继续收回违章拆借。现在最担心的是房地产热的复活。人民银行有一个清理拆借领导小组，戴相龙〔1〕同志还要继续把这件事情抓下去，再做一次检查和清理，违章拆借还要继续收。当然，我不是要求你们不择手段地去收人家的流动资金。我是要求不能继续往里投，还要继续往回收。第二，就是不能乱集资，这是整顿金融秩序必须抓的事情。第三，就是要继续抓脱钩，即金融机构与所办经济实体脱钩。中国人民银行抓得比较好，各个专业银行进展不快，还要继续抓。已经有一个过渡的办法，叫“收支两条线”，现在就是把人和账分开，还有一个要脱开挂靠的关系。绝对不能够拿信贷资金去搞房地产。我刚才讲房地产为什么压不下去，就是因为房地产公司的好多后台可能就是在座的诸位。我也不知道你们现在都脱钩了没有，这件事情交给王岐山〔2〕同志去处理，要统统脱钩，不能手软。

二、对金融系统广大干部、职工的三条新要求

第一，要严格控制今年的信贷规模总量。控制信用总量的关键是控制各级银行的固定资产投资贷款。从今年开始，基础设施、基础工业重点项目的贷款规模均已划归新成立的国家开发银行统筹安排，其他银行不得挤占其他项目，特别是流动资金的贷款规模来扩大基本建设。各级银行对于超过贷款规模总量的项目、未经批准开工的项目、化整为零的项目，一律不予贷款。一个项目也不许贷，一块钱也不能超过。谁用不正当的手段突破信用总量，就要追查谁的责任。为了避免信用扩张，严格控制规模，现在有条件稍微紧一点了。因为去年我们对专业银行投了2800亿元的基础货币，实际上实现了一半，还

〔1〕戴相龙，当时任中国人民银行副行长。
〔2〕王岐山，当时任中国人民银行副行长。

有 1400 亿元又通过准备金、备付金回到了人民银行，人民银行对专业银行净增加再贷款 1400 多亿元，比前年多了好几百亿元。到去年年底，专业银行平均备付金率超过了 10%，因此，我们要收回一部分再贷款，春节以前准备收 300 亿元，现在已把任务分配到各专业银行，请各专业银行认真执行。紧的时候要松一点，松的时候要紧一点，及时调度，来呼应经济生活的脉搏。看来这是一条规律，银行就要做到这一点，要灵活反应。今年一季度全国银行贷款规模安排 370 亿元，相当于全年计划的 7%，高于往年的比例，各行要从紧掌握，合理使用。总之，上半年控制得紧些。各银行都要做好工作，给那些效益好的企业、快要投产的企业优先贷款，有困难的企业也要救一下。

第二，在政策性业务分离出去以后，专业银行在向商业银行过渡的征途中，今年要大胆探索，跨出开拓性的一步。我们不能照搬外国银行那一套办商业银行的办法，还得考虑中国的情况，还得一步步地来，要随着国有企业内部经营机制的转换，等企业实现了产权清晰、权责明确、政企分开、管理科学，真正办成现代企业时，才能实现商业银行的原则。不然，我们的大批国有企业就要关门，社会就要不安定。但是，也不能光等企业的机制转换，得给它一点压力。专业银行一定要跨出这一步，朝着商业银行的方向前进，逐渐地做到自主经营、自负盈亏，逐步提高自己的经营水平。当前，银行职工懂金融业务的多一点，但真正懂宏观经济、懂企业生产经营的不多，要吸收一点新生力量，外国的商业银行就有各方面的专家。去年第四季度时，有些地方对“点贷”提出了不少非议。我对地方的同志说：我既没有创造“点贷”这个名词，也没有主张搞“点贷”。银行贷款怎么能这样放呢？一个省的工商银行要把钱贷给哪个企业都需要总行批准，那怎么行呢？没有这回事！实际上是去年第四季度，企业资金紧张的时候，有一些资金特别紧张的企业，往往是中央的直属企业，通过中央的主管部门向工商银行总行提出来，因此，工商银行总行给它们注入了一些资金。但这并不等于每一个项目的贷款都得经过总行批准。为了避免误解，今后不要再用“点贷”这个词。每个银行都要根据当地的情况，进行深入的调查来决定贷款对象和规模。我建议各专业银行总行的领导要深入实际，多在国内跑跑，多了解各地情况，加强资金的调度。我刚才讲一块钱也不能超过，这是对各专业银行总行说的，我不能对每个省的工行、建行都这么要求，这要由各家专业银行总行自己来调度，来掌握。我们今年实行的方针是专业银行向商业银行跨进一步，要实行资产负债比例管理，但是不能没有限额，是贷款限额控制下的资产负债比例管理。两方面都要照顾到。因此，这就需要各专业银行总行发挥灵活的调度艺术，密切注视动向。另外，银行要和有关部门一起，配合《企业破产法（试行）》的实施，把今年增加提取的呆账准备金切实安排使用好。

最近，各地人民银行分行行长们做了大量的调查研究，很多报告写得很好，给我们的决策提供了很大的帮助，我非常感谢他们。希望各专业银行总行的行长今年也要求你们分行的行长下去调查研究，给你们写报告，然后把一些活的情况、实际的东西加以汇总，向我汇报。在这方面，各专业银行的工作要加强。

第三，各级人民银行分行要切实转变职能，在地区金融监管方面发挥主导作用。金融监管的职能主要在各级人民银行分行，你们是中央银行的派出机构，你们负有监督本地区一切金融活动的责任。信贷规模要靠专业银行来控制住，乱集资要靠各级人民银行分行来控制住。这两条控制住了，才能控制住固定资产投资规模，才能减轻通货膨胀的压力，今年就不会出问题。各级人民银行分行肩负很重要的责任，你们不要参与具体的贷款活动了，你们的任务就是金融监管，刹住乱集资。我担心乱集资又以新的形式发展。我担心一些企业没有从实质上掌握党的十四届三中全会的精神，不是把建立现代企业制度当做转换机制的手段，而是把它变成集资的手段，不经试点就全面铺开，大量发展股份公司，内部集资，职工入股、分红，把职工的银行存款拿出来扩大企业基本建设规模。我很担心会刮这股风，大家要及早地注意。

党的十四届三中全会通过的《决定》里提到办合作银行问题。这个事情绝对不能一哄而起，等中央拿出具体方案以后再试点。你们回去可以向省区市领导传达，各地都不许擅自进行城乡合作银行的试点，等中央制定方案后才可以有组织地进行。

还有一个农村合作基金会的问题。不论在中央农村工作会议的决议里，还是在党的十四届三中全会通过的《决定》里，都明确地讲了农村合作基金会不能办存贷业务。但实际上都在办，甚至有的地方到了“法不治众”的地步。这个问题要引起我们的注意。还是要明令禁止，不能让它蔓延，想办法把它堵住。我也会在各种内部的、公开的场合里讲这个问题，希望农业部和各个地方的领导同志要明确这一点。

下面，我再讲一下汇率并轨的问题。汇率并轨是有相当风险的，但必须出台。有些同志怀疑出台时机是否成熟，说什么搞汇率并轨是不是为了参加关贸总协定？我说不是这样的。去年进出口总额 1957 亿美元，其中出口 900 多亿美元，进口 1000 多亿美元，贸易逆差 120 多亿美元。出口 900 多亿美元中差不多一半是“三资”企业的来料加工等，国家拿不到多少外汇；还有易货贸易，国家也没拿到多少外汇。但外汇的需求很大，我们的外汇储备实际上在下降。如果今年再这样下去，外汇储备真的下降到 150 亿或 100 亿美元，我国在国际上的信誉就成问题了。因此，必须来一个强刺激，把出口搞上去。只有汇率并轨才能改变出口下降的局面，不这样搞不行。另一方面，汇率并轨后也限制了进口，利大于弊。但要是不注意弊，外汇收支不能平衡，那也很麻烦。因为我们不能让人民币贬值很多，如果像去年 6 月份那样，一下子贬到 1 美元兑换 11 元人民币以上，国际、国内对我们都会没有信心，通货膨胀马上就会起来。抑制进口需求，不能单靠汇率来调节，还要靠其他配套措施。今年的汇率争取稳定在 1 美元兑换 8.7 元人民币左右，再低（人民币升值），对出口不利；再高（人民币贬值），人心就不稳定，又会出现炒外汇、搞投机的了。要达到稳定汇率的目标，一是结汇制要搞好，不能让外汇流失了；二是企业买外汇时不要卡，只要符合规定，就卖给人家。不然，企业感到换外汇不方便，它就会千方百计逃汇，不结汇。所以，中国银行以及做外汇业务的其他银行一定要保证结汇制的完善和售汇制的方便，不要卡别人。一卡别人，不但卡不住进口需求，反倒切断了外汇来源。结汇、售汇办法要搞完善一点。一是保证结汇，防止逃汇、漏汇，避免外汇流失；二是保证方便企业购汇。这项工作要做的事情很多，中国银行以及其他银行任务很重，希望在座的有关领导同志对汇率并轨给予高度重视，一定要把这项工作搞好。

正确处理改革、发展和稳定的关系*

（1994 年 1 月 17 日）

这次经济体制改革是空前深入、广泛的，力度也很大。这么大的改革没出大毛病，说明我们既有勇于改革的胆略，又做了充分、扎实的工作。我们应当将改革的必要性和可行性告诉老百姓；现在推进改革的时机是成熟的、条件是具备的，也要告诉老百姓。如果改革不为群众所理解，就很难成功。

今年进行的建立社会主义市场经济体制基本构架的改革是非常必要的，不出台不行，否则经济就搞不下去了。财政、金融、投资、计划、外贸、企业改革要配套。要是互相不衔接，只改一个环节，其他环节不改，孤军深入，是改不成的。但另一方面，它又有重点，其他改革是配套的。这些改革中最重要的是财政税制改革和汇率并轨，比较难的就这两项，有点风险，我们已经充分估计到了。

现在是改革和发展最好的历史机遇。如果错过了这个机遇，我们就要犯历史性的错误。为什么说是历史机遇呢？

第一，邓小平同志建设有中国特色社会主义理论，为全国人民所拥护、所掌握。改革开放以来，邓小平同志所确定的改革目标，就是建立社会主义市场经济体制。邓小平同志为我们解除了市场经济

---

* 1994 年 1 月，中共中央统战部在北京举办民主党派、工商联、无党派领导干部理论研讨班。这是朱镕基同志为研讨班所作经济形势报告的主要部分。

姓“社”还是姓“资”这个最大的思想顾虑。特别是党的十四大，根据邓小平同志的思想，明确提出了社会主义市场经济的理论。只有在这个理论的指导下，我们才有可能去博采世界各国经济体制的长处来为我所用。我们去年设计的改革方案参考了许多国家的资料，看哪个适合中国的情况，就用哪一个。社会主义就是公有制为主体，按劳分配，这些原则必须坚持，绝不动摇。具体的运作方式，都可以博采众长。到党的十四届三中全会时，全党统一了认识，大家的改革热情空前高涨，这个机遇很难得。

第二，改革开放以来，我们已经作了实行社会主义市场经济体制的若干尝试，已经闯过几次关，有了很多的经验。今年推出的改革有些在前几年就已经设想了，有些已经有具体方案了。所以，我们不是

1994 年 1 月 17 日，朱镕基在经济形势报告会前与全国人大常委会副委员长、民进中央主席雷洁琼亲切握手交谈。

仓仓促促就提出这套改革方案的。

第三，1992年邓小平同志发表南方谈话之后，我们进入了高速发展的新阶段。虽然碰到一点前进中的问题，但是，我们在解决这些问题的过程中，积累了宏观调控的经验。通过这些起伏，全党受到教育，都统一到一个认识上面：只有实行社会主义市场经济体制的改革，才能根本地解决我们国家持续快速健康发展的问题。

至于说改革方案还不完备，任何一个改革方案都不可能事先设计得完善无缺，只能在改革过程中不断实践、不断总结、不断调整。不去实践，不去尝尝梨子，怎么知道它是什么味道呢？发生问题不要害怕，不要动摇。我们天天都密切注视着改革的进展情况，出现一个问题，就去解决一个问题，完善一个政策，来适应变化了的情况。任何改革都像驾驶新汽车那样，有个磨合期。现在，改革正处在磨合与试运转的阶段。我们希望这个磨合期短一点，逐步走入正轨。这么大的改革，牵涉几百万户企业、多少亿人的事情，哪会不出一点毛病呢？大家还是要坚定信心、同舟共济、克服困难，努力完成改革事业。

我去年一直讲，搞改革要在一个比较宽松的环境里进行。所谓“宽松”，就是通货膨胀的压力别那么大。但是现在不但谈不到宽松，应该说宏观环境还是很紧的。基本建设规模居高不下，流通的货币这么多，怎能不通货膨胀？并不是说商品丰富就不会发生通货膨胀。1988年的商品也并不是不丰富啊！人们产生了钱不值钱的心理预期，就要去购物保值了。再有一个社会分配不均的问题，老百姓的心理状态怎么平衡？在物价高涨的情况下，工资高的人还可以忍受，而离退休人员、亏损企业的人员甚至于连基本生活都保证不了，这就要影响社会稳定。今年的改革环境确实不太宽松。

怎样解决这一问题？主要有以下几条：

第一条，大家要看到，改革环境虽然不宽松，不改革就更糟糕。

改革，是为了建立一个机制来解决发展中的问题。不改革，问题会越来越严重。对于目前存在的通货膨胀压力，要去找它的原因，主要是由于基本建设规模过大，不要把问题归咎于改革。我们现在有把握说，改革中的小问题会不断，但不会出什么大问题。我在今年1月15日的全国金融工作会议上明确宣布，银行的任务就是反通货膨胀。固定资产投资贷款指标，一块钱也不许突破！只要把贷款规模和乱拆借、乱集资制止住，基本建设规模就控制住了，票子的过量发行也就控制住了，通货膨胀的压力就消除了，就不会出大问题了。

第二条，严格控制基本建设规模，要上下认识一致。就是搞基础设施建设也要从实际出发，搞多了是不行的，超前了也是资金浪费，国家承受不了。去年，我们充分保了铁路，中国历史上去年是修铁路最多的一年，这确实可以缓解国民经济瓶颈制约。但是，搞基础设施建设要统筹规划，量力而行，不能每个省想干什么就干什么。

第三条，抓好农业基础。具体说，就是加强对粮食市场的宏观调控和抓好“菜篮子工程”。去年11月份的粮食涨价，一方面是由于去年沿海省份粮食减产，一些人到内地产粮区抢购粮食，哄抬粮价；另一方面也是由于粮食价格放开以后，粮食部门对究竟怎样进行市场管理没有思想准备，对市场放手不管，使粮价放任自流。这给了我们一个很好的教训，就是要加快改革粮食购销体制，加强对粮食市场的宏观调控。粮食市场不能够绝对地放开，要“放而有管，管而不死”。粮食是基础，粮价一上去，那肉、禽、蛋的价格都要上去，老百姓受得了呀？粮价大上大下，农民也不见得得到好处。“菜篮子”的工作要引起重视。搞开发区把很多菜田、粮田推掉了，减少了菜地，菜不够了，而且价格很贵，人们的心理状态怎么平衡？因此要由市长负责，赶快抓“菜篮子工程”。保证人民生活的基本水平、保证物价不飞涨，这是衡量一个地方政绩的重要标准。对这个问题，思想上必须搞清楚。

第四条，国有企业的经营机制如果不改变，国民经济发展中的许多根本问题解决不了，良性循环就无法形成。像现在这样三分之一的国有企业明亏，三分之一的国有企业暗亏，这个局面要是继续下去的话，我们财政金融的状况就永远改善不了，国民经济也难以上一个新的台阶。所以，国有企业必须转换经营机制，这里面最重要的是政企分开。企业应该自主经营、自负盈亏，搞不下去就破产。但是，企业一旦要破产，人员怎么安置是个很大的问题。人员安置不好，要发生很多问题。但我想，不经过这个痛苦的过程，企业的经营机制也难以转换。从金融体制改革的方向看，最终要把专业银行变成商业银行。问题是专业银行变成商业银行以后，恐怕一大批国有企业就要垮台。当企业还没有商业化的时候，银行怎么商业化？因此，国有企业的改革是个很重要的问题。当然，今年现代企业制度的改革要先进行试点，逐步地探索，真正做到企业就是企业、政府就是政府。中国的社会保险制度一定要有我们社会主义的特色，要适应中国的情况，完全依赖高标准的社会保险不行，不搞社会保险也不成。医疗保险、失业保险、养老保险最终都要搞。今年，我们把这个当做改革的重点内容加以设计，以配合国有企业经营机制的转换，早日出台将有助于国有企业的改革。

会见美国财政部部长本特森时的谈话 *

（1994 年 1 月 20 日）

朱镕基：今天非常高兴与本特森先生见面，欢迎到中国访问。昨天，你已经与我们的总理见过面了，今天我作为主管财政经济的副总理和你会面，这是具有特殊意义的。

我知道，你在第二次世界大战期间是反法西斯的勇敢战士。我也知道，你长期在美国国会担任参议员，现在是克林顿政府中担任要职的重要内阁成员。你的声望和能力在美国是很有名的。今天与你见面，并就中美两国在经济方面共同关心的问题交换意见，我非常高兴。去年 11 月，江泽民主席与克林顿总统在西雅图会晤，是开辟中美两国友好合作的一个新的转折。从那时起，中美两国的高层往来增多，特别是中美联合经济委员会会议停顿了一段时间后又恢复召开，一定会促进中美两国今后进一步的合作。

我还想再提到一点，我知道你是得克萨斯州大学法律系毕业的，我是清华大学经济管理学院的院长，我们与得州的达拉斯大学有着友好的合作。我曾经去那儿三次，对那里有很深的印象。这是我的欢迎词，现在请你讲话。

本特森：副总理先生，你已经打动我了。一提到得克萨斯，就想到

---

* 这是朱镕基同志在北京人民大会堂会见并宴请美国财政部部长劳埃德·本特森时的谈话。

我的家乡。我对中国的经济改革留下了非常深刻的印象，对你们在改革中取得的成果也留下了深刻的印象。上次我来中国是1978年，到现在，变化非常大，唯一没有变的就是北京的山，还是那样。我看到，中国在婴儿出生率、医疗保健和人民的福利方面取得了巨大进展，这是任何其他国家无法相比的，我对这些印象非常深刻。这里是世界上经济增长最快的地区，克林顿总统本人非常愿意发展与这个地区的合作关系，特别是发展与中国的合作关系，这是非常重要的，这对双方都有利。我们的文化是有差异的，有许多不同的情况，但有许多事情是可以通过双方的努力来做的。我们可以通过召开亚太地区的会议，来讨论我们双方共同关心的问题。我很高兴地得知贵国代表将出席亚太财政部长会议。我将在即将召开的美中联合经济委员会的会上与中国的财政部部长共同主持会议，并讨论一些问题。我们还将组成几个工作小组，就双方共同关心的问题交换看法。我们看到，在贸易增长快的国家中，中国是贸易顺差最大的国家。我也知道，我们在这方面计算的方法不一样。我们已高兴地看到中国的汇率统一并轨，还希望就市场准入、货币兑换和金融服务等方面的问题有机会进行讨论。此外，我们还关心激光唱盘、著作权、专利权等，也很高兴有机会就这些问题进行讨论。

朱镕基：感谢你对我们经济改革的支持。从今年1月1日起我们实现了汇率并轨，去年我们进行了金融秩序整顿。应该说，我们在很大程度上是借鉴了美国的经验。我想我们的做法是符合国际惯例的，这其中也吸取了国际货币基金组织的建议，到现在为止，情况是好的，还没有出什么问题。当然，希望以后也不出什么问题。

我们正在考虑更多地开放金融业，也就是说，还要允许更多的外国银行进来。关于允许外国银行做人民币业务的问题，我们要经过非常慎重的考虑。我本人也邀请了世界各地的许多专家来讨论这个问题。他们当中的许多人，也包括美国人，都说对这个问题要持慎重的

1994 年 1 月 20 日，朱镕基在北京人民大会堂会见美国财政部部长劳埃德·本特森。

（新华社记者齐铁砚摄）

态度。这是因为我们从今年才开始划分商业银行和政策性银行，目前中国的国有企业机制还未完全转变过来，中国的银行离商业银行的标准还差得很远，如果在这个时候批准大量的外国银行来做人民币业务，实际上是让中国的银行在不平等的基础上进行不平等的竞争。因此，我们一方面要加紧使我们的银行变成真正的商业银行，在这方面还需要得到你们的帮助；另一方面，我们要采取渐进的方式，逐步地做工作。今年，我们最多只会批一到两家外国银行来做人民币业务，进行试点，总结经验。

关于开放资本市场问题，这也是我们的金融改革方向。但从目前来讲，我们的立法很不健全，证券市场也很不成熟，投机性很大。目前，发行股票正处于试验阶段，如果在这个时候允许大量的外国机构进入，就会造成中国市场的极大不平衡。你们在证券市场方面有着上百年的经验，而我们只有两年的经验，还得允许我们有一个试验的过程，才能做大量的业务。在这方面，实际上我们与美国的证券机构有着非常密切的合作，与许多大的证券公司和投资银行，像高盛公司、美林公司、所罗门兄弟公司等，还有许多大的会计公司，像毕马威、安达信等，都有着密切的合作。我们从合作中学到了一点东西，但要学到更多的东西才能考虑让外国机构进入。总之，中国人基本上还不懂什么叫股票、什么叫资本市场。现在外国传说我们要发行奔驰汽车公司的股票，这只是他们的想法，我们谁也没有讲过这个话。

本特森：副总理先生，我们对中国在这些方面所取得的良好进展印象非常深刻，我的那位在美国联邦储备委员会工作的老朋友说过：他非常期待有机会来中国，但他在华盛顿的工作非常忙。他愿意为中国提供任何技术方面的援助，其中包括资本市场、证券交易方面的技术援助，这符合两国的利益。能在繁荣中国的改革方面进行参与和友好合作，对全世界都有利。我们很高兴地看到中国的汇率并轨，很关心这个问题，这有助于中国加入关贸总协定。我们愿意以积极的态度进行有关中国加入关贸总协定的谈判和对话。

我们还关心的是，汇率并轨后还有一个双重价格问题，还有人权问题、劳改产品问题等，这些不但美国人关心，国际上也很关心。我们希望看到这些方面有更多的进展，我们主要是考虑到国会方面的压力，国会议案上有些问题涉及这些方面，所以在决策时会考虑这些因素。你刚才谈到我在参议院工作了很长时间，实际上是22年了。过去，我认为政府的权力很大，但现在我认为国会有更大的权力。

朱镕基：刚才提到的美国联邦储备委员会主席格林斯潘，我请你再次转达我的口信，希望他尽快访问中国。一方面，他代表美国的利益、立场来与我们讨论美方关注的问题；另一方面，也请他站在我们的立场上，帮我们考虑中国作为发展中国家，在金融改革方面应该考虑的问题。刚才提到的著作权、专利权保护问题，我们在这方面已经有了法律规定，虽然在实践过程中还有这样或那样的侵权现象，但我们是坚持保护著作权、专利权的。

关于人权问题，不久前，我与美国国会众议员说过，我们两国对人权的概念有不同的看法，我们不希望这个问题与最惠国待遇问题联系得那么紧密，中国的最惠国待遇对中美双方都有利。我非常高兴地得知，前不久在纺织品的问题上我们达成了协议，这是个好兆头，预示着你的来访和主持中美联合经济委员会将进一步促进我们两国合作的发展。

（午餐时的谈话）

本特森：中国的经济发展很快。中国与俄罗斯的改革不一样，中国是采用试点的办法，而俄罗斯则希望更快的改革，想一下子跳过去，所以他们的过渡是很难的。中国的渐进方法取得了令人瞩目的成就。去年2月份，我在伦敦第一次出席西方七国财长会议，德国的财政部部长告诉我说，当一个财长受欢迎时，就意味着你的工作没做好。

朱镕基：中国不能采用“休克疗法”，我们的情况和俄罗斯不一样，中国的人口比俄罗斯多得多，更要采取渐进的步子，改革太快，人民受不了。我们的物价指数达到13%，大城市接近20%，已经出现了通货膨胀的压力。发生的原因就是我们已经有了几十年的计划经济的历史，每当我们经济发展速度很高时，跟着来的就是通货膨胀。改革开放以来，发展速度很高，就出现了计划经济跟不上改革发展的结果，造成投资过大。去年6月份，我们已经采取了整顿金融秩序的措施，从根本上进行了控制，在半年的时间里取得了很大成效。今年推行的经济体制改革措施，其强度和深度超过历史上的任何一年，这本身也是推动改革前进，但是必须采取非常小心的态度。如果不进行这个改革，通货膨胀率会更高。由于中国的农业现在还是经济稳定的基础，基本上保证了人民的生活需要，因此，对通货膨胀不用担心，可以控制。去年11月份对粮价的调整，人们的心理一时还不能适应，发生了一点问题。当我们讲清楚后，市场上的粮价马上就降下来了。现在是供大于求，粮价涨不上去。我想我们改革成功的可能性比俄罗斯大，因为我们能保证12亿人口的吃穿。现在俄罗斯不能保证，他们的改革是很难的。

本特森：我们也采取了一系列的经济措施。我们的增长率不像你们那么高，在3%左右，我们的通货膨胀率大体上也在3%左右。我们减少了预算赤字，同时降低了失业率。这些，在现阶段比其他的工业国家做得要好。

朱镕基：我们今年国内生产总值的增长速度大体上要达到9%左右，也就是说在10%以下，不能太低。我们不愿看到中国的经济增长大起大落。关于物价指数控制在5%或5%以下，那是明年的事，今年做不到。我们的失业问题不像西方那么严重，但我们承认有潜在的失业问题，这实际上是把多余人员的问题交给了国有企业，这也是国有企业效率低的原因之一，实际上也是把社会保障的问题交给了国有企业。我们今年要加强社会保障方面的改革，减轻国有企业这方面的负担。

关于中国的财政收入，去年中央财政收入占全国财政总收入的30%，地方的收入占70%，但中央负担的支出占总支出的50%，这样就产生了大量的赤字。我们现在实行的分税制，就是要逐步改变这种状态，中央财政收入占的比例要多一点。新推出的税制，中央的主要收入是流转税，即增值税。收上来的增值税75%交中央，所得税归地方。按这种收法，中央可以拿到60%。但这种设计今年不能一下子达到目标，否则地方要负担1000亿元的赤字。因此，我们是采取渐进的办法，先收上来，再返回一部分，我们叫“转移支付”。如果不采取这种渐进的方法，中央和地方就会发生冲突。为达到这个渐进的目标，去年我跑了十几个省市去做说服工作，把我的身体都弄垮了。现在我才体会到，从地方的口袋里拿钱是多么难呀。幸亏我已经完成了这个工作，中央拿到的钱不多不少，正合适。

本特森：美国也有同样的情况。请副总理先生介绍一下贵国国库券的情况。

朱镕基：财政部发的是国库券，企业和地方发的是债券，证券市场发行的是股票。今年我们准备发行国库券1000亿元人民币、外债15亿美元，企业和地方发债券45亿元人民币，股票控制在55亿元。我们的股票现在有三种：A股是中国内地机构和个人购买的股票，B股是境外投资者购买的股票，H股是中国在香港发行的股票。现在我们的国库券利息高于银行存款利息，并且要求地方发行的债券利息低于国库券利息；否则，国家的国库券发不出去。我现在告诉你一些数字，你就可以看出财政制度非改革不可。去年我们的国内生产总值增长了13%，财政收入增长了23%，其中，地方的财政收入增长35%，而中央的收入减少6.3%。再不改革，我们的财政部部长要成乞丐了。

萨默斯[1]：再请副总理先生介绍一下中国政府的汇率政策。

朱镕基：这是一个非常有意思和大家都关心的问题。你们都知道，中国从去年1到6月份，人民币一直在贬值。到7月份，我们不得不用中央银行来干预汇率市场，但仅仅抛出了7亿美元，就把外汇市场稳定在1美元兑换8.7元人民币。从去年8月开始，随着大家的观点改变，我们又收购了50多亿美元，到现在一直是这个汇率，我们既不抛，也不收。希望这个汇率能一直稳定下去，不希望再有大的波动，否则会影响我们的外汇投资。人民币不管是升还是贬都不好，1∶8.7这个汇率正合适。另外，我们现在的工业需要大量地从外国进口原材料和部件，如果人民币贬值，进口进不来，就会影响我们的物价和工业生产。在最近的《人民日报》上有我在全国金融工作会议上的讲话，谈到了有关汇率方面的问题。

〔1〕萨默斯，即劳伦斯·萨默斯，当时任美国财政部副部长，陪同本特森访华。

切实抓好农副产品的生产和供应*

（1994年1月26日）

根据中央提出的工作方针，要保持一个比较宽松的环境，非常重要的任务就是要控制通货膨胀，控制物价的上涨。控制物价，关键是把粮油和副食品价格涨幅过大的势头控制住。农业稳定了，市场稳定了，人民的基本生活和切身利益保证了，其他事情就好办了。这一着棋下好了，就能处理好改革、发展和稳定的关系。

一、当前“菜篮子”产品和粮棉油的生产、供应形势

总体上看，当前全国粮棉油和“菜篮子”主要产品的生产、供应形势是好的。1993年，全国农业生产形势比年初预计的要好，除棉花、糖料减产外，其他主要农产品获得了好收成，这是我们安排好市场供应的物质基础。全国粮食总产量达到9128亿斤，比上年增长3.1%。油料和肉类、禽、蛋、奶类、水产品、蔬菜等“菜篮子”产品的产量持续增长。农业生产之所以能取得这样的成就，是全党、全国上下共同努力的结果。目前从全国看，与人们生活密切相关的“菜

* 1994年1月26日至27日，全国“菜篮子”和粮棉油工作会议在北京召开。出席会议的有各省、自治区人民政府主管副省长（副主席），各直辖市市长，新疆生产建设兵团负责同志，32个大中城市市长，中共中央、国务院有关部门负责同志。这是朱镕基同志在会上讲话的主要部分。

篮子”和粮食等农产品生产，在总量上是有保证的，总供给与总需求可以保持基本平衡，只有棉花、糖料供需缺口比较大。

当前，粮食价格已基本稳住并有回落。全国粮食供求总量可以平衡。国家现有近1000亿斤储备粮，前一段时间粮食涨价，国家只抛售400亿斤储备粮，就基本稳住了粮价。去年年底，我们采取的粮食宏观调控措施，不是限价，限价是限不住的，我们是要求国有粮店挂牌降价销售。为什么可以挂牌降价呢？因为国有粮食系统收购的粮食是涨价前低价收进来的，即使加上必要的费用，卖价也不应该那么高。因此，粮价降下来，是符合市场供求规律的，国有粮食系统不会因此而造成亏损。这样做，没有违背改革方向，恰恰相反，是反不正当竞争，反价格垄断。由于国有粮店带头降价，集市贸易粮价也就跟着降下来了。

棉花的问题比较大，已连续两年减产，特别是山东、河北这些主产省的产量减得多。新疆棉花大丰收，应该表扬，但是运出来还有困难。棉花减产，收购量减少，库存下降，供需缺口大，再不抓棉花不得了。

植物油的供应也有点问题，库存薄弱，现在主要是补充库存。我们已经决定，今年进口一部分食用油。去年油料丰收，只要及时组织加工，加上适当进口，还是可以安排好供应的。

猪肉的供应也有点问题，主要是饲养成本、运输成本上升，生猪存栏量下降。对此，我们要给予密切注视。猪肉基本库存还是有的，春节前的市场供应绝对没有问题。但一定要把生产、流通环节的问题解决好，把生猪饲养搞上去，不然猪肉供应也会出问题。

所有副食品中，蔬菜是最重要的。前一段时间，蔬菜价格涨幅较大，主要是由于有些地方菜田减少过多，去年11月间又发生严重冻害，加大了蔬菜淡季供应的难度。只要大力组织货源，形成大流通的格局，蔬菜供应问题也是可以解决的。

去年糖料减产，今年国际市场的糖价也偏高，但我们不得不进口一些。这个问题也不是太大。当然，进口也不能太多，否则今年糖料一丰收，又会造成积压。

可见，除棉花外，粮油和主要副食品的供应还是有物质基础的。前一段时间出现的粮油和某些副食品价格涨幅过大，其中一个共同的原因是，我们对于市场经济条件下如何实施有效的宏观调控还缺乏经验。今年是整体推进经济体制改革最关键的一年。为确保各项改革措施的顺利实施，必须继续加强和改善对国民经济的宏观调控。宏观调控的一个重要任务，就是要把物价水平保持在城乡人民和全社会能够承受的范围之内，确保粮油和主要副食品的市场供应。当前工作的重点，第一是菜，第二是肉，第三是糖。我们要从为深化改革、促进发展提供良好环境的高度，认识平抑物价、确保供应的重大意义。

二、切实抓好当前粮棉油、“菜篮子”产品的生产和市场供应

要控制住粮棉油和“菜篮子”产品的市场价格，必须抓好生产，保证供应。生产上不去，供给短缺，要想稳住价格是不可能的。限价、限量、凭本供应，都不是好办法。去年年底之所以能把粮价很快平抑下来，关键在于我们有足够的粮源。因此，今年一定要加强粮棉油和“菜篮子”产品的生产，力争再获好收成。

为了保证今年农业生产的稳定发展，当前要特别注意抓好以下几方面的工作。

第一，抓好以主要农用生产资料供应为重点的备耕工作，组织好春耕生产。各地要对当前备耕情况进行一次检查，及时发现问题，及

时解决。一定要打好今年春耕生产这一仗。

第二，继续落实今年的棉花种植面积。今年全国的棉花合同定购计划不变，省际间根据布局作适当调整。各地要保证国家计划任务的完成，明确责任，层层落实。

第三，稳定粮食种植面积。要吸取去年南方有些省粮食种植面积减少过多，导致减产，推动粮价上涨的教训。今年全国的粮食作物播种面积要保持在16.5亿亩以上。粮食调入省要提高自给水平，要有足够的储备；粮食调出省要按市场需求提高商品率。调出省和调入省之间要通过建立长期稳定的购销关系，努力做到供需平衡。

第四，制止滥占菜田，重视蔬菜和其他副食品生产基地建设。大中城市的蔬菜生产要坚持“郊区为主、农区为辅、外埠调剂”的方针。近年来，许多城市的基本建设和开发区挤占菜田严重。各大中城市必须严格菜田管理，制止滥占菜田，确保必需的菜田面积。要建立菜田保护制度。如确需占用老菜田的，一定要开辟新菜田，先补后占，占1亩至少要补1亩半。要切实加强菜田基金的征收和管理。要十分重视农区、外埠蔬菜生产基地建设，充分发挥其调剂和补淡的作用。肉、禽、蛋、奶、水产品等其他副食品生产基地建设也要抓好。要高度重视市场建设，形成大流通的格局，吸引更多的副食品进城交易。

第五，稳定农业机构与服务队伍。这个问题要提到巩固和加强农业基础地位的高度去认识。江泽民总书记在去年明确提出，农业行政管理部门只能加强，不能削弱。我在去年全国“菜篮子工程”工作会议上也讲过，但不少地方落实得不好。我再次呼吁和强调，无论机构怎么改，农业管理机构不能撤，队伍不能散，经费不能断。

粮棉油和“菜篮子”产品是人们的基本生活必需品，既要采取有力措施调动农民的生产积极性，增加供给，又要把价格控制在消费者可以承受的水平上。目前虽已稳住了粮油价格并使其有所回落，但某些“菜篮子”产品的价格仍然偏高。春节即将来临，如市场供应组织得不好，很可能出现新的一轮涨价。因此，平抑销价、稳定供给，仍然是当前各地尤其是大中城市政府一项紧迫而又艰巨的任务，希望大家切实抓好。

这里，我特别强调一下控制粮油价格的问题。

我在去年 12 月 25 日的国务院平抑粮油价格、稳定市场供应会议上讲过，平抑粮价的目标分两步走。第一步，把粮价降到去年 11 月份涨价前的水平。现在看来，经过平抑后，第一步目标大部分省区市做到了，有些地区还是偏高。这是指广大群众赖以为生的大众化粮食品种。第二步，继续稳定粮价，不能再涨了；有的地区还要适当降一点，降多少由各地确定。前一段时间粮食抛售中没有达到平抑价格目标的，要继续努力实现目标；原来低于平抑价格目标的，不能提价。国有粮店要继续挂牌销售，平抑市价。

油价没有实现平抑价格目标，现在每斤菜子油还在3元2角以上。没有油，光说一句话，价格是降不下来的。这个问题的解决，取决于进口和今年的油料增产。除确保完成食用油进口计划外，国家安排的储备油要尽快投放市场，以平衡供求，稳定油价。植物油价格不能再涨了。

三、认真落实扶持粮棉油和“菜篮子”产品生产、流通的各项政策

前几年，中央相继出台了一系列支持粮棉油、“菜篮子”产品生产和流通的政策；去年，中央农村工作会议又制定了一些新的政策。确保政策落实到位，对调动农民的生产积极性、发展生产、搞活流通、加强宏观调控具有重要作用。各地区、各部门必须不折不扣地抓

好这些政策的落实。关于近期扶持粮棉油和“菜篮子”产品生产、流通的政策问题，主要有以下几点：

第一，提高今年的粮棉收购价格。国务院决定，从今年新粮、新棉上市起，提高粮棉收购价格。粮食提价幅度还是按原来商定的，每斤提 1 角，即 4 种主要粮食品种的综合平均收购价在去年涨价前的基础上每斤提高 1 角。不包括原来的价外加价。这个提价幅度是可以调动大多数粮农的生产积极性的。去年粮价上涨的好处并没有都到农民手里，主要是中间环节得利了。非商品粮地区和吃返销粮地区的农民，因农用生产资料涨价，也会增加支出，这要靠粮食风险基金来补偿。提高粮食收购价，不登报，以免给城镇居民造成又要涨价的误解。只通过内部文件把信息传递给农民就可以了。这对农民来说是好消息，会不胫而走、奔走相告的。

棉花去年每担提价 30 元，原定今年每担标准级棉的收购价再提高 50 元，达到 380 元。考虑到棉花生产确实潜伏着更为严重的问题，所以决定提 70 元，加上价外加价，去年 12 元，今年 14 元，等级差价 5 元，就是每担将近 420 元。这样将给一些纺织企业造成更大的困难。企业的出路在于加强管理，加快技术改造步伐，提高产品质量。棉花生产再不能滑坡了。各地区和各有关部门都要高度重视棉铃虫的防治，力争今年棉花丰收。

第二，继续落实扶持“菜篮子”产品的产销政策。这个问题，我在去年 6 月召开的全国“菜篮子工程”工作会议上已经讲过。当时，陈俊生同志把中央定的扶持“菜篮子工程”的政策都列了出来，经国务院总理办公会讨论通过，全都肯定了下来。现在重申，这些政策措施都要继续认真贯彻执行。总的原则是，中央和地方财政的各项补贴，都不要挪作他用，已减少的要立即收回来，继续用于“菜篮子工程”建设，包括生产基地建设，储存运输、冷藏加工、批发市场等基础设施建设，以及副食品风险基金的建立等。中央关于副食品风险基金的建立已有明确要求，要尽快建立起来，主要用于扶持全国性蔬菜生产基地建设，包括化肥、“南菜北运”的运费补贴以及少量的储备费用补贴等。国务院已组成一个专门小组，负责研究粮食价格改革的实施和粮食风险基金的建立，也要研究副食品风险基金的建立。

今年的税制改革，对粮食和副食品零售行业的税负是减轻的，批发行业的税负是增加了。为此，财政部、税务总局已决定，今年对国有、集体商业企业批发肉、禽、蛋、水产品和蔬菜的业务征收增值税后增加的税款实行退税，收多少退多少，即收即退。

第三，关于进口政策。粮、棉、油、糖、化肥、农药等都要有适当的进口。进口这些产品主要用于增加库存，增强国家和地方吞吐调剂的物质基础。进口实行“三统一”，即统一政策、统一价格、统一对外。统一对外就是由外经贸部协调。现在，进口所需外汇不成问题，并且减免了增值税和进口关税，可以保持进口价格和国内价格大体一致。实行地方自行进口，但必须统一协调，不可以都到国际市场上抬价抢购。

第四，粮食购销体制改革问题。对于这个问题有个基本思路，就是要把政策性业务和经营性业务分开。经营性的零售要自负盈亏，多种经营；政策性的业务主要是抓收购、搞批发，保证国家有足够的粮源，只允许有执照的国有粮食企业搞批发。批发环节属政策性经营，国家要给予适当补贴。关于收购政策，初步方案是分两步走，使国有粮食部门掌握2200亿斤商品粮的70%到80%，即1600亿斤到1800亿斤。第一步，国有粮食企业到农村收购粮食，统一价格，保证收购1500亿斤粮食；在1500亿斤粮食未收到手之前，不开放粮食市场。第二步，国有粮食部门完成粮食收购任务后，放开粮食市场，允许多渠道收购；国有粮食企业再收购200亿斤到300亿斤粮食，使国有粮食部门掌握的总粮源达到1700亿斤到1800亿斤。这样，粮食购销的大局就稳住了。这不是走回头路，因为市场经济不是不要计划，不是放任自流。粮源要掌握在国家手里，不能掌握在私商手里，否则就不可能稳住粮价，就会出大问题，我们就会吃大亏。开放市场，要像郑州粮食市场一样，有监督、有管理，不能一窝蜂都到农村抢购。粮食购销体制如何进一步改革，我们正在调查研究，要尽快拿出个办法来。另外，国有零售粮店和国有菜市场应占一定的市场比例，现在减少得太多，需要引起注意。

四、加强领导，明确责任，切实做好工作

这次会议要明确这样一条基本责任：粮棉油和“菜篮子”产品产销平衡的责任在各地区。李鹏同志一再强调，解决“菜篮子”问题，就是由市长负责。我还要加一句，“菜篮子”是考核市长政绩的一个很重要的内容。“菜篮子”搞不好，我可以肯定你那个城市的建设也搞不好。各省、自治区、直辖市和大中城市每年要对粮棉油和“菜篮子”产品拿出辖区内总量平衡的计划，比如生产多少，自给多少，调出、调入多少，出口、进口多少，储备多少，怎么综合平衡，要有一套完整的方案和有效的措施，狠抓落实。自己该拿钱的要拿钱，不能什么事情都找中央。自己不能平衡的，还是要通过发展大生产、组织大流通来解决。销区要向产区订货，建立长久固定的购销关系。订了合同就要算数，保证兑现。

今年要把控制物价上涨、抑制通货膨胀摆在非常重要的位置。中央、地方要共同负责，一起努力，确保控制指标的实现。为此，中央和地方都要掌握必要的调控手段。如粮食和副食品风险基金、生产发展基金以及储备制度的建立等，都是非常必要的。今后，凡是由于不

落实风险基金、不建立储备制度致使供需平衡出了问题的，要追究省长和市长的责任。各级领导干部都要不断地探索在市场经济体制条件下解决粮油和副食品生产、供应问题的新路子，创造新经验。要建立副食品生产、供应的目标责任制。对基地建设、市场建设、价格监控等都要有明确的考核指标，对市长、分管副市长和各有关部门分别考核哪些指标，要有明确规定。要实行定期检查，年终总评。对实现了考核指标的，要表扬；对没有实现考核指标的，要批评；问题严重的，要追究领导责任。中央各有关部委也要明确责任。农业部要安排、组织好生产；内贸部要组织好大流通，安排好储备和市场供应；化工、石化、机械等农用物资生产部门和供销部门，要组织好农用物资的生产和供应；铁道部、交通部要安排好运输；外经贸部要安排好有关产品的进出口；民政部门要协助粮食部门组织好灾区供应；工商、物价部门要加强市场和物价管理；财政部、人民银行要落实好调控政策及支持产销所需的资金；国家计委、国家经贸委要做好综合平衡、调度协调。

各级领导干部都要关心人民群众的切身利益。对人民群众普遍关心的粮油和肉、蛋、蔬菜、水产品等副食品的生产与供应，要下决心组织好、安排好。对于收入水平较低的离退休人员、困难企业职工和大专院校学生等，要注意解决他们的特殊困难。最近，党中央、国务院发出一个电报，中心意思是当前首先要保证公教人员的工资发放。现在很大一部分地区，尤其是贫困地区公教人员的工资发不出来，亏损企业工人的工资也发不出来，大学生的生活也受到很大影响。这些问题如果解决得不好，就会影响社会的安定。电报明确指出，宁肯少上几个项目，也要保证工资的发放。对亏损企业职工生活有困难的，政府要给予帮助。对大学生的生活问题，上海的做法是拿出一笔钱补贴给有困难的学生，李鹏同志认为这个办法可以推广到全国。

总之，形势要认清，认识要统一，政策要落实，责任要明确。各地人民政府和有关部门的领导同志，都要以对人民群众高度负责的精神，下大力量解决好“菜篮子”产品和粮棉油生产、供应方面的各种实际问题。通过全党、全国上下的一致努力，向人民群众表明，党和政府是有驾驭市场经济能力的，完全有力量、有办法解决好当前的问题，抓住机遇、深化改革、扩大开放、促进发展、保持稳定的目标是一定能够实现的。

把清华大学经济管理学院办成世界第一流的经济管理学院*

（1994年2月22日）

建设有中国特色的社会主义，需要一大批掌握市场经济的一般规律，熟悉其运行规则，而又了解中国企业实情的经济管理人才。清华大学经济管理学院就要敢于借鉴、引进世界上一切优秀的经济管理学院的教学内容、方法和手段，结合中国的国情，办成世界第一流的经管学院。愿与同仁共勉之。

朱镕基

一九九四年二月二十二日

---

* 这是朱镕基同志给清华大学经济管理学院的题词。

中华人民共和国国务院

建设有中国特色的社会主义，需要一大批掌握市场经济的一般规律，熟悉其运行规则，而又了解中国企业实情的经济管理人才。清华大学经济管理学院就要敢于借鉴、引进世界上一切优秀的经济管理学院的教学内容、方法和手段，结合中国的国情，办成世界第一流的经管学院。愿与同仁共勉之。

朱镕基

一九九四年二月二十二日

把大庆建设得更好 *

（1994 年 4 月 13 日）

这次我们专程来大庆，就是来“朝拜革命圣地”呀。以前由于各种原因没有来成，这次我说无论时间多紧也要来大庆看一看，因为大庆确实具有重要的历史地位。第一，大庆真正改变了中国所谓“无油”或者“贫油”的历史。从理论上讲，李四光打破了中国“无油论”或者“贫油论”，但从实践上真正打破的是大庆，大庆使中国人民树立了信心。虽然克拉玛依油田比大庆油田发现得早，但真正大规模找油还是从大庆开始，这个意义非常大。石油是战略物资，中国如果没有石油，就很难立足于大国之林。第二，大庆体现了中华民族的精神，就是自力更生、艰苦奋斗、艰苦创业精神，它改变了中国人的精神面貌。所以，大庆红旗、“铁人”精神，我看在历史上是永远不能磨灭的，目前依然有着现实意义。今天一到大庆，我就说向大庆学习，向同志们学习。“工业学大庆”这个口号，在历史上有意义，现在也有意义，因为大庆精神始终应该发扬。没有这种精神，我们国家没办法建设好。第三，大庆还体现了我们国家改革开放、自强不息、不断进步的精神。大庆是中国人自己创造出来的，又通过改革开放吸收了世界的先进经验，自己发明创造，在技术方面也立足于全世界的先进行

---

* 1994 年 4 月 12 日至 16 日，朱镕基同志在黑龙江省考察工作，先后考察了大庆、肇东、哈尔滨等地。这是朱镕基同志在大庆召开的座谈会上讲话的一部分。

1994 年 4 月 13 日，朱镕基在黑龙江省与大庆油田 1205 钻井队的石油工人交谈。

列。大庆今天的建设和我原来想象的完全不一样，“干打垒”已经变成历史教材了，现在已建成一个崭新的城市了，面貌焕然一新。不但在技术上是先进的，而且建立了一个现代化的石油工业基地，这个功绩不可磨灭。同时，大庆依然在中国的石油工业中牢牢地居于骨干地位、决定性的地位。中国其他哪个油田也没有能够像大庆稳产这么多年，有这么高的年产水平，5000 万吨稳产了 9 年，5500 万吨稳产了 9 年，加起来一共 18 年，这是了不起的！所以我认为，大庆的同志们创造了历史功勋，今天还在继续奋斗。我们不但应该学习大庆，更应该保持和发扬大庆这种艰苦创业的精神，继续把大庆红旗树下去，把这种“铁人”精神发扬光大。

下面，我想针对同志们讲的问题，讲两点意见。

一、关于大庆石油工业的发展

不久前，江泽民同志主持召开中央财经领导小组会议，讨论了石油工业的发展问题。中央认为，石油工业关于“稳定东部、发展西部”的方针是正确的。但是，我觉得稳定不等于不发展，这个问题也要讲清楚。稳定主要是讲产量要稳定，不要降下来。因为油田的产量有个自然递减的趋势，不要让它大减下去，这就叫稳定。然而，稳定不等于不发展，油田的多种经营、科研技术水平、经济效益还要不断发展。另外，我们不是不想发展，稳定也还是想发展。如果年产 5500 万吨能搞到 6000 万吨，那不是更好吗？所以，稳定是个最低的要求，我们还是要重视东部油田的发展。中央还认为，贯彻关于“稳定东部、发展西部”的方针，中国石油天然气总公司是认真的、努力的，但是现在看起来力度还不够。因此，中央认为应该加强“稳定东部”这个力度。西部现在一下子拿不出来那么多石油，东部稳不住怎么得了！中国这么大一个国家，今年从过去的石油净出口国变成一个净进口国，这是一个不好的转折。我们应该看到这个问题的严重性，不能够再说这是自然的，或者说没有什么太大的关系，那可不行。我们国家的这个战略命脉不能操纵在外国人手里，我们还是要加强自己的石油工业。发展西部是毫无问题的，希望在西部，可是目前还拿不出更多的石油来，所以“稳定东部”的方针，力度要够，要加强。我们现在要采取有力的政策措施，来支持石油工业发展。但是现在勘探费不够，打的井不够，所以我们决定提高原油价格。按我的想法，去年提出了三个方案，每吨涨到 700 元、800 元、900 元。后来李鹏同志决策，决定采取 700 元这个方案，这样比较稳妥一点，否则推动物价上涨比较厉害。

大庆油田年产5600万吨石油，在20世纪要稳定，20世纪以后我希望也要稳定，不应该降下来，也不能让它降下来。年产量降下来怎么得了！这是个信心的问题。东部油田的年产量一定要稳定，不能降下来。你们告诉我，搞三次采油，采收率可以达到50%。此外，还可能发现新的油田。我是管宏观、算大账的，算大账的结果就是5600万吨的年产量20年不能下来。没有钱我给你保，千方百计保你的勘探资金，可是你不能弄得比进口油还贵。如果超过国际价格，控制进口油就非常困难了。去年，钢材就没有控制住，成品油也没有控制住。我曾讲，国家计委就得在这个宏观控制上下工夫，但也确实难得很。如果国内价格高了，走私、弄虚作假什么都来了，是很难办的事情。所以，大家还是要把科研、三次采油、聚合物赶快搞上去，多来找油，降低成本。你们稳油控水搞得很好，看样子原来对用电量估计得太多，现在一搞稳油控水，用电也不要那么多了，电就是钱。这是从全国的石油形势讲到大庆的稳产。

二、对大庆提一个希望

应该把大庆建成一个多种经营、综合发展的基地，一个现代化的城市，不能够单打一。这方面，大庆的潜力大得很。100万人，5000多平方公里的面积，跟上海差不多，一片平原，有水，就是无霜期短一些、天气冷一点。这么好的条件，应该把大庆发展成为一个“北国江南”。你们刚才讲的发展替代产业，这是可以考虑的，应该是农、林、牧、副、渔以及第三产业全面大发展。只搞工业，投资很大，解决不了很多人的就业问题，回报期很长，国家的投资没有那么多。大庆发展农、林、牧、副、渔是很有条件的。一个是农业，大庆市一共有100万亩地，现在才开发了20万亩。这里有土地，有技术，有拖拉机，搞现代化的机耕，完全可以建成一个很大的农业生产基地、一个粮仓。我对农业不是很熟悉，但我想黑龙江省应该有这个条件。我印象最深的是大庆造林不够，没看到多少树林。我到宁夏黄河灌区去过，那里真是“塞北江南”，好像到了苏州、无锡一样。要造林啊！总之，我觉得大庆应该在农、林、牧、副、渔方面更敞开思路，谋求大发展。

石油工业跟煤炭工业是同一个问题，就是“吃油人”太多。现在全国统配煤矿有 360 万人，我估算了一下，100 多万人足够了。真正把煤矿搞好，就要把多余的 200 多万人从煤矿里转出来搞多种经营、综合利用，发展第三产业。这样，煤矿才活得下去，才能结束吃国家补贴的历史。石油工业也有这个问题，就是人多。大庆油过去成本低，一吨几十元钱，现在一吨 280 元，增长了 10 倍。过去你“吃油”还可以，现在不行了，还是要把多余的人赶快转出来。

我看大庆会建成一个很漂亮的城市，农、林、牧、副、渔全面发展，绿化搞得很好，像江南一样。你们的城市要重新规划一下，总得有一个市中心。要考虑到大庆发展的前途，不要增加人。城市太大了，是个很麻烦的事。搞现代化嘛，你们有的是技术，这样大庆就会很富裕了，那时就有钱支援工业了，不是像现在这样大家都靠油吃饭。

严防金融诈骗*

（1994 年 5 月 25 日）

国务院为什么要召开这样一次电话会议，并把这个会议一直开到国家银行的县支行呢？这是因为现在金融诈骗已经成为我们银行系统面临的一个重大问题。大家都记得，去年发生过农业银行衡水支行开出 100 亿美元信用证的大案。江泽民同志作了批示，他指出，这个案子告诉我们，金融系统的秩序混乱、纪律废弛，已经到了何等惊人的程度。但现在看起来，我们银行系统并没有真正吸取教训，这种金融诈骗案件还在发生，有几个特点：一是范围越来越广。从农业银行这件事情开始，紧接着中国银行被骗换 1.5 亿美元汇到外国去了，又来了一个建设银行哈尔滨第二支行开出大额外汇存单，还出了一个工商银行上饶支行的案子，等等。二是情节荒唐。到银行骗钱太容易了，简直就像天方夜谭一样，传出去要成为国际笑柄。衡水支行的案子是 100 亿美元信用证。最近又发现一个诈骗分子谎称能引进 500 亿美元，并且已经存入工商银行。稍有常识的人，怎么会相信这种事情？三是性质恶劣，恶劣到可以假造党和国家领导人的印章、信件。四是损失

---

* 1994 年 5 月 25 日，国务院在北京召开“三防一保”（防诈骗、防抢劫、防盗窃，保证资金安全工作到位）电话会议。出席会议的有国务院有关部门、各金融机构，最高人民法院、最高人民检察院及其他有关部门的负责同志。全国县以上各级人民政府主管金融工作的负责同志和各级金融、公安等部门的负责同志，分别在 2000 多个分会场参加了会议。这是朱镕基同志在会上讲话的一部分。

严重。为了追回衡水支行100亿美元的信用证，不知费了多少心血，钱也花得不少。这200张信用证虽然都控制住了，但还没有完全追回。造成这些问题的原因，一方面是我们有些同志急于利用外资，又缺乏金融常识，上当受骗；另一方面，银行系统也存在不少问题。对此，我认为有三点教训：

第一，金融系统部分领导干部保护国家资产、维护国家利益的责任心太差了。骗钱这么容易，简直是把银行金库的大门钥匙交给了人家，随便可以把钱拿走。现在我们银行系统内部不断发生贪污、侵吞国家财产的案件，作案的人大多是年轻人，我们很痛心，对他们教育不够。当然，这种案件在任何一个队伍里总是会有的，总是有极少数的败类。只要我们执法如山，这个问题是可以解决的。他们侵吞的银行公款，不管是几十万元还是几百万元，有一个就依法重判一个，这无损我们银行系统这支光荣队伍的形象。真正可怕的是，我们这个系统的部分领导同志没有责任心，敞开金库的大门，损失的就不是几十万元，而是几亿元、几十亿元，甚至是上百亿元。如果衡水案件的罪犯得逞的话，损失就是100亿美元，这种失职、渎职行为何以面对人民！我看，同志们应当把这个问题提到共产党人应有的对人民负责的高度责任心上来认识。我们作为国家的职工、共产党员，起码要有保护国家财产、维护国家利益的责任感。

第二，部分金融机构不执行国家的法律法规、规章制度，也已经到了非常惊人的地步。我们的银行法律法规离完善的社会主义市场经济体制下的标准还有较大距离，我们还要进一步加强立法工作。但是，现在已经有的法律法规不执行，这确实像江泽民同志讲的是秩序混乱、纪律废弛。比如，中国银行这1.5亿美元，怎么能汇得出去？每个业务环节都有制度规定，如果大家都按制度办事，就不会发生这种事情。

1994 年 5 月 25 日，朱镕基在“三防一保”电话会议上讲话。前排右二为国务委员兼国务院秘书长罗干，右三为国务院副秘书长李树文，右四为公安部副部长牟新生。
（新华社记者李生南摄）

第三，金融系统部分领导同志，也包括一部分职工，政治、业务素质确实不适应社会主义市场经济体制的要求。很简单的问题，就是真伪不辨。

所以，应该提醒金融系统的全体职工，我们要从以上三个方面来检查自己。今后，不能再让金融诈骗案件泛滥、横行下去，不能再发生这种严重的大案。金融系统的全体职工都要负起责任，如果让这样的失职、渎职行为继续下去，人民是不会答应的。

这里我要提醒大家，不能轻信某些人借口为国家引进外资行骗，不要听那一套。利用外资无非是两个渠道：一是通过世界银行等国际金融组织借款、政府借款，以及商业银行借款。没有经过国家批准，没有纳入国家总量控制计划，谁都不能随便去借钱。二是直接投资。

外国人直接来投资，搞合资经营。也有的是向外国银行借钱，要担保，这要经国务院授权。因此，利用外资都要走正常的渠道，国务院对此有一系列的规定。各个银行只要有国际金融业务活动的，都要认真地把国务院的有关文件学习一遍，这些文件对报批程序和授权机关都有明确的规定。我赞成刚才牟新生[1]同志讲的："管好自己的人，看好自己的门，办好自己的事。"根本不许搞国际金融业务，你非要办，违了法，出了事，要处分；没出事，也要处分，因为你违法越权。

请同志们从上述三个方面去检查，制定今后防范再次发生金融诈骗案的措施。首先要加强学习，无知就容易犯错误，就会给国家造成很大的损失。如果发生了这样一些案件，只要看出一点苗头，就应赶快补救。报案要及时，公安机关反应要迅速，该抓的就把他抓起来，该控制的就把他控制住，分秒必争。钱一汇到国外就麻烦了，官司就扯不清了。所以，我重申，如果银行已经察觉发生了金融诈骗案件，你还在隐瞒或不及时报告，就要追究你的责任。我们过去发生的案件，有的就是因为各级银行一层一层往上报告把时间耽误了。同志们，大案要一下子报到国务院来，国务院再组织各有关政法部门来破案。如果耽误了时机，这案子就难破了。希望同志们好好地传达和学习这次会议的精神，今后不要再发生这种事情，至少不要再发生大案。

---

[1] 牟新生，当时任公安部副部长。

搞好粮食价格和购销体制改革*

（1994年5月27日）

农业是国民经济的基础，粮食是万物之首。粮食价格和购销体制的改革，是关系社会主义市场经济能否平稳运作和国民经济能否持续快速健康发展的重大问题。党中央、国务院对农业非常重视。1992年，针对当时不少地方忽视农业、撂荒耕地、收购“打白条”的情况，江泽民同志召开六省座谈会，李鹏同志召开全国电话会议，部署解决。去年成立了中央农村工作领导小组，10月份召开了第一次中央农村工作会议，确定了要提高粮食收购价格，调动农民的种粮积极性。11月粮食价格暴涨以后，通过国有粮店挂牌降价的方法，刹住了当时的涨价风。12月份我们召开平抑粮价的第一次会议，今年1月份又召开了第二次平抑粮价的会议，把粮食价格稳定在一定水平上。今年3月八届全国人大二次会议后，中央又召开了第二次农村工作会议，部署了今年粮食价格和购销体制的改革。在此前后，党中央和国务院领导同志以及派出的几批调查组，同各省区市的负责同志充

---

* 1994年5月26日至27日，国务院在北京召开全国粮食价格改革工作会议。出席会议的有各省、自治区、直辖市人民政府常务或主管副省长（副主席、副市长）、财政厅（局）长、物价局局长、粮食局（厅）长、工商局局长，河北、吉林、黑龙江、安徽、江苏、江西、山东、河南、湖北、湖南、四川、辽宁省的农业厅厅长，中共中央、国务院有关部门负责同志。这是朱镕基同志在会上总结讲话的主要部分。

分交换了意见。最近，我又会同国务院有关部门的负责同志，先后在武汉、郑州召开了座谈会，就中央的方针和政策再次征求了他们的意见。前前后后、上上下下、反反复复，来回了好几个过程。经过这样的反复商量，中央和地方的认识基本上统一了，虽然时间晚了一点，但工作做得更充分了。这次全国粮食价格改革工作会议开得很顺利，江泽民同志和李鹏同志委托我来讲一讲，今天我讲两个问题。

一、粮食价格和购销体制改革要达到三个目标

第一个目标是换来一个粮食收购价格形成的机制。粮食的收购价格要体现三个原则：第一，要调动农民生产的积极性，也就是说，这个价格使农民除了补偿生产粮食的成本费用以外，还能够增加收入。现在农业生产资料涨价很厉害，如果不能得到补偿，农民怎么会种地呢？补偿了成本以外，还要能够使农民增加收入，这样农村市场才能够开拓。第二，这个价格要能够逐步缩小工农业产品价格剪刀差，同时又能够调整好工农业和农业内部各业之间协调发展的关系，促进形成一个合理的产业结构。要一下子消灭剪刀差不大可能，但总得逐步缩小，而且在农产品内部，比如说在粮食和棉花之间，都要有一个合理的比价。第三，城市的消费者能够承受。粮价高一点，农民当然高兴，但吃粮的人要能够买得起。既要考虑调动农民的积极性，又要考虑各方面的承受能力。因为粮价还牵涉棉花等经济作物、猪肉等副食品，确定粮价要瞻前顾后、全面安排。

第二个目标是形成一个稳定、合理的粮食销售价格。粮食销价要随购价而顺加，但又不要引起大的物价波动，要保持社会的稳定。粮食购价提高后，销价不顺加，又会形成新的倒挂，导致财政大量补贴销售环节。而销价调整，又要考虑城市居民的承受能力，不要引起物

价大的波动。

第三个目标是建立一个适应社会主义市场经济体制要求的，放而有管、管而不死、购销方便、调度灵活的现代化的粮食市场。不能把放开价格理解为放开就不管了，我们在去年 11 月份就吃过这个亏，引起了一场大涨价。所以，我讲要放活，但是要管，管而不死。购销方便，说的是农民交售粮食很方便，粮食的批发、零售也很方便，包括粮食调运方便。我们的目标是建立这样一个现代化的粮食市场。

我想，如果这三个目标实现了，就可以保证粮食生产和农业稳定发展，这是关系国民经济发展、国家长治久安的一件重大事情。我们的工作，就是围绕着这三个目标进行，差不多搞了整整一年。

第一个目标，就是粮食收购价格怎么形成？这是问题的核心。农民种不种粮，不只是看你给这个条件、给那个条件，而主要是看收购多少钱一斤。从去年中央农村工作会议开始，我们讲了一句话，粮食价格应该由市场形成。看起来地方的同志们都没有太理解，或者说跟我的理解不一致。现在定的收购价格，基本上是根据当前的市场价格再加一点，符合我前面讲的三个原则。定了这个收购价格以后，我们就要通过国家掌握的粮食来吞吐调节，使市场基本上维持这个价格水平。当粮食价格下跌的时候，我们还是用这个价格大量收购，稳住粮价。当价格上升的时候，我们就要抛出库存，平抑粮价。总之，要基本维持在市场形成的这个价格上面，不能让投机分子把它哄抬上去或者把它压下来。实际上，我说这就是个定购价格，无所谓什么“议购价格”、“市场价格”，因为这本身就是一个市场价格。也无所谓什么“保护价”，因为就是要用这个定购价来稳定粮价，那么它就又是个保护价，保护农民利益嘛。可是这句话大家都不理解，总认为取消了议购价。大家有个传统的概念，就是定购价是低的，这个低价农民是认了，因为这是“皇粮国税”，你低价我也得交售；议购价是高的，应该放开。现在好像把这个政策收回去了，把过去总共收购的1800亿斤粮食都变成定购粮了，没有议价粮了。这个1800亿斤，去年有1000亿斤是定购粮，是低价；800亿斤是议购粮，是高价，特别是去年11月份涨得更多。今后你说就实行一个价，再怎么解释，大家也不容易接受。经过听取地方同志的意见以后，我们就把“粮食价格应该由市场形成”改成三句话：第一句话是，定购1000亿斤的粮食，按国家规定的定购价收购。这个价格也是根据上述三个原则由市场形成的。第二句话是，800亿斤的粮食，随行就市收购，就是市价。有些同志就担心，这个定购价定得是很满意的，就怕那800亿斤维持不住这个价格。所以，第三句话就是，国家粮食系统要通过粮食的吞吐，来把市价基本稳定在定购价的水平上。往下浮动一点是可以的，

1994年4月4日，朱镕基在天津市南开区照湖里粮店调查粮食供销情况。前排左四为天津市委书记高德占，左五为天津市市长张立昌。（新华社记者李昌元摄）

往上浮动一点也可以，多了就承受不了，低得太多，农民的利益又受到损失。因此，“粮食价格应该由市场形成”这句话变成三句话，这三句话征求了很多同志的意见，他们认为满意了，说全了。这就叫做充分发扬民主，集中大家的智慧。我想这次把这个问题向大家讲清楚了，这样大家就可以往下传达了。

第二个目标，就是粮食的收购价提上去了，粮食的销售价要顺加。如果不顺加，那又是个购销倒挂。我们确定销价这个机制，一方面要考虑不能购销倒挂，增加国家财政补贴，补贴只能买来一个落后的机制。但是另一方面，也要考虑城市居民能否承受得了，不至于引起物价的大波动，两方面都要照顾。现在定的销价同目前的市价比，没有什么大的提高。购价提了 10%，加上费用，销价也涨不了太多。但是问题在于，我们中间搞了一次挂牌降价。国有粮食企业对几种主要粮食挂牌降了价，如果把现在顺加的销价同挂牌价格比起来，那就涨得很多了。这个问题要考虑，这是中央领导同志非常担心的，怕再来一次“冲击波”。我们考虑既要顺加，又要物价稳定，所以提出一个分步到位的原则。分步到位就是顺加销价的时候分两步。先跨一小步，个别地区甚至暂时不要顺加。过几个月以后，等物价稳定以后再往前跨。这中间会形成一些购销倒挂，无非是要财政补贴一点，由中央和地方共同来承担。

中央定的原则还是分步到位。各省区市可以分散决策，但是要确保一条：绝对稳定。如果一步到位，又不能确保稳定，那么，一个局部问题就可能会成为一个全国性问题了。所以，我们提出来，原则上分步到位，在确保稳定的前提之下，各省区市也可以考虑一步到位或者是第一步跨得大一些。我们是想稳妥一点，分步走比较好。如果一步到位，对于大部分人民群众来说，不是很大的负担；对那些低收入的人来讲，也不是吃不起，但他们的心理会不平衡，怎么又涨这么多呀，有可能造成社会的不安定。因此，党中央、国务院在考虑这个问题的时候，想了很多的办法，确定了几条措施来解决这个问题，这就是：

第一，两种粮食不涨价，一种是标准粉，另一种是标二早籼米。很多低收入群众都是吃这两种粮食的。这两个品种在国有粮店继续挂牌按原价销售，至少三个月以内不涨价。这样就保证了大多数低收入的群众在粮食问题上不受影响。谁来补贴这个钱呢？大家都分担一点，实际上还是中央多拿一点钱。35 个大中城市，再加上农村的贫困地区、重灾区等等，所需要的粮食，由国家把储备粮拿出来。价格要使基层的粮食企业不赔本。我们准备了 100 亿斤到 150 亿斤粮食，保三个月没问题。三个月之后，如果物价稳定了，可以再走一步，那就往前走；如果还是不行，那么再延长，反正我们下定决心稳定物价。这是一个非常重大的措施，这个措施一定要落实。各地区要与内贸部密切衔接。铁道部要把粮食运到销售点或加工点作为压倒一切的任务。保证有充分的粮食储备，有价有市。要估计到尽管有些城市居民现在不吃早籼米，也不吃标准粉，但是当粳米和富强粉涨价以后，可能他们又会吃不涨价的了，所以还得多准备一点。35 个大中城市和重灾区、贫困地区以外的其他城镇，就得请地方政府来保证这两种粮食的平价供应。

第二，定向补贴。粮价涨了，你补多少？前面讲了，全面补贴是不行的。对确实有困难的人，我们要给他们以适当的补贴，钱由中央和地方财政按照隶属关系来承担。补贴范围和标准呢？一是城镇优抚救济对象，按照标准每月补 6 元钱。二是军队和武警官兵。按照军粮供应办法，算出来差价是多少就补多少，中央和地方财政各分担 50%。三是大中专学生，平均每人每月补 5 元钱。不过，这个钱是补贴到学校，具体如何补贴到学生由学校来决定。不可能平均去补，学生也有贫有富，不要规定那么死。其他需要补贴的对象，笼统一点，让地方政府决定。

第三，对于吃返销粮地区的农民，从各省粮食风险基金中补助。粮食风险基金有两种。一种是中央风险基金，就是支付国家储备粮的费用和利息。另一种是地方风险基金，用于两个方面：一是刚才讲的为了维持市场价格、稳定粮价，必须吞吐粮食。这里产生的费用，如果没有一笔基金来支持，就吞吐不了。二是用于补贴吃返销粮地区的农民。这个如何补贴，完全由地方政府决定。我们只负责帮助地方建立粮食风险基金，不去决定具体用途。中央财政每年拿出32亿元分给地方政府，帮助地方政府建立粮食风险基金。地方财政拿出的资金，中央原则上规定是按1∶1.5的比例安排。但有些同志说，地方按1.5拿太高了，没那么多钱，或者说也不需要那么多钱。反正要能够维持稳定才行。

第四，为了使粮食系统有能力支持粮价的分步到位，必须给粮食系统以政策支持。我们决定根据去年中央11号文件〔1〕精神，落实粮食挂账停息。按照文件规定，今年6月30日以前，大家要报来过去的挂账，其中多少是属于政策性的，我们再核定。核定以后，逐步把利息给停了。我们希望多停一点，快停一点。但是，大家要想在一年内都把它停了，恐怕财政也受不了。我们尽可能地做吧。大体上需要多少钱呢？我们算了一下，按照1991粮食年度界限，450亿元的粮食挂账，属于政策性的有275亿元，一年的利息近30亿元，如果都免了，今年财政恐怕受不了，但总归要免掉相当大的部分。这样，粮食系统的经营状况就会好转一点。拿了这笔钱，一个是为了维持稳

〔1〕中央11号文件，指1993年11月5日《中共中央、国务院关于当前农业和农村经济发展的若干政策措施》。

定，粮食销价分步到位，如果出现购销倒挂，就得补贴。另一个是还账。进口的粮食没给钱，欠得最厉害的一个是内蒙古，还有辽宁、湖南、湖北。还是把钱还了吧，这个钱还了，债务链就解开了。千万别把这个钱吃掉，或者盖大楼，或者干别的什么了，炒房地产、炒股票，那是绝对不允许的，不许挪用。

第五，要做好应变准备。采取了这么多措施后，我还是不敢说万无一失。就是怕万一粮食牌价这么一变，导致或者是抢购粮食，或者是抢购其他副食品，或者是抢购工业品。大家要做好一切准备，该储备的一定要储备，一旦发现市场上抢购什么东西，限价没有用，只要把库存一抛，马上就稳住了。铁道、交通，还有港口，都得保证把粮食运到位，运到销售点。我看这个问题不太大，抢购也抢不垮我们，库里有的是粮食。食用油没什么可抢购的，为什么呢？根据各地的信息，油菜子都是丰收的。而且，我们进口了 80 万吨食用植物油。国际油价很低，我们买 80 万吨油，并没有把价格抬上去，还稍微有些降低，马上就陆续到货，所以食用植物油的库存是充足的，不怕抢购。我最担心的就是猪肉，各地情况不一样，有的地方猪肉库存多，有的地方恐怕不行。要及早储备一些，价格上扬就抛嘛。

全国四种主要粮食，稻谷多提一点价，因为稻谷价格在去年 11 月提前到位了，同时也是为了鼓励早籼稻的生产。小麦少提一点价，因为小麦价格没有到位。这次小麦价格提得也真不少。玉米不提价，因为玉米关系到饲料，饲料价格现在涨得很高，再提玉米价格，饲料还得涨价。如果饲料价格再涨，肉、禽、蛋也跟着再涨价，那就不得了。所以，现在玉米不提价，物价部门要把饲料价格管住。大豆价格略有降低，由于现在大豆出口看好，有些地方在那里抬价抢购，要加强管理。有的同志希望玉米再多提点价，我们不是不愿意多提，而是担心饲料价格再涨上去。基本上是这个原则，但是也不能保证肉、禽、蛋一点不涨价。因此，大家要加强市场管理，对于其他比较紧缺的商品也都要有一定准备。我估计问题不会太大，但总要有足够的准备。所以，请各地在这个时候不要搭车涨价了，不要趁粮价调整之机乱涨价，无论如何要管住。现在上海搞了反暴利法规，反对垄断价格，反对扰乱市场，大家都可以立法，把市场管住。

我想，在采取了以上这五项措施以后，基本上就可以把市场稳定下来了，不会引起太大的波动。

第三个目标，就是加强市场管理，形成一个真正现代化的粮食市场。这次我们搞了一个文件〔1〕，还比较粗，但意思都有了，那就是不许非国有粮食批发企业到农村抬价抢购，要买就到县以上批发市场购买，只能由当地国有粮食批发企业到农户去收购。对进入粮食市场的批发企业，第一，工商管理局要管理。得有批发商的资格，有流动资金，有存储的场地，有一定的资信。要经过审定才能入场。第二，税务局要管。要交税，不能到场外交易，偷税漏税。加强市场管理，已经成为我们现在能不能实现这三个目标的一个非常重要的问题了。同志们，你们各地都要自己管住市场，无论如何也要把它管起来，不要怕人家指责。我有充分的根据说明，市场经济条件下的粮食市场都是由政府管理的。国家计委发了个电报给我国驻各个国家的大使馆，各大使馆都回了文，说明国外的粮价是怎么管的，农产品市场是怎么管理的，没有哪个政府是不管的。政府不能够放任自流，这一条非常重要。我想，只要大家共同努力，粮食市场是可以管得住的。

〔1〕指 1994 年 7 月 2 日国家工商行政管理局、国家粮食储备局下发的《关于加强粮食市场管理，做好粮食批发企业清理工作的通知》。

1994 年 4 月 15 日，朱镕基在黑龙江省哈尔滨市考察粮库。右一为国家计委副主任郭树言。

二、现在是进行粮食价格和购销体制改革的一个最好的时机

当前的宏观经济形势是好的，比去年要好得多，是有利于实行改革的。当然，目前物价有点不稳定，今年 1 到 4 月份的居民消费价格指数是 20%，但是这个 20%有“翘尾巴”的因素，因为去年第一季度物价还没有涨上去，是去年 11 月暴涨上去的。因此，今年第一季度就显得高了一些。国家计委计算了一下，这次粮食购销价格调整，从全国来讲，只影响物价指数上升 1%，不会影响很多的。如果能稳定在这样一个水平的话，物价指数越往后会越下降。到第四季度，我看基本上物价的上升幅度就不大了。这样，全年物价涨幅维持在

10%或者超过一点，问题也不是太大。只要能够保证低收入群众的生活水平不受很大影响，我看局面稳定是可以维持的。所以，这是个好的条件。

但是，实现上述三个目标，维持大局的稳定，也不是那么容易，难度还是很大的。原因是人民群众的心理状态还不稳定，对于涨价的心理预期还是比较大的。已经有两次“冲击波”了，一次是去年11月份开始的粮价暴涨“冲击波”，今年三四月份又来了一次。而后面这次还是去年粮食涨价风波慢慢往北方地区波及造成的。粮食价格一涨，其他东西跟着乱涨价。这次粮食价格动一下，尽管采取了上述五项措施，也难说一点物价波动都不会发生。因此，希望大家要认识到这次粮食价格和购销体制改革是今年改革的最后一次决战。这一仗打完了，如果物价没有太大的波动，谢天谢地，形势大好。如果这一仗打输了，来一次物价大波动，今年好的形势就给冲掉了。无论如何请同志们不能掉以轻心，回去后一定向你们的省委书记、省长汇报，就说江泽民同志、李鹏同志委托我在这个地方向同志们呼吁，一定要重视这次粮食的调价和购销体制的改革，不能出半点差错，保证万无一失。中央领导同志很忧虑，担心我们工作没有做好，引起一场物价大波动，引起人心的不稳定。通过几次会议，应该说中央和地方领导干部统一了认识。可是，下面的干部和群众是不是理解我们的想法，就不一定了。因此，这次一定要做好党内的思想动员工作。我们搞了一个宣传提纲，将很快以党中央、国务院的名义发给大家。为什么要用党中央、国务院的名义呢？就是要引起省委书记、省长的重视，这件事情太大了，希望他们要亲自抓。程序上还是采取我们传统的办法，先党内、后党外，先领导、后群众。要按照统一的宣传提纲，结合当地情况，把理由讲透，说明为什么要做调整，怎么个调整法，党中央、国务院是如何关心大家生活的，采取了什么措施来保证市场的稳定，条件是如何的好，现在形势是如何的好。绝对不会发生大的连锁反应。要安大家的心啊！有个前提，大家要遵守纪律，不要自相惊扰、庸人自扰，扰什么呀？不会发生什么大的问题，不会影响大家的生活水平嘛。各地要规定几条纪律，党员干部绝对不允许在这个期间上市场去抢购任何物资。谁这么干，要给谁纪律处分。这一点你们回去一定要跟省委书记、省长讲清楚，请他们亲自挂帅，把今年改革方面的最后一次战略决战打好。这一仗打好了，农业就稳定了，今年什么事情都好办。同志们，我希望我们大家高度重视，同舟共济，齐心协力，把这一仗打好。

纪念宦乡同志 *

（1994 年 5 月 29 日）

宦乡同志是我国著名的国际问题专家、杰出的外交家和社会活动家。他在许多领域里造诣很深，建树甚多。作为一位学者，他在长达半个多世纪的学术生涯中，为我们留下了大量的作品。这些作品既记录着宦乡同志个人的思想脉络和学术贡献，也折射出一个时代的历史进程，其中不少文章至今仍对我们富有启发和借鉴价值。继出版《纵横世界》和《纵横世界续编》之后，世界知识出版社又准备出版《宦乡文集》。这本文集收集了宦乡同志从 1941 年到 1988 年的近 50 年中，在报刊上公开发表的论文 160 余篇。作为他生前的老朋友，我应宦乡同志的家属和他生前所在单位——中国国际问题研究中心的要求，怀着真挚的友情和深切的思念为这本文集写一点心里的话。

我与宦乡同志相识相处的时间不长，相知却比较深。我们彼此从事的工作不同，从来没有在一个单位共事。只是在 1987 年年末，我率中国代表团参加在美国夏威夷召开的太平洋论坛会议，他作为代表团的顾问，我们朝夕相处了一段难忘的时光。平时，我们曾经有过许多次促膝深谈，只要有机会，我们彼此就愿意交换对一些问题的看法。特别是 80 年代末，他身患重病在上海治疗期间，我多次前去探

* 这是朱镕基同志应邀为《宦乡文集》撰写的序言，原标题为《心里的话》。编入本书时，对个别文字作了订正。

视，每次都要谈很长时间。宦乡同志博古通今，学贯中西，对许多问题都有精深独到的见解，与他交谈可以得到很多启发。同时，我不能不为他的忧国忧民、直言无惧，以及他在生命最后时刻表现出的对国家、对人民的深沉关切，对自己生命力的信心所感动。

已经记不清我们第一次见面的时间，但是我对宦乡同志是心仪已久。宦乡同志在我国报界、外交界和学术界，都有着不可磨灭的地位。

宦乡同志在青年时期带着强烈的爱国主义和民主主义思想，参加了进步的社会活动。1938 年，他年仅 29 岁就出任国民政府第三战区《前线日报》总编辑，投身抗战宣传，发表了许多具有鲜明战斗性的文章。在此期间，他逐步接受了中国共产党的思想影响。抗战胜利后，他来到上海，1947 年担任《文汇报》副主笔，1948 年 6 月加入中国共产党。1949 年上海解放前夕，在党组织的安排下，他来到刚刚解放的天津，担任《进步日报》总编辑；不久即到北京参加中国人民政治协商会议筹备工作，任筹备处副秘书长。

新中国成立后，宦乡同志从新闻界转到外交界，任外交部欧洲司司长；1954 年奉调出使英国，担任驻英代办处常任代办；1962 年回国后，任外交部部长助理兼研究室主任；1976 年恢复工作后，奉调出使欧洲共同体，兼任驻比利时、卢森堡大使。在外交战线，宦乡同志表现出杰出的才智和大国外交家的风度，为我国的外交事业作出了贡献。

1978 年回国后，宦乡同志又从外交界转到学术界，任中国社会科学院党委书记、副院长。1982 年，他负责组建国务院国际问题研究中心（1988 年更名为中国国际问题研究中心），并任该中心的总干事。这一时期，他在组织和推动全国对国际问题的理论和政策研究、建立和发展我国的国际关系学科、培养研究国际问题的年轻人才、广泛开展对外学术交流和民间外交等方面做了大量工作。十多年来，他发表了大量研究报告和学术论著，受到国内外的广泛重视。他卓越的学术成就，使他成为我国当代最著名的国际问题专家，在国际上也享有崇高声誉。

宦乡同志的品格同他的学识一样令人钦佩。在宦乡同志身上，有一种强烈的正义感，有一种"死犹未肯输心去，贫亦其能奈我何"〔1〕的气概。他常引用一句古人的话："用心于正，一振而群纲举；用心于诈，百补而千穴败"〔2〕，来表明他的人生观。纵观宦乡同志的一生，他确实是敢于说真话，从不说假话，为了坚持真理，虽九死而无悔，他的言行是一致的。从他的履历来看，新中国成立前，他长期工作在上海等大城市，活动在知识界和上层社会；新中国成立后，他多次出任驻西方国家的使节，在世界著名政治活动家和知名学者聚集一堂的国际会议上，用流利的英语侃侃而谈，词严义正。可以说，他是位十足的"洋派"知识分子干部。难能可贵的是在他的身上，始终保持着农民一般的勤俭朴实的淡泊作风。在我与他的交往中，他简朴的衣着、忠厚而毫无虚饰的言谈，给我留下了极其深刻的印象。在追逐金钱、爱慕虚荣、贪图享乐和一掷万金的风气有所抬头的今天，宦乡同志的这种作风尤其值得提倡。

宦乡同志在生命的最后时刻〔3〕，依然十分乐观。他不介意自己的疾病，却时时心系国家的前途命运。他是带着对祖国和人民的深深眷恋和殷切期望，离开人世的。可以告慰宦乡同志的是，在邓小平同志

〔1〕见明清之际黄宗羲《山居杂咏》。原诗为："锋镝牢囚取次过，依然不废我弦歌。死犹未肯输心去，贫亦其能奈我何！廿两棉花装破被，三根松木煮空锅。一冬也是堂堂地，岂信人间胜著多。"

〔2〕见北宋苏洵《用间》。

〔3〕1989年2月，宦乡同志因患肝癌于上海辞世，终年80岁。

建设有中国特色社会主义理论的指导下，在以江泽民同志为核心的党中央的正确领导下，我们的国家又有了长足的进步。今天写这篇短文，主要是寄托我们对宦乡同志的纪念，同时，也希望这本文集能让读者更多地了解宦乡同志，了解历史，从而得到更多的启迪。

卖地收入首先要用于安置拆迁户 *

（1994 年 6 月 4 日）

椿霖[1]同志并告侯捷同志：

城市拆迁应该有计划、有步骤，量力而行。现在有些城市不顾后果，大量卖地，大量拆迁，置拆迁居民于不顾，这样搞下去要影响社会稳定。应由有关部门联合发个通知，提请地方注意。卖地收入首先要用于安置拆迁户，要国家来背这个包袱是背不起的。请酌。

朱镕基

6.4

---

* 1994 年 6 月 3 日，建设部部长侯捷向朱镕基同志报送《关于请求解决城市拆迁安置住房建设专项贷款资金的紧急报告》，反映各地旧城改造规模大幅度增长，拆迁过渡周转用房严重不足，希望中国人民银行安排 5 亿元的专项贷款，用于沈阳、哈尔滨、上海等 10 个问题比较突出城市的拆迁安置住房建设。这是朱镕基同志在该报告上的批语。

〔1〕椿霖，即何椿霖，当时任国务院副秘书长。

稳定农业生产资料价格 *

（1994 年 6 月 17 日）

在社会主义市场经济条件下，我们发展农业的主要经济杠杆，也就是我们党对农业的主要政策手段，是农副产品价格。近几年，党中央、国务院注意提高农副产品价格，差不多每年都提高 1 角钱左右，尽量使农副产品价格符合市场规律，体现了保护农民的利益。但是这还不够，特别是 1992 年以后，我们在农业政策方面出现了一些问题，比如“打白条”、乱摊派、占耕地等，加之随着乡镇企业的发展，对沿海地区农业比较效益下降等问题估计不足，影响了农业的发展。所以，从去年中央农村工作会议以来，我们进行了多次的调查，投入了很大的精力来研究这个问题。我们一直都在研究怎样做使粮食的价格既能抵消农业生产资料价格的上涨，又能使农民的收入有一定的增加，逐步缩小工农业产品价格剪刀差。现在，我们确定的粮食定购价格，并不是过去意义上的低价，而是一个相当高的价格，国家为此承担了很大风险。所谓“风险”，就是现在的粮食价格比去年的定购价格涨了 40%，比现在的集市价格涨了 10%，这样高的价格，会加重城市居民的生活负担。这个价格比起国际价格，已经不是很低了，但是我们觉得还是应该冒这个风险，因为没有农业这个基础，没有农业

---

* 1994 年 6 月 14 日至 17 日，朱镕基同志在吉林省考察工作。这是朱镕基同志在长春与一同前来考察的国务院有关部门同志研究工作时讲话的一部分。

的大发展，实现整个国民经济的高速发展是不可能的。我们宁愿承担这个风险。

根据我最近一段时间的调查，包括我今天去过的公主岭市凤响乡，农民对现在这样一个粮食价格还是高兴的。许多农民都认为，只要现在的农业生产资料价格不再往上涨，就可以种地了。我们对这一点一定要有足够的估计，不能对即将到来的农业生产高潮估计不足。为什么今年的化肥价格这么高，农民还要种粮？因为农民一算账，种地还是合算的。粮食价格是党的农业政策的核心部分，是调动农民积极性的主要经济杠杆。最近，有一种观点认为，粮食调价推动物价上涨 1.5 至 2 个百分点，而农民得到的实惠，全被农业生产资料涨价抵消了。这个观点是不正确的。农业生产资料价格主要是化肥价格，去年和今年年初就已经涨上去了，现在定的粮食收购价已经考虑到补偿农资涨价以后还有相当大的余地，不然为什么农民的种田积极性大大提高，而化肥到处供不应求？至于粮价调整推动物价上涨，是会有一点，但由于我们采取了周密措施，绝没有那么大影响，粮食的集市贸易价格早就已经涨上来了。我们这次没有提玉米价格，因为玉米价格一涨，饲料跟着涨，肉、禽、蛋也涨。玉米和饲料价格稳住，肉、禽、蛋的价格就上不去，粮价调整的连锁反应就不会大。据我们测算，这次粮食购销价格调整，对整个物价的拉动只有 1%。因此，不能低估这次粮食购销价格改革的积极意义。粮食调价已经取得了成功，调动了广大农民的积极性。要巩固这个成果，农业生产资料价格一定要稳住。这样做可不可能呢？是可能的。因为农业生产资料价格已经涨上来了，已经够本了，如果再涨，高于国际市场价格，就会卖不出去。但是如果当时不涨，继续压企业平价供应，也不行。化肥厂亏损，企业就不干了。把价格压住，结果是没有化肥可买。当然，化肥企业只能保本微利。现在化肥的供应价格大大高于出厂价，是由于流通环节秩序混乱，工厂、农资公司、各种中间环节哄抬倒卖所致，必须整顿。

前些时，《人民日报》发表一位农民的谈话，他说现在不是农业效益低，而是地没有种好，把地种好了，效益不会低。他讲得很好。要提高收入，就要搞精耕细作、多种经营，不然，粮食再提价也是不行的。

下一步，就是要稳定农业生产资料的价格，甚至稍有降低。要实现这个目标，就要对农业生产资料的经营环节进行改革，减少中间环节。从现在开始，需要对几个问题作出决策：第一，压缩农业生产资料销售环节。从今天大家反映的情况和意见看，第一步是否可以考虑把大区的一级站取消，把经营、结算的功能收归内贸部农资总公司。我看已经到时候了，要取消一级站，把省下的流通费用留给农民。第二，各省要像吉林省那样，流通环节最多保留省、县两级，省级批发、县级批零结合，乡镇基层供销社代销。第三，是否要明确实行专营，至少是对化肥。这几点请大家研究。我觉得任何事情都不能绝对化，要发挥主渠道的作用，可以把专营的比例提高一点，但不能搞成绝对的垄断。要允许工厂有点自销，但只能自销到有权经营化肥的单位，而不能销给农民，防止倒卖。多渠道的经营比较灵活。第四，汲取和总结石油流通体制改革的经验，统一定价，统一费率。要有地区差价、品种差价、季节差价、质量差价，但是基准价格必须统一，这是不能动的。物价部门要加强监督管理。国产化肥不统一定价，就会与进口化肥发生矛盾，会出现到处采购、花高价抢购、高价销售，结果是农民吃亏。要按必要环节批发下去，每个环节都有统一的费率。这样可以把费用降低一点，供销企业搞一些多种经营，分一点人员出去，不能都去“吃”农民。供销社要进行体制改革，精减人员，改善管理。通过这样一些改革，农业生产资料价格可以基本保持稳定，或

1994 年 6 月 16 日，朱镕基在吉林省公主岭市考察农贸市场。前排右五为农业部副部长万宝瑞。

者说稍有降低，使农民从中真正得到好处，种田的积极性就会得到巩固。我看，农业发展的高潮就会到来，整个国民经济持续快速健康发展就有了基础。

对平抑与粮食有关商品价格的意见*

（1994 年 6 月 17 日）

椿霖[1]同志：

可印发有关部门负责同志研处。玉米、饲料未涨，肉禽蛋涨价是哄抬，要提请有关省市注意组织货源，加强市场供应和价格管理。化肥要赶快把进口化肥拨下去，告化工部开足马力生产，同时，要抓紧农资流通环节的整顿、改革（我在吉林调查，已有初步意见）。食用植物油按现价不会亏损了，关键是内贸部要把库存通通拿出来供应市场，平抑油价，不要怕库存放空，用进口油来补上库存。

许多地方都反映这次粮食销价提价幅度大大超过购价提价，粮食系统加工费用打得太高，结果粮店价格比集市贸易还高，这是不可能维持下去的，而且会鼓励农民、个体发展粮食小加工厂。此事请白美清[2]同志认真研究。顺告，吉林省改革进展顺利，粮价、物价都无波动。

---

* 1994 年粮食价格改革方案出台后，实施顺利，市场平稳。但也有部分市地反映，出现了与粮食有关的部分商品价格有所上扬、少数地方农民对农资实行最高限价的呼声较高等问题。这是朱镕基同志在 1994 年 6 月 17 日《粮食价格改革信息专报（九）》上的批语。

〔1〕 椿霖，即何椿霖，当时任国务院副秘书长。

〔2〕 白美清，当时任国内贸易部副部长兼国家粮食储备局局长。

（请席德华[1]、罗植龄[2]、杨昌基[3]、刘山在[4]、马李胜[5]、许宗仁[6]、贺国强[7]、万宝瑞[8]同志阅）

朱镕基
6.17

〔1〕 席德华，当时任国务院副秘书长。

〔2〕 罗植龄，当时任国家计划委员会副主任。

〔3〕 杨昌基，当时任国家经济贸易委员会副主任。

〔4〕 刘山在，当时任对外贸易经济合作部副部长。

〔5〕 马李胜，当时任国内贸易部副部长。

〔6〕 许宗仁，当时任国家粮食储备局副局长。

〔7〕 贺国强，当时任化学工业部副部长。

〔8〕 万宝瑞，当时任农业部副部长。

着力改善国有企业经营管理*

（1994年6月21日）

1991年，我为清理三角债到过辽宁，1993年也来过一次。总的感到，这几年辽宁省的经济工作在省委、省政府的正确领导下，基本建设、基础设施方面都有很大的变化，各方面都取得了很好的成绩。特别是在农业方面，抓得很有成效，粮食基本自给，粮食亏损在银行的挂账没有增加。通过发展多种经营和乡镇企业，农民的收入增加了。但我也要提醒，乡镇企业要巩固、提高，要看到这里面很多是水分。搞得不好还会掉下来，这方面要多做扎扎实实的工作。

问题有一个：国有企业还是没有太大的起色。应该讲，我们错过了一个很好的历史机遇。1991年我来辽宁，那是最困难的时候，因此国家减少辽宁省财政上缴的基数15亿元，对辽宁给予了很大支持。当时我就讲，国有企业要加强内部管理，搞内涵式扩大再生产，加速技术改造，加强经营管理，不能搞外延式扩大再生产。但是现在有些厂长的口气大得不得了，放言敢于"负债经营"。1992年，我就批判过这个口号。什么敢于负债经营？实际上是敢于赖债经营。借钱还得起是企业家，还不起是赖债。我特别强调企业要加强管理，加强技术改造，一再讲这件事。1992年下半年，经济形势好得很。投资拉动

---

* 1994年6月18日至21日，朱镕基同志在辽宁省考察工作。这是朱镕基同志在听取省委、省政府工作汇报后讲话的主要部分。

首先是拉动重工业，辽宁省是重工业基地，所以日子好过了。那时买钢材是要预付款的，我听说某机床厂积压了几年的机床全卖了，这是千载难逢的机遇，本应该抓住机遇把国有企业搞好，增强应变能力。结果还是搞原来那一套，稍微有一点钱就大发奖金，大搞基本建设，大铺摊子。结果，经济一过热，宏观调控一来，需求减少，国有企业就又陷入了困境。当然，国务院的宏观管理也有失误，钢材、石油的进口没有控制住，加大了辽宁省作为重工业基地的困难。我这次到辽宁省来，又请了十个企业的厂长开座谈会。厂长们的讲话还是那一套，还是讲国家如果给他几个亿，就能扭亏为盈，根本没有看到辽宁省国有企业的问题在哪里，这么搞下去就是恶性循环。我不是说辽宁省工业企业这两年没有一点进步，但可以说进步甚微，特别是企业管理没有多大改变。我这里说得尖锐一点，给大家敲敲警钟。

我想就搞好国有企业讲几点意见，供同志们参考。

第一，不论是从全国来看，还是从辽宁省来看，当前国有企业的经营状况并没有比以前更坏，而是比过去有所改善。这一点是基本观点。不能把国有企业说得一塌糊涂，似乎越来越坏，搞得人心惶惶，不是这个情况。据今年 1 月到 5 月的统计，全国国有企业亏损面是 49.5%。但实行“两则”[1]以后把暗亏变成明亏，实际上去年的亏损面比这大得多，在 60%以上，现在亏损面比去年是减少了。企业实现利润表面上比过去减少了，实际上是增加的，这是因为一大部分进入了成本，留利减少，而实际效益是增加的。一些好的国有企业都变成合资企业了，剩下的是基础原材料企业。这些企业本来就困难，效益低，比不过“三资”企业。国有企业亏损面 49.5%是按企业个数计算的，中小企业个数很多，实际产值占的比重并不大；如果按销售产

〔1〕“两则”，指《企业会计准则》、《企业财务通则》。

值计算的话，国有企业亏损面是27%，不是49.5%。所以，不要夸大国有企业的困难。所谓“许多企业停产、半停产”，我们通过调查得知，这些企业大部分是过去早就停产了，如小化肥厂早就停产了。半停产是开工不足，我们搞了这么大规模的生产能力，怎么能开足？是足不了的。

第二，国有企业困难的主要原因绝对不是资金不足，其原因复杂得很。我们并不轻视国有企业的亏损面比较大、困难比较多，但是对产生的原因要全面分析。它的原因很复杂，不能否认资金紧张是原因之一，但不是主要原因。现在看得很清楚，国有企业的主要问题是由于宏观调控一来，投资的拉动减弱以后，那些粗制滥造的产品供过于求，卖不出去。轻工产品滞销是由于农村的市场没有打开，而生产能力又大得很，生产的东西没有市场。特别是“三资”企业、乡镇企业，发展速度达到20%、30%，它们的优越条件多，国有企业的市场被它们抢了。国有企业主要还是市场问题，不是资金的问题。如果是真正有市场、有效益的产品，任何一家银行都会支持的。问题是你生产的东西卖不出去，钱收不回来，如果再给你贷款，那就只有多发票子，结果就是通货膨胀。

第三，对当前国有企业的问题怎么去解决呢？辽宁省和全国不一样的是，国有企业比其他地区的更困难一些，今年比去年没有多大的改善。从全国看，国有企业是比去年好；辽宁省比去年差一些，但差得也不是太多。

怎么解决这个问题？从根本上讲，是要进行现代企业改造。这个问题很复杂，要一步一步地过渡。明年改革的重点要放到国有大中型企业上来，通过转换经营机制搞好国有企业。我认为辽宁省当前国有企业的问题，归根到底是管理的问题。企业从上到下缺乏管理的意识，缺乏管理的基本知识，管理的水平比全国要低一个等级，比沿海地区低不止一个等级。现在不去改善经营管理，而是搞什么新的花样，改变不了辽宁省国有企业的状况。发个股票、发个债券、搞个什么集团，这些都解决不了根本的问题。怎么改善企业经营管理？我讲三条：

首先，要政企分开，政企分开的前提是选择好厂长。政企不分开，工厂没法履行自主经营权，厂长也不会对经营状况负责。如果厂长选择不好，政企分开后，政府啥也不管了，那是最糟糕的。我今年到天津去，天津的工业企业亏损面比较小，市委决定由市委常委负责，分头下去抓扭亏，一个常委抓一个企业。企业搞得好坏，怎么能由市委常委负责呢？那是厂长的事，应该是他抓扭亏，怎么由你们去负责扭亏呢？另外，市委常委、副市长带人去搞扭亏，他们了解工业吗？有的副市长根本不懂工业，也分一个工厂给他，下去怎么抓？扭亏得看市场的变化，要看机遇能不能抓住、产品有没有销路、技术改造能不能跟上去，这得有个周期。要限期扭亏，就得给企业吃偏饭，因为市委常委手里有权，那就越扭越乱了！因此，政府只能做这样的事：第一，选拔领导班子。要看是不是把工厂搞好了、是不是有效益，不要听他们吹的那些东西。第二，创造一个好的宏观环境。就是要执行国务院的文件规定，不能以感想代替政策，制定“土政策”是不行的。我这次只来了三天，发现你们有好些做法肯定不是市场经济的做法。有些厂长，包括一些政府部门，不是按政策和市场规律办事，而是想怎么干就怎么干。第三，政府对企业实行监督，主要监督企业是不是按国家的政策办事、经营战略对头不对头，不是去干预企业的具体经营，而是对其战略思想进行审核。可惜，有些政府部门不是这么做的。农业银行有一个调查报告，讲本溪石油化工厂，生产洗涤剂的，1989 年以前是个很好的工厂，盈利。1989 年开始搞技术改造，进口设备，本来请外地人来施工，市长出面干预说，钱不能让外地人赚去，只许本地施工队伍施工。一拖一年半，时机错过了，市场需求没有了，产品销不出去，于是从1989年开始就背上包袱、连年亏损，1990年到1993年累计亏损3000万元。还有潜亏，大量的产品堆在仓库里，产品报废4000万元。现在是企业资产1亿元，债务1.4亿元，严重的资不抵债。这个工厂这么多年没有人去管？市里不去了解、不去整顿领导班子，却把全市的各部门找到石油化工厂召开现场抢救会，决定了几条政策都是瞎胡闹。原来总厂有12个车间，现在12个车间都变成法人，自主经营，过去的债务不管了，由总厂负担。这个现象叫“大船搁浅，舢板逃生”，船沉了，总厂搞几个人在这个地方守着，其他车间都坐舢板逃生了。就是把1.4亿元的债务留给国家，利息不交了，债务说是总厂认了，总厂不生产，怎么承担债务啊？实际上是永远不还。市场经济都这么个干法，不能想象！所以，领导班子得选拔好，政府不要瞎指挥。如果政府都去管企业，只会越管越乱，是帮倒忙。代替企业去搞经营，最后发不出工资，工人必然游行来找政府。发不出工资应该去找厂长呀，把厂长撤了，整顿就行了嘛。要下决心整顿这些企业，选拔一些能干事、不耍嘴皮子的人。政府部门瞎指挥，追求政绩，怎么能办好企业？

其次，厂长必须有市场观念和质量意识。这是管理的基本要领。搞市场经济，不去研究市场，不搞出一两个拳头产品，保持质量信誉，怎么能够在市场立足呢？没有产品方面的优势，怎么能有立足之地？我发现辽宁省很多厂长根本不懂经营管理。搞技术出身的人当厂长，有些是不行的。既有生产技术知识，又懂经营管理，当厂长是可以的。可惜得很，现在有很多厂长连报表都看不懂，连报表都说不清楚，怎么当厂长？要对这些厂长进行启蒙教育。现在是搞市场经济，对厂长应有严格的要求。过去在计划经济时代，对厂长的要求也是很严的。当时企业的内部管理还是可以的，现在企业的内部管理比那时差多了。有些企业情况刚好一点，市场好一点，马上就不顾一切地增产，产品粗制滥造，质量出问题，就是这样自己把信誉丢掉了。有了一点钱不是去补充自有资金，而是大发奖金、铺摊子，市场一变化，结果什么家底也没有，只好躺在国家身上。厂长不经过认真的培训、考核，主管部门随便派一个自己认为可以的人去当厂长，这样做危险得很。

最后，投资总得讲求效益。钱花出去是要还的，借钱得付利息。辽宁省三个项目搞得不是太好，抚顺乙烯、盘锦乙烯、锦西化肥，原料都没有，搞什么化工？越往后原料越少，而且设备的规模也太小，没有经济效益，进口设备花的钱多得不得了，背上了沉重的负担。锦西化肥用海洋石油气，价格也高得惊人，这怎么能行？

你们要教育厂长，把重点放在内涵式扩大再生产、加强技术改造、加快产品结构的调整上，要选准产品，不要铺张浪费。好多项目看起来效益很好，其实一点效益也没有。总的来讲，解决国有企业当前困难的关键，是加强企业内部管理。以为搞个什么集团就有钱了？本来一个厂子自主经营搞得很好，一进入集团谁也不负责了。我们的管理水平这么差，连一个小厂子都管不好，还有什么资格去当集团董事长、总经理？总之，现在辽宁省的国有企业管理水平还不行，不要好高骛远。我讲这点意见，绝对不是泼冷水，是要求调整结构，特别是调整厂长。

我觉得东北的工人阶级是好的，是有优良传统的，吃苦耐劳，听党的话。职工队伍是好的，搞好国有企业是有基础的。只要我们政企分开，抓好企业领导班子建设，认真抓好经营管理，我相信东北的国有企业是一定能够搞好的。

关于加快纺织行业结构调整的批语*

（1994年6月22日、7月17日）

一

（1994年6月22日）

椿霖[1]、克智[2]同志：

首先要限产压库，把超产的棉花（一个月用量）压回来；其次要抓住停产整顿这个机遇，加快纺织行业的改革、改造、调整结构、提高质量，上一个档次；进口棉花不可能很多，把原计划中不拟进口的单位的指标，调整给需要增加进口的单位，进口总量先不必调整，此

---

* 这是朱镕基同志关于加快纺织行业结构调整的两次批语。

一、1994年6月初，国家经济贸易委员会、中国纺织总会向国务院领导同志提交了《关于缓解纺织行业严重困难的紧急报告》，反映当时纺织行业的主要问题是“纺棉短缺的矛盾日益尖锐，北京、上海两市纺棉约有一个月的缺口，其他省市原料缺口在两个半月左右……纺织工业正常运行受到严重影响”。这是朱镕基同志在该报告上的批语。

二、1994年7月，中国纺织总会向朱镕基同志提交了中共上海市工业工作委员会、市经济委员会和市纺织工业局关于对上海第九织布厂停产、转产问题的调查报告，反映上海第九织布厂停产、转产过程中出现的问题，提出了一系列值得重视和吸取的经验教训：要大力做好宣传教育工作；要认真做好职工思想政治工作，妥善安排职工就业和生活；停产、转产的企业要有强有力的领导班子，要尊重和发挥工人的主人翁地位和作用等。这是朱镕基同志在该报告上的批语。

〔1〕椿霖，即何椿霖，当时任国务院副秘书长。

〔2〕克智，即张克智，当时任国务院副秘书长。

事请国家计委及时办理；进口涤纶，先要做调查，能用多少？效益如何？现在不能新开减免税口子（多进口涤纶，是企业行为，不要从上面组织，哪个企业要进口，按进口产品管理办法，银行可以保证资金和外汇）；对停产企业，纺织总会要会同地方政府和银行共同调查，及早作出妥善安排。

朱镕基
6.22

二

（1994 年 7 月 17 日）

忠禹〔1〕、文英〔2〕同志：

由于棉花减产、棉纱超产，在今年新棉上市前，势必有相当一部分的棉纺织厂要停产、半停产一两个月之久，这也有利于纺织工业整顿、调整、改造、改组，并且也一定会有一些工厂需要转产、兼并、迁移。关键是从现在起就要抓好、抓紧纺织职工的思想政治工作和生产、生活安排的准备和部署。这是关系到 300 万纺织工业职工群众和社会稳定的大事，务请全力关注，切实办好。国家将从各方面给以必要的支持。你们提的意见很好，但要认真抓落实。

（上海第九织布厂转产中的问题和你们的意见可以在纺织工业系统通报）

朱镕基
7.17

---

〔1〕忠禹，即王忠禹，当时任国家经济贸易委员会主任。

〔2〕文英，即吴文英，当时任中国纺织总会会长。

忠实、文英同志：由于棉花减产、棉纱超产，在今年新棉上市前，势必有相当一部分的棉纺织厂要停产、半停产一、二个月之久，这也有利于纺织工业整顿、调整、改造、改组，并且也一定会有一些工厂需要转产、兼并、迁移。关键是从现在起就要抓好、抓紧纺织职工的思想政治工作和生产、生活安排的准备和部署。这是关系到三百万纺织工业职工群众和社会稳定的大事，务请全力关注，切实办好。国家将从多方面给以必要的支持。你们提的意见很好，但要认真抓落实。

（上海第九织布厂转产中的问题和你们的意见可以在纺织工业系统通报）

朱镕基
7.17.

朱副总理：

对上海市李家镐同志反映上海第九织布厂停产、转产中的问题，上海市工业党委、市经委会同市纺织工业局进行了调查，并提出处理意见。现将上海市工业党委、市经委和市纺织工业局的调查报告送上，请阅示。

对上海第九织布厂停产、转产中出现的问题，我们研究后，认为有以下值得重视和吸取的教训：

1、要大力做好宣传教育工作。纺织主管部门要通过新闻媒介，大力宣传当前纺织工业调整改造的必要性和紧迫性，要使社会各界了解纺织、理解纺织和支持纺织。要使纺织行业的广大职工充分认识目前纺织工业所处的地位，发挥主人翁作用，自觉主动做好调整、改造和改组工作，以使纺织工业逐步走出困境，得到振兴和发展。

2、要认真做好职工思想政治工作，妥善安排职工就业和生活问题，生产企业关停并转迁，与职工利益密切相关，必须下大力量做艰苦细致的思想工作，特别是对下岗待业职工、离退休职工的生活问题，要按中央和国务院的有关规定，深入进行调查研究，认真听取职工的要求和意见，尽力予以妥善解决。

3、停产、转产的企业要有强有力的领导班子，要尊重和发挥工人的主人翁地位和作用。企业的停产、转产方案要认真听取工人群众的意见，要经工人或职代会

1

责任编辑：王一禾　洪　琼　陈光耀
责任校对：吴海平　徐林香
装帧设计：曹　春

图书在版编目（CIP）数据

朱镕基讲话实录．第一卷／《朱镕基讲话实录》编辑组　编．
－北京：人民出版社，2011.9
ISBN 978－7－01－010124－8

I. ①朱…　II. ①朱…　III. ①朱镕基－讲话　IV. ① D2−0

中国版本图书馆 CIP 数据核字（2011）第 154947 号

朱镕基讲话实录

ZHU RONGJI JIANGHUA SHILU

第一卷

《朱镕基讲话实录》编辑组　编

人民出版社　出版发行
（100706　北京朝阳门内大街 166 号）

北京新华印刷有限公司印刷　新华书店经销

2011 年 9 月第 1 版　2011 年 9 月北京第 1 次印刷
开本：700 毫米 ×1000 毫米 1/16　印张：33.75
字数：406 千字　插页：2

ISBN 978－7－01－010124－8　定价：82.00 元

邮购地址 100706　北京朝阳门内大街 166 号
人民东方图书销售中心　电话（010）65250042　65289539

中国财政经济出版社联合发行